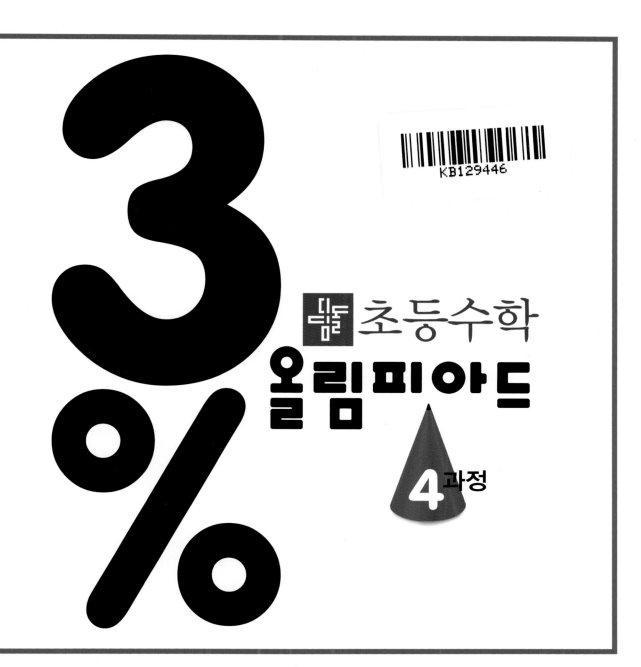

3%

KB129446

디딤돌 초등수학

올림피아드

4과정

디딤돌

4과정

디딤돌 초등수학 3%올림피아드 4과정

펴낸날 [초판 2쇄] 2012년 1월 3일 [개정판 4쇄] 2021년 7월 6일

펴낸이 이기열

대표저자 피원아

펴낸곳 (주)디딤돌 교육

주소 (03972) 서울특별시 마포구 월드컵북로 122 청원선와이즈타워

대표전화 02-3142-9000

구입문의 02-322-8451

팩시밀리 02-338-3231

홈페이지 www.didimdol.co.kr

등록번호 제10-718호 | 구입한 후에는 철회되지 않으며 잘못 인쇄된 책은 바꾸어 드립니다.

이 책에 실린 모든 삽화 및 편집 형태에 대한 저작권은 (주)디딤돌 교육에 있으므로 무단으로 복사 복제할 수 없습니다.

Copyright ⓒ Didimdol Co. [2103940]

3%

디딤돌 초등수학
올림피아드

4 과정

디딤돌

⠿ 책 머리에

피원아 선생님
수학을 사랑하는 아이들을 위한 올림이(Olymmee) 선생님
이화여자대학교 수학교육과 졸업
현재 디딤돌넷스쿨 교육연구소 실장
경시반 지도 경력 15년

초등수학 경시 영역은 수업하기에 적절한 교재가 없어 나 자신도 곤란을 많이 겪었었다. 결국 컴퓨터 앞에 매달려 직접 만들어 사용하던 교재가 이 책의 초고가 된 셈이다.

우리나라 교과 과정에는 채택되지 않았지만 초등학생이 수학을 깊이 있게 공부한다면 이러한 내용 정도는 그 현상을 탐구하여 결론을 유도하고 그것을 이용하여 문제를 풀 수 있다고 여겨지는 영역들에서 경시 문제가 출제되고 있는데 이 영역들을 모아 정리해 놓은 교재가 없다는 것이 큰 어려움이었다.

또, 같은 이론이 적용되는 문제들을 모아서 집중적으로 풀어봄으로써 그 개념이 형성되었는지, 적용 연습이 되었는지를 확인해야 하는데 여러 가지 문제들이 뒤섞여 있어서 교재로 사용할 수가 없었다. 뿐만 아니라 쉽게 이해할 수 있는 것과 이해하기 어렵고 적용에서도 까다로운 부분들을 순차적으로 교육시켜야 하는데, 이 또한 체계적으로 구성된 교재를 찾기 힘들다.

더욱 문제가 되는 것은 일부이기는 하지만 초등학생용 문제집에 중등 과정을 배우고 익혀야만 이 이해할 수 있는 방식으로 풀이를 해놓았다는 점이다. 결국 이런 책들을 접한 이들은 초등학생이라 해도 어서 빨리 중등과정을 모두 마쳐야만이 수학을 잘 하는 초등학생이 된다고 생각하기까지 한다. 이 생각은 아주 잘못된 생각이다.

작은 손에 작은 도구를 가지고도 작품을 만들 수 있다.

수학 학습은 이 어설픈 작품을 만들어가는 과정에서 재료의 특성을 파악하고 그것을 이용하여, 때로는 기발하게 활용하며 작업 계획을 세우고 그에 따라 작업을 추진해서 완성시키는 능력을 기르는 것이다. 만약 손이 커지고, 기본 동작에 숙달되고 사용하는 도구가 기능이 많고 제대로 된 도구가 되기까지 기본 동작과 도구 사용 훈련을 하며 기다렸다가는 그 동안 발전시켜야 할 재료를 활용하고 계획을 세우고 작업을 추진하는 능력은 사장되고 결국 작품을 만들 수 없게 된다.

만약 어느 학생이 교과 과정의 속진 수업으로만 수학 영재로 평가 받았다면 그것은 그 학생이 교육받지 않고도 작품을 만들 능력을 타고 난 덕분이다. 작은 손에 작은 도구! 이 때는 여러 재료를 관찰하는 일이 즐겁고, 작품을 만들 궁리가 많고, 만들고 싶고, 만든 후 내려지는 평가에 찌들지 않았을 때이다. 이 때를 다 놓쳐 버린다면 그것은 분명히 불행이다.

나처럼 이런 곤란을 느끼는 선생님과 학부모들이 많다는 디딤돌 넷스쿨의 귀뜸이 내가 수업할 때 사용하던 나의 교재를 책으로 출판하게된 동기가 되었다. 수업을 통해 나름대로 확인한 것이 용기가 되었지만 '책' 이라는 모양새를 갖추어 내놓기에는 아이들이 배울 것이어서 걱정이 크다. 지난 그 때에 좀더 빠짐 없이 준비해 두지 않은 것을 후회하는 마음에 이르면 그만 감추고 싶어지기도 한다. 그러나 지금은 부족한 이 책이 다음 어느 때에 더 좋은 교재가 나오는 밑바탕이 될 것이라는 믿음으로 잠시의 걱정은 접기로 했다.

게다가 이 책의 전과정에 실린 총 2304문제의 풀이를 작은 손과 작은 도구에 알맞도록 써 준 김기주 선생님과 한지철 선생님이 계셔서 아이들과의 수업을 중단하지 않고도 책 펴내는 일을 무사히 할 수 있었다.

이 책으로 공부한 아이들이 수학 공부하는 즐거움을 한껏 느끼기를 바란다.

2004년 6월

3% 올림피아드는 초등학생들이 공부하기에 적합하다고 판단되는 '교과 과정 밖의 영역', '중, 고등 과정에서 배우는 것이지만 초등학생이 현상을 관찰하고 이론을 이해할 수 있는 영역', 그리고 '교과 과정에서 배우는 개념이지만 높은 수준의 문제 해결을 요구하는 영역'들을 144개의 작은 주제들로 분류하여 학습할 수 있도록 구성된 책입니다. 144개의 작은 주제는 학생들이 받아들이기 쉬운 기준으로 분류된 것이고, 초등학생들이기에 한 주제의 크기를 비교적 작게 분류하였습니다.

3% 올림피아드는 실제로 공부하기에 적합한 호흡으로 나열하였습니다. 총 4개의 과정으로 분류되었고, 1개 과정마다 36개의 주제를 실었습니다. 36개의 주제는 일 주일에 두 번 두 시간씩 수업하여 매달 6개의 주제씩 6개월 동안 학습할 분량입니다. 따라서 모든 과정을 마치는 데 2년이 걸립니다. 주 2회 한 시간씩의 초등 교과 과정 수업과 병행하고 경우에 따라 주 1회의 경시대회 실전대비 특강을 더 한다면 이것만으로도 경시 준비를 훌륭히 할 수 있게 됩니다.

3% 올림피아드는 초등학생에게 설명하는 것이 가능하도록 풀이 하였습니다. 1과정은 초등 4학년 교과 과정을 이수했다면 이해할 수 있도록 주제를 선정하고 풀이하였습니다. 마찬가지로, 2과정은 5학년 교과를 마친 상태, 3, 4과정은 6학년 교과를 마친 상태라면 학습이 가능합니다. 물론 3, 4권에서는 중등 과정을 예습하기도 하므로 중등방식의 풀이도 병행하여 실었습니다. 선생님의 도움을 받아야 제대로 깊이있게 이해할 수 있지만 혼자서도 공부할 수 있도록 자세한 해설을 실었습니다.

3% 올림피아드는 초등 5, 6학년 학생이라 할지라도 '올림피아드 1과정' 부터 차례로 '올림피아드 4과정' 까지 마쳐야 가장 큰 학습 효과를 얻을 수 있는 프로그램입니다.

이렇게 구성하였습니다.

이론과 핵심문제

주제에 따른 이론을 정리했습니다.

「핵심문제」로 이론을 적용하는 방법을 배웁니다.
「생각하기」는 초등학생의 창의적 사고를 유도하는 생각의
방향을 제시하고 있습니다.

유제

경시 이론을 응용한 다양한 유제 문제를 통해 스스로 깊이
있게 생각하고 적용시키는 연습을 해 봄으로써 이론을 확실
히 이해해야 합니다.

스스로 해결하도록 노력하되, 생각이 떠오르지 않으면 참고
하세요.

특강탐구문제

경시대회에 완전한 준비가 될 수 있도록 최고 수준의 문제
까지 대부분의 유형을 담아 경시 주제별로 10문항씩 탐구
문제를 실었습니다. 10문항 모두 빠짐없이 풀어 보고, 이
해해야 합니다.

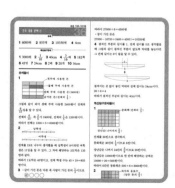

정답과 풀이

주제별로 구성되어 있으며, 문제마다 강의를 듣듯이 서술하
여 이해하는 데 부족함이 없도록 하였습니다. 간결한 설명
을 위해 용어는 간략하게 줄여 사용하였습니다.

CONTENTS 이 책의 차례

- 처음에 정해진 양이 있고 그것이 일정한 비율로 계속해서 늘어나는데, 또 다른 일정한 비율로 계속해서 줄어드는 상황의 문제를 「디딤돌 목장 문제」로 정하였다.
- 문제에서 주어진 두 가지 경우의 차이를 이용하면 「디딤돌 목장 문제」를 쉽게 해결할 수 있다.

핵·심·문·제 **1** 디딤돌 목장에는 매일 일정한 양의 풀이 자라고 있다. 풀을 26마리의 소가 먹으면 5일 동안 모두 먹을 수 있고, 20마리의 소가 먹으면 8일 동안 모두 먹을 수 있다고 한다. 모든 소가 매일 같은 양의 풀을 먹는다고 할 때, 30마리의 소가 먹는다면 며칠동안 먹을 수 있겠는가?

┃생각하기┃ 26마리의 소가 5일 동안 먹는 풀은 처음에 있었던 풀과 5일 동안 새로 자라는 풀이다. 또, 20마리의 소가 8일 동안 먹는 풀은 처음에 있었던 풀과 8일 동안 새로 자라는 풀이다. 이 두 가지 경우의 차이를 생각해 보자.

┃풀이┃ 소 한 마리가 하루에 먹는 풀의 양을 1로 생각하고 식으로 나타내면 다음과 같다.

$26 \times 5 = 130 =$ (처음에 있었던 풀의 양) + (5일 동안 새로 자라는 풀의 양)

$20 \times 8 = 160 =$ (처음에 있었던 풀의 양) + (8일 동안 새로 자라는 풀의 양)

$30 =$ (3일 동안 새로 자라는 풀의 양), (하루 동안 새로 자라는 풀의 양) $= 10$

(처음에 있었던 풀의 양) $+ 5 \times 10 = 130$, (처음에 있었던 풀의 양) $= 80$

30마리의 소가 먹을 경우, 하루 동안 새로 자라는 풀의 양이 10마리의 소가 먹는 분량이므로 처음에 있었던 풀의 양 80이 나머지 20마리의 소가 먹을 분량이다. 따라서 $80 \div 20 = 4$(일) 동안 먹을 수 있다.　　답 4일

핵·심·문·제 **2** 놀이공원에서 입장권을 팔기 전부터 일정한 비율로 계속해서 사람들이 와서 줄을 서고 있다. 2개의 매표소에서 입장권을 팔면 45분만에 줄이 없어지고 3개의 매표소에서 입장권을 팔면 21분만에 줄이 없어진다고 한다. 사람들은 입장권을 팔기 몇 분 전부터 줄을 서기 시작하였는가?

┃생각하기┃ 45분 동안 2개의 매표소에서 입장권을 팔기 시작한 때에 있었던 사람과 45분 동안 새로 오는 사람에게 입장권을 판 것이다. 또, 21분 동안 3개의 매표소에서 입장권을 팔기 시작한 때에 있었던 사람과 21분 동안 새로 오는 사람에게 입장권을 판 것이다. 이 두 가지 경우의 차이를 생각해 보자.

┃풀이┃ 1개의 매표소에서 1분 동안 x명에게 표를 판다고 하자.

$2 \times 45 \times x = 90 \times x =$ (입장권을 팔기 시작한 때에 있었던 사람 수) + (45분 동안 새로 오는 사람 수)

$3 \times 21 \times x = 63 \times x =$ (입장권을 팔기 시작한 때에 있었던 사람 수) + (21분 동안 새로 오는 사람 수)

$27 \times x =$ (24분 동안 새로 오는 사람 수), (1분 동안 새로 오는 사람 수) $= \frac{27}{24} \times x = \frac{9}{8} \times x$

$90 \times x =$ (입장권을 팔기 시작한 때에 있었던 사람 수) $+ 45 \times \frac{9}{8} \times x$

(입장권을 팔기 시작한 때에 있었던 사람 수) $= 90 \times x - \frac{405}{8} \times x = \frac{315}{8} \times x$

1분 동안 $\left(\frac{9}{8} \times x\right)$명의 사람이 새로 오므로 $\left(\frac{315}{8} \times x\right)$명의 사람이 줄을 서려면

$\left(\frac{315}{8} \times x\right) \div \left(\frac{9}{8} \times x\right) = \frac{315}{8} \times \frac{8}{9} = 35$(분) 걸린다. 따라서 35분 전부터 줄을 서기 시작하였다.　　답 35분

유제 **1** 디딤돌 목장의 풀은 매일 자라는 양이 같다고 한다. 소 36마리를 기르면 8일만에 풀이 모두 없어지고, 24마리를 기르면 16일만에 풀이 모두 없어진다고 한다. 소 한 마리가 하루에 먹는 풀의 양이 같을 때, 이 목장에서 계속해서 소를 기르려면 최대 몇 마리의 소를 기르면 되겠는가?

> 하루에 새로 자라는 풀의 양만큼만 먹는다면 계속해서 소를 기를 수 있다.

유제 **2** 어떤 주차장에 정오에 몇 대의 차가 주차되어 있었다. 이 주차장에는 매분마다 일정한 비율로 차가 새로 들어온다고 한다. 4분에 3대꼴로 차가 나가면 오후 1시 20분에 주차장에 남아 있는 차가 없게 되고, 3분에 2대꼴로 차가 나가면 오후 2시에 주차장에 남아 있는 차가 없게 된다고 한다. 정오에 주차되어 있었던 차는 몇 대인가?

> 1시간 20분 동안 4분마다 3대씩 주차장을 나가면
> $80 \div 4 \times 3 = 60$(대)의 차가 나간 것이고, 이 차는 정오에 주차장에 있었던 차와 80분 동안 새로 들어오는 차이다.

유제 **3** 물탱크에 매시간 들어오는 물의 양은 같다. 물탱크에 있는 배수구 8개를 열어 놓으면 5시간 만에 물이 다 빠지고 5개를 열어 놓으면 9시간 만에 물이 다 빠진다고 한다. 3시간 이내에 물을 모두 빼려면 적어도 몇 개의 배수구를 열어야 하는가?

> 물탱크에 처음에 있었던 물의 양과 5시간 동안 들어오는 물의 양의 합은 배수구 8개로 5시간 동안 빠져나가는 물의 양과 같다.

유제 **4** 저수지에 1600t의 물이 있다. 현재대로 물이 흘러들어오면 40일 동안 논에 물을 공급할 수 있는데, 가뭄으로 흘러들어오는 물의 양이 $\frac{1}{3}$로 감소하면 24일밖에 물을 공급할 수 없다고 한다. 가뭄이 들더라도 40일 동안 물을 공급하려면 하루 공급량을 몇 % 감소해야 하는가?

> 흘러들어오는 물의 양이 $\frac{1}{3}$로 감소했을 때, 24일 동안 흘러들어오는 물의 양은 감소하기 전 8일 동안 흘러들어오는 물의 양과 같다.

1 도시락 공장에서는 매일 120kg의 쌀을 구입하여 1000개의 도시락을 만들어 내는데 쌀의 재고량은 변하지 않는다고 한다. 그러나 도시락의 개수를 15% 늘리면 50일 만에 쌀이 모두 없어진다고 한다. 도시락의 개수를 15% 늘려서 90일 동안 도시락을 만들려면, 매일 구입해야 하는 쌀은 몇 kg인가?

2 디딤돌 목장에는 매일 일정한 양의 풀이 자라고 있다. 80마리의 소를 기르기 위해 풀을 모두 베어 소에게 먹이면 7일 동안 먹일 수 있지만, 방목하면 풀이 매일 자라므로 20일 동안 기를 수 있다고 한다. 현재 자라고 있는 풀이 줄어들지 않도록 하려면 최대 몇 마리의 소를 방목하면 되겠는가?

3 현수는 수학경시대회에서 1등을 하였다. 그 때 받은 상금과 매월 초에 어머니께서 주시는 용돈을 합쳐서 3년 동안 매월 4만 원어치씩 수학책을 사서 공부하려고 했는데 매월 5만 5천 원씩 쓰게 되어 2년 후에 다 써 버렸다. 현수가 수학경시대회에서 상금으로 받은 돈은 얼마인가?

4 저수지에는 항상 같은 양의 물이 흘러든다. 저수지에 있는 물을 모두 퍼내는 데 7대의 양수기를 사용하면 8시간이 걸리고, 10대의 양수기를 사용하면 5시간이 걸린다고 한다. 5대의 양수기를 사용하면 몇 시간 몇 분이 걸리겠는가?

5 어느 과자 공장에서는 매일 같은 양의 밀가루를 구입하여 과자를 만든다. 처음에 몇 kg의 밀가루가 남아 있었는데 하루에 560상자씩 과자를 만들면 30일만에 밀가루가 모두 없어지고 하루에 600상자씩 만들면 18일만에 밀가루가 모두 없어진다고 한다. 하루에 600상자씩 30일 동안 계속 만들려면, 매일 구입해야 하는 밀가루의 양을 몇 % 늘려야 하는가?

6 디딤돌 목장에는 매일 일정한 양의 풀이 자라고 있다. 소 36마리를 키우면 12일만에 풀이 모두 없어지고, 소 32마리를 키우면 18일만에 풀이 모두 없어진다고 한다. 소가 매일 같은 양의 풀을 먹는다고 할 때, 소를 48일 동안 키우려면 최대 몇 마리까지 키울 수 있는가?

7 축구 경기장에서 입장권을 팔기 시작할 때, 이미 많은 사람들이 입장권을 사기 위해 줄을 서 있었고, 매분 일정한 비율로 사람이 늘어나고 있다. 3개의 매표소에서 입장권을 팔면 2시간만에 줄이 없어지고, 5개의 매표소에서 입장권을 팔면 48분만에 줄이 없어진다고 한다. 15분 이내에 줄이 없어지도록 하려면 최소 몇 개의 매표소에서 입장권을 팔아야 하겠는가?

8 지하수 저장 탱크에 현재 1200L의 지하수가 들어 있다. 이 저장 탱크에 매일 같은 양의 지하수가 흘러들어오는데 현재대로라면 20일 동안 매일 같은 양의 지하수를 사용할 수 있다. 그러나 가뭄이 심해서 매일 흘러들어오는 지하수의 양이 절반으로 줄어들 경우 하루 사용량을 현재대로 한다면 8일밖에 사용하지 못한다고 한다. 가뭄에도 20일 동안 물을 사용하려면 하루 사용량을 몇 L 줄여야 하는가?

9 똑같은 제품을 생산하는 A, B 두 공장이 있다. 현재 두 공장의 원료 재고량은 B 공장이 A 공장의 2배이고 매일 구입하는 원료의 양은 B 공장이 A 공장의 1.6배이다. A 공장은 매일 일정한 양의 제품을 24일 동안 생산하면 원료가 모두 없어지고, B 공장은 30일 동안 생산하면 원료가 모두 없어진다고 한다. 하루에 생산하는 제품의 양은 B 공장이 A 공장의 몇 배인가?

10 같은 넓이에서 매일 같은 양의 풀이 자라는 넓이가 다른 3개의 목장 A, B, C가 있다. A 목장의 넓이는 $2\frac{1}{4}$ha인데 18마리의 소가 20일 동안 풀을 먹으면 풀이 모두 없어진다고 한다. 또, B 목장의 넓이는 9ha인데 50마리의 소가 36일 동안 풀을 먹으면 풀이 모두 없어진다고 한다. C 목장에서는 65마리의 소가 60일 동안 풀을 먹으면 풀이 모두 없어진다고 할 때, C 목장의 넓이는 몇 ha인가?

- 조건에 맞는 도형이 만들어지는 경우를 빠짐없이 생각하여 개수를 세어 보자.
- n개의 점 중에서 두 개를 뽑아 선분을 정하는 방법의 수는 $n \times (n-1) \times \dfrac{1}{2 \times 1}$ 이다.
- n개의 점 중에서 세 개를 뽑는 방법의 수는 $n \times (n-1) \times (n-2) \times \dfrac{1}{3 \times 2 \times 1}$ 이다.
  이 때, 한 직선 위의 세 점이 뽑히는 경우를 제외하면 삼각형을 만드는 방법의 수가 된다.

핵·심·문·제 **1** 오른쪽 그림은 합동인 정육각형 두 개를 한 변이 맞닿도록 놓은 것이다. 10개의 점 중 세 점을 골라 직각삼각형을 만드는 방법이 모두 몇 가지인지 구하여라.

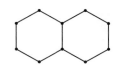

┃생각하기┃ 마주 보는 두 꼭짓점을 이으면 정육각형의 꼭짓점을 모두 지나는 원의 지름이 되므로 직각삼각형을 만들 수 있다. 또, 정육각형의 한 내각의 크기는 120° 이므로 직각이 되도록 세 점을 정하는 방법이 여러 가지 있다.

┃풀이┃ 각 대각선마다 직각삼각형을 4개씩 만들 수 있는데, 한 정육각형에서 원의 지름이 되는 대각선은 3개이고, 정육각형은 2개이므로 $4 \times 3 \times 2 = \underline{24}$(가지)이다.
또, 다음과 같이 4가지씩 만들 수 있으므로 모두 $24 + 4 \times 4 = 40$(가지)이다.

4가지   4가지   4가지   4가지   답 40가지

핵·심·문·제 **2** 오른쪽 그림은 20개의 점을 가로, 세로로 같은 간격이 되도록 늘어놓은 것이다. 이 중 3개의 점을 택하여 삼각형을 만드는 경우는 모두 몇 가지인지 구하여라.

┃생각하기┃ 20개의 점 중에서 3개를 고르는 방법의 수를 구한 다음, 세 점이 한 직선 위에 있는 경우의 수를 빼면 된다.

┃풀이┃ 20개의 점 중에서 3개를 택하는 방법은 $20 \times 19 \times 18 \times \dfrac{1}{3 \times 2 \times 1} = 1140$(가지)이다.

- 세 점을 지나는 직선
- 네 점을 지나는 직선
- 다섯 개의 점을 지나는 직선

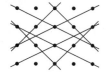 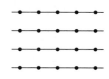

한 직선 위에 있는 세 점을 택하는 방법 : 8가지

한 직선 위에 있는 네 점 중 세 점을 택하는 방법 : $4 \times 9 = 36$(가지)

한 직선 위에 있는 다섯 개의 점 중 세 점을 택하는 방법 :

$5 \times 4 \times 3 \times \dfrac{1}{3 \times 2 \times 1} \times 4 = 40$(가지)

따라서 $1140 - (8 + 36 + 40) = 1056$(가지)이다.   답 1056가지

유제 **1** 오른쪽 도형에서 삼각형은 모두 몇 개인가?

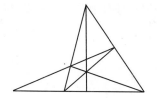

▶ 1칸, 2칸, 3칸, …으로 된 삼각형으로 나누어 세면 정답을 얻기 어려울 때도 있다.

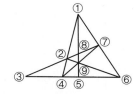

①②⑥, ①②⑦, ①②⑧, ①②⑨, ①④⑤, ①④⑦, ①④⑥, ①④⑨, … 과 같이 세어 보자.

유제 **2** 같은 간격으로 9개의 점을 오른쪽 그림과 같이 그렸다. 4개의 점을 골라 사다리꼴을 만든다면 모두 몇 개를 만들 수 있겠는가?

•	•	•
•	•	•
•	•	•

▶ 평행선을 그을 수 있는 경우를 조사해 보자.

유제 **3** 오른쪽 그림에서 사각형은 모두 몇 개인가?

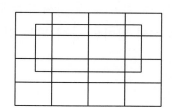

▶

굵은 선으로 된 직사각형이 없을 때의 사각형 개수에 굵은 선으로 된 직사각형으로 인해 새로 생기는 사각형 개수를 더해주자.

유제 **4** 다음 그림과 같이 규칙에 따라 삼각형을 그렸다. 〈15단계〉에는 〈1단계〉의 삼각형이 몇 개 있는지 구하여라.

〈1단계〉

〈2단계〉

〈3단계〉

〈4단계〉

▶ 각 단계마다 1단계의 삼각형이 몇 개씩 있는지 조사하여 규칙을 찾는다.

1 오른쪽 그림에서 사각형은 모두 몇 개 있는지 구하여라.

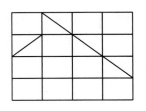

2 오른쪽 그림은 12개의 점을 같은 간격으로 늘어놓은 것이다. 이 점 중에서 네 개의 점을 택하여 평행사변형을 그리려고 한다. 직사각형이 아닌 평행사변형은 몇 개인가?

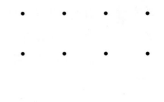

3 오른쪽 사다리꼴 ABCD에서 변 AD와 변 BC는 평행이다. 변 AD는 6cm인데 6등분 하여 7개의 점을 찍었고, 변 BC는 10cm인데 10등분 하여 11개의 점을 찍었다. 이 18개의 점 중에서 네 점을 골라 사각형을 만들 때, 그 넓이가 사다리꼴 ABCD의 넓이의 $\frac{3}{8}$이 되는 경우는 모두 몇 가지인가?

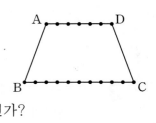

4 오른쪽 그림은 1cm 간격으로 9개의 점을 늘어놓은 것이다. 이 중에서 세 개 또는 네 개의 점을 골라 넓이가 1cm²가 되는 삼각형 또는 사각형을 만들려고 한다. 모두 몇 개를 만들 수 있겠는가?

5 오른쪽 그림은 정육각형 3개를 그린 것이다. 19개의 점 중 세 점을 골라 만들 수 있는 정삼각형은 모두 몇 개인가?

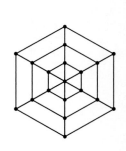

6 가로가 12cm, 세로가 6cm인 직사각형 ABCD가 있다. 변 AB의 중점이 M, 변 CD의 중점이 N이고 변 AD 위에 1cm 간격으로 13개, 변 MN 위에 2cm 간격으로 7개, 변 BC 위에 3cm 간격으로 5개의 점을 찍었다. 변 AD, 변 MN, 변 BC 위에서 각각 점 한 개씩을 택하여 삼각형을 만들 때, 넓이가 6cm²인 삼각형은 몇 개 만들 수 있겠는가?

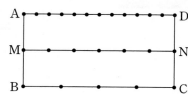

7 오른쪽 그림에서 점 사이의 간격은 가로, 세로 모두 1cm이다. 이 중에서 세 점을 골라 삼각형을 만들 때 넓이가 10cm²인 직각삼각형은 모두 몇 가지인가? (단, 돌리거나 뒤집어서 겹쳐지는 것은 한 가지로 센다.)

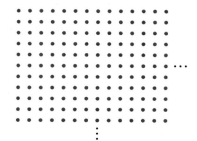

8 오른쪽 그림에서 삼각형은 모두 몇 개인가?

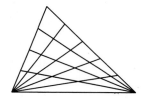

9 오른쪽 그림에서 점 사이의 간격은 가로, 세로 모두 1cm이다. 이 중에서 세 점을 골라 만들 수 있는 삼각형은 모두 몇 개인가?

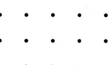

10 다음 그림과 같이 규칙에 따라 계속 커지는 그림이 있다. 일곱째 그림에 △ 모양은 몇 개 있는지 구하여라.

      ...

- 도형이 평행이동 또는 회전이동 할 때 이동자취를 그려 보면 문제를 쉽게 해결할 수 있다.
- 도형이 이동할 때, 도형이 지나가는 부분의 넓이를 구하는 경우와 한 꼭짓점 또는 중심 등이 움직이는 자취의 길이를 구하는 경우가 있는데, 구하고자 하는 것을 그림으로 정확히 나타내 도록 하자.

핵·심·문·제

1 오른쪽 그림과 같은 도형의 안쪽에 가로가 6cm, 세로가 8cm, 대각선이 10cm인 직사각형 ㄱㄴㄷㄹ을 원래의 위치에 돌아올 때까지 미끄러지지 않게 변을 따라 굴렸을 때, 꼭짓점 ㄱ이 움직인 길이를 구하여라.

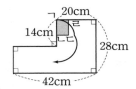

| 생각하기 |

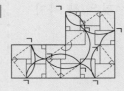

직사각형 ㄱㄴㄷㄹ이 놓이는 모양과 꼭짓점 ㄱ이 이동하는 모양을 그려 보면 왼쪽 그림과 같이 된다. 각각의 호에 대하여 반지름과 중심각의 크기를 구한다.

| 풀이 | 반지름이 8cm, 중심각이 90°인 부채꼴의 호가 2개 / 반지름 10cm, 중심각이 180°인 부채꼴의 호가 1개 / 반지름이 10cm, 중심각이 90°인 부채꼴의 호가 4개 / 반지름이 6cm, 중심각이 90°인 부채꼴의 호가 4개이다.

$$8 \times 2 \times 3.14 \times \frac{1}{4} \times 2 + 10 \times 2 \times 3.14 \times \frac{1}{2} + 10 \times 2 \times 3.14 \times \frac{1}{4} \times 4 + 6 \times 2 \times 3.14 \times \frac{1}{4} \times 4$$

$$= 3.14 \times (8 + 10 + 20 + 12) = 3.14 \times 50 = 157 \text{(cm)}$$

답 157cm

핵·심·문·제

2 오른쪽 그림과 같은 축사 담장이 있다. 점 A에 8m의 줄로 개 한 마리가 매어져 있다. 이 개가 움직일 수 있는 범위의 넓이를 구하여라. (단, 개의 부피는 생각하지 않고, 한 변의 길이가 2m 인 정삼각형의 높이는 1.7m로 계산한다.)

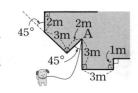

| 생각하기 |

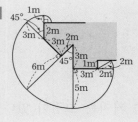

개가 움직일 수 있는 영역을 그림으로 나타내어 보자. 가장 오른쪽에 있는 부분은 정삼각형의 반쪽이 되므로 반지름이 2m이고, 중심각이 30°인 부채꼴이 생긴다.

| 풀이 | 반지름이 1m, 중심각이 90°인 부채꼴 / 반지름이 3m, 중심각이 45°인 부채꼴 / 반지름이 6m, 중심각이 90°인 부채꼴 / 반지름이 8m, 중심각이 45°인 부채꼴 / 반지름이 5m, 중심각이 90°인 부채꼴 / 반지름이 2m, 중심각이 30°인 부채꼴 / 한 변의 길이가 2m인 정삼각형의 반쪽이 개가 움직일 수 있는 범위이다.

$$1 \times 1 \times 3.14 \times \frac{1}{4} + 3 \times 3 \times 3.14 \times \frac{1}{8} + 6 \times 6 \times 3.14 \times \frac{1}{4} + 8 \times 8 \times 3.14 \times \frac{1}{8} + 5 \times 5 \times 3.14 \times \frac{1}{4}$$

$$+ 2 \times 2 \times 3.14 \times \frac{1}{12} + 1 \times 1.7 \times \frac{1}{2} = 3.14 \times \left(\frac{1}{4} + \frac{9}{8} + 9 + 8 + \frac{25}{4} + \frac{1}{3} \right) + \frac{17}{10} \times \frac{1}{2}$$

$$= \frac{314}{100} \times \frac{599}{24} + \frac{17}{20} = \frac{94043}{1200} + \frac{1020}{1200} = \frac{95063}{1200} = 79 \frac{263}{1200} \text{(m}^2)$$

답 $79 \frac{263}{1200}$ m²

유제 **1** 오른쪽 그림과 같이 길이가 20cm인 막대가 있다. 막대의 양 끝점이 각각 두 점 A, B와 10cm간격을 유지하며 평면에서 1회전 하였을 때, 막대가 지나간 곳의 넓이를 구하여라.

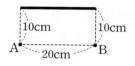

막대의 양 끝점은 다음과 같이 움직인다.

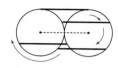

유제 **2** 다음 그림과 같이 반지름이 3cm인 원 8개를 일렬로 늘어놓았다. 가장 왼쪽에 있는 원을 오른쪽으로 원 위를 굴려 가장 오른쪽에 있는 원의 옆으로 옮겨놓을 때, 옮겨진 원의 중심이 이동한 거리를 구하여라.

다음 그림과 같이 생각해 보자.

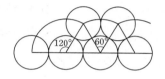

유제 **3** 오른쪽 그림과 같이 반지름이 5cm이고, 중심각이 90°인 두 개의 부채꼴이 놓여 있다. 부채꼴 ㉮가 부채꼴 ㉯ 주위를 미끄러지지 않고 돌아 다시 제자리에 돌아올 때까지 부채꼴 ㉮의 중심인 점 A가 이동한 거리를 구하여라.

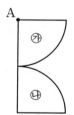

다음 그림과 같이 생각해 보자.

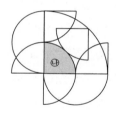

유제 **4** 다음 그림과 같은 도형의 둘레를 지름이 10cm인 원이 한 바퀴 돌아 처음의 위치로 돌아왔다. 이 도형의 둘레 중 원이 닿은 부분의 길이를 구하여라. (단, 한 변의 길이가 2cm인 정삼각형의 높이는 1.7cm로 계산하고, 원주율은 3으로 계산한다.)

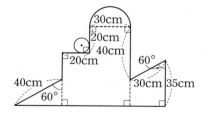

주어진 도형의 아랫변의 길이는
$20 \times 1.7 + 20 + 30 + 15 \times 1.7$
$= 109.5$(cm)이다.

1 반지름이 10cm이고, 중심각이 120°인 부채꼴의 둘레를 따라 반지름이 3cm인 원이 움직일 때, 원이 지나간 부분의 넓이를 구하여라.

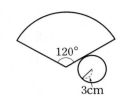

2 오른쪽 그림과 같은 육각형이 있다. 이 도형의 둘레를 따라 한 변의 길이가 3cm인 정삼각형이 미끄러지지 않고 한 바퀴 굴러서 제자리로 돌아왔다. 정삼각형이 외부에서 이동할 때와 내부에서 이동할 때의 점 ㄱ이 움직인 거리의 차를 구하여라. (단, 육각형의 모든 내각의 크기는 120°이다.)

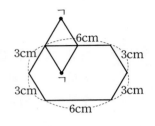

3 다음 그림과 같이 직각이등변삼각형을 1회전 시켰을 때 점 ㄱ이 움직인 거리를 구하여라. (단, 정사각형의 한 변의 길이가 1일 때 대각선의 길이는 1.4이고, 원주율은 3으로 계산한다.)

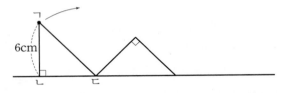

4 오른쪽 그림과 같이 반지름이 15cm인 반원을 가로가 30cm, 세로가 47.1cm인 직사각형의 둘레에 미끄러지지 않게 굴려서 처음 위치에 오도록 할 때, 원의 중심 ㅇ이 움직인 거리를 구하여라.

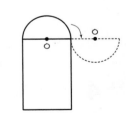

5 오른쪽 그림과 같이 한 변의 길이가 3cm인 정오각형이 사다리꼴 ㄱㄴㄷㄹ의 둘레를 미끄러지지 않고 한 바퀴 돌아 제자리에 돌아왔다. 정오각형이 ㉮의 위치에서 ㉯의 위치로 옮기는 데 9초 걸렸다면, 한 바퀴 돌아 제자리로 돌아오는 데 걸리는 시간은 몇 초인지 구하여라.

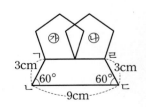

6 가로가 20cm, 세로가 16cm인 직사각형 내부에 지름이 2cm 인 원이 있다. 이 원의 중심이 점 ㄱ에서 출발하여 점 ㄴ까지 정해진 선분을 따라 이동하였을 때, 직사각형의 내부에서 원 이 지나가지 않은 부분의 넓이를 구하여라. (단, 직사각형 내 부에서 원의 중심이 이동하는 선분은 모두 직사각형의 변과 평행이다.)

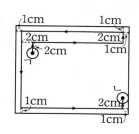

7 오른쪽 그림과 같이 한 변이 15cm인 정사각형의 한쪽 귀퉁 이를 반지름이 5cm이고 중심각이 90°인 부채꼴의 나머지 모양만큼 자른 도형이 있다. 반지름이 5cm이고 중심각이 90°인 부채꼴 ㉠이 이 도형 둘레를 미끄러지지 않게 오른쪽 으로 굴러서 ㉡의 위치까지 왔을 때, 이 부채꼴의 중심 ㅇ이 움직인 거리를 구하여라.

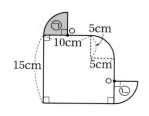

8 오른쪽 그림과 같이 지름이 24cm인 원이 있다. 이 원을 두 반 원으로 나눠 반원 ㉮ 주위를 반원 ㉯가 미끄러지지 않게 화살표 방향으로 회전하여 다시 제자리로 돌아왔다면, 반원의 중심 ㅇ 이 움직인 거리를 구하여라.

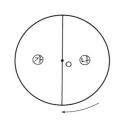

9 오른쪽 그림은 사다리꼴과 반원으로 이루어진 도형의 ㄱ 부 분에 실을 매고, 실을 팽팽히 당기면서 도형의 둘레를 감아 갈 때 실이 움직인 부분을 색칠한 것이다. 이 때, 각 ㉮는 몇 도인지 구하여라. (단, 원주율은 3으로 계산한다.)

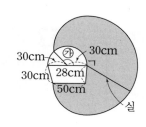

10 오른쪽 그림과 같은 도형의 둘레를 따라 반지름이 3cm인 원과 반지름이 6cm인 원이 각각 한 바퀴씩 돌았을 때, 반지름이 3cm인 원의 중심이 이동한 거리가 반지름 이 6cm인 원의 중심이 이동한 거리보다 짧았다. 이 도형에서 내각의 크기가 90°인 꼭짓점은 최대 몇 개까지 있을 수 있는지 구하여라.

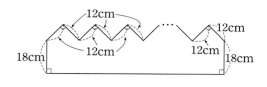

- 홀·짝의 성질을 이용하여 문제를 쉽게 해결할 수 있다.

  홀수를 더하면 홀·짝이 변하고, 짝수를 더하면 홀·짝이 그대로이다.

  홀수를 홀수 개 더하면 홀수, 짝수 개 더하면 짝수가 된다.

  짝수끼리의 합은 항상 짝수이다.   홀수끼리의 곱은 홀수이다.

  짝수가 한 번이라도 곱해지면 곱은 짝수이다.   두 수의 합과 차는 홀·짝이 같아진다.

- 서로 짝을 이루는 성질(대우 성질)을 이용하면 문제를 쉽게 해결할 수 있다.

  예 문을 열고 닫는 것이 짝을 이루므로 문을 여닫는 횟수의 총합은 짝수이다.

핵·심·문·제 **1** 입구가 아래로 향한 9개의 컵이 있다. 매번 8개씩 뒤집어 놓아(입구가 아래로 향했으면 위로, 위로 향했으면 아래로) 모든 컵의 입구를 위로 향하게 할 수 있는지 또는 매번 7개씩 뒤집어 놓아 모든 컵의 입구를 위로 향하게 할 수 있는지 알아보고, 최소 뒤집는 횟수를 구하여라.

┃생각하기┃ 입구가 아래로 향한 컵은 홀수 번 뒤집어야 입구를 위로 향하게 할 수 있다. 9개의 컵을 각각 홀수 번 뒤집으면 뒤집는 횟수의 총합은 홀수이다. 매번 8개씩 뒤집으면 뒤집는 횟수의 총합이 홀수가 될 수 없다.

┃풀이┃ 홀수 번 뒤집어야 입구를 위로 향하게 할 수 있으므로 9개의 컵의 뒤집는 횟수의 총합은 홀수가 된다. 매번 7개씩 뒤집으면 홀수 번 뒤집었을 때 뒤집는 횟수의 총합이 홀수가 된다. 따라서 매번 7개씩 뒤집을 때 모든 컵의 입구를 위로 향하게 할 수 있다. 7개씩 3번 뒤집으면 뒤집은 횟수의 총합이 21회가 되어 9개의 컵이 각각 7번씩 뒤집어지도록 할 수 있다. 예를 들면 9개의 컵에 번호를 붙여 생각할 때 각각 (8, 9), (7, 8), (7, 9)번 컵을 제외하고 뒤집는다면 모든 컵의 입구를 위로 향하게 할 수 있다.

답 7개씩, 3번

핵·심·문·제 **2** 한쪽 끝점에 빨간색을 칠하고 다른 끝점에 파란색을 칠한 긴 선분이 있다. 이 선분 위에 임의로 2002개의 점을 찍고 각 점마다 빨간색과 파란색 중 한 가지 색을 마음대로 칠하였다. 이 때 만들어진 2003개의 선분 중 양 끝점의 색이 다른 선분을 '색다른 선분'이라고 부르기로 하자. '색다른 선분'이 홀수 개인지 짝수 개인지 판단하고 그 이유를 설명하여라.

┃생각하기┃ 처음의 선분은 색다른 선분이다. 색다른 선분 위에 한 점을 찍으면 그 점이 무슨 색이든 색다른 선분은 여전히 1개이다. 색다른 선분이 아닌 경우에 한 점을 찍으면 색다른 선분이 하나도 없거나 또는 2개가 생길 것이다.

┃풀이┃ 색다른 선분의 개수는 홀수 개이다. 색다른 선분 위에 한 점을 찍으면 색다른 선분의 개수는 변함이 없다. 색다른 선분이 아닌 선분 위에 한 점을 찍으면 색다른 선분의 개수는 그대로이거나 2개가 늘어난다. 따라서 색다른 선분의 개수는 늘어난다면 항상 짝수 개가 더해진다. 처음 색다른 선분은 1개이므로 홀수이고 짝수 개의 점이 더해진다해도 색다른 선분의 개수는 항상 홀수 개이다.

답 풀이 참조

유제 **1** $1+2^2+3^3+4^4+\cdots+1234^{1234}$을 계산한 결과는 홀수인가? 아니면 짝수인가?

> 홀수를 홀수 개 더하면 홀수, 짝수 개 더하면 짝수가 된다.

유제 **2** 경태는 15개의 두 자리 수를 골라 ㉠열에 세로로 길게 적었다. 다시 이 15개의 수를 순서를 바꿔 ㉡열에 세로로 길게 적었다. 그리고 ㉠열과 ㉡열의 같은 줄의 수의 합을 ㉢열에 적었다. 이 때, ㉢열에 있는 15개의 수들의 곱이 짝수인지 홀수인지 답하고, 그 이유를 써라.

```
      ㉠   ㉡       ㉢
     □   △  →  ○
     □   △  →  ○
15개 □   △  →  ○
     ⋮   ⋮  →  ⋮
     □   △  →  ○
```

> ㉢열의 15개의 수가 모두 홀수이어야 곱이 홀수가 될 수 있다. 15개의 홀수는 그 합이 홀수가 된다.

유제 **3** 1, 1, 2, 2, 3, 3, …, 10, 10의 20개의 수를 두 개의 1 사이에 한 개의 수가 놓이고 두 개의 2 사이에 두 개의 수가 놓이고 두 개의 3 사이에 세 개의 수가 놓이고, …, 두 개의 10 사이에 열 개의 수가 놓이도록 일렬로 늘어놓을 수 있는가? 있다면 예를 들고, 없다면 그 이유를 설명하여라. (예를 들면 1, 1, 2, 2, 3, 3은 2, 3, 1, 2, 1, 3으로 가능하다.)

> 1은 두 개의 1 사이에 한 개의 수가 놓이므로 1이 홀수째 번에 놓이면 다른 1도 홀수째 번에, 짝수째 번에 놓이면 다른 1도 짝수째 번에 놓여야 한다.
> 마찬가지로 각 홀수들은 하나가 홀수째 번에 놓이면 다른 하나도 홀수째 번에, 짝수째 번에 놓이면 다른 하나도 짝수째 번에 놓이게 된다.

유제 **4** 우리반 친구들은 점심시간에 서로 팔씨름을 하였다. 아무렇게나 짝지어 몇 번씩이고 팔씨름을 하고 난 후에 각자 팔씨름한 횟수를 말하였는데 홀수 번 팔씨름한 학생이 몇 명인가 세어 보았더니 짝수 명이었다. 홀수 번 팔씨름한 학생 수가 홀수일 수 없는 이유를 말하여라.

> 서로 짝을 이루는 성질을 이용하면 팔씨름한 횟수의 총합은 짝수임을 알 수 있다.

1 1부터 n까지의 연속되는 자연수를 합할 때, 그 합이 짝수가 되려면 n은 어떤 수인가? 또, 홀수가 되려면 n은 어떤 수인가?

$$1+2+3+\cdots+n$$

2 1, 2, 3, 4, 5에서 세 수를 택하여 차례로 (가), (나), (다)라고 할 때, (가)+(나)×(다)가 짝수일 경우 (가), (나), (다)를 고르는 방법의 수를 구하여라. (단, 같은 수를 여러 번 택해도 좋다.)

3 75개의 연속하는 자연수를 더했을 때의 합이 홀수인지 짝수인지 구하고 그 이유를 설명하여라.

4 다섯 자리 자연수가 있다. 각 자리 숫자의 순서를 아무렇게나 바꾸어 더했을 때, 합이 99999가 될 수 있는가? 있다면 예를 들고 없다면 그 이유를 설명하여라.

5 우리 학교의 체육관에는 1번부터 100번까지 번호를 정한 100개의 사물함이 있다. 처음에 사물함의 문이 모두 닫혀 있었는데 1번부터 100번까지 번호를 정한 100명의 학생들이 1번부터 차례로 자신의 번호의 배수가 되는 사물함의 문을 열거나 혹은 닫고 지나갔다. 100번 학생까지 모두 지나간 후에 문이 열려 있는 사물함은 몇 개인가?

6 칠판에 2002개의 수 1, 2, 3, ⋯, 2002가 쓰여 있다. 태식이는 이 중 두 개의 수를 지우고 그 두 수의 합이나 차를 쓰는 방법으로 칠판에 쓰여 있는 수의 개수를 줄여 나갔다. 이와 같이 계속한다면 결국 한 개의 수가 남는데 이 수가 짝수인지 홀수인지 답하고 그 이유를 설명하여라.

7 101장의 그림 카드가 있다. 이 중 50장은 그림이 보이도록 놓고 51장은 그림이 보이지 않게 뒤집어 놓았다. 선재는 이 중 8장의 카드를 골라 그림이 보이도록 놓여 있는 것은 뒤집어 놓고, 뒤집혀 있는 것은 그림이 보이도록 놓았다. 선재가 이렇게 매번 8장씩 골라서 뒤집기를 계속 반복했을 때, 101장의 그림 카드가 모두 그림이 보이도록 놓여질 수 있는지 답하고 그 이유를 설명하여라.

8 1, 2, 3, ⋯, 1024의 1024개의 수가 있다. 이 자연수를 임의의 순서로 일렬로 배열한 뒤 왼쪽에서부터 차례로 두 수씩 짝지어 차를 구하고 그 차 512개를 아래 줄에 차례로 썼다. 또 다시 512개의 수를 왼쪽에서부터 차례로 두 수씩 짝지어 차를 구하고 그 차 256개를 아래 줄에 차례로 썼다. 이렇게 계속 반복하면 한 개의 수가 남게 되는데 그 수가 홀수인지 짝수인지 답하고 그 이유를 설명하여라.

9 홀수 개의 연속된 자연수가 있다. 이 수를 아무렇게나 배열하여 왼쪽부터 차례로 a_1, a_2, a_3, ⋯이라 이름을 정한 후 또 다시 임의로 배열하여 왼쪽부터 차례로 b_1, b_2, b_3, ⋯이라 정하자. 이제 a_1과 b_1, a_2와 b_2, a_3과 b_3, ⋯으로 짝을 지어 차를 구한 후 그 차를 모두 곱한 값을 구했을 때 그 값이 홀수인지 짝수인지 답하고, 그 이유를 설명하여라.

10 16개의 정사각형으로 나뉜 가로 16cm, 세로 1cm인 직사각형이 두 개 있다. 두 직사각형의 몇 개의 칸에 검은색을 칠하는 데 한 직사각형의 검은색 칸수가 홀수라면 다른 직사각형의 검은색 칸수도 홀수이고, 한 직사각형의 검은색 칸수가 짝수라면 다른 직사각형의 검은색 칸수도 짝수가 되도록 칠한다고 한다. 이제 두 직사각형을 꼭맞게 포개어 볼 때, 색이 다른 칸끼리 포개지는 경우가 홀수 쌍 생기는지, 짝수 쌍 생기는지 답하고 그 이유를 설명하여라.

• 육면체의 각 면을 상상하면 문제를 해결할 수 있다.
• 각 육면체를 조건에 맞도록 떼어 놓고 생각해 보면 문제를 해결할 수 있다.
• 회전 방향에 따라 육면체의 면을 생각해 보면 문제를 해결할 수 있다.

핵·심·문·제 **1** 오른쪽 그림과 같이 5개의 주사위를 붙여서 입체도형을 만들었다. 주사위의 마주 보는 면에 있는 눈의 수의 합이 항상 7일 때, 이 입체도형의 겉면에 나타나는 눈의 수의 합이 가장 큰 경우와 가장 작은 경우, 그 합을 각각 구하여라.

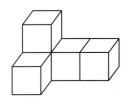

┃ 생각하기 ┃ 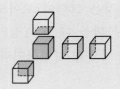 입체도형을 5개의 주사위로 분리하여 가려지는 면에 색칠하여 놓고 생각해 보자. 5개의 주사위의 눈의 총합은 $7×3×5=105$이다. 오른쪽에서 둘째에 놓인 주사위는 가려지는 면의 눈의 합이 7이다.

┃ 풀이 ┃ 눈의 수의 합이 가장 큰 경우는 $7×3×5-(1+1+2+3+1+7+1)=89$이고, 눈의 수의 합이 가장 작은 경우는 $7×3×5-(6+4+5+6+6+7+6)=65$이다. 답 **89, 65**

핵·심·문·제 **2** 〈그림 1〉은 정육면체 2개를 붙여 놓은 크기의 쌓기나무로, 세 부분을 검게 칠하고 나머지 부분은 흰색으로 칠하였다. 이와 똑같은 모양의 쌓기나무 9개로 〈그림 2〉의 직육면체를 만들었는데 검은 부분은 검은 부분끼리만, 흰 부분은 흰 부분끼리만 맞닿도록 하였다. 이 직육면체를 뒤에서 보았을 때의 모양을 그려라.

〈그림 1〉 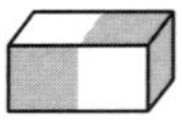 　　　　〈그림 2〉

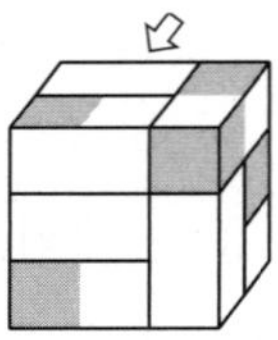

┃ 생각하기 ┃ 쌓기나무를 세워 사용한 것이 2개뿐이므로 뒤쪽에서 본 모양을 색칠된 것을 생각하지 않고 그려 보면 오른쪽 그림과 같다.
9개의 쌓기나무를 따로 분리해 놓은 그림을 그려 보면 문제를 해결할 수 있다.

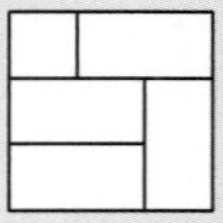

┃ 풀이 ┃ 윗부분의 쌓기나무 2개를 분리해 놓은 그림을 그리면 오른쪽과 같다.

윗부분

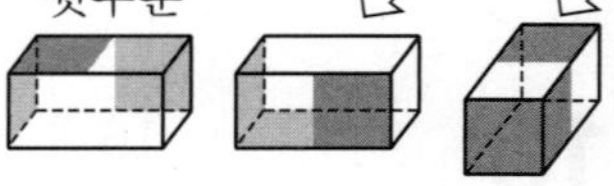

아랫부분의 쌓기나무 6개를 앞뒤로 분리해 놓은 그림을 그리면 다음과 같다. 이 때 뒤쪽 방향에서 보이는 쌓기나무는 △ 표시된 것이다. 이를 모아 그려 보면 아래 오른쪽과 같다. 이 때 좌우가 뒤바뀌게 됨에 주의해야 한다.

아랫부분 앞쪽

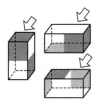
아랫부분 뒤쪽

➡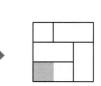

답

유제 **1** 마주 보는 면의 눈의 수의 합이 7인 주사위가 있다. 이 주사위를 오른쪽 그림과 같이 세 면이 보이는 방향에서 보았을 때, 보이는 세 면의 눈의 합이 될 수 있는 수를 모두 구하여라.

▶ 세 면이 보이는 방향은 한 꼭짓점을 중심으로 보는 것이므로 8가지가 있다.

유제 **2** 마주 보는 면의 눈의 수의 합이 7이 되도록 주사위를 만들었다. 이 주사위를 오른쪽 그림과 같이 3개 쌓아 놓고 화살표 방향에서 보이는 눈을 합해 보니 두 방향 모두 12가 되었다. A, B의 눈의 수는 무엇인지 각각 구하여라. (단, 주사위의 눈이 그려져 있는 방향은 생각하지 않는다.)

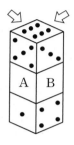

▶ 화살표 방향에서 보이는 눈의 합이 12이므로 A의 마주 보는 면의 눈의 수와 B의 마주 보는 면의 눈의 수를 알 수 있다.

유제 **3** 다음 그림과 같이 20개의 정사각형이 그려진 종이와 마주 보는 면의 눈의 수의 합이 7인 주사위가 있다. 색칠한 곳에 오른쪽의 주사위를 그림과 같이 6의 눈이 위로 오도록 표시된 방향에 맞춰 올려놓았다. 점선을 따라 주사위를 회전시켜 가며 ㉮의 위치까지 이동시킬 때, ㉮의 위치에서 윗면에 오는 눈의 수는 무엇인가? (단, 1회전에 꼭 한 면씩 이동한다.)

▶ 동쪽으로 4번 회전하면 주사위가 처음과 같은 모양으로 놓이게 된다. 매번 회전할 때마다 위에 오는 눈의 수를 생각해 보자.

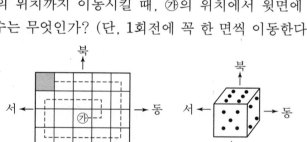

유제 **4** 6개의 면에 모두 ①이 쓰여진 정육면체 9개, 6개의 면에 모두 ②가 쓰여진 정육면체 9개, 6개의 면에 모두 ③이 쓰여진 정육면체 9개가 있다. 이 27개의 정육면체로 커다란 정육면체를 만드는 데 각 정육면체의 면은 모두 다른 번호와 맞닿도록 놓아야 한다. 큰 정육면체를 뒤에서 본 그림을 그려라.

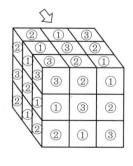

▶ 맨뒤와 가운데, 맨앞으로 나누어 놓은 그림에서 a, b, c, d, e, f, g, h 순서로 알맞은 번호를 정해 보자.

특강탐구문제

1 정육면체의 각 꼭짓점에 1부터 8까지의 수를 하나씩 붙인 후 한 면에 있는 네 꼭짓점의 수끼리 묶어 적어 보았다. 수 1의 꼭짓점에서 가장 멀리 떨어져 있는 꼭짓점의 수를 구하여라.

$$(1, 2, 5, 6), (2, 3, 6, 7), (2, 4, 5, 7), (1, 4, 5, 8)$$

2 다음 그림과 같이 각 면에 수가 적혀 있는 쌓기나무를 세 방향에서 보았다. (ㄱ), (ㄴ), (ㄷ)에 들어갈 수를 각각 구하여라

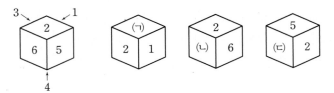

3 마주 보는 면의 눈의 수의 합이 모두 같은 똑같은 주사위 7개를 오른쪽과 같이 탁자 위에 놓았다. 겉에서 보이는 면의 눈의 합이 가장 클 때와 가장 작을 때는 각각 얼마인지 구하여라.

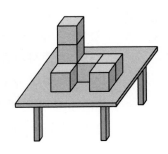

4 똑같은 주사위 6개를 오른쪽 그림과 같이 서로 접하는 면에 같은 수의 눈이 오도록 하여 쌓아 놓았다. 이 때, A, B, C, D의 눈의 수를 모두 더한 합을 구하여라. (단, 주사위의 마주보는 면의 눈의 수의 합은 7이다.)

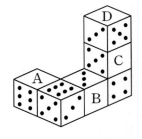

5 마주 보는 눈의 수의 합이 7인 주사위가 한 개 있다. 이 주사위를 윗면이 4, 오른쪽 옆면이 5, 앞면이 6이 되도록 놓고, 각각 90°씩 뒷쪽으로 1회, 오른쪽으로 2회, 앞쪽으로 2회, 왼쪽으로 1회 회전시켰을 때, 마지막에 윗면에 나타나는 눈의 수를 구하여라.

6 〈그림 1〉의 색칠한 곳에 마주 보는 눈의 수의 합이 7인 〈그림 2〉의 주사위를 놓고, 이 주사위를 1회전에 꼭 한 칸씩 회전이동시켜 ㉮의 위치에 오도록 하려고 한다. ㉮의 위치에서 2의 눈이 위로 오도록 하려면 최소 몇 회전을 해야 하겠는가?

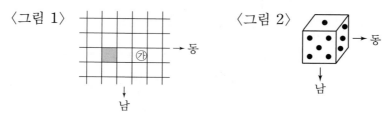

7 마주 보는 눈의 수의 합이 7인 〈그림 1〉의 주사위를 〈그림 2〉와 같이 놓고 오른쪽으로 4번, 앞쪽으로 2번 굴렸을 때 ㉮를 포함하여 윗면에 나타나는 7개의 눈의 수의 합이 24이다. 또, 〈그림 2〉와 같이 놓인 상태에서 오른쪽으로 2번, 앞쪽으로 1번, 오른쪽으로 1번, 앞쪽으로 1번, 다시 오른쪽으로 1번 굴렸을 때, ㉮를 포함하여 윗면에 나타나는 7개의 눈의 수의 합이 22이다. 〈그림 2〉의 ㉮, ㉯, ㉰의 눈의 수를 구하여라.

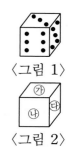

8 6개의 면에 같은 수가 적혀 있는 8개의 정육면체에는 각각 1부터 8까지의 수가 적혀 있다. 이 8개의 정육면체로 오른쪽 그림과 같은 큰 정육면체를 만들었는데 큰 정육면체의 각 면에 적힌 네 수의 합이 모두 18이라고 한다. 5가 적혀 있는 정육면체가 어느 것인지 알고 있을 때, 8이 적혀 있는 정육면체와 접하는 정육면체에 적혀 있는 수를 모두 구하여라. (단, 1, 3, 7이 적혀 있는 정육면체는 서로 접할 수 없다.)

9 크기가 같은 정육면체 6개를 〈그림 1〉과 같이 배열하고 두 모서리가 맞닿도록 모두 5군데에 테이프를 붙였다. 이 정육면체들을 붙인 테이프가 떨어지지 않도록 하면서 〈그림 2〉와 같은 모양으로 바꿔놓았다. 〈그림 1〉과 〈그림 2〉에서 ㉮, ㉯ 면의 위치를 생각하여 〈그림 1〉의 ㉰면, ㉱면이 〈그림 2〉에서 어느 면인지 〈그림 2〉에 표시하여라. (단, 글자의 방향은 생각하지 않는다.)

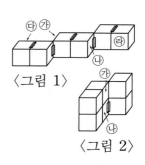

10 다음 그림과 같이 •이 4개씩 그려져 있는 직육면체 모양의 나무막대가 A부터 I까지 각각 한 개씩 9개가 있다. 이 9개의 나무막대를 오른쪽 그림과 같이 묶었더니 큰 직육면체가 되었는데 각 면에 •이 또 4개씩 나타났다. 이 큰 직육면체를 밑에서 위로 올려다 본 그림을 그려라.

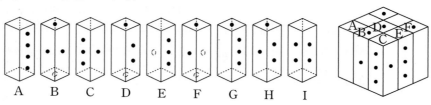

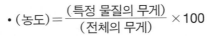
- $(\text{농도}) = \dfrac{(\text{특정 물질의 무게})}{(\text{전체의 무게})} \times 100$

- $a\%$ 소금물 xg과 $b\%$ 소금물 yg을 섞으면 $\dfrac{ax+by}{x+y}\%$의 소금물이 된다.

$$\frac{ax+by}{x+y} = \frac{a\times x+b\times y-a\times y+a\times y}{x+y} = \frac{a\times(x+y)+(b-a)\times y}{x+y} = a+(b-a)\times\frac{y}{x+y}$$

가 되어 수직선 위에서 a와 b사이를 $y:x$로 나눈 점이 된다.

예) 5% 소금물 200g과 9% 소금물 300g을
섞으면 $\dfrac{10+27}{500}\times100 = 7\dfrac{2}{5}(\%)$가 된다. 이것
은 무게의 비가 $2:3$이므로 5와 9 사이를 $3:2$
로 나눈 지점이 농도가 되는 것이다. '농도자'를 이
용하면 농도에 관한 문제를 쉽게 해결할 수 있다.

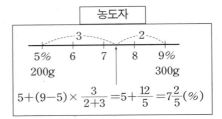

| 농도자 |

$$5+(9-5)\times\frac{3}{2+3} = 5+\frac{12}{5} = 7\frac{2}{5}(\%)$$

핵·심·문·제 **1** ㉠, ㉡, ㉢ 세 개의 그릇에 각각 6%, 10%, 17%의 소금물이 있다. ㉠과 ㉡의 소금
물을 섞으면 9%가 되고, ㉡과 ㉢의 소금물을 섞으면 14%가 된다. ㉠, ㉡, ㉢ 세
소금물을 모두 섞으면 몇 $\%$의 소금물이 되는지 구하여라.

┃ 생각하기 ┃ 농도자를 그려 보면, ㉠과 ㉡의 무게
의 비는 $1:3$이고, ㉡과 ㉢의 무게의
비는 $3:4$임을 알 수 있다.

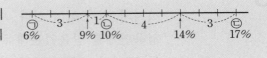

┃ 풀이 ┃ 농도자를 이용하면 ㉠과 ㉡의 무게의 비는 $1:3$, ㉡과 ㉢의 무게의 비는 $3:4$임을 알 수 있다.
따라서 ㉠, ㉡, ㉢의 무게의 비는 $1:3:4$이다.

세 소금물을 모두 섞으면 $\dfrac{1\times0.06+3\times0.1+4\times0.17}{8}\times100 = \dfrac{104}{8} = 13(\%)$가 된다. 답 13%

참고* ㉠, ㉡, ㉢ 소금물의 무게를 각각 ag, bg, cg이라고 하면, $a\times0.06+b\times0.1 = (a+b)\times0.09$,
$b\times0.1+c\times0.17 = (b+c)\times0.14$가 되어 $a:b = 1:3$, $b:c = 3:4$를 구해도 된다.

핵·심·문·제 **2** A 그릇에는 알콜 510g, B 그릇에는 물 640g이 들어 있다. A 그릇에서 ㉠g을 덜
어 내어 B 그릇에 넣고, 다시 B 그릇에서 ㉡g을 덜어 내어 A 그릇에 넣었더니 A
그릇에는 60%의 알콜 용액이, B 그릇에는 15%의 알콜 용액이 들어 있게 되었다.
㉠, ㉡에 알맞은 수를 구하여라.

┃ 생각하기 ┃ 알콜과 물의 비는 A가 $6:4 = 3:2$, B가 $15:85 = 3:17$이 된다.

┃ 풀이 ┃

	알콜	물
A	③	②
B	△	⏢
	510g	640g

③ + △ = 510　　⑥ + ⏢ = 1020
② + ⏢ = 640　　⑥ + ⏢⏢ = 1920　 ⟶ 　⏢ = 900, △ = 20, ① = 150

따라서 A에 들어 있는 알콜은 450g, 물은 300g이고, B에 들어 있는 알콜은
60g, 물은 340g이 된다. 처음 A에서 B로 알콜을 옮기고 나면 B는 15%가

되어야 하므로 알콜은 $640\times\dfrac{15}{85} = 112\dfrac{16}{17}$ (g) 옮겨진 것이고, 그 다음 B에서 A로 물 300g과 알콜

$300\times\dfrac{15}{85} = 52\dfrac{16}{17}$ (g)이 옮겨진 것이다. 답 $112\dfrac{16}{17}$ g, $352\dfrac{16}{17}$ g

유제 **1** (개), (내), (대) 3개의 그릇에 물이 들어 있다. 이 세 그릇에 같은 무게의 소금을 넣었더니 농도가 각각 5%, 12%, 15%가 되었다. 이 세 그릇에 들어 있는 소금물을 모두 섞으면 몇 %의 소금물이 되겠는가?

▶ (개), (내), (대)의 소금물의 무게를 각각 a, b, c라고 하면 a의 0.05와 b의 0.12, c의 0.15는 같다.

유제 **2** A, B, C 세 개의 컵이 있다. A에는 물 400g이, B와 C에는 소금물이 각각 400g씩 들어 있다. B에 있는 소금물 100g을 A로 옮겨 담았더니 A에는 3%의 소금물이 들어 있게 되고, C에 있는 소금물 100g을 B로 옮겨 담고 C에는 물 100g을 담았더니 B와 C에 들어 있는 소금물의 농도가 같아졌다. 처음에 B와 C에 들어 있던 소금물의 농도를 각각 구하여라.

▶ A에는 3% 소금물 500g이 들어 있게 되었는데 A에 들어 있는 소금 $500 \times \dfrac{3}{100} = 15$(g)은 B에 들어 있는 소금물 100g 안에 들어 있던 것이다.

유제 **3** 농도가 서로 다른 두 종류의 설탕물 A, B가 있다. A와 B를 1 : 3으로 섞으면 11%의 설탕물이 되고, 9 : 7로 섞으면 8.5%의 설탕물이 된다. 두 설탕물을 같은 양으로 섞으면 몇 %의 설탕물이 되겠는가?

▶ 농도자를 그려 보면 1 : 3으로 섞었을 때 11%가 되므로 11에서 A, B까지의 거리가 3 : 1이 된다. 또, 9 : 7로 섞었을 때 8.5%가 되므로 8.5에서 A, B까지의 거리가 7 : 9가 된다.

유제 **4** 어떤 설탕물에 40g의 물을 더 넣으면 농도가 1% 낮아지고, 40g의 설탕을 더 넣으면 농도가 9% 높아진다. 어떤 설탕물에 들어 있는 설탕의 무게는 몇 g이고, 농도는 몇 %인지 구하여라.

▶ 40g의 물을 더 넣거나 40g의 설탕을 더 넣어도 설탕물의 양은 같으므로 설탕 40g이 농도 10% 차이를 만든다.

1 농도가 다른 두 종류의 소금물 A, B를 3 : 1로 섞으면 농도가 9%가 되고, 1 : 3으로 섞으면 농도가 4.5%가 된다고 한다. 두 소금물 A, B의 농도를 각각 구하여라.

2 가, 나 두 종류의 소금물의 농도의 비는 4 : 3이다. 가 소금물 700g과 나 소금물 500g을 섞으면 $14\dfrac{1}{3}$%의 소금물이 된다고 한다. 가, 나 두 소금물의 농도는 각각 몇 %인가?

3 A, B 두 종류의 소금물이 있다. A 소금물과 B 소금물의 무게의 비는 5 : 7이고, A와 B에 들어 있는 소금의 무게의 비는 1 : 4, A와 B에 들어 있는 물의 무게의 비는 9 : 10이다. A 소금물과 B 소금물을 3 : 2의 비율로 섞으면 농도는 몇 %가 되겠는가?

4 (ㄱ), (ㄴ), (ㄷ) 세 개의 컵에 소금물이 들어 있다. 각 컵의 소금물에 들어 있는 소금의 양은 모두 같다. (ㄱ)과 (ㄴ)에 들어 있는 소금물을 섞으면 (ㄷ) 소금물 농도의 $\dfrac{1}{2}$배가 되고, (ㄴ)과 (ㄷ)에 들어 있는 소금물을 섞으면 (ㄱ) 소금물 농도의 $\dfrac{1}{3}$배가 된다. (ㄱ), (ㄴ), (ㄷ) 세 개의 컵에 들어 있는 소금물의 무게의 비를 가장 간단한 자연수의 비로 나타내어라.

5 농도가 각각 8%, 15%, 20%인, A, B, C 세 종류의 소금물이 있다. A, B, C 세 소금물을 모두 섞으면 농도는 13%가 되고, B, C 두 소금물만 섞으면 농도는 17%가 된다. A, B 두 소금물만 섞으면 몇 %의 소금물이 되겠는가?

6 농도가 다른 세 소금물 A, B, C가 있다. A는 12%인데 A, B, C를 각각 300g, 400g, 500g씩 섞으면 6.5%의 소금물이 되고, 600g, 300g, 100g씩 섞으면 9.8%의 소금물이 된다. 소금물 B, C의 농도를 각각 구하여라.

7 물 300g에 알콜 120g이 들어 있는 알콜 용액이 있다. 이 알콜 용액을 농도가 40%이고 무게가 300g인 알콜 용액으로 만들기 위해 한 컵을 퍼내고 알콜을 더 넣었다. 퍼낸 알콜 용액의 양과 더 넣은 알콜의 양을 차례로 구하여라.

8 농도가 각각 10%, 4%, 12%인 소금물 A, B, C가 있다. 이 소금물을 모두 섞으면 8% 소금물 2600g을 만들 수 있다. B 소금물의 무게가 A 소금물의 무게의 3배라면 A 소금물과 B 소금물을 섞어서 8% 소금물을 최대 몇 g까지 만들 수 있는지 구하여라.

9 포도원액 360g과 물 540g을 가지고 있다. 포도원액 중 일부를 물에 섞은 후, 이 혼합액의 일부를 포도원액에 섞어 포도원액을 75% 함유한 음료로 만들었더니 처음에 물이었던 것은 포도원액을 12% 함유한 음료가 되었다. 처음 물에 섞은 포도원액과 포도원액에 섞인 혼합액의 무게를 각각 구하여라.

10 농도를 모르는 어떤 소금물이 있다. 이 소금물에 물 30g을 더 넣으면 농도가 1% 낮아지고 소금 30g을 더 넣으면 농도가 $5\frac{2}{3}$% 높아진다. 이 소금물에 또 다른 소금물을 넣어 12% 소금물 735g을 만들려면 농도가 몇 %인 소금물 몇 g을 넣어야 하겠는가?

플라톤의 입체 — 정다면체

이 글을 읽고 있는 여러분이라면 정사각형이 무엇인지 정확하게 말할 수 있을 것이다. 맞다. 바로 그것이다. 정사각형이란 네 변의 길이가 모두 같고, 네 각의 크기가 모두 직각인 평면도형을 말한다. 그렇다면, 정사면체란 무엇일까? 정사각형 네 개로 이루어진 입체? 아니다. 정사면체란 네 면이 정삼각형인 사면체를 말한다. 정사각형 네 개로는 입체가 만들어지지 않는다. 정다면체란 각 면이 모두 합동인 정다각형이고 각 꼭짓점에 모이는 면의 개수가 같은 볼록한 다면체를 말하며 플라톤의 입체라고도 한다. 이러한 정다면체는 몇 개나 있을까? 10개, 50개, 100개? 아니면 셀 수 없을 만큼 많을까? 왜 정사각형 네 개로는 입체가 만들어지지 않을까?

정다면체가 되려면 적어도 다음의 두 가지 조건을 만족해야 한다.

> • 한 꼭짓점에서 3개 이상의 정다각형이 만나야 한다.
> • 한 꼭짓점에 모인 각의 크기의 합은 360°보다 작아야 한다.

한 꼭짓점에 두 개의 면이 모인다면 서로 면을 맞대고 달라붙어 입체를 만들 수 없다. 또 한 꼭짓점에 모인 다각형의 내각의 합이 360°를 넘게 되면 볼록한 다면체를 만들 수 없다. 많은 정다각형 중 한 꼭짓점에 3개 이상의 면을 모을 수 있는 것은 그렇게 많지 않다. 정삼각형의 한 내각은 60°, 정사각형의 한 내각은 90°, 정오각형의 한 내각은 108°, 정육각형의 한 내각은 120°이므로 정삼각형, 정사각형, 정오각형만이 정다면체의 한 면이 될 수 있다. 왜냐하면, 정육각형 3개를 한 꼭짓점에 모으면 120°×3＝360°가 되어 입체를 이루지 못하고 평면이 되기 때문이다. 따라서 정육각형, 정칠각형, 정팔각형, … 은 정다면체의 한 면이 될 수 없다.

먼저 한 꼭짓점에 모인 면이 정삼각형인 경우를 살펴보자.
- 한 꼭짓점에 모인 면의 수가 3개인 경우 : 정사면체가 만들어진다.
- 한 꼭짓점에 모인 면의 수가 4개인 경우 : 정팔면체가 만들어진다.
- 한 꼭짓점에 모인 면의 수가 5개인 경우 : 정이십면체가 만들어진다.

정사면체　　　　　　　　정팔면체　　　　　　　　정이십면체

다음으로 한 꼭짓점에 모인 면이 정사각형인 경우를 살펴보자.

• 한 꼭짓점에 모인 면의 수가 3개인 경우 : 정육면체가 만들어진다.

정육면체

이제 한 꼭짓점에 모인 면이 정오각형인 경우를 살펴보자.

• 한 꼭짓점에 모인 면의 수가 3개인 경우 : 정십이면체가 만들어진다.

정십이면체

따라서 정사면체, 정육면체, 정팔면체, 정십이면체, 정이십면체 이렇게 다섯 개의 정다면체만이 존재함을 알 수 있다. 정사면체, 정육면체, 정팔면체는 오래전부터 알려졌지만, 정십이면체와 정이십면체는 피타고라스 학파에 의해 발견되었다.

고대인들은 우주의 기본 요소가 흙, 물, 공기, 불의 네 가지라고 여기고 있었다. 고대 그리스의 철학자 플라톤은 정다면체에 특별한 의미를 부여하여 네 가지 기본 원소의 입자는 모두 정다면체 꼴을 가지고 있다고 주장하였다. 가볍고 날카로워 보이는 정사면체는 불을 상징하고, 견고해 보이는 상자 모양의 정육면체는 흙을, 정팔면체는 마주 보는 꼭짓점을 잡고 바람개비처럼 돌릴 수 있으므로 공기를, 가장 둥근 모양의 정이십면체는 유동적인 물을 각각 상징한다고 보았다. 정십이면체는 우주 전체의 형태를 나타낸다고 주장하였는데 나중에 플라톤의 제자인 아리스토텔레스가 정십이면체를 제 5원소인 에테르의 상징으로 설정한 것이다. 이러한 이유로 정다면체를 '플라톤의 입체'라고도 부르는 것이다. 과거에는 황도 12궁이라든지, 1년이 12달로 이루어졌다든지 하는 이유로 인해 12라는 숫자를 우주의 숫자로 생각해 왔기 때문에 정십이면체가 자연스럽게 우주의 상징으로 받아들여진 것이다. 이러한 이유로 고대와 중세 유럽에서는 정십이면체를 매우 신성한 것으로 인식하여 일반인들에게는 그 존재조차도 알려지지 않았다고 한다.

- 물 속에 잠긴 물체의 부피는 용기의 밑넓이와 늘어난 물의 높이의 곱과 같다.
- 늘어나는 물의 양을 용기의 밑넓이로 나누면 물의 높이의 변화를 알 수 있다.

핵·심·문·제 **1** 오른쪽 그림과 같은 모양의 병이 있다. 이 병은 안치수로 높이가 32cm인데 높이의 $\frac{1}{2}$만큼은 반지름이 4cm인 원기둥 모양이다. 이 병에 높이 12cm까지 물을 넣은 후 병 입구를 막고 병을 거꾸로 세웠더니 높이가 24cm까지 물이 찼다. 이 병의 들이는 몇 L인가? 또, 물을 약간 따른 후 병을 똑바로 세우고 높이를 표시한 후 병 입구를 막고 병을 거꾸로 세웠더니 물이 또 다시 표시한 곳까지 찼다. 표시한 높이는 바닥에서부터 몇 cm인가?

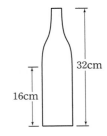

32cm

16cm

┃생각하기┃ 병의 들이와 들어 있는 물의 부피는 변하지 않으므로 빈 공간의 크기도 변하지 않는다. 병 윗부분은 부피를 계산할 수 없는 모양이므로 빈 공간의 크기를 이용해 보자.

┃풀이┃ (바로 세웠을 때의 빈 공간의 부피)=(거꾸로 세웠을 때의 빈 공간의 부피)이므로
(병의 들이)$-4 \times 4 \times 3.14 \times 12 = 4 \times 4 \times 3.14 \times (32-24)$
(병의 들이)$= 4 \times 4 \times 3.14 \times 8 + 4 \times 4 \times 3.14 \times 12 = 4 \times 4 \times 3.14 \times (8+12) = 1004.8 (cm^3) = 1.0048(L)$
또, 바로 세워도 거꾸로 세워도 같은 높이 $x$cm까지 물이 찬다고 하면
$4 \times 4 \times 3.14 \times 20 - 4 \times 4 \times 3.14 \times x = 4 \times 4 \times 3.14 \times x$
$20 = x \times 2$, $x = 10(cm)$

답 1.0048L, 10cm

핵·심·문·제 **2** 〈그림 1〉과 같이 높이 12cm인 두 원기둥으로 이루어진 입체도형이 있다. 〈그림 2〉와 같이 밑면의 반지름이 15cm인 원기둥 모양의 수조에 높이가 9cm가 되도록 물을 넣고 〈그림 1〉의 입체도형을 그대로 넣었더니 높이가 14cm로 되었다. 또, 수조에 높이가 20cm가 되도록 물을 넣고 〈그림 1〉의 입체도형을 넣었더니 높이가 27cm로 되었다. 〈그림 1〉의 두 원기둥의 밑넓이를 각각 구하여라.

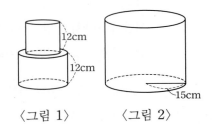

12cm

12cm

15cm

〈그림 1〉   〈그림 2〉

┃생각하기┃ 높이가 9cm에서 14cm로 높아진 것은 〈그림 1〉의 입체도형이 높이 14cm만큼 물 속에 잠겼기 때문이다.

┃풀이┃ 큰 원기둥의 밑넓이를 a라 하고 작은 원기둥의 밑넓이를 b라 하자.
$15 \times 15 \times 3.14 \times (14-9) = a \times 12 + b \times 2$, $a \times 12 + b \times 2 = 15 \times 15 \times 3.14 \times 5$
$15 \times 15 \times 3.14 \times (27-20) = a \times 12 + b \times 12$, $a \times 12 + b \times 12 = 15 \times 15 \times 3.14 \times 7$
두 식의 차이를 생각해 보면 $b \times 10 = 15 \times 15 \times 3.14 \times 2$, $b = 15 \times 3 \times 3.14 = 141.3(cm^2)$
처음 식에 대입하면 $a \times 12 + 141.3 \times 2 = 15 \times 15 \times 3.14 \times 5$, $a \times 12 + 282.6 = 3532.5$
$a \times 12 = 3532.5 - 282.6 = 3249.9$, $a = 3249.9 \div 12 = 270.825(cm^2)$

답 270.825cm², 141.3cm²

유제 **1** 다음 그림 (가), (나)는 왼쪽 그림과 같은 원기둥을 물이 들어 있는 수조에 두 가지 방법으로 넣고, 정면에서 본 그림이다. 처음 수조에 들어 있던 물의 양은 몇 L인지 구하여라.

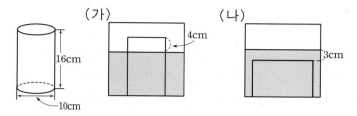

(가)의 물밖으로 나와 있는 원기둥의 윗부분이 (나)에서는 물에 잠겼다. 이것 때문에 물의 높이가 12cm에서 13cm로 높아진 것이다.

유제 **2** 〈그림 1〉과 같이 밑넓이가 같은 원기둥과 원뿔을 이어 붙여 놓은 그릇에 물을 넣은 후 〈그림 2〉와 같이 원기둥의 옆면이 바닥에 닿도록 뉘었더니 수면이 원뿔의 꼭짓점과 원기둥의 밑면의 중심을 지났다. 또, 〈그림 3〉과 같이 원뿔의 꼭짓점이 바닥에 닿도록 하였더니 수면은 원기둥 높이의 $\frac{1}{5}$까지 올라왔다. 원뿔의 높이가 9cm일 때 〈그림 1〉에서의 수면의 높이는 몇 cm인지 구하여라. (단, 원뿔의 부피는 밑면의 반지름과 높이가 같은 원기둥 부피의 $\frac{1}{3}$이다.)

〈그림 2〉와 〈그림 3〉을 비교하면 원기둥의 부피의 $\frac{1}{2}$이 원뿔의 부피의 $\frac{1}{2}$과 원기둥의 부피의 $\frac{1}{5}$의 합과 같음을 알 수 있다.

〈그림 1〉   〈그림 2〉   〈그림 3〉

유제 **3** 크기가 가로 1m, 세로 40cm, 높이 50cm인 어항에 높이가 40cm, 25cm인 칸막이가 설치되어 세 부분으로 나누어져 있다. 가운데 칸에는 구멍이 뚫려

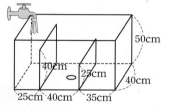

$25 \times 40 \times 40 \div 500 = 80$이므로 80초 후에는 왼쪽 칸에서 물이 넘쳐 가운데 칸으로 들어간다.

있는데 이 구멍으로 매초 0.1L의 물이 흘러 나간다. 어항의 왼쪽 칸에 매초 0.5L의 물을 넣기 시작하여 오른쪽 칸에 20cm 높이의 물이 차기까지 걸리는 시간은 얼마인가?

유제 **4** 한 변의 길이가 20cm인 정육면체 모양의 그릇에 한 변의 길이가 4cm, 10cm인 나무로 만든 정육면체 (가), (나)가 들어 있다. 이 그릇에 1초에 16cm³씩 물을 넣었는데 얼마간 물을 넣으니 정육면체 두 개가 모두 떠 있었다. 정육면체 (나)가 2.5cm만 물 위로 나와 있었다면 두 정육면체가 물에 뜨기 시작한 시각은 물을 넣기 시작하여 몇 초 후인지 각각 구하여라. (단, 두 정육면체 (가), (나)는 똑같은 나무로 만들어졌다.)

정육면체 (가)는 높이 1cm만 물 위로 나와 있게 된다.
정육면체 (가)는 물의 높이가 3cm가 될 때 물에 뜨기 시작하고 정육면체 (나)는 물의 높이가 7.5cm가 될 때 물에 뜨기 시작한다.

1 오른쪽 그림은 밑면의 반지름이 6cm인 원기둥의 일부를 잘라낸 입체도형이다. 이 입체도형을 밑면의 반지름이 20cm이고 높이가 15cm인 원기둥 모양의 그릇에 높이 4cm까지 물을 넣고 밑면이 바닥에 닿도록 넣었다. 수면의 높이를 구하여라.

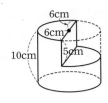

2 오른쪽 그림과 같이 높이 5cm까지 물이 든 병이 있다. 이 병을 거꾸로 세웠더니 빈 부분의 높이가 4cm가 되었다. 이 병의 부피가 35.1cm³일 때, 병에 든 물의 부피는 몇 cm³ 인가?

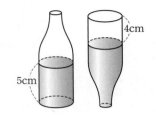

3 반지름이 다른 두 원기둥을 붙여 놓은 모양의 병이 있다. 이 병에 물을 넣고 뚜껑을 닫은 후 거꾸로 세웠더니 수면이 5cm 높아졌다. 반지름이 작은 원기둥의 높이를 구하여라.

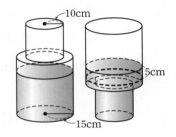

4 다음 〈그림 1〉과 같은 입체도형과 〈그림 2〉와 같이 15cm 깊이까지 물이 들어 있는 수조가 있다. 〈그림 3〉과 같이 이 입체도형을 수조에 넣었더니 물의 높이가 3cm 높아졌다. 〈그림 4〉와 같이 이 입체도형을 물속에 완전히 잠기게 넣었다면 수면의 높이는 몇 cm가 되겠는가? (단, 원뿔의 부피는 밑면의 반지름과 높이가 같은 원기둥 부피의 $\frac{1}{3}$이고, 원주율은 3으로 계산한다.)

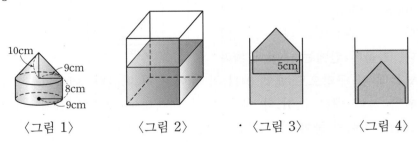

〈그림 1〉　　　〈그림 2〉　　　〈그림 3〉　　　〈그림 4〉

5 원기둥 모양의 그릇에 390mL의 물이 들어 있다. 이 물을 오른쪽 그림과 같은 원뿔 모양의 그릇에 옮겨 부었더니 수면의 넓이가 2.5배가 되었고 수면의 높이는 3cm 높아졌다. 원뿔 모양의 그릇의 수면의 넓이와 높이를 각각 구하여라. (단, 원뿔의 부피는 밑면의 반지름과 높이가 같은 원기둥의 부피의 $\frac{1}{3}$이다.)

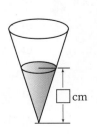

6 오른쪽 그림과 같이 직육면체 모양의 그릇에 높이가 15cm 인 칸막이를 그릇의 옆면과 평행하게 세웠다. ㉮ 부분에 1분에 260cm³씩 20분 동안 물을 넣었더니 물이 ㉯ 부분으로 넘쳐서 ㉯ 부분에 높이 5cm까지 물이 찼다. 물을 모두 버린 후 다시 ㉮ 부분에는 1분에 264cm³씩, ㉯ 부분에는 171cm³씩 동시에 물을 넣을 때, 두 부분의 물의 높이의 차가 처음으로 3cm가 되는 때는 물을 다시 넣기 시작하여 몇 분 후인지 구하여라.

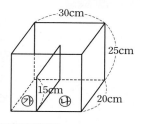

7 오른쪽 〈그림 1〉과 같이 원기둥을 반으로 자른 모양의 그릇이 있다. 이 물통의 들이는 18.84L 이고 물을 가득 넣은 후 〈그림 2〉와 같이 45° 기울여 물이 밖으로 흘러나가도록 하였다. 물통에 남아 있는 물의 양은 몇 L인가?

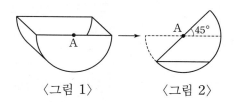

〈그림 1〉　　〈그림 2〉

8 오른쪽 그림은 크기와 모양이 같은 두 원기둥을 가지고 만든 입체도형인데, 한 원기둥에서 밑면이 부채꼴인 기둥을 떼어낸 후 서로 붙여 놓은 것이다. 이 입체도형을 물이 든 커다란 수조에 넣을 때, 수조의 물의 깊이가 5cm이면 11cm가 되고, 14.5cm이면 22cm가 된다고 한다. 윗부분의 밑면인 부채꼴의 중심각 $x°$ 를 구하여라.

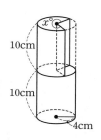

9 한 변의 길이가 각각 4cm, 7cm, 10cm인 서로 다른 나무로 만든 정육면체 ㉮, ㉯, ㉰가 있다. 이것을 가로 40cm, 세로 25cm, 높이 25cm의 직육면체 모양의 수조에 넣고 매초 30cm³씩 물을 넣었다. 10분 후에 3개의 정육면체를 보니 모두 물에 떠 있고 물 위에 떠 있는 부분의 높이는 ㉮, ㉯, ㉰가 각각 1cm, 2cm, 3cm씩이었다. ㉮, ㉯, ㉰가 물에 뜨기 시작한 것은 물을 넣기 시작한지 몇 분 몇 초 후인지 각각 구하여라.

10 직육면체 모양의 물탱크를 칸막이로 세 부분으로 나누었다. (개) 부분에 1초에 48L씩 물을 넣기 시작하여 5분 후에 물을 잠그고 3분이 지난 후의 (개), (내), (대) 세 부분의 물의 높이를 각각 구하여라. (단, (개), (내), (대) 세 부분에는 모두 1초에 8L씩 물이 나가는 구멍이 뚫려 있다고 한다.)

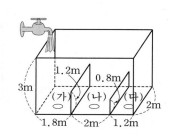

• 길의 가짓수를 구할 때는 최단거리인지, 한 지점 또는 한 길을 반복해서 지날 수 있는지, 진행 방향 또는 진행 규칙이 있는지 등을 확인해야 한다.
• 길의 가짓수를 구할 때는 몇 개의 길 중 선택하는 경우의 수를 계산하는 방법과 각 지점마다 그에 이르는 방법의 수를 적어 나가는 방법, 한 가지씩 어떤 순서에 따라 일일이 찾는 방법이 쓰인다.

핵·심·문·제 **1** 오른쪽 그림과 같은 길이 있을 때, 점 ㄱ에서 점 ㄴ으로 가는 경우의 수는 모두 몇 가지인가? (단, 가로로 난 길은 오른쪽으로만 갈 수 있고, 한 번 지나간 곳은 다시 갈 수 없다.)

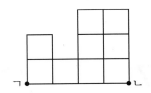

┃생각하기┃ 가로로 난 길은 오른쪽으로만, 세로로 난 길은 위, 아래로 갈 수 있다. 최단거리로 가야 한다는 조건이 없으며 한 번 지나간 곳은 다시 갈 수 없다. 점 ㄱ에서 A로 갈 때 세 가지의 가로로 난 길 중에서 선택할 수 있고, A에서 B로 갈 때는 두 가지의 가로로 난 길 중에서 선택할 수 있고, B에서 C와 C에서 점 ㄴ으로 갈 때도 각각 네 가지의 가로로 난 길 중에서 선택할 수 있다.

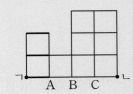

┃풀이┃ 가로로 난 길 세 가지, 두 가지, 네 가지, 네 가지 중에서 각각 하나씩 선택해야 하므로 경우의 수는 $3 \times 2 \times 4 \times 4 = 96$(가지)이다.

답 96가지

핵·심·문·제 **2** 오른쪽 그림과 같은 길이 있다. 이웃하는 지점으로 옮길 때마다 10분씩 걸린다면, A 지점에서 출발하여 50분 후에 B 지점에 도착하는 방법은 모두 몇 가지인지 구하여라. (단, 같은 길을 여러 번 가도 좋다.)

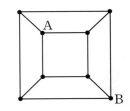

┃생각하기┃ A 지점에서 출발한지 10분 후에 도달할 수 있는 지점은 ㉠, ㉡, ㉢ 세 곳이고, 방법의 수는 1가지씩이다. 20분 후에 도달할 수 있는 지점에 각각 방법의 수를 적어 보면 오른쪽과 같다. 이와 같은 방법으로 50분 후에 도달할 수 있는 지점에 각각 방법의 수를 적어 보자.

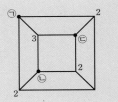

┃풀이┃

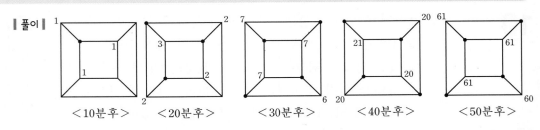

따라서 50분 후 B 지점까지 가는 방법은 60가지이다.

답 60가지

유제 **1** A, B, C, D 네 지점 사이에 오른쪽 그림과 같이 도로망이 있다. 한 번 지나간 지점을 다시 지날 수 없다고 할 때, A에서 D로 가는 방법은 모두 몇 가지인가?

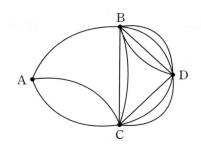

A→B→D
A→B→C→D
A→C→B→D
A→C→D
네 가지 방법이 있다.

유제 **2** 오른쪽 그림과 같은 모양의 길이 있다. 점 ㄱ에서 점 ㄴ까지 가는 방법은 모두 몇 가지인가? (단, 교차로에서는 직진하거나 직각으로 꺾어 가야 하고, 같은 점을 두 번 지날 수 없다.)

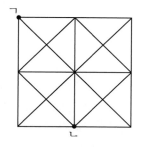

점 ㄱ에서는 →, ↘, ↓ 세 가지 길로 갈 수 있다. 각각의 경우로 따져 본다.

유제 **3** 서양 장기에서 말(Knight)이 한 번 뛴다는 것은 옆으로 한 칸 간 후 위 또는 아래로 두 칸 가거나, 옆으로 두 칸 간 후 위 또는 아래로 한 칸 간다는 것이다. 말이 A칸에서 4번 뛰어 B칸에 가는 방법은 모두 몇 가지인가?

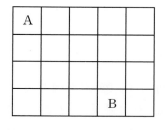

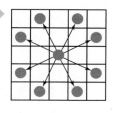

말의 이동 위치는 위와 같다.

유제 **4** 오른쪽 그림을 보고, A에서 B까지 최단거리로 가는 데 네 점 ㄱ, ㄴ, ㄷ, ㄹ 중에서 적어도 한 곳을 거쳐서 가는 방법의 수를 구하여라.

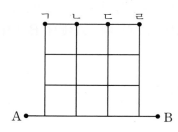

네 점 ㄱ, ㄴ, ㄷ, ㄹ 중에서 적어도 한 곳을 거쳐서 최단거리로 가야 하므로, 가로로 난 길은 왼쪽에서 오른쪽으로만 갈 수 있다. 또, 세로로 난 길은 반드시 세 번 위로 간 후에 세 번 아래로 가야 한다. 이 때, 한 번 간 길을 반대 방향으로 다시 갈 수도 있다.

1 오른쪽 그림과 같은 길에서 ㉮ 지점에서 ㉯ 지점까지 가는 방법은 모두 몇 가지인가? (단, 한 번 지난 길은 다시 지날 수 없고 서쪽으로는 갈 수 없다.)

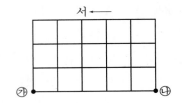

2 오른쪽 그림과 같은 길을 따라 ㄱ 지점에서 ㄴ 지점으로 가는 길은 모두 몇 가지인가? (단, 한 번 치난 길은 다시 갈 수 없다.)

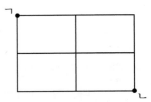

3 오른쪽 그림과 같은 길이 있다. 이 길은 오른쪽, 아래쪽, 왼쪽 아래(╱), 오른쪽 아래(╲)로만 갈 수 있다고 할 때, 점 ㄱ에서 점 ㄴ으로 가는 방법은 모두 몇 가지인지 구하여라.

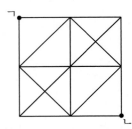

4 오른쪽 그림과 같이 ㉮ 지점에서 ㉯ 지점으로 가는 길이 있다. ㉮ 지점에서 출발하여 ㉯ 지점으로 갔다가 다시 ㉮ 지점으로 돌아오는 방법의 수를 구하여라. (단, 한 번 지나간 길은 다시 지나가지 않는다.)

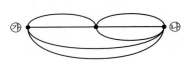

5 오른쪽 그림과 같은 길이 있다. 오른쪽, 위쪽, 오른쪽 위로만 갈 수 있다고 할 때, A에서 B까지 가는 방법은 모두 몇 가지인가?

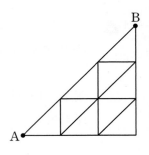

6 오른쪽 그림과 같이 정육각형 모양으로 난 길이 있다. 한 점에서 이웃하는 점으로 이동하는 데 1분씩 걸린다고 한다. 점 O에서 출발하여 5분 후에 점 A에 도착하는 방법은 몇 가지인가?

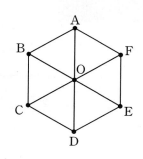

7 장기에서 말(馬)은 〈그림 1〉과 같이 날 일(日)자로 된 도형의 사선 방향으로 뛴다. 〈그림 2〉의 점 ㄱ에 있는 말이 5번 뛰어 점 ㄴ으로 가는 방법은 모두 몇 가지인가?

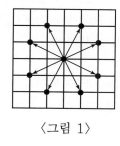

〈그림 1〉

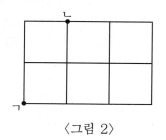

〈그림 2〉

8 오른쪽 그림은 9개의 방과 출입문을 그려 놓은 것이다. 한가운데에 있는 ㉮ 방에서 ㉯ 방으로 출입문 4개를 지나서 가는 방법은 모두 몇 가지인가? (단, 한 번은 방 밖으로 나갈 수 있고, 같은 방에 두 번 들어갈 수 없다.)

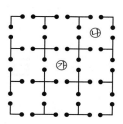

9 오른쪽 그림과 같이 정사각형 모양으로 난 길이 있다. 태은이는 A에서 B로, 별이는 B에서 A로 각각 가장 짧은 길로 간다고 한다. 두 사람이 동시에 출발해서 같은 속력으로 갈 때 서로 만나지 않고 각자 목적지에 가는 방법의 수를 구하여라.

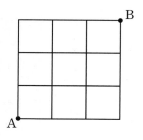

10 오른쪽 그림과 같은 길이 있다. A 지점에서 B 지점을 향해 가장 짧은 길로 가다가 어떤 교차로에서 목적지를 바꿔 C 지점을 향해 역시 가장 짧은 길로 갔다. A 지점에서 출발하여 C 지점에 도착할 때까지의 이동 방법은 모두 몇 가지인지 구하여라.

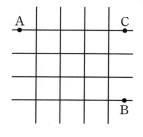

- 서로 닮음인 삼각형을 여러 쌍 찾아보면 문제를 쉽게 해결할 수 있다.
- 닮음비가 $a : b$인 두 삼각형의 넓이의 비는 $a^2 : b^2$이다.

핵·심·문·제 **1** 오른쪽 그림에서 사각형 ABCD는 평행사변형이고 선분 AE와 선분 EB의 길이의 비는 2 : 3이고, 선분 CF와 선분 FD의 길이의 비는 1 : 3이다. 대각선 BD와 선분 EF의 교점을 G, 직선 AG와 변 BC, 직선 CD와의 교점을 각각 H, I라 할 때, 선분 BH와 선분 HC의 길이의 비를 가장 간단한 자연수의 비로 나타내어라.

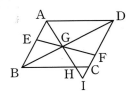

▎생각하기▎ 선분 BH와 선분 HC의 길이의 비를 구하려면 삼각형 ABH와 삼각형 IBH의 닮음비를 알아야 한다. 한편 변 AB와 변 CD가 평행이므로 삼각형 GEB와 삼각형 GFD, 삼각형 GAB와 삼각형 GID도 두 대응각의 크기가 같아 서로 닮음이다.

▎풀이▎ 삼각형 GEB와 GFD는 두 대응각의 크기가 각각 같으므로 닮음이다.

선분 BE는 변 AB의 길이의 $\frac{3}{5}$ 이고 선분 DF는 변 CD의 길이의 $\frac{3}{4}$ 이므로

(선분 BE) : (선분 DF)=4 : 5

따라서 (선분 BG) : (선분 DG)=4 : 5

또, 삼각형 GAB와 GID는 닮음이다. 닮음비는 선분 BG와 선분 DG의 길이의 비와 같이 4 : 5이다.

따라서 (선분 AB) : (선분 DI)=4 : 5, (선분 AB) : (선분 CI)=4 : 1

따라서 삼각형 HAB와 HIC는 닮음이므로 (선분 BH) : (선분 CH)=4 : 1

답 4 : 1

핵·심·문·제 **2** 오른쪽 그림은 정사각형 ㄱㄴㄷㄹ의 네 변을 각각 사등분 한 것이다. 삼각형 ㄱㅈㅊ의 넓이는 정사각형 ㄱㄴㄷㄹ의 넓이의 몇 분의 몇인지 구하여라.

▎생각하기▎ 선분 ㅈㅊ의 길이가 선분 ㅁㅂ의 길이의 몇 분의 몇인지를 알아야 한다. 변 ㄹㄷ과 변 ㄱㅅ을 연장했을 때 만나는 점을 점 ㅋ이라 하면 삼각형 ㅈㄱㅁ과 ㅈㅋㅂ은 대응각의 크기가 같아 서로 닮음이다.

▎풀이▎ 삼각형 ㅅㄱㄴ과 ㅅㅋㄷ은 합동이므로 변 ㄱㄴ과 변 ㄷㅋ은 길이가 같다.

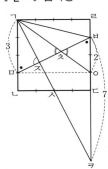

또, 삼각형 ㅈㄱㅁ과 ㅈㅋㅂ은 닮음이므로 닮음비가 3 : 7임을 알 수 있다. 따라서 (변 ㅁㅈ) : (변 ㅈㅂ)=3 : 7이다.

또, 삼각형 ㅊㄱㅁ과 ㅊㅇㅂ은 닮음이고 닮음비는 3 : 2이다. 따라서 (변 ㅁㅊ) : (변 ㅊㅂ)=3 : 2이다. 변 ㅁㅂ의 길이를 10이라 하면 (변 ㅁㅈ) : (변 ㅈㅊ) : (변 ㅊㅂ)=3 : 3 : 4이다. 따라서 (변 ㅈㅊ)=(변 ㅁㅂ)$\times \frac{3}{10}$

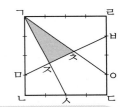

삼각형 ㄱㅁㅂ의 넓이는 정사각형 넓이의 $\frac{3}{4} \times \frac{1}{2} = \frac{3}{8}$ 이고 삼각형 ㄱㅈㅊ의 넓이는 삼각형 ㄱㅁㅂ의 넓이의 $\frac{3}{10}$ 이다.

따라서 삼각형 ㄱㅈㅊ은 정사각형 ㄱㄴㄷㄹ의 넓이의 $\frac{3}{8} \times \frac{3}{10} = \frac{9}{80}$ 이다.

답 $\frac{9}{80}$

유제 **1** 오른쪽 그림에서 점 ㅇ은 정사각형 ㄱㄴㄷㄹ의 두 대각선의 교점이고, 점 ㅁ,ㅂ은 변 ㄱㄴ의 삼등분점이다. 선분 ㅁㅇ과 선분 ㄴㄷ의 연장선이 만나는 점을 점 ㅈ이라 할 때, 선분 ㅁㅇ의 길이가 6cm라면 선분 ㅇㅈ의 길이는 몇 cm인가?

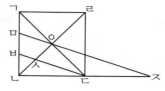

삼각형 ㄱㅁㅇ과 삼각형 ㄱㅂㄷ은 대응하는 두 변의 길이의 비가 같고 끼인각의 크기가 같아 닮음이다.

유제 **2** 한 변의 길이가 7cm인 정사각형 모양의 색종이와 가로의 길이가 10cm, 세로의 길이가 4.9cm인 직사각형 모양의 색종이가 있다. 정사각형 모양의 색종이는 〈그림 1〉과 같이 A, B, C로 자르고 직사각형 모양의 색종이는 〈그림 2〉와 같이 (개), (내), (대)로 잘랐는데 A와 (개), B와 (내), C와 (대)가 각각 합동인 도형이 되었다. (개), (내), (대)의 넓이의 비를 가장 간단한 자연수의 비로 나타내어라.

 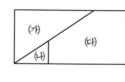

〈그림 1〉   〈그림 2〉

직각삼각형 A의 직각을 낀 두 변의 길이는 7cm, 4.9cm이고, 직각삼각형 B의 직각을 낀 두 변 중 짧은 변의 길이는 7－4.9＝2.1(cm)이다.

유제 **3** 오른쪽 그림은 세 개의 합동인 이등변삼각형 ㄱㄴㄷ, ㄱㄷㄹ, ㄱㄹㅁ을 등변을 맞붙여 놓아 오각형 ㄱㄴㄷㄹㅁ을 만든 것이다. 변 ㄱㄴ의 길이는 22cm, 변 ㄴㄷ의 길이는 11cm일 때, 변 ㄴㅁ의 길이를 구하여라.

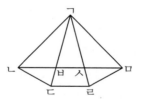

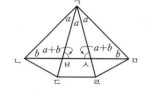

$a+a+a+b+b=180°$
따라서 이등변삼각형의 두 밑각의 크기는 모두 $a+b$이다.

유제 **4** 오른쪽 그림과 같이 직사각형의 내부에 변 ㄱㄹ로부터 5cm, 변 ㄹㄷ으로부터 3cm만큼 떨어진 위치에 점 ㅁ을 찍고 직사각형 ㄱㄴㄷㄹ의 넓이의 $\frac{1}{3}$이 되도록 사각형 ㅂㅅㄷㄹ을 만들었다. 선분 ㅅㄷ의 길이를 구하여라.

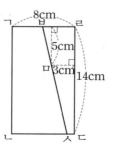

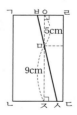

사다리꼴 ㅂㅅㄷㄹ의 넓이는 $\frac{112}{3}$ cm², 삼각형 ㅁㅈㅅ이 삼각형 ㅁㅇㅂ보다 $42-\frac{112}{3}=\frac{14}{3}$ (cm²) 만큼 더 넓다.

1 한 변의 길이가 12cm인 정사각형 5개를 오른쪽 그림과 같이 한 줄로 붙여 놓고, 3개의 직선을 그었다. 색칠한 삼각형 ㉮의 넓이를 구하여라.

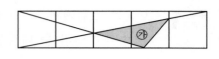

2 오른쪽 그림에서 삼각형 ㄱㄴㄷ, 삼각형 ㄹㄴㅁ, 삼각형 ㄱㅂㅅ은 모두 정삼각형이다. 선분 ㄱㅂ과 선분 ㅂㄴ의 길이의 비는 7 : 3이고 선분 ㄴㅁ과 선분 ㅁㄷ의 길이의 비는 3 : 5일 때, 삼각형 ㄹㅂㅇ과 삼각형 ㄱㄴㄷ의 넓이의 비를 구하여라.

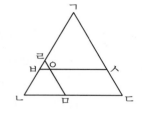

3 오른쪽 그림과 같이 정육각형 ㄱㄴㄷㄹㅁㅂ 안에 선분 3개를 그었다. 점 ㅅ은 변 ㄴㄷ의 중점이고 점 ㅇ은 변 ㄹㅁ의 삼등분점일 때, 삼각형 ㄱㅂㅈ의 넓이가 12cm²라면 삼각형 ㅋㅊㅈ의 넓이는 몇 cm²인지 구하여라.

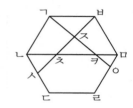

4 오른쪽 그림과 같이 삼각형을 4조각으로 잘라 처음 삼각형과 닮은 두 개의 삼각형으로 만들었다. 선분 ㄱㄴ, 선분 ㄴㄷ, 선분 ㄷㄹ, 선분 ㅁㅂ의 길이의 비를 가장 간단한 자연수의 연비로 나타내어라.

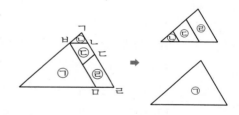

5 오른쪽 그림의 정사각형 ㄱㄴㄷㄹ에서 점 ㅁ은 변 ㄴㄷ을 1 : 3으로 나누고, 점 ㅂ은 변 ㄹㄷ을 1 : 2로 나눈다. 삼각형 ㄱㅅㅇ의 넓이는 정사각형 ㄱㄴㄷㄹ의 넓이의 몇 배인가?

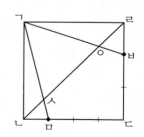

6 오른쪽 그림의 사각형 ㄱㄴㄷㄹ은 평행사변형이다. 선분 ㄱㅁ의 길이는 선분 ㄱㄴ의 길이의 $\frac{3}{4}$이고, 선분 ㄱㅅ의 길이는 선분 ㄱㄹ의 길이의 $\frac{3}{5}$이다. 선분 ㅁㅂ이 변 ㄱㄹ에 평행이고, 선분 ㅅㅇ이 변 ㄱㄴ에 평행일 때, 세 삼각형 A, B, C의 넓이의 비를 가장 간단한 자연수의 연비로 나타내어라.

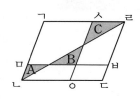

7 오른쪽 도형에서 색칠한 부분의 넓이를 구하여라.

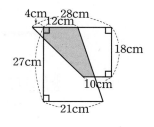

8 오른쪽 그림에서 사각형 ABCD는 사다리꼴이다. 점 E는 변 DC의 삼등분점, 점 F는 변 AD의 사등분점이다. 변 AD와 변 BC의 길이의 비가 2 : 3일 때, 변 BG, 변 GH, 변 HE의 길이의 비를 가장 간단한 자연수의 비로 나타내어라.

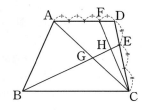

9 한 변의 길이가 10cm인 정사각형 5개를 오른쪽 그림과 같이 놓았다. 이 때, 색칠한 부분의 넓이를 구하여라.

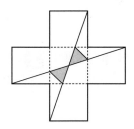

10 선주는 학교 운동장에 있는 게시판의 가로의 길이가 궁금하였다. 그래서 6cm짜리 연필을 들고 팔을 쭉 펴고 한쪽 눈을 감은 채 연필의 양끝을 보니 게시판의 양 끝과 일치하였다. 다시 선주는 4m 앞으로 걸어가서 10cm짜리 연필을 들고 팔을 쭉 펴고 한쪽 눈을 감은 채 연필의 양끝을 보니 또 게시판의 양끝과 일치하였다. 선주의 팔의 길이가 50cm일 때 게시판의 가로의 길이는 몇 m인지 구하여라.

• n개의 서랍에 n개보다 많은 물건을 넣으려면 적어도 한 서랍에는 2개 이상의 물건을 넣어야
 한다.
 2개 이상의 물건이 들어간 서랍이 없이 모두 한 개씩만 들어간다면 n개의 서랍에 들어가는
 물건의 총수는 n개이며 n개보다 많은 물건이 들어갈 수 없다.
 따라서 적어도 한 서랍에는 2개 이상의 물건이 들어간다.

• n개의 서랍에 $(m \times n)$보다 많은 물건을 넣으려면 적어도 한 서랍에는 $(m+1)$개 이상의
 물건을 넣어야 한다.
 $(m+1)$개 이상의 물건이 들어간 서랍이 없이 모두 m개씩만 들어간다면 n개의 서랍에 들
 어가는 물건의 총수는 $(m \times n)$개이며 $(m \times n)$개보다 많은 물건이 들어갈 수 없다.
 따라서 적어도 한 서랍에는 $(m+1)$개 이상의 물건이 들어간다.

핵·심·문·제 **1** 17개의 자연수가 있다. 그 중에서 합이 5로 나누어떨어지는 5개의 자연수를 반드시 찾을 수 있다. 이유를 설명하여라.

▌**생각하기**▌ 자연수는 5로 나누면 나머지가 0, 1, 2, 3, 4인 경우로 나뉜다. 17개의 자연수를 이 5개의 서랍에 넣으면 한 서랍에 들어 있는 수 4개를 찾을 수 있어도 5개를 반드시 찾을 수 있다고는 할 수 없다. 이렇게 해서는 문제에 대한 설명이 될 수 없다. 서랍을 4개로 만들어야 한다.

▌**풀이**▌ 자연수를 5로 나누면 나머지가 0, 1, 2, 3, 4인 경우로 나뉜다
• 나머지가 0, 1, 2, 3, 4인 수가 각각 모두 있을 때
 나머지가 0, 1, 2, 3, 4인 수를 각각 한 개씩 골라 5개의 자연수로 정하면 그 합은 반드시 5로 나누어떨어진다.
• 나머지가 0, 1, 2, 3, 4인 수 중 어느 한 가지가 없을 때
 나머지는 4가지 이하이므로 17개의 자연수 중 같은 나머지를 갖는 수 5개를 고를 수 있고 그 합은 반드시 5로 나누어떨어진다.

핵·심·문·제 **2** 1부터 63까지의 자연수가 있다. 이 중에서 임의로 7개의 수를 택하면 이들 가운데 한 수가 다른 수의 2배보다 작게 되는 경우가 반드시 생긴다. 이유를 설명하여라.

▌**생각하기**▌ 만약 6개의 수를 뽑는다면 1, 3, 7, 15, 31, 63과 같이 한 수가 다른 수의 2배보다 작게 되는 경우가 없을 수도 있다.
임의로 7개의 수를 택하므로 6개의 서랍을 만들자. 또, 한 수가 다른 수의 2배보다 작게 되는 경우만 같은 서랍에 들어가도록 서랍을 만들자.

▌**풀이**▌ 1부터 63까지의 자연수로 아래와 같이 6개의 서랍을 만들자.
(1), $(2, 3)$, $(4, 5, 6, 7)$, $(8, 9, 10, \cdots, 15)$, $(16, 17, 18, \cdots, 31)$, $(32, 33, 34, \cdots, 63)$
이 중에서 7개의 수를 택하므로 적어도 2개의 수는 같은 서랍에서 택하게 된다.
그런데 같은 서랍에 있는 수들은 한 수가 다른 수의 2배보다 작으므로 7개의 수를 택하면 이들 가운데 한 수가 다른 수의 2배보다 작게 되는 경우가 반드시 생긴다.

유제 1 우리 반 38명의 學生들은 A, B, C 세 가지의 학습지 중에서 한 가지 또는 두 가지 또는 세 가지를 신청하여 공부하고 있다. 공부하고 있는 학습지가 똑같은 학생이 최대 몇 명이나 반드시 있는지 구하여라.

> A만, B만, C만, A와 B만, A와 C만, B와 C만, A와 B와 C의 7가지 경우가 있다.

유제 2 다섯 개의 바구니에 사과와 배 두 가지 과일이 모두 들어가도록 적당히 담았다. 이 중에서 두 바구니를 골라 사과의 수의 합과 배의 수의 합을 구하면 모두 짝수가 되는 경우가 반드시 있음을 설명하여라.

> 각 바구니에 들어 있는 사과의 수와 배의 수의 홀·짝을 생각해 보면 다음의 네 가지 경우가 생긴다.
> (홀, 홀), (홀, 짝), (짝, 홀), (짝, 짝)

유제 3 10개의 자연수가 있다. 이 중 몇 개의 자연수를 더하면 그 합이 10의 배수가 되는 경우가 반드시 있음을 설명하여라.

> 10개의 자연수를
> $a_1, a_2, a_3, \cdots, a_{10}$이라 하고 다음 10개의 수를 10으로 나눈 나머지를 가지고 생각해 보자.
> a_1
> $a_1 + a_2$
> $a_1 + a_2 + a_3$
> $\vdots$
> $a_1 + a_2 + a_3 + \cdots + a_{10}$

유제 4 우리 학원의 김기주 선생님이 결혼을 하셨다. 피로연장에는 많은 사람들이 모여서 식사를 하였는데 이 사람들 중에서 아는 사람의 수가 같은 두 사람이 반드시 있음을 설명하여라.

> n명 중 아는 사람이 한 명도 없는 사람이 없다고 할 때, 각 사람이 아는 사람의 수는 1명부터 $(n-1)$명까지이다. n명의 사람이므로 적어도 두 사람은 아는 사람의 수가 같다.
> 아는 사람이 한 명도 없는 사람이 1명, 2명, 3명, … 일 때도 같은 방법으로 설명할 수 있다.

1 임의의 자연수 26개를 골랐다. 그 중에서 차가 25의 배수가 되는 두 수가 반드시 있음을 설명하여라.

2 5개의 자연수가 있다. 그 중에서 합이 3의 배수가 되는 세 수가 반드시 있음을 설명하여라.

3 1부터 42까지의 자연수를 아무렇게나 3개씩 짝지어 놓았다. 이 중 세 수의 합이 65 이상이 되는 경우가 반드시 있음을 설명하여라.

4 임의의 자연수 27개를 골랐다. 그 중에서 합 또는 차가 50의 배수가 되는 두 수가 반드시 있음을 설명하여라.

5 A, B, C, D 네 가지의 어린이 잡지가 있는데 우리 반 학생들은 모두가 이 중 최대 두 가지까지 정기구독을 하고 있다고 한다. 우리 반 학생들이 최소 몇 명이어야 정기구독하고 있는 잡지가 서로 똑같은 학생 5명을 반드시 찾을 수 있겠는가?

6 1부터 100까지의 자연수 중에서 51개를 고르면 그 중의 한 수가 다른 수의 배수가 되는 경우가 반드시 있음을 설명하여라.

7 0 이상 1 미만의 분수가 101개 있다. 이 중 차가 $\dfrac{1}{100}$보다 작은 두 개의 분수가 반드시 있음을 설명하여라.

8 각 자리의 수가 모두 1인 수 중에서 1999로 나누어떨어지는 수가 있음을 설명하여라.

9 36개의 서로 다른 자연수가 있다. 이 중에서 네 개의 자연수를 골라 아래의 식의 □ 안에 하나씩 적당히 넣으면 그 계산 결과가 253의 배수가 되도록 할 수 있다고 한다. 그 방법을 설명하여라.

$$(\square - \square) \times (\square - \square)$$

10 임의의 11개의 자연수가 있다. 이 중에서 합이 6의 배수가 되는 수 6개가 반드시 있음을 설명하여라.

- 합동인 여러 개의 도형으로 나누는 문제를 도형 분할 문제라고 한다.
- 도형 분할 문제는 넓이를 계산해 보거나 회전의 중심을 찾아보거나 나누려는 개수보다 더 많은 부분으로 나누어 보면 풀 수 있게 되는 경우가 많다.
- 도형 분할 문제는 직관과 창의적인 통찰력을 발휘하여야 풀 수 있다.

핵·심·문·제 **1** 오른쪽 그림은 크기가 같은 정사각형 5개를 붙여 놓은 것이다. 크기와 모양이 같은 4개의 도형으로 분할하여라.

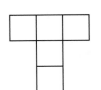

▌생각하기▐ 정사각형 5개를 4개로 나눠야 하므로 각 정사각형을 4개로 나눠 모두 20개의 작은 정사각형에서 생각하는 것이 좋다. 4개의 합동인 도형은 넓이가 각각 작은 정사각형 5개에 해당된다.

▌풀이▐ 합동인 4개의 도형으로 나누기 위해 20개의 작은 정사각형에서 생각해 보자.
각각 작은 정사각형 5개로 이루어져야 하므로 아래 그림과 같이 생각할 수 있다.

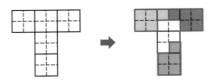

핵·심·문·제 **2** 오른쪽 그림에서 정삼각형을 크기와 모양이 같은 3개의 도형으로 분할하는 방법을 5가지 이상 찾아라.

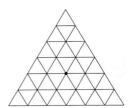

▌생각하기▐ 주어진 도형은 표시된 점을 중심으로 60°씩 회전하면 같은 도형이 된다. 따라서 가장 단순한 모양의 분할은 아래 왼쪽 그림과 같다. 이 그림에서 분할선을 같은 모양으로 변형시키면 여러 가지 분할 방법을 찾을 수 있다.

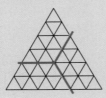 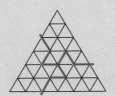

▌풀이▐ 다음과 같은 방법 외에도 여러 가지 분할 방법을 찾을 수 있다.

유제 **1** 오른쪽 그림은 정사각형 4개와 직각이등변 삼각형 2개를 붙여 놓은 것이다. 4개의 합동인 도형으로 분할하여라.

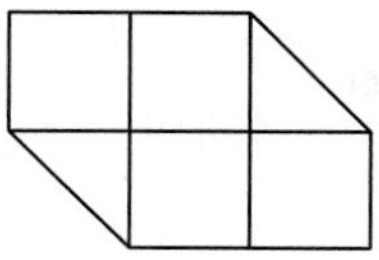

전체 넓이가 정사각형 5개에 해당 되므로 4개의 도형으로 분할하면 정사각형 1개와 $\frac{1}{4}$쪽이 한 등분의 몫이다.

유제 **2** 오른쪽 그림은 정사각형 8개를 겹치지 않게 이어 붙여 놓은 것이다. 뒤집어서 포개지는 경우를 제외하고 돌려 놓아 포개어지는 4개의 도형으로 나누어라.

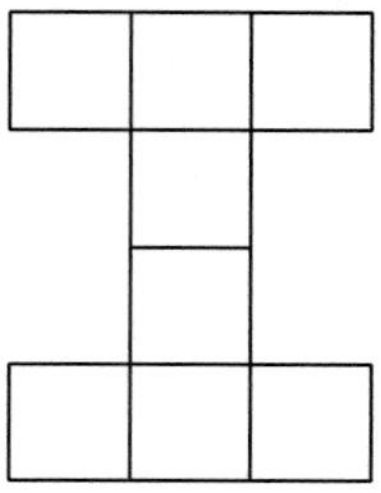

포개어지는 4개의 도형은 각각 정사각형을 2개씩 차지해야 하므로 한 개의 정사각형을 작은 정사각형 4개로 나누어 생각해 보자.

유제 **3** 오른쪽 도형을 점선을 따라 합동인 2개의 도형으로 나누는 방법은 모두 몇 가지인가?(단, 돌려 놓거나 뒤집어 놓아 같아지는 경우는 한 가지로 생각한다.)

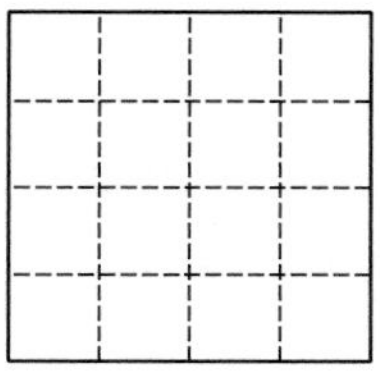

점대칭도형이 되도록 대칭의 중심을 찾아 분할선을 그어 보자.

유제 **4** 오른쪽 그림은 가로 9cm, 세로 4cm 인 직사각형이다. 이 직사각형을 합동인 2개의 도형으로 분할한 후 다시 이어 붙여 정사각형을 만들어라.

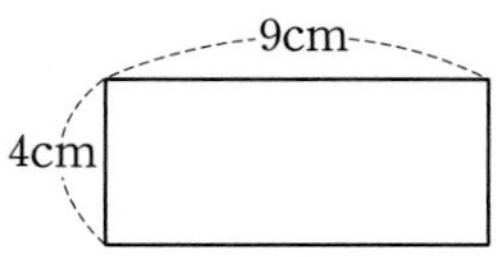

직사각형의 넓이는 $4 \times 9 = 36 (cm^2)$ 이므로 새로 만들어지는 정사각형의 한 변의 길이는 6cm가 된다.

1 오른쪽 도형은 합동인 4개의 정사각형으로 이루어진 도형이다. 이 도형을 합동인 4개의 도형으로 나누는 다른 방법을 찾아라.

2 오른쪽 도형은 합동인 3개의 정사각형으로 이루어진 도형이다. 이 도형을 합동인 4개의 도형으로 분할하여라.

3 오른쪽 그림은 아랫변이 윗변의 2배이고, 두 밑각이 모두 60°인 사다리꼴이다. 4개의 합동인 도형으로 나누어라.

4 오른쪽 그림은 작은 정사각형 24개로 이루어진 도형이다. 점선을 따라 모양과 크기가 같은 4개의 도형으로 분할하여라.

5 1cm 간격의 모눈종이 위에 오른쪽 그림과 같이 6각형을 그렸다. 이 도형을 모양과 크기가 같은 2개의 도형으로 나누어라.

6 오른쪽 도형을 점선을 따라 합동인 2개의 도형으로 분할하려고 한다. 분할하는 방법이 모두 몇 가지인지 구하여라.

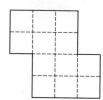

7 가로 25cm, 세로 16cm인 직사각형을 합동인 2개의 도형으로 분할하여 정사각형을 만들려고 한다. 어떻게 분할하면 정사각형을 만들 수 있는지 그림으로 설명하여라.

8 오른쪽 도형을 처음 모양과 같은 모양으로 4등분 하여라. 또, 처음 모양과 같은 모양으로 9등분 하여라.

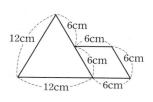

9 오른쪽 그림은 10개의 정사각형으로 이루어진 도형이다. 이 도형을 합동인 4개의 도형으로 나눠 정사각형이 되도록 옮겨 놓았다. 방법을 그림으로 설명하여라.

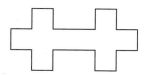

10 오른쪽 그림은 5개의 정사각형으로 이루어진 도형이다. 이 도형을 합동인 4개의 도형으로 나눠 정사각형이 되도록 옮겨 놓았다. 방법을 그림으로 설명하여라.

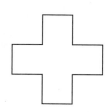

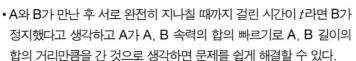

- A와 B가 만난 후 서로 완전히 지나칠 때까지 걸린 시간이 t라면 B가 정지했다고 생각하고 A가 A, B 속력의 합의 빠르기로 A, B 길이의 합의 거리만큼을 간 것으로 생각하면 문제를 쉽게 해결할 수 있다.

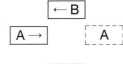

- A가 B를 따라잡고 앞설 때까지 걸린 시간이 t라면 B가 정지했다고 생각하고 A가 A, B 속력의 차의 빠르기로 A, B 길이의 합의 거리만큼을 간 것으로 생각하면 문제를 쉽게 해결할 수 있다.

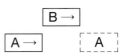

- 일정한 간격을 두고 달리는 차와 마주 달려 a시간마다 만난다면 a시간 동안 달린 거리의 합이 차간 거리이고, 따라 달려 b시간마다 만난다면 b시간 동안 달린 거리의 차가 차간 거리이다.

핵·심·문·제 **1** 두 열차 A, B가 서로 반대 방향으로 달리면 만난 후 서로 완전히 지나칠 때까지 $3\frac{3}{4}$초가 걸린다고 한다. 또, 같은 방향으로 달리면 A 열차가 B 열차를 따라잡고 앞서는 데 $22\frac{1}{2}$초가 걸리고, B 열차가 매초 1m씩 덜 간다면 A 열차가 B 열차를 따라잡고 앞서는 데 20초가 걸린다고 한다. 두 열차의 시속이 각각 몇 km인지 구하여라.

┃생각하기┃ A, B 속력의 차의 빠르기로 $22\frac{1}{2}$초 동안 A, B 길이의 합의 거리만큼 갔다. 또, B의 속력이 1m 줄어들면 A, B 속력의 차는 1m 늘어나게 되어 같은 거리를 가는 데 20초 걸리게 된다. 오른쪽 그림과 같이 풀면 A, B 속력의 차는 $1 \times 20 \div 2.5 = 8$(m/초)가 된다.

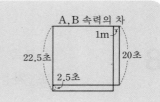

┃풀이┃ (A, B 속력의 합)$\times 3\frac{3}{4} = 8 \times 22\frac{1}{2}$(m/초), (A, B 속력의 합)$= 8 \times \frac{45}{2} \times \frac{4}{15} = 48$(m/초)

(A 열차의 속력)$= \frac{48}{2} + 4 = 28$(m/초), (B 열차의 속력)$= \frac{48}{2} - 4 = 20$(m/초)

따라서 (A 열차의 시속)$= 28 \times 3600$(m/시)$= 100.8$(km/시),
(B 열차의 시속)$= 20 \times 3600$(m/시)$= 72$(km/시)이다. 답 A : 시속 100.8km, B : 시속 72km

핵·심·문·제 **2** 기훈이는 학원에서 집으로 갈 때, 자전거를 타고 시속 18km의 빠르기로 간다. 이때 일정한 간격으로 출발하여 왕복운행하는 버스와 만나는데 마주 오는 버스와는 $4\frac{4}{9}$분마다, 뒤에서 오는 버스와는 8분마다 만난다고 한다. 이 버스의 시속과 출발하는 시각 사이의 간격을 구하여라. (단, 버스의 길이는 무시한다.)

┃생각하기┃ 차간 거리가 항상 같으므로 그림과 같이 생각하면 기훈이는 1시간에 18km 가므로 1분에는 300m씩, $4\frac{4}{9}$분에는 $300 \times \frac{40}{9} = \frac{4000}{3}$(m), 8분에는 2400m간다. 버스가 $\frac{40}{9}$분 동안

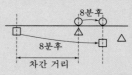

간 거리에 $\frac{4000}{3}$m를 더하거나 버스가 8분 동안간 거리에서 2400m를 빼면 차간 거리가 되므로 버스가 $8 - \frac{40}{9} = \frac{32}{9}$(분) 동안 간 거리는 $\frac{4000}{3} + 2400 = \frac{11200}{3}$(m)이다.

┃풀이┃ 버스가 $8 - \frac{40}{9} = \frac{32}{9}$(분) 동안 간 거리는 $300 \times \frac{40}{9} + 300 \times 8 = \frac{11200}{3}$(m)이므로 버스는 1분에 $\frac{11200}{3} \div \frac{32}{9} = \frac{11200}{3} \times \frac{9}{32} = 1050$(m)씩 간다. 따라서 버스의 시속은 $1.05 \times 60 = 63$(km)이고, 차간 거리는 $1050 \times 8 - 300 \times 8 = 6000$(m)이므로 출발하는 시각 사이의 간격은 $6000 \div 1050 = 5\frac{5}{7}$(분)이다.

답 시속 63km, $5\frac{5}{7}$분

유제 **1** 버스가 8분 간격으로 ㉮ 정류장을 출발하여 ㉯ 정류장을 향해 가고 있다. 예나는 버스 한 대가 ㉯ 정류장에 도착할 때 ㉯ 정류장을 출발하여 ㉮ 정류장을 향해 걸어갔다. 버스가 ㉮ 정류장에서 ㉯ 정류장까지 가는 데 24분이 걸리는데 예나가 ㉮ 정류장에 도착했을 때 또 다시 한 대가 떠났고 오는 도중 예나는 11대의 버스와 만났다. 예나가 ㉯ 정류장에서 ㉮ 정류장까지 가는 데 걸린 시간을 구하여라.

> $24 \div 8 = 3$이므로 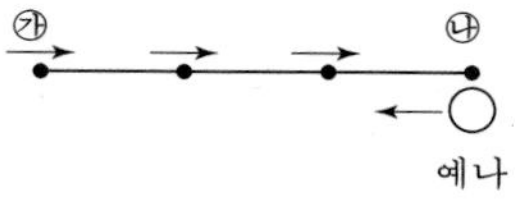
>
>
> 예나가 떠날 때 위의 그림과 같이 버스가 달리고 있다.

유제 **2** 길이가 90m인 기차 한 대가 시속 40km의 속력으로 달리고 있다. 이 기차는 10시 3분에 기차와 같은 방향으로 자전거를 타고 가고 있는 재호를 18초 동안 지나쳐 갔다. 이 기차는 다시 10시 15분에 반대 방향으로 자전거를 타고 가고 있는 재희를 6초 동안 지나쳐 갔다. 재호와 재희는 몇 시 몇 분에 만나겠는가?

> 재호가 멈춰 있다면 기차는 (기차 속력)−(재호 속력)으로 18초 동안 90m를 가는 셈이다. 또, 재희가 멈춰 있다면 기차는 (기차 속력)+(재희 속력)으로 6초 동안 90m를 가는 셈이다.

유제 **3** 순환도로를 몇 대의 버스가 같은 시간 간격으로 쉬지 않고 달리고 있다. 버스의 속력은 시속 40km인데 버스를 2대 줄이면 간격이 3분 늘어나고 2대 늘리면 간격이 1분 30초 줄어든다고 한다. 순환도로의 길이는 몇 km이며, 버스는 몇 대인지 구하여라. (단, 정류장에서 정차하는 시간은 무시한다.)

> 순환도로의 길이는 (버스 대수)×(버스간 거리)이다.

유제 **4** 순호네 반 학생들은 학교에서 20km 떨어진 공원으로 야외 학습을 하러 가려고 한다. 학생은 모두 40명이고, 시속 40km로 달리는 버스가 한 대 있는데 학생을 20명까지 태울 수 있어서 학생들을 2개 조로 나누어 우선 한 조의 학생들은 버스를 타고 가고 나머지 한 조의 학생들은 걸어가기로 하였다. 버스는 도중에 학생들을 내려놓고 다시 돌아와 걸어오고 있는 학생들을 태우고 공원에 도착했는데 먼저 버스를 타고 가다가 내려서 걸어간 학생들과 동시에 도착하게 되었다. 학생들이 시속 4km의 속력으로 걷는다면 먼저 버스를 타고 떠난 학생들이 내린 지점과 먼저 걸어가던 학생들이 버스에 탄 지점이 각각 학교에서부터 얼마나 떨어진 곳인지 구하여라.

> 두 조의 학생들이 동시에 공원에 도착하였으므로 두 조 모두 같은 거리만큼 걸었고, 같은 거리만큼 버스를 타고 갔다.

1 놀이공원에 유람전차 8대가 A, B 두 지점 사이를 왕복한다. 이들 전차는 시속 9km 로 달리며, 항상 4분 간격을 유지하고, A, B 각 지점에서 2분씩 멈췄다가 출발한다 고 한다. A, B 두 지점 사이의 거리는 몇 km인가?

2 어떤 열차가 길이 1200m인 터널을 완전히 지나가는 데 65초가 걸렸다. 이 열차가 같은 속도로 마주 오는 같은 길이의 열차와 스쳐 지나가는 데 5초가 걸린다고 한다. 이 열차의 속력은 시속 몇 km인지 구하여라.

3 시속 132km로 달리는 길이 108m의 열차 A와 시속 84km로 달리는 길이 252m의 열차 B가 마주 보며 달리고 있다. 이 두 열차는 철교의 한쪽 끝에서 만나 다른 한쪽 끝에서 떨어졌다. 이 철교의 길이를 구하여라.

4 같은 방향으로 세인이는 걸어서 가고 강인이는 자전거를 타고 가는데 강인이의 속 력은 세인이의 속력의 4배이다. 일정한 간격을 유지하며 같은 속력으로 달리고 있 는 여러 대의 버스가 세인이와 같은 방향으로 달리고 있는데 15분에 한 대씩 세인 이를 지나가고, 24분에 한 대씩 강인이를 지나간다. 버스는 몇 분 간격을 두고 달리 는 것인가?

5 혜연이와 정현이는 100m 떨어진 A, B 두 지점에서 서로 마주 보고 동시에 출발하 여 왕복으로 계속해서 5분 동안 달리면서 5번이나 마주쳤다. 정현이가 혜연이보다 1초에 0.4m씩 더 빨리 달린다고 할 때, 혜연이와 정현이의 시속을 각각 구하여라.

6 길이가 40m인 수영장에서 신일이와 산이가 동시에 출발하여 왕복하면서 수영을 한다. 신일이의 속력은 시속 3.6km이고 산이의 속력은 시속 2.88km이다. 신일이와 산이가 수영장의 양쪽 끝에서 출발하여 20분 동안 쉬지 않고 수영을 했을 때 수영 도중 몇 번이나 만나겠는가?

7 길이가 192m인 A 열차와 길이가 150m인 B 열차가 같은 방향으로 달리고 있다. B 열차가 A 열차를 따라잡은 후 앞서는 데 24초 걸렸다. A 열차를 완전히 통과한 B 열차와 A 열차가 계속해서 달려 A열차의 앞부분보다 B 열차의 뒷부분이 120m 앞에 있게 되었을 때, B 열차가 속도를 $\frac{2}{7}$로 낮추었다. 이 때부터 A 열차가 B 열차를 따라잡은 후 앞설 때까지 54초 걸렸다면 A, B 두 열차의 시속은 각각 몇 km인가?

8 길이가 160m인 전철이 시속 60km로 A 지점에서 B 지점을 향해 달리고 있다. 이 전철은 오후 3시 10분에 B 지점에서 3km 떨어진 곳에서 마주 보고 오는 한 사람과 마주치고 9초 후에 그 사람을 지나쳐 갔다. 전철 앞부분이 B 지점에 도착한 후 15분간 방향을 바꿔 또 다시 전철 앞부분이 B 지점에 와 있는 상태에서 출발하였는데 얼마 후 이 전철이 다시 이 사람을 뒤쫓아 가서 만났다. 이 때의 시각을 구하여라.

9 한 학교에서 120명이 소풍을 가려고 한다. 1시간 55분만에 소풍 장소에 도착해야 하는데 학교에는 학생 40명을 태울 수 있는 버스가 한 대만 있다. 버스의 시속은 36km, 학생들이 걷는 속도는 시속 4km이고, 소풍 장소는 학교에서 21km 떨어져 있다. 학생들이 모두 같은 거리만큼 버스를 타고 같은 거리만큼 걸어서 모든 학생들이 동시에 소풍 장소에 도착하려면 버스를 타는 것과 걷는 것을 어떻게 배치해야 하겠는가?

10 상민이는 1분에 250m 가는 빠르기로 자전거를 타고 A 지점을 출발하여 B 지점을 향해서 간다. 이 때 A 지점에서 동시에 출발한 승용차 한 대가 일정한 속력으로 A, B 지점 사이를 왕복하는데 A, B 지점에서 각각 5분씩 멈췄다가 출발한다고 한다. A, B 지점 사이의 거리는 15km이고, 상민이가 B 지점에 도착하기 전에 이 승용차와 3번 만났다고 한다. 승용차는 매분 몇 m 초과 몇 m 미만의 속력으로 달린 것인지 구하여라.

피타고라스와 피타고라스학파

'피타고라스의 정리'로 잘 알려진 피타고라스는 사실 베일에 싸인 인물이다. 기원전 560년경 에게해의 사모스섬에서 보석공의 아들로 태어난 피타고라스는 고대 그리스 자연철학의 시조인 탈레스의 제자로 전해지기도 한다. 기원전 6세기에 사모스섬을 지배했던 잔혹한 군주인 폴리크라테스의 폭정을 피하여 B.C 560~480년경 이탈리아의 남부 크로톤으로 가서 그 곳의 최고 부자인 밀로의 도움으로 '피타고라스 학파'를 설립하였는데 곧 수많은 제자가 몰려들었다. 오늘날의 관점으로 보면 피타고라스 학파는 학교라기보다는 종교적 색채를 띤 하나의 공동체라고 할 수 있을 것이다. 이 학파의 회원은 일치단결하여 개인행동은 하지 않았으며, 영혼의 불멸을 논하면서 엄격한 교리를 따르고, 간소한 생활을 하면서 극기, 절제, 순결, 순종의 생활을 하였다. 또한, 배운 내용에 관해서는 외부로 누설하지 않고 일체 비밀을 지켰다. 제자들이 발견한 어떤 내용도 스승인 피타고라스의 것으로 하고, 새로운 발견을 했을 경우에도 절대로 그것을 외부에 발표할 수 없도록 하였다.

고대 그리스 사람들은 우주 만물의 근본물질이 무엇인가에 대해서 많은 고민을 하였다. 탈레스라는 철학자는 우주의 근본물질을 '물'이라고 보았고, 데모크리토스는 '원자'라고 보았다. 과연 피타고라스는 우주의 근본물질을 무엇이라고 생각했을까? 피타고라스는 '만물은 수로 이루어져 있다.'고 보았다. 그는 이 세상에서 가장 지혜로운 것을 '수'라고 하였고, 가장 아름다운 것은 '조화'라고 하면서 이렇게 말하였다. "우주는 수학적 조화를 이루며 공명하는 거대한 악기이다." 그래서 그는 모든 것을 숫자로 풀어 보려 했다. 예컨대 1은 가장 기본적인 요소이고, 2는 여성의 수, 3은 남성의 수라고 생각하였다. 여성의 수 2와 남성의 수 3의 결합수인 5는 인간을 나타내는 수로 조화와 정의를 상징한다고 하였다. 또, 여성의 수 2와 남성의 수 3을 곱하여 만들어진 수인 6은 사랑과 결혼을 상징한다고 하였다. 6을 나타내는 별로 다비드의 별이 있는데 이는 사랑, 결혼, 우주를 표현하는 것으로 완전함의 상징이다. 그 뿐만 아니라 음계의 한 옥타브(8음계), 5음계, 4음계의 간격들이 모두 간단한 숫자적 비례들로 표시될 수 있다고 보았다. 직각삼각형의 3 : 4 : 5의 비율, 천체가 일정한 거리의 비율로 운동한다는 사실 등은 그에게는 수야말로 사물의 본

질을 담고 있다는 사실을 대변하는 것이었다.

지금까지도 널리 쓰이는 '피타고라스의 정리'는 과연 피타고라스가 발견하였을까? 피타고라스의 정리의 특별한 경우인 '세 변의 길이의 비가 3 : 4 : 5인 직각삼각형을 만들 수 있다.'라는 것은 이미 이집트, 인도, 중국에서도 알려졌다. 그럼에도, 왜 훨씬 후대의 피타고라스의 이름이 붙게 되었을까? 그 이유는 피타고라스 이전에는 '3 : 4 : 5'나 '5 : 12 : 13'과 같은 수를 만들었으면서도 '직각삼각형의 세 개의 변 사이에는 어떠한 관계가 있는가'를 고민하지는 않았기 때문이다. 이렇듯 실용적인 것에 머물던 수학을 이론적인 것으로 발전시킨 것도 피타고라스 학파의 큰 공적 중 하나이다.

〈피타고라스의 정리〉

어떠한 직각삼각형이라도 짧은 두 개의 변의 길이를 두 번씩 곱하여 합한 것은 가장 긴 변의 길이를 두 번 곱한 것과 같다.

➡ $a \times a + b \times b = c \times c$ ($a^2 + b^2 = c^2$)일 때 c를 빗변으로 하는 직각삼각형이 된다.

이 피타고라스의 정리를 증명하는 방법은 약 370여 가지나 된다고 한다.

피타고라스는 정수연구에 빠져서 모든 사물을 자신이 연구하는 정수의 규칙에 결부시키려 하였다. 그러던 어느 날 '직각삼각형에서 직각을 낀 두 변의 길이를 각각 1이라고 하면 빗변의 길이는 얼마인가' 하는 문제에 부딪히게 되었다. (직각을 낀 두 변의 길이가 각각 1일 때 빗변의 길이는 무리수 $\sqrt{2}$이다.) 빗변의 길이를 정수로 표현할 수 없다는 것을 알게 된 피타고라스는 큰 충격을 받았다. 피타고라스는 자신의 주장이나 철학을 수정하는 대신 피타고라스 학파 사람들에게 이 사실을 누설하지 말 것을 지시했다. 이를 발설한 제자가 히파소스였는데, 선배로부터 심한 꾸지람을 받고 마음에 큰 충격을 받아서 바다에 몸을 던져 스스로 목숨을 끊었다고도 하고, 피타고라스 학파 사람들에 의해 마을 우물에 던져져서 익사 당하고 말았다는 이야기도 있다. 피타고라스 학파 사람들이 자신의 허물을 인정하였더라면 히파소스의 목숨도 구했음은 물론 수체계의 발전도 훨씬 앞당겨졌을 것이다.

• 차가 같은 수열, 차가 같은 수열의 합, 차가 늘어나는 수열, 수열 규칙 찾기 , 묶음수열 등을 이용하여 여러 가지 수열 문제를 쉽게 해결할 수 있다.

핵·심·문·제 **1** 오른쪽 그림에서 점의 위치는 (가로축의 수, 세로축의 수)로 나타낸다. 처음 점 (ㄱ)이 (0, 0)에서 출발하여 굵은 선을 따라 1초에 한 칸씩 움직인다고 할 때, 2000초 후에 점 (ㄱ)의 위치를 (가로축의 수, 세로축의 수)로 나타내어라.

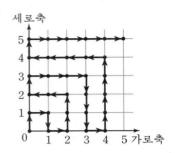

┃생각하기┃ 점 (ㄱ)의 위치 변화를 적어 보자. 묶음으로 나누어 보면 다음과 같다.
(0, 1)(1, 1)(1, 0)/(2, 0)(2, 1)(2, 2)(1, 2)(0, 2)/(0, 3)(1, 3)(2, 3)(3, 3)(3, 2)(3, 1)(3, 0)/(4, 0)(4, 1)(4, 2)(4, 3)(4, 4)(3, 4)(2, 4)(1, 4)(0, 4)/(0, 5)(1, 5), …
각 묶음마다 3개, 5개, 7개, 9개, … 의 순서쌍이 있고, 3+5+7+9+…은 홀수의 합이므로 2000보다 작은 제곱수 44×44=1936을 생각하자.

┃풀이┃ 44×44=1936이므로 $\underbrace{3+5+7+…}_{43개}$=1935이다. 따라서 (43, 43)이 들어 있는 묶음의 끝까지 점 (ㄱ)이 1935칸 움직였다. (43, 43)이 들어 있는 묶음의 맨 끝은 43이 홀수이므로 (43, 0)이고, 1936째 번 순서쌍은 (44, 0)이 된다. 2000−1936=64이므로 (44, 0), (44, 1), …, (44, 44), …, (1, 44), (0, 44)에서 (44, 44)는 1980째 번, (24, 44)가 2000째 번 순서쌍이다.　　　　　　　　　　답 (24, 44)

핵·심·문·제 **2** 다음과 같이 분수를 일정한 규칙에 따라 늘어놓았다. $\dfrac{1}{50}$보다 크고 $\dfrac{1}{10}$보다 작은 분수는 모두 몇 개인가?

$$\frac{1}{1}, \ \frac{2}{3}, \ \frac{3}{5}, \ \frac{4}{7}, \ \frac{1}{9}, \ \frac{2}{11}, \ \frac{3}{13}, \ \frac{4}{15}, \ \frac{1}{17}, \ \frac{2}{19}, \ \frac{3}{21}, \ \cdots$$

┃생각하기┃ $\dfrac{1}{50}$보다 크고 $\dfrac{1}{10}$보다 작은 분수를 분자가 1, 2, 3, 4인 경우로 나누어 찾아보자.
분자가 1일 때, 분모는 10과 50 사이의 수이다.　분자가 2일 때, 분모는 20과 100 사이의 수이다.
분자가 3일 때, 분모는 30과 150 사이의 수이다.　분자가 4일 때, 분모는 40과 200 사이의 수이다.

┃풀이┃ 분자가 1일 때는 분모 1, $\underbrace{9,}_{8}$ $\underbrace{17,}_{8}$ $\underbrace{25,}_{8}$ … 중에서 17=1+8×2부터 49=1+8×6까지 5개이다.

분자가 2일 때는 분모 3, $\underbrace{11,}_{8}$ $\underbrace{19,}_{8}$ $\underbrace{27,}_{8}$ … 중에서 27=3+8×3부터 99=3+8×12까지 10개이다.

분자가 3일 때는 분모 5, $\underbrace{13,}_{8}$ $\underbrace{21,}_{8}$ $\underbrace{29,}_{8}$ … 중에서 37=5+8×4부터 149=5+8×18까지 15개이다.

분자가 4일 때는 분모 7, $\underbrace{15,}_{8}$ $\underbrace{23,}_{8}$ $\underbrace{31,}_{8}$ … 중에서 47=7+8×5부터 199=7+8×24까지 20개이다.

따라서 모두 5+10+15+20=50(개)이다.　　　　　　　　　　답 50개

유제 **1** 한 변이 3cm인 정사각형을 다음과 같은 규칙으로 그렸다. 넓이가 12654cm²가 되는 것은 몇째 번 도형인가?

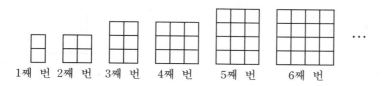

1째 번 2째 번 3째 번 4째 번 5째 번 6째 번

정사각형 한 개의 넓이가 9cm²이므로 넓이가 12654cm²인 도형에는 12654÷9=1406(개)의 정사각형이 있다.

유제 **2** 다음 그림과 같이 규칙적으로 구슬을 나열하였다. 12째 번에 놓이게 되는 구슬은 모두 몇 개인지 구하여라.

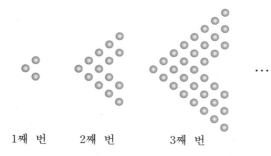

1째 번 2째 번 3째 번

1째 번에는 3개,
2째 번에는 (5+9)개,
3째 번에는 (7+11+15)개의 구슬이 놓여 있다.

유제 **3** 선재는 한 변의 길이가 1cm인 정삼각형 모양의 색종이를 여러 장 가지고 있다. 이 색종이 6장으로는 한 변의 길이가 1cm인 정육각형을 만들

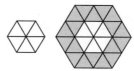

수 있고, 24장으로는 한 변의 길이가 2cm인 정육각형을 만들 수 있다. 선재는 가지고 있는 색종이로 정육각형을 만들었더니 89장이 남아서 다시 한 변의 길이가 1cm 더 긴 정육각형을 만들었더니 13장이 모자랐다. 선재가 가지고 있는 색종이는 모두 몇 장인가?

한 변의 길이가 1cm 더 긴 정육각형을 만드는 데 더 필요한 색종이가 89+13=102(장)인 셈이다.

유제 **4** 길이가 같은 선분이 여러 개 있다. 첫째 번 선분에는 양 끝점에 1, 2로 번호를 매겼다. 둘째 번 선분에는 양 끝점과 선분의 길이를 2등분 한 점에 차례로 3, 4, 5로 번호를 매겼다. 세째 번 선분에는 둘째 번 선분의 점과 점 사이를 각각 3등분한 점과 둘째 번 선분의 점과 같은 위치에 있는 점에 차례로 6, 7, …, 11, 12로 번호를 매겼다. 이렇게 계속해서 점을 찍고 번호를 붙여 나갔을 때 5000은 몇째 번 선분의 몇째 번 것인지 구하여라.

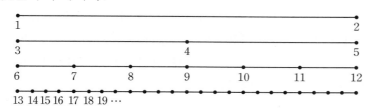

각 선분에 찍힌 점의 개수를 구해 보자.

선분 번호	점의 개수
1	2
2	2+1×1=3
3	3+2×2=7
4	7+6×3=25
⋮	⋮

특강탐구문제

1 오른쪽 그림과 같이 모눈종이에 선분을 긋고 각 선분을 ①, ②, ③, …으로 번호를 매겼다. ⑭번 선분의 길이는 몇 cm인가? (단, 모눈 종이의 한 칸은 1cm이다.)

2 자연수를 1부터 차례로 늘어놓고 1개, 2개, 3개, 1개, 2개, 3개, …씩 괄호로 묶었다. 170째 번 괄호 안에 들어 있는 수는 무엇인가?

(1)(2 3)(4 5 6)(7)(8 9)(10 11 12)(13)(14 15)(16 17 18)…

3 다음 그림은 넓이가 100cm²인 삼각형을 각 변을 이등분, 삼등분, 사등분, … 한 후 꼭짓점과 가장 가까운 세 점을 이어 삼각형을 만든 것이다. 14째 번으로 만들어진 삼각형의 넓이를 구하여라.

1째 번   2째 번   3째 번   4째 번

4 디딤돌 도서 대여점의 회원은 324명이다. 매일 4명에게 좋은 책 1권씩을 무료로 빌려 주는 행사를 하고 있는데 행사 시작 첫날에는 1, 4, 7, 10번 회원에게, 둘째 날에는 13, 16, 19, 22번 회원에게, 셋째 날에는 25, 28, 31, 34번 회원에게 책을 무료로 빌려 주었다. 이런 규칙으로 끝까지 가고 나면 다시 앞으로 돌아와 2, 5, 8, 11번 회원에게, 14, 17, 20, 23번 회원에게, 26, 29, 32, 35번 회원에게 빌려 주고 끝까지 가고 나면 다시 앞으로 돌아와 3, 6, 9, 12번 회원에게, 15, 18, 21, 24번 회원에게, 27, 30, 33, 36번 회원에게 빌려주었다. 행사 시작 35째 날에 무료로 책을 빌리게 된 회원은 몇 번인지 구하여라. 또, 240번 회원은 몇째 날에 무료로 책을 빌릴 수 있게 되는지 구하여라.

5 윤경이네 반에서는 학급 임원은 제외시키고 급식 당번을 정하기로 하였다. 학급 임원을 제외한 남학생은 11명이고, 여학생은 16명이다. 남학생 11명은 차례로 1번부터 11번까지 번호를 정하고 여학생 16명도 차례로 12번부터 27번까지 번호를 정하였다. 남학생은 하루에 2명씩, 여학생은 하루에 3명씩 급식 당번이 되므로 첫째 날에는 1, 2, 12, 13, 14번이 당번이고, 둘째 날에는 3, 4, 15, 16, 17번이 당번이 된다. 남녀 모두 끝까지 가고 다시 처음 번호로 돌아와서 당번이 된다면 다시 1, 2, 12, 13, 14번이 급식 당번이 되는 것은 며칠째 날인가? 또, 10, 11, 12, 13, 27번이 급식 당번이 되는 것은 며칠째 날인가?

6 다음 그림과 같은 규칙으로 작은 정사각형의 개수가 늘어나면 가운데 부분의 색칠한 작은 정사각형 개수도 늘어난다. 15째 번 그림에서 색칠하지 않은 작은 정사각형은 몇 개인가?

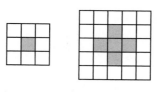 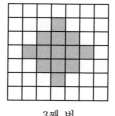 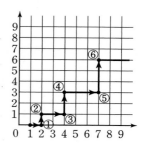

1째 번   2째 번   3째 번

7 점의 위치를 (가로축의 수, 세로축의 수)로 나타내기로 하자. 처음에 (1, 0)에 한 점이 있었는데 1회 이동으로 (2, 0)에, 2회 이동으로 (2, 1)에, 3회 이동으로 (4, 1)에 옮겨졌다. 오른쪽 그림과 같이 계속 이동할 때 50회 이동으로 이 점은 어느 위치에 옮겨질 지 (가로축의 수, 세로축의 수)로 나타내어라.

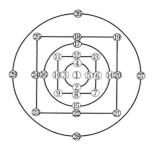

8 오른쪽 그림과 같이 원과 사각형을 번갈아 그리고, 그 위에 숫자를 차례로 적었다. 80째 번 원의 아래쪽에 적힌 수는 얼마인지 구하여라.

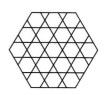

9 한 변의 길이가 1cm인 정삼각형과 정육각형을 오른쪽 그림과 같이 그려 큰 정육각형을 만들었다. 한 변의 길이가 15cm가 되도록 큰 정육각형을 만들고 나서 몇 개의 작은 정육각형을 각각 정삼각형 6개로 바꿨더니 한 변의 길이가 1cm인 정삼각형과 정육각형이 모두 합하여 565개가 되었다. 정삼각형으로 바뀌지 않고 남아 있는 정육각형은 모두 몇 개인가?

10 다음 그림은 정삼각형을 1회, 2회, 3회 자른 것이다. 몇 회 자르면 삼각형 모양 조각이 5000개 이상 되겠는가?

1회   2회   3회

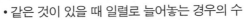

• 같은 것이 있을 때 일렬로 늘어놓는 경우의 수

x개 중 같은 것이 a개 있을 때 일렬로 늘어놓는 경우의 수는,

x개를 일렬로 늘어놓는 경우의 수를 a개를 일렬로 늘어놓는 경우의 수로 나눈 몫과 같다.

$$x \times (x-1) \times (x-2) \times \cdots \times 1 \times \frac{1}{a \times (a-1) \times (a-2) \times \cdots \times 1}$$

예 a, a, b를 일렬로 늘어놓는 방법의 수는 a_1, a_2, b를 일렬로 늘어놓아 구할 수 있다.

$$\left.\begin{matrix} a_1, a_2, b \\ a_2, a_1, b \end{matrix}\right\rangle a, a, b \quad\Bigg|\quad \left.\begin{matrix} a_1, b, a_2 \\ a_2, b, a_1 \end{matrix}\right\rangle a, b, a \quad\Bigg|\quad \left.\begin{matrix} b, a_1, a_2 \\ b, a_2, a_1 \end{matrix}\right\rangle b, a, a$$

즉, $3 \times 2 \times 1 \times \dfrac{1}{2 \times 1} = 3$(가지)이다.

핵·심·문·제 **1** 1, 2, 2, 3, 3, 3의 여섯 개의 숫자를 모두 사용하여 만들 수 있는 여섯 자리 수는 몇 개인가? 또, 여섯 자리 짝수는 몇 개인가?

┃생각하기┃ 여섯 개의 숫자가 모두 다르다면 만들 수 있는 여섯 자리 수는 $(6 \times 5 \times 4 \times 3 \times 2 \times 1)$개이다. 그런데 2가 두 개, 3이 세 개 있으므로 2×1로 나누고, 다시 $3 \times 2 \times 1$로 나누어야 한다.

┃풀이┃ 여섯 자리 수는 $6 \times 5 \times 4 \times 3 \times 2 \times 1 \times \dfrac{1}{2 \times 1} \times \dfrac{1}{3 \times 2 \times 1} = 60$(개)이다. 여섯 자리 짝수는 일의 자리에 2를 두고 1, 2, 3, 3, 3을 2의 왼쪽에 일렬로 놓으면 되므로 $5 \times 4 \times 3 \times 2 \times 1 \times \dfrac{1}{3 \times 2 \times 1} = 20$(개)이다.

답 60개, 20개

핵·심·문·제 **2** 12개의 계단이 있다. 정완이는 이 계단을 한 번에 한 개씩 또는 두 개씩 올라간다. 정완이가 이 계단을 올라가는 방법은 모두 몇 가지인지 구하여라.

┃생각하기┃ 「두 계단 오르기」를 한 번만 한다면 모두 11번 올라야 하고 11번 중 몇째 번에 「두 계단 오르기」를 하는지에 따라 11가지 방법이 있다. 「두 계단 오르기」를 두 번만 한다면 모두 10번 올라야 하고 10번 중 몇째 번에 「두 계단 오르기」를 하는지에 따라 10개 중 2개를 고르는 것과 같은 45가지 방법이 있다.

┃풀이┃

「두 계단 오르기」 횟수	오르는 횟수	방법의 수	
0	12	1	
1	11	11	11개 중 1개를 고르는 방법
2	10	$10 \times 9 \times \dfrac{1}{2 \times 1}$	10개 중 2개를 고르는 방법
3	9	$9 \times 8 \times 7 \times \dfrac{1}{3 \times 2 \times 1}$	9개 중 3개를 고르는 방법
4	8	$8 \times 7 \times 6 \times 5 \times \dfrac{1}{4 \times 3 \times 2 \times 1}$	8개 중 4개를 고르는 방법
5	7	$7 \times 6 \times \dfrac{1}{2 \times 1}$	7개 중 5개를 고르는 방법
6	6	1	

따라서 $1 + 11 + 45 + 84 + 70 + 21 + 1 = 233$(가지) 방법이 있다.

답 233가지

별해 오르는 방법은 계단이 1개인 경우 1가지, 2개인 경우 2가지이다. 계단에 3개인 경우는 첫째 번 계단에서 셋째 번 계단으로 한 번에 오르는 방법과 둘째 번 계단에서 셋째 번 계단으로 오르는 방법이 있으므로 $1 + 2 = 3$(가지)이다.

계단 수 : ① ② ③ ④ ⑤ ⑥ ⑦ ⑧ ⑨ ⑩ ⑪ ⑫ ⎤ 이 되어 233가지 임을 알 수 있다.
방법의 수 : 1 2 3 5 8 13 21 34 55 89 144 233 ⎦

유제 **1** 검은 구슬 2개, 흰 구슬 2개, 그리고 빨간 구슬, 파란 구슬, 노란 구슬이 각각 1개씩 있다. 같은 색의 구슬은 서로 구별할 수 없다고 할 때 이 7개의 구슬 중 4개를 골라 한 줄로 늘어놓는 방법은 모두 몇 가지인지 구하여라.

> 같은 색 구슬을 2개씩 2조 고르는 경우, 같은 색 구슬을 1조 고르는 경우, 모두 다른 색인 경우로 나누어 생각하자.

유제 **2** 연필 5자루와 지우개 2개를 필통에 한 개씩 모두 넣으려고 한다. 필통에는 항상 연필이 지우개보다 많아야 한다면 연필과 지우개를 필통에 넣는 방법은 모두 몇 가지인가?

> 필통에 넣는 순서대로 놓아 보자. 연필 ㉠ 연필, ㉡ 연필, ㉢ 연필, ㉣ 연필, ㉤ 연필 5자루를 한 줄로 늘어 놓고 그 사이에 지우개 2개를 놓을 때, ㉠에는 지우개를 놓을 수 없고, ㉡에는 지우개 하나는 놓을 수 있어도 2개를 놓을 수는 없다.

유제 **3** 8권의 책을 3권, 3권, 2권으로 나누는 방법은 모두 몇 가지인가? 또, 8권의 책을 3권, 3권, 2권으로 나누어 A, B, C 세 책상 위에 올려놓는 방법은 모두 몇 가지인가?

> 8권의 책에 ①부터 ⑧까지 번호를 붙였다고 생각할 때, (①, ②, ③), (④, ⑤, ⑥), (⑦, ⑧)과 (④, ⑤, ⑥), (①, ②, ③), (⑦, ⑧)은 같은 방법이 된다.

유제 **4** ○, ×로 답하는 10개의 문제가 있다. 그 중 ○가 정답인 문제는 4문제인데, 연이어 있지 않다고 한다. 10개의 문제의 정답을 ○, × 표시만을 늘어놓아 나타낼 때 정답이 될 수 있는 ○, ×의 배열은 모두 몇 가지인지 구하여라.

> × 표시가 놓일 수 있는 곳을 A, B, C, D, E로 표시하면 A○B○C○D○E가 된다. 이 때, B, C, D에는 반드시 한 개 이상의 × 표시가 놓여야 한다.

1 1, 2, 3, 4, 5의 다섯 개의 숫자 중에서 태은이는 서로 다른 두 개의 숫자를 생각하고 홍기는 한 개의 숫자를 생각하였다. 태은이와 홍기가 생각한 세 개의 숫자로 세 자리 수를 만들 때, 만들 수 있는 세 자리 수는 모두 몇 가지인지 구하여라.

2 1, 1, 1, 2, 2, 3의 숫자가 각각 적힌 6장의 숫자 카드 중 4장을 골라 만들 수 있는 네 자리 수는 모두 몇 가지인가?

3 빨간색 공 3개, 파란색 공 2개, 초록색 공 2개를 한 줄로 늘어놓을 때 색깔의 배열은 모두 몇 가지인가? 또, 같은 색이 연속해서 놓이지 않는 색깔의 배열은 모두 몇 가지인가?

4 1, 1, 2, 2, 3, 3, 4, 5, 6의 9개의 숫자를 한 줄로 늘어놓을 때 홀수는 홀수째 번에만 올 수 있다면 늘어놓는 방법은 모두 몇 가지인가?

5 A, B, C, D, E, F 6명의 학생이 3개 조로 나누어 3가지의 조사활동을 해야 한다고 한다. A와 B는 같은 조에, C와 D는 다른 조에 들어가도록 조를 나누는 방법은 모두 몇 가지인가?

6 디딤돌 학원의 6학년 경시반 학생은 모두 10명인데 이 중 여학생은 2명뿐이라고 한다. 10명의 학생들을 3명, 3명, 4명의 3조로 나누는 데 여학생 2명이 같은 조에 들어가는 방법은 몇 가지인가? 또, 2명의 여학생이 각각 다른 조에 들어가는 방법은 몇 가지인가?

7 6개의 바구니 중에 2개의 바구니에 4개의 모자를 나눠 넣는 방법의 수를 구하여라.

8 8명이 2명씩 한 팀이 되어 4개의 팀을 만들고 2팀씩 탁구 경기를 한다. 모두 몇 가지의 방법이 있겠는가?

9 다음 그림과 같이 직사각형을 10개의 작은 칸으로 나누어 놓았다. 10개의 칸에 각각 ○, × 중 한 개를 그려 넣는데 ×표시는 연속해서 그려 넣을 수 없다고 한다. 모두 몇 가지의 방법이 있는지 구하여라.

10 8개의 계단을 오르는 데 한 번에 한 개 또는 두 개 또는 세 개를 오르는 일이 가능하다고 한다. 이 계단을 오르는 방법은 모두 몇 가지인지 구하여라.

간단한 몇 가지의 경우를 관찰하여 일반적으로 적용할 수 있는 규칙을 찾아낼 수 있다.
지금 단계와 다음 단계의 관계를 생각해 보면 규칙을 찾아낼 수 있다.

핵·심·문·제 **1** 다음 왼쪽과 같이 11개의 칸에 흰 바둑돌 5개, 검은 바둑돌 5개가 놓여 있다. 바둑
돌을 움직이는 규칙이 다음과 같을 때, 규칙대로 움직여서 오른쪽과 같이 놓으려면,
모두 몇 번 움직여야 하겠는가?

- 한 번에 한 칸 움직여 빈 칸으로 갈 수 있다.
- 한 번에 한 개의 바둑돌을 뛰어넘어 빈 칸으로 갈 수 있다.

■생각하기 ▌ 바둑돌이 1개씩 2개일 때, 2개씩 4개일 때를 생각해 본다.

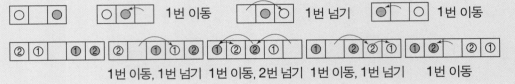

1번 이동, 1번 넘기 1번 이동, 2번 넘기 1번 이동, 1번 넘기   1번 이동

▌풀이 ▌ 바둑돌이 3개씩 6개일 때는 $1+1+1+2+1+3+1+2+1+1+1=15$(번) 움직이면 된다.
　　　　　　　　이동 넘기 이동 넘기 이동 넘기 이동 넘기 이동 넘기 이동

같은 규칙으로 생각하여 5개씩 10개일 때는

$1+1+1+2+1+3+1+4+1+5+1+4+1+3+1+2+1+1+1=35$(번)
이동 넘기 이동 넘기 이동 넘기 이동 넘기 이동 넘기 이동 넘기 이동 넘기 이동 넘기 이동　　　　**답 35번**

핵·심·문·제 **2** 오른쪽 그림과 같이 막대가 3개 있고, 크기가 서로 다
른 8개의 원판이 한 막대에 꽂혀 있다.

- 한 번에 한 개의 원판만을 옮긴다.
- 크기가 큰 원판은 반드시 크기가 작은 원판 아래쪽에 있어야 한다.

원판을 모두 다른 막대로 옮기는 데 필요한 이동 횟수를 구하여라.

■생각하기 ▌ 원판이 1개뿐이라면 이동 횟수는 1회이다. 원판이 2개라면 이동 횟수는 3회이다.
원판이 3개일 때를 생각해 보자. 아래와 같이 되어 $3+1+3=7$회가 된다.

- 2개일 때와 같이 하여 막대 C로 2개를 옮긴다.(3회)
- 가장 큰 원판을 B로 옮긴다.(1회)
- 다시 2개일 때와 같이 하여 막대 B의 가장 큰 원판 위로 2개를 옮긴다.(3회)

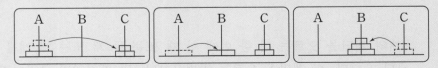

▌풀이 ▌ 4개일 때는 7(3개 옮기는 횟수)+1(가장 큰 원판 옮기기)+7(3개 옮기는 횟수)=15
5개일 때는 $15+1+15=31$, 6개일 때는 $31+1+31=63$
7개일 때는 $63+1+63=127$, 8개일 때는 $127+1+127=255$　　　　**답 255번**

참고* 일반적으로 원판이 n개일 때 옮기는 횟수는 2^n-1이다.

유제 **1** 오른쪽 그림은 점을 오각형 모양으로 늘어놓은 것이다. 각 단계마다의 점의 전체 개수를 오각수라고 부른다. 이 때, 50단계의 오각수를 구하여라.

> ▶ 1단계부터 오각수를 구하여 규칙을 찾아보자.

  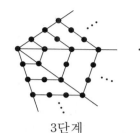

1단계   2단계   3단계

유제 **2** 〈보기〉는 피보나치 수열이다. $1+2+5+13+34=55$임을 이용하여 다음을 구하여라.

> ▶ 피보나치 수열에서 홀수째 번 수의 합은 그 다음에 오는 수가 된다. 왜 그런지 생각해 보자.

> 〈보기〉   1, 1, 2, 3, 5, 8, 13, 21, 34, 55, …

$$1+2+5+13+34+\cdots+10946+28657$$

유제 **3** 오른쪽 그림은 파스칼의 삼각형이라 불리우는 수 배열이다. 규칙을 관찰하여 26행의 셋째 번 수와 27행의 셋째 번 수의 합을 구하여라.

> ▶ 각 행의 셋째 번 수를 관찰하여 규칙을 찾아보자.

```
              1 —————————— 1행
            1   1 —————————— 2행
          1   2   1 —————————— 3행
        1   3   3   1 —————————— 4행
      1   4   6   4   1 —————— 5행
    1   5  10  10   5   1 —————— 6행
                ⋮
```

유제 **4** 각 줄의 양 끝에 0, 1, 2, 3, …을 차례로 배열하고, 두 수의 합을 그 아랫줄의 두 수 가운데 위치에 썼더니 다음 그림과 같은 수 배열이 만들어졌다.

> ▶ 한 줄의 수들은 그 윗줄의 수를 두 개씩 더하여 만들게 된다는 점을 관찰해 보자.

```
                0
              1   1
            2   2   2
          3   4   4   3
        4   7   8   7   4
      5  11  15  15  11   5
    6  16  26  30  26  16   6
                ⋮
```

100째 번 줄의 수들을 합하여 100으로 나누면 나머지는 얼마가 될지 구하여라.

1 □ 안에 알맞은 수를 차례로 구하여라.

(1) 3, 7, 16, 32, 57, □, □, …

(2) 2, 4, 8, 10, 20, 22, 44, 46, □, □, …

(3) 1, 1, 2, 4, 7, 13, 24, □, □, …

2 다음 그림과 같이 세 개의 막대가 있고 그 중 한 막대에 8개의 원판이 꽂혀 있다. 그런데 이 8개의 원판은 2개씩 서로 크기가 같고 큰 원판이 아래쪽에, 작은 원판이 위쪽에 놓여 있다. 한 번에 한 개의 원판을 옮길 수 있고, 큰 원판은 작은 원판 위에 올려놓을 수 없다고 한다. 이 8개의 원판을 모두 다른 막대로 옮기려면 최소 몇 번을 이동해야 하는지 구하여라.

3 네 가지 크기의 원판이 각각 두 개씩 있는데 하나는 흰색이고, 다른 하나는 검은색이다. 오른쪽 그림과 같이 세 개의 막대 (가), (나), (다)가 세워져 있고 (다) 막대에 이 여덟 개의 원판이 꽂혀

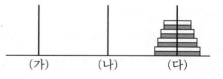

있다. 이 원판들을 모두 (가) 막대로 옮겨 꽂으려고 하는데 한 번에 한 개의 원판만 옮길 수 있고, 작은 원판 위에 큰 원판을 꽂을 수 없다고 한다. (다) 막대에 꽂혀 있던 것과 똑같이 (가) 막대에 꽂으려면 최소 몇 번을 옮겨야 하겠는가?

4 피보나치 수열에서 $1+3+8+21=34-1$임을 이용하여

$1+3+8+21+55+\cdots+2584+6765$를 계산하여라.

5 피보나치 수열에서 홀수째 번 수들의 합과 짝수째 번 수들의 합을 관찰하여 다음을 계산하여라.

$$1+1+2+3+5+8+13+\cdots+28657+46368$$

6 다음과 같이 수를 나열하였을 때, 12째 번 수를 계산하여라.

$$1, \ 1+\frac{1}{1}, \ 1+\frac{1}{1+\frac{1}{1}}, \ 1+\frac{1}{1+\frac{1}{1+\frac{1}{1}}}, \ \cdots$$

7 가로 50cm, 세로 10cm인 직사각형 판에 가로 10cm, 세로 5cm인 직사각형 모양의 타일을 붙이려고 한다. 피보나치 수열과 관련지어 붙이는 방법이 모두 몇 가지인지 구하고 구한 방법을 설명하여라.

8 〈보기〉와 같이 15를 홀수의 합으로 나타내려고 한다. 모두 몇 가지 방법으로 나타낼 수 있는가?

〈보기〉
> $4 \rightarrow 1+3, \ 3+1, \ 1+1+1+1 : 3$가지
> $5 \rightarrow 5, \ 1+1+3, \ 1+3+1, \ 3+1+1, \ 1+1+1+1+1 : 5$가지
> $6 \rightarrow 3+3, \ 5+1, \ 3+1+1+1, \ 1+5, \ 1+1+1+3, \ 1+1+3+1,$
> $\quad 1+3+1+1, \ 1+1+1+1+1+1 : 8$가지

9 다음 그림은 삼각형에서 꼭짓점마다 다른 꼭짓점에 닿지 않게 선분을 1개, 2개, 3개씩 그린 것이다. 어느 세 선분도 꼭짓점을 제외하고는 한 점에서 만나지 않는다고 할 때 이와 같은 방법으로 세 꼭짓점 각각에서 선분을 6개씩 그린다면 삼각형이 모두 몇 개의 부분으로 나뉘게 되는지 구하여라.

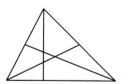 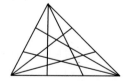 

10 오른쪽 그림은 파스칼의 삼각형을 그려 놓은 것이다. 50째 번 줄에 있는 수들의 합을 구하여라. 또, 50째 번 줄에서 3째 번, 6째 번, 9째 번, …48째 번 수들을 합하면 얼마가 되는지 구하여라.

```
            1
          1   1
        1   2   1
      1   3   3   1
    1   4   6   4   1
  1   5  10  10   5   1
1   6  15  20  15   6   1
            ⋮
```

- 논리 추리 문제는 표를 그려 생각하거나 가정하여 경우를 나눠 해결한다.
- 논리 추리 문제로는 거짓말 문제, 모자 문제, 강 건너기 문제 등이 많이 알려져 있다.

핵·심·문·제 **1** 한 나그네가 길을 가다가 어느 마을에 이르렀다. 두 사람이 길가에 앉아 있는데 그들 앞에는 물이 든 물통 두 개가 놓여 있었다. 물통 두 개 중 하나에는 마실 수 있는 물, 다른 하나에는 마실 수 없는 물이 들어 있으며 두 사람 중 한 사람은 참말만 하는 사람이고 다른 한 사람은 거짓말만 하는 사람이다. 누가 참말만 하는 사람이고 어느 물통에 마실 수 있는 물이 들어 있는지 모르는 나그네는 두 사람 중 한 사람에게 한번의 질문을 하여 그 답을 듣고 마실 물을 구해야 한다. 생각 끝에 나그네는 한 사람에게 다가가서 "옆 사람에게 '마실 수 있는 물이 어느 것인가요?' 라고 물으면 뭐라고 대답하겠습니까?"라고 물었다. 그 사람은 물통 하나를 가리켰다. 나그네는 어느 물통의 물을 마셔야 하는가?

┃**생각하기**┃ 나그네가 물어본 사람이 참말만 하는 사람일 때와 거짓말만 하는 사람일 때로 나누어 생각해 보자.

┃**풀이**┃ 물어본 사람이 참말만 하는 사람이면 옆 사람은 거짓말만 하는 사람이므로 마실 수 없는 물을 가리킬 것이고 이 사람은 그대로 대답할 것이므로 마실 수 없는 물을 가리킨다.
물어본 사람이 거짓말만 하는 사람이면 옆 사람은 참말만 하는 사람이므로 마실 수 있는 물을 가리킬 것이고 이 사람은 반대로 대답할 것이므로 마실 수 없는 물을 가리킨다.
따라서 가리키지 않은 물통의 물을 먹어야 한다.

답 가리키지 않은 쪽의 물

핵·심·문·제 **2** 선생님께서 세 명의 학생 A, B, C를 일렬로 세워 놓고 검은 모자 두 개와 흰 모자 세 개를 보여 주고 이 중에서 하나씩 씌워 줄테니 자기가 쓰고 있는 모자의 색깔을 맞춰 보라고 하셨다. 학생들에게 눈을 감게 한 후 모자를 하나씩 씌워 주고 나서 남은 모자 두 개를 감추고 눈을 뜨게 하였다. 선생님께서 자기가 쓰고 있는 모자의 색깔을 알겠느냐고 물었더니 맨 뒤에 서 있는 A와 그 앞에 서 있는 B가 차례대로 모르겠어요'라고 대답했다. 잠시 후 C가 '제가 쓴 모자는 흰색이어요.' 라고 대답하였다. C가 모자의 색을 맞춘 방법을 설명하여라.

┃**생각하기**┃ A가 모르겠다고 대답한 것을 듣고 B는 A가 검은 모자 두 개를 본 것이 아니라는 것을 안다. 즉, A는 흰·흰 또는 흰·검이 보인 것이다.

┃**풀이**┃ A가 검·검을 보았다면 자신이 쓴 모자가 흰색이라는 것을 알 수 있다. 그러나 모른다고 하였으므로 A는 흰·흰 또는 흰·검을 본 것이다. 이 때 B가 또 모르겠다고 한 것을 듣고 C는 이렇게 생각하였다. C가 검은 모자를 쓰고 있다면 B는 자신이 흰 모자를 쓰고 있다는 것을 알 것이다. 그런데 모른다고 하였으므로 C는 흰 모자를 쓰고 있는 것이다.

참고* : 이와 비슷한 문제로 조건이 약간씩 달라지는 경우가 있으나 모두 같은 방법으로 풀 수 있다.

유제 **1** 다음과 같이 동전이 6개 놓여 있다. '500이라고 새겨진 동전 뒷면에는 학이 그려져 있다.'라는 말이 참인지 확인하기 위해 뒤집어 봐야 하는 동전은 어느 것인지 모두 골라라.

> 참이 아니라면 500이라고 새겨진 동전 뒷면에 학이 아닌 다른 것이 새겨져 있어야 한다.

유제 **2** 세 마리의 황소와 세 마리의 호랑이가 강을 건너려고 강가에 갔더니 강가에는 두 마리까지만 탈 수 있는 뗏목이 하나 있었다. 호랑이는 육식동물이어서 황소를 잡아먹을 수 있지만 황소가 덩치도 크고 뿔도 있어 쉽게 잡아먹지는 못하고 황소보다 호랑이가 더 많아야만 잡아먹을 수 있다고 한다. 어떻게 해야 황소 세 마리와 호랑이 세 마리가 모두 무사히 강을 건널 수 있겠는가?

> 처음에 호랑이 두 마리가 뗏목을 타고 강을 건너고 다시 호랑이 한 마리가 돌아온다. 다시 또 호랑이 두 마리가 강을 건너고 다시 호랑이 한 마리가 돌아온다.

유제 **3** 갑, 을, 병 세 사람 중에는 항상 참말만 하는 참말족과 항상 거짓말만 하는 거짓말족이 있다. 어느 날 세 사람이 만났는데 갑이 병에게 무엇이라 말했으나 알아들을 수가 없었다. 을은 "지금 갑이 자기는 거짓말족이 아니라고 했어."라고 말하면서 "갑과 나는 거짓말족이 아니야."라고 했다. 병은 "거짓말이야. 갑은 거짓말족이야."라고 했다. 거짓말족은 누구인가?

> 을과 병은 서로 반대의 주장을 하고 있으므로 을과 병 중 한 사람만 거짓말족이다.

유제 **4** 네 쌍의 부부가 만나 서로 악수를 했는데 배우자끼리는 서로 악수하지 않았다. 이 중 A라는 남자가 다른 사람들에게 몇 번이나 악수를 했는지 물었더니 7명이 악수한 횟수가 모두 달랐다. A는 악수를 몇 번 했는지 구하여라.

> 모두 8명이므로 악수를 가장 많이 한 사람은 6번 했다. A를 제외하고 7명이 악수한 횟수가 모두 달랐으므로 횟수는 0번에서부터 6번까지 7가지이다.

1
세 개의 상자가 있다. 그 중 한 상자에는 사과만, 다른 한 상자에는 배만, 나머지 한 상자에는 사과와 배를 섞어서 담은 후, 상자를 닫고 겉면에 '사과', '배', '사과와 배'라고 썼다. 그런데 모두 맞지 않게 써 놓아서 어느 상자에 어떤 과일이 들어 있는지 알 수 없는 상태가 되었다. 이 때, 상자 속을 보지 않고 한 개의 상자에서만 하나의 과일을 꺼내 보고 각 상자에 무슨 과일이 들어 있는지 알 수 있으려면 어느 상자에서 꺼내야 하는가?

2
사자, 호랑이, 치타가 각각 새끼 한 마리씩을 데리고 간 강가에 두 마리가 탈 수 있는 뗏목 하나가 있었다. 어미나 새끼 모두 뗏목을 저을 수는 있는데 새끼들은 자기의 어미가 없으면 다른 어미에게 잡아 먹힌다. 강을 모두 몇 번 건너야 여섯 마리가 모두 강 건너에 갈 수 있는지 구하여라.

3
네 사람이 다리를 건너려고 하는데 다리가 튼튼하지 못해서 동시에 두 사람까지만 같이 건널 수 있다. 게다가 밤이라서 손전등을 비추며 건너야 하는데 손전등은 한 개뿐이다. 네 사람은 다리를 건너는 데 각각 5분, 7분, 11분, 13분이 걸린다. 네 사람이 모두 다리를 건너려면 최소한 얼마의 시간이 걸리는지 구하여라.

4
한 나그네가 어느 마을에 다다랐는데 이 마을 사람들은 항상 진실만 말하는 참말족과 항상 거짓말만 말하는 거짓말족뿐이었다. 길가에 이 마을 사람 세 명이 나란히 앉아 있기에 나그네가 물었다. 오른쪽 사람에게 가운데 있는 사람이 참말족이냐고 물었더니 거짓말족이라고 대답했다. 가운데 사람에게는 양쪽 사람들이 참말족인지, 거짓말족인지 물었더니 모두 자기와 같은 족이라고 대답했다. 또, 왼쪽 사람에게 가운데 사람이 참말족이냐고 물었더니 그렇다고 대답했다. 참말족은 누구인가?

5
천사는 항상 진실만 말하고 악마는 항상 거짓만 말하며 사람은 때에 따라 진실과 거짓을 나눠서 말한다고 한다. 다음을 보고, A, B, C를 천사, 악마, 사람으로 구별하여라.

> A : "나는 천사가 아닙니다."
> B : "나는 사람이 아닙니다."
> C : "나는 악마가 아닙니다."

6 A, B, C, D 네 사람이 11개의 사과를 나눠 먹었는데 모두 한 개 이상 먹었다. 네 사람은 자기가 먹은 개수와 다른 사람이 한 개 이상 먹었다는 것만 알뿐 서로 몇 개를 먹었는지는 알지 못한다. 다음 대화를 듣고 D는 A, B, C가 먹은 사과의 개수를 정확히 알아내었다. A, B, C, D는 각각 몇 개씩 먹었겠는가?

> A : "B야, 너 나보다 많이 먹었니?"
> B : "모르겠어. C야, 너는 나보다 많이 먹었니?"
> C : "모르겠어."

7 네 명의 남자 한돌, 두돌, 세돌, 네돌이와 네 명의 여자 일순, 이순, 삼순, 사순이가 있다. 다음 글을 읽고 누가 세돌이를 좋아하는지 알아내어라. (단, 한 명이 한 명씩만 좋아하며, 서로 좋아하는 경우는 없다고 한다.)

> • 일순이와 이순이는 네돌이를 좋아하는 않는다.
> • 한돌이가 좋아하는 여자는 두돌이를 좋아한다.
> • 세돌이가 좋아하는 여자는 삼순이를 좋아하는 남자를 좋아한다.
> • 네돌이가 좋아하는 여자는 이순이를 좋아하는 남자를 좋아한다.
> • 사순이가 좋아하는 남자는 일순이를 좋아하지 않는다.

8 어떤 마을 사람들은 모두 개를 한 마리씩 키운다. 어느 날 이 마을 이장이 "우리 동네에 무서운 전염병에 걸린 개가 있으니 자기 집 개가 전염병에 걸렸다면 자정에 그 개를 죽이십시오."라고 말했다. 그런데 이상하게도 전염병에 걸린 개의 주인은 자기 개가 전염병에 걸렸는지를 알 수 없고 오로지 남의 개만 어떤지 알 수 있으며, 모두들 자기 개에 대해서는 모르고 남의 개에 대해서만 안다는 것도 알고 있다. 또, 서로 말해 주지도 않는다고 한다. 첫째 날 밤이 지났는데 죽은 개가 한 마리도 없었다. 전염병에 걸린 개가 있다고 했는데 어찌된 일인지 둘째 날 밤에도 죽은 개는 없었다. 셋째 날 밤에 죽은 개가 있었는데 모두 몇 마리인지 구하여라.

9 아버지께서 붉은색 모자 3개, 푸른색 모자 2개, 노란색 모자 1개를 가지고 오셨다. 네 명의 아들에게 모자를 보여준 후 큰 아들부터 한 줄로 세워서 모자를 하나씩 씌우고 남은 모자 2개를 감췄다. 네 아들들은 자기가 쓴 모자는 무슨 색인지 모르나 자기 앞에 서 있는 형들이 쓴 모자의 색을 볼 수 있다. 자기가 쓰고 있는 모자가 무슨 색인지 알겠느냐는 질문에 막내, 셋째, 둘째 아들이 모두 모른다고 차례대로 대답했다. 이 대답을 듣고 큰 아들은 자기가 쓰고 있는 모자가 무슨 색인지 맞추었다. 큰 아들이 쓴 모자는 무슨 색인가?

10 선생님께서 승민, 주성, 보민이에게 빨간색 모자 2개와 노란색 모자 3개를 보여 주고 나서 세 사람 모두 각자 자기가 쓴 모자의 색깔을 알지 못하게 하여 모자를 각각 한 개씩 씌워 주시고는 남은 모자가 보이지 않도록 감춰 두셨다. 그리고 다른 사람이 쓴 모자를 볼 수 있게 한 다음, 승민, 주성, 보민이에게 각자 자신이 쓰고 있는 모자가 무슨 색인지 알겠느냐고 물으셨는데 승민이와 주성이는 모두 모르겠다고 대답을 했고, 이 대답을 들은 보민이는 자신이 쓰고 있는 모자의 색깔을 알아내었다. 보민이가 자신이 쓰고 있는 모자의 색깔을 어떻게 알 수 있었는지 설명하여라.

17 직각삼각형의 닮음

- 두 직각삼각형은 한 예각이 서로 같으면 닮음이 된다.
- 직각삼각형은 두 예각의 크기의 합이 90°임을 이용하여 두 직각삼각형이 닮음임을 쉽게 알 아낼 수 있다.

핵·심·문·제 **1** 오른쪽 그림은 삼각형 ㄱㄴㄷ의 점 ㄷ이 점 ㄱ에 닿도록 접 었다 편 것이다. 색칠한 부분의 넓이를 구하여라.

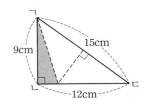

┃생각하기┃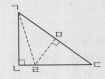

두 직각삼각형 ㄷㄹㅁ과 ㄷㄱㄴ은 각 ㄷ을 공통으로 포함하고 있으므로 닮음이다.

┃풀이┃ 삼각형 ㄷㄹㅁ과 삼각형 ㄷㄱㄴ은 닮음이며 선분 ㄷㅁ의 길이가 $15 \times \frac{1}{2} = \frac{15}{2}$(cm)이므로 닮음비는

$\frac{15}{2} : 12 = 5 : 8$이다.

(변 ㄷㅁ) : (변 ㄷㄴ)=(변 ㄷㄹ) : (변 ㄷㄱ)이므로 $5 : 8 =$(변 ㄷㄹ) : 15

$8 \times$(변 ㄷㄹ)$= 5 \times 15$, (변 ㄷㄹ)$= \frac{75}{8} = 9\frac{3}{8}$(cm), (변 ㄴㄹ)$= 12 - 9\frac{3}{8} = 2\frac{5}{8}$(cm)

따라서 (삼각형 ㄱㄴㄹ의 넓이)$= 2\frac{5}{8} \times 9 \times \frac{1}{2} = \frac{21}{8} \times 9 \times \frac{1}{2} = \frac{189}{16} = 11\frac{13}{16}$(cm²)

답 $11\frac{13}{16}$cm²

핵·심·문·제 **2** 직사각형 ㄱㄴㄷㄹ의 한 꼭짓점 ㄷ을 지나며 대각선 ㄱㄷ에 수 직인 선을 긋고 두 점 ㄴ, ㄹ에서 각각 이 직선에 수선을 그으면 오른쪽 그림과 같이 된다. (선분 ㅁㄷ)=(선분 ㄷㅂ), (선분 ㄴ ㄷ)=20cm, (선분 ㄴㅁ)=16cm, (선분 ㄹㅂ)=9cm일 때, 사 다리꼴 ㄱㄹㅂㄷ의 넓이를 구하여라.

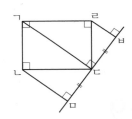

┃생각하기┃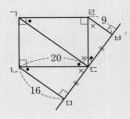

각 ㄹㄷㅂ을 •로, 각 ㄷㄹㅂ을 ×로 표시하면 왼쪽 그림과 같이 같은 크기의 각들을 표시할 수 있다. 따라서 삼각형 ㄷㄹㅂ, 삼각형 ㄱㄷㄹ, 삼각형 ㄴㄷㅁ은 닮음이다.

┃풀이┃ (각 ㄹㄷㅂ)=90°−(각 ㄱㄷㄹ)=(각 ㄱㄷㄴ)=90°−(각 ㄴㄷㅁ)=(각 ㄷㄴㅁ)
따라서 삼각형 ㄷㄹㅂ과 삼각형 ㄴㄷㅁ은 닮음이다. 16 : (변 ㅁㄷ)=(변 ㄷㅂ) : 9
(변 ㅁㄷ)=(변 ㄷㅂ)이므로 (변 ㅁㄷ)×(변 ㄷㅂ)=16×9, (변 ㄷㅂ)=(변 ㅁㄷ)=12(cm)
또, 9 : (변 ㄷㅁ)=(변 ㄷㄹ) : 20, 12×(변 ㄷㄹ)=9×20, (변 ㄷㄹ)=15(cm)
마찬가지로 삼각형 ㄷㄹㅂ과 삼각형 ㄱㄷㄹ은 닮음이다. (변 ㄱㄷ) : (변 ㄷㄹ)=(변 ㄷㄹ) : (변 ㄹㅂ)
(변 ㄱㄷ) : 15=15 : 9, 9×(변 ㄱㄷ)=15×15, (변 ㄱㄷ)=25(cm)

따라서 (사다리꼴 ㄱㄹㅂㄷ의 넓이)$=(9+25) \times 12 \times \frac{1}{2} = 204$(cm²)

답 204cm²

유제 **1** 오른쪽 그림의 삼각형 ㄱㄴㄷ에서 선분 ㄱㅁ과 선분 ㅁㄴ의 길이의 비는 1 : 2 이다. 선분 ㄴㄹ의 길이를 구하여라.

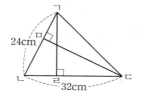

각 ㄱㄴㄷ을 공통으로 가지고 있는 두 직각삼각형 ㄱㄴㄹ과 ㄷㄴㅁ은 닮음이다.

유제 **2** 오른쪽 그림에서 두 점 ㅁ, ㅂ은 각각 변 ㄱㄴ, ㄴㄹ의 중점이다. 변 ㄴㅂ의 길이는 2.5cm이고, 변 ㅁㅂ의 길이는 6cm일 때 직각삼각형 ㄱㄴㄷ의 넓이를 구하여라.

각 ㄷㄱㄹ과 각 ㄴㄱㄹ의 합, 각 ㄷㄱㄹ과 각 ㄱㄷㄹ의 합이 모두 90°이므로 각 ㄴㄱㄹ과 각 ㄱㄷㄹ의 크기는 같다.

유제 **3** 오른쪽 그림은 한 변의 길이가 24cm인 정사각형 ABCD의 꼭짓점 A가 변 BC의 중점에 오도록 접은 것이다. 변 BE의 길이가 9cm일 때, 변 DF의 길이를 구하여라.

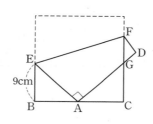

삼각형 BEA, 삼각형 CAG, 삼각형 DFG의 예각의 크기를 비교해 보자.

유제 **4** 석원이는 아이스크림 가게에 가서 아이스크림을 샀다. 점원 누나는 공모양으로 아이스크림을 퍼서 과자로 만든 콘에 담아주었는데 아이스크림의 반지름을 알고 싶은 석원이는 콘의 길이를 재어 보았다. 콘의 꼭짓점에서 아이스크림과 콘이 닿는 부분까지의 길이는 12cm이고, 아이스크림과 콘이 닿는 부분부터 콘의 끝 부분까지의 길이는 $2\frac{1}{12}$ cm였다. 아이스크림의 반지름을 구하여라.

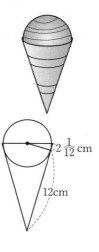

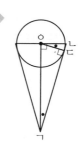

삼각형 ㅇㄴㄷ과 삼각형 ㄱㅇㄷ은 닮음이다.

특강탐구문제

1 오른쪽 평행사변형 ㄱㄴㄷㄹ의 점 ㄷ에서 두 변 ㄱㄴ, ㄱㄹ 위에 수선을 그었을 때 만나는 점을 각각 ㅁ, ㅂ이라 하였다. 평행사변형의 두 변 ㄱㄴ과 ㄴㄷ의 길이의 비를 구하여라.

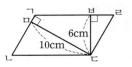

2 오른쪽 그림에서 각 AFE와 각 EBC는 직각이다. 변 AE의 길이를 구하여라.

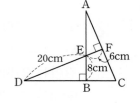

3 다음 그림에서 (가)와 (나)에 알맞은 길이를 각각 구하여라.

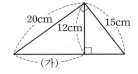 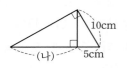

4 삼각형 ABC에서 각 C는 직각이고 선분 AC는 3cm, 선분 BC는 4cm, 선분 AB는 5cm이다. 또, 삼각형 ABD는 각 A가 직각이고 선분 AD는 12cm이다. 각 E가 직각일 때, 선분 DE의 길이와 선분 BE의 길이를 각각 구하여라.

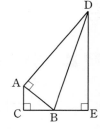

5 직사각형 ㄱㄴㄷㄹ을 선분 ㄴㅁ을 접는 선으로 하여 점 ㄷ이 변 ㄱㄹ의 중점에 오도록 접었다. 변 ㄹㅁ과 변 ㅁㄷ의 길이의 비를 구하여라.

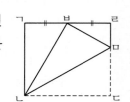

6 오른쪽 그림은 가로 38cm, 세로 17cm인 직사각형 모양의 색종이 2장을 겹쳐 놓은 것이다. 색칠한 부분의 넓이를 구하여라.

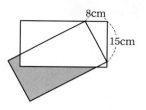

7 한 변의 길이가 15cm인 정사각형의 네 변을 각각 3등분한 점을 찍었다. 이 점들을 오른쪽 그림과 같이 연결하면 직사각형이 만들어지는데 이 직사각형의 넓이는 얼마이겠는가?

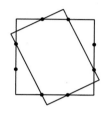

8 각 ㄱ과 ㄷ이 직각인 사각형 ㄱㄴㄷㄹ의 꼭짓점 ㄹ, ㄴ에서 대각선 ㄱㄷ에 내린 수선의 발을 각각 ㅁ, ㅂ이라고 한다. 변 ㄱㅁ은 3cm, 변 ㅁㅂ은 4cm, 변 ㅂㄷ은 3cm, 변 ㄹㅁ은 5cm일 때, 변 ㄴㅂ의 길이를 구하여라.

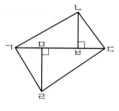

9 오른쪽 그림과 같이 3개의 직각삼각형 ㄱㄴㄷ, ㄱㄴㄹ, ㄱㅁㄹ이 그려져 있다. 이 때 두 개의 직각삼각형 ㄱㄴㄹ과 ㄱㅁㄹ은 닮음이고, 각각 세 변의 길이의 비는 3 : 4 : 5라고 한다. 삼각형 ㅁㄹㄷ의 넓이를 구하여라.

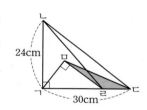

10 반지름이 12cm인 공이 탁자 위에 놓여 있다. 공의 위 끝에서 8cm 떨어진 곳에서 전등을 비추면 탁자에 공의 그림자가 생기는데, 이 때 전등과 공의 중심을 이은 선을 연장하면 공과 탁자가 만나는 점에 닿는다고 한다. 이 그림자의 넓이를 구하여라.(단, 직각삼각형에서 빗변이 5cm이고 다른 한 변이 3cm이면 나머지 한 변의 길이는 4cm가 된다.)

- 기수법은 수를 적는 방법이라는 뜻이다.
  위치적 기수법은 놓인 위치에 따라 나타내는 수가 달라지도록 수를 적는 방법이라는 뜻이다.
  예) 333에서 나타내는 수는 왼쪽부터 차례로 300, 30, 3이 된다.
- 10진법(10진 위치적 기수법)은 10이 되면 앞자리로 넘어가는, 놓인 위치에 따라 수의 크기가 달라지도록 적는 방법이라는 뜻이다. 0,1,2,3,4,5,6,7,8,9만 사용하여 모든 수를 나타낼 수 있다.
- 2진법(2진 위치적 기수법)은 2가 되면 앞자리로 넘어가는, 놓인 위치에 따라 수의 크기가 달라지도록 적는 방법이라는 뜻이다. 0,1만 사용하여 모든 수를 나타낼 수 있다.

$$\left(\begin{array}{c} 1, \quad 10, \quad 11, \quad 100, \quad 101, \quad 110, \quad 111, \quad 1000, \quad 1001 \\ 1010, 1011, 1100, 1101, 1110, 1111, 10000, 10001, 10010, 10011, \cdots \end{array} \right)$$

- 5진법(5진 위치적 기수법)은 5가 되면 앞자리로 넘어가는, 놓인 위치에 따라 수의 크기가 달라지도록 적는 방법이라는 뜻이다. 0,1,2,3,4만 사용하여 모든 수를 나타낼 수 있다.

$$\left(\begin{array}{c} 1, \ 2, \ 3, \ 4, \ 10, \ 11, \ 12, \ 13, \ 14, \ 20, \ 21, \ 22, \ 23, \ 24, \\ 30, \ 31, \ 32, \ 33, \ 34, \ 40, \ 41, \ 42, \ 43, \ 44, \ 100, \ 101, \ 102, \ 103, \ \cdots \end{array} \right)$$

※ 10진법과의 비교

- 여러 가지 위치적 기수법의 원리를 이용하면 문제를 쉽게 해결할 수 있다.

핵·심·문·제 **1** 다음은 어떤 규칙으로 수를 나타낸 것이다. 이와 같은 방법으로 1469를 나타내어라.

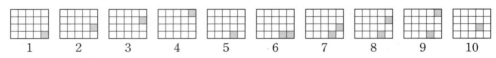

| | 1   2   3   4   5   6   7   8   9   10 |

┃생각하기┃ 규칙을 관찰하여 각 칸이 나타내는 수를 적어 보면 오른쪽과 같다.

625×4	125×4	25×4	5×4	4
625×3	125×3	25×3	5×3	3
625×2	125×2	25×2	5×2	2
625×1	125×1	25×1	5×1	1

┃풀이┃ $1469 = 625 \times 2 + 219 = 625 \times 2 + 125 \times 1 + 94 = 625 \times 2 + 125 \times 1 + 25 \times 3 + 19$
$= 625 \times 2 + 125 \times 1 + 25 \times 3 + 5 \times 3 + 4$

따라서 1469는 ⬜이 된다.   답 ⬜

핵·심·문·제 **2** 0과 1만 사용하여 여섯 자리 수를 만들었다. 이 중 짝수는 모두 몇 개인가?

┃생각하기┃ 0과 1만 사용하여 만든 여섯 자리 수 중 가장 작은 수는 100000이고, 가장 큰 수는 111111이다. 2진법의 수이므로 오른쪽부터 1, 2, 4, 8, 16, 32의 자리이다.

┃풀이┃ (가장 작은 수)=100000=1×32=32이고,
(가장 큰 수)=111111=$1 \times 32 + 1 \times 16 + 1 \times 8 + 1 \times 4 + 1 \times 2 + 1$=63이다.
이 중 짝수는 32=2×16부터 62=2×31까지 31−15=16(개)이다.   답 16개

유제 **1** 어떤 물건의 무게를 양팔 저울로 측정하는 데 64g짜리 2개, 16g짜리 3개, 4g짜리 2개, 1g짜리 1개의 저울추가 사용되었다. 1g, 3g, 9g, 27g, 81g의 저울추를 사용하여 같은 물건의 무게를 측정하려고 할 때, 사용되지 않는 저울추는 몇 g짜리인가? (단, 저울추의 개수는 최소가 되도록 한다.)

▶ 이 물건의 무게는
$64 \times 2 + 16 \times 3 + 4 \times 2 + 1 \times 1$
$= 185 (g)$이다.

유제 **2** 자연수를 다음과 같은 규칙으로 나타내었다. ( ) 안에 들어갈 수를 구하여라.

▶ 각 칸이 나타내는 수는 다음과 같다.

1	8	
2		
4		

유제 **3** 2진법으로 나타낸 수 ㄱㄴㄷ을 2배 하여 3진법의 수로 나타내면 세 자리 수 ㄷㄴㄱ이 된다고 한다. 2진법의 수 ㄱㄴㄷ을 구하여 5진법으로 나타내어라.

▶ 2진법의 수 ㄱㄴㄷ은
ㄱ$\times 4 +$ㄴ$\times 2 +$ㄷ이고, 이 수를 2배 하면 ㄱ$\times 8 +$ㄴ$\times 4 +$ㄷ$\times 2$가 된다.

유제 **4** 46을 3진법의 수로 나타낸 것을 이용하여 1g, 3g, 9g, 27g, 81g, 243g짜리 추가 각각 1개씩 있을 때 양팔 저울에 46g의 무게를 재는 방법을 찾아 써라. (단, 양팔 저울의 양쪽 접시에 모두 추를 올려놓을 수 있다.)

▶ 46을 3진법의 수로 나타내면
$46 = 27 \times 1 + 19$
$= 27 \times 1 + 9 \times 2 + 1$이다.

1 1g, 5g, 25g, 125g짜리 저울추가 각각 4개씩 있다. 이 저울추를 이용하여 무게가 423g인 물체의 무게를 재려고 한다. 1개만 사용되는 저울추는 몇 g짜리인가?

2 12를 2진법의 수로 나타내면 1100이 되는데 1을 ■, 0을 □로 나타내면 ■■□□으로 표시할 수 있다. 다음 계산 결과를 같은 방법으로 표시하여라.

$$■□■□+□■■□-■□□□$$

3 꼬마전구 5개를 일렬로 놓고 각각 스위치를 누르면 불이 들어오도록 장치해 놓았다. 불이 켜진 꼬마전구는 1로, 불이 꺼진 꼬마전구는 0으로 하여 자연수를 나타낸다면 모두 몇 개의 자연수를 나타낼 수 있겠는가?

4 세 자리의 8진법의 수 중 가장 큰 수와 가장 작은 수 사이에 있는 7의 배수는 모두 몇 개인가?

5 1부터 6까지의 눈이 있는 주사위를 두 번 던져 첫째 번으로 나온 수를 ㉠, 둘째 번으로 나온 수를 ㉡이라고 하여 7진법의 수 ㉠㉡으로 나타내었을 때, 나타낼 수 있는 수를 모두 더한 합을 7진법의 수로 나타내어라.

6 어떤 진법의 수로 나타내면 43이 되는 어떤 수가 있다. 어떤 수는 또 다른 진법의 수 21의 3배와 같다고 한다. 어떤 수가 50보다 작은 두 자리 자연수일 때 어떤 수를 모두 구하여라.

7 어떤 두 자리의 5진법의 수 ab를 3진법의 수로 나타내면 ba가 된다고 한다. 이 수를 2진법의 수로 나타내어라.

8 십진법의 수 10, 11, 12, 13, 14, 15를 각각 ㄱ, ㄴ, ㄷ, ㄹ, ㅁ, ㅂ으로 나타내어 16진법의 수 ㅂㅂ을 만들었다. 16진법의 수 ㅂㅂ을 2진법의 수로 나타내면 1은 모두 몇 번 쓰이는지 구하여라.

9 1g, 3g, 9g, 27g, 81g, 243g짜리 추가 각각 한 개씩 있다. 이 추를 사용하여 양팔 저울로 295g짜리 물건을 측정하려고 한다. 물건과 같은 접시에 놓아야 할 추와 다른 접시에 놓아야 할 추를 각각 구하여라.

10 다음과 같이 3의 거듭제곱(3을 여러 번 곱하여 만든 수) 또는 서로 다른 3의 거듭제곱들의 합으로 만든 수를 차례로 늘어놓았다. 45째 번 수를 2진법을 이용하여 구하여라. (단, $3 \times 3 \times 3 \times 3 \times 3$을 3^5과 같이 나타낼 때 $3^0 = 1$로 약속한다.)

> 1, 3, 4, 9, 10, 12, 13, 27, …

확률론의 역사는 도박의 역사?

확률은 앞으로 일어날 수 있는 일에 대한 기대값으로, 기대값을 0에서 1까지의 수로 나타낸다. 만약 전혀 일어날 수 없는 사건이라면 확률은 0이 되고 항상 일어나는 사건이라면 확률은 1이다. 예를 들어 1에서 6까지의 숫자가 쓰인 주사위를 한 번 던질 때 7이라는 숫자가 나올 확률은 0이고, 1, 2, 3, 4, 5, 6 중의 하나의 숫자가 나올 확률은 1이다.

확률의 역사를 도박의 역사라고 보는 것은 르네상스 시대로 거슬러 올라간다. 당시 지중해 연안의 도시에 상인들이 모여들었는데 날씨가 흐려 출항하지 못하는 날에는 삼삼오오 모여 도박을 하곤 하였다. 그러면서 승부가 결정되기 전에 '누가 이기게 될까?'를 궁금해하게 되었고, 수학자와 함께 연구를 시작하면서 확률이 싹트게 되었다고 볼 수 있다.

확률이 보다 본격적으로 연구되면서 이론으로서 발전하게 된 것은 17세기에 파스칼과 페르마가 주고 받은 편지에서 비롯되었다. 드 메레라는 프랑스의 도박사는 친구인 파스칼에게 다음과 같은 도박과 관련된 문제를 문의하였다.

> "같은 실력을 가진 두 명의 도박꾼 갑과 을이 한 번 이길 때마다 1점을 얻고 먼저 3점을 얻으면 이기는 내기를 시작했다네. 갑과 을은 32피스톨씩의 돈을 걸어, 이기는 사람이 64피스톨을 모두 갖기로 하였네. 그런데 피치 못할 사정으로 갑이 2점, 을이 1점을 얻은 상태에서 내기가 중단되어 버렸다면 이런 경우에 미리 모은 판돈을 어떻게 나누는 것이 공평한지 알려주면 고맙겠네."
>
> ※ 피스톨 : 17세기에 쓰이던 금화

파스칼은 친구의 의뢰를 받고 고민하기 시작하였다. 그런데 파스칼이 이 문제를 연구하고 있다는 소식을 또 다른 수학자인 페르마가 듣게 되었고, 페르마가 파스칼에게 편지를 보냄으로써 서신 왕래가 이루어지게 되었다. 두 명의 위대한 수학자는 각자 나름의 방법으로 이 문제를 풀었다. 자~ 어떤 방법을 사용했을까?

〔 파스칼의 풀이 〕

다음 번 게임에서 갑이 이기면 갑은 3점을 얻게 되므로 갑이 64피스톨을 갖게 된다. 만약 을이 이긴다면 갑과 을이 얻은 점수가 각각 2점씩이 되므로 32피스톨씩을 나누어 가져야 한다. 즉 갑은 다음 번에 이기든 지든 최소한 32피스톨을 확보한 셈이다. 나머지 32피스톨은 갑과 을 중에서 이기는 사람의 몫이겠지만 두 사람의 실력은 같다고 했으므로 갑에게 먼저 32피스톨을 주고, 나머지 32피스톨의 반인 16피스톨을 갑에게 더 주면 된다. 따라서 갑은 48피스톨, 을은 16피스톨을 가지면 된다.

〔 페르마의 풀이 〕

갑이 2점, 을이 1점을 득점하였으므로, 앞으로 최대 2번으로 승패가 결정된다. 갑이 이기는 경우를 ★, 을이 이기는 경우를 ▲라 하고 일어날 수 있는 경우를 모두 나타내 보면 다음과 같다.

이 4가지 경우 중 갑이 내기에서 이기는 경우는 ⟨　　⟩ 한 3가지이고, 을이 이기는 경우는 1가지이므로 판돈은 3 : 1로 나누어야 한다.

따라서 갑은 48피스톨, 을은 16피스톨을 가지면 된다.

- 모르는 것이 두 가지일 경우 미지수가 2개인 방정식을 2개 만들어 문제를 풀 수 있다. 이 때, 방정식 2개를 함께 묶어 연립방정식이라 한다.
- 미지수가 2개인 방정식 2개를 모두 참이 되게 하는 수의 쌍이 연립방정식의 해이다.
- 연립방정식을 풀 때는 등식의 성질을 이용하여 한 가지 미지수를 없애고 다른 미지수에 알맞은 값을 구한다.

핵·심·문·제 **1** 어떤 가게에서 A 상품과 B 상품을 묶어서 판매하고 있다. 오전에는 A 상품은 정가보다 3할 비싸게 받고, B 상품은 정가에서 300원을 깎아 주어 1940원에 팔았고, 오후에는 A 상품은 정가에서 300원 깎아 주고, B 상품은 정가보다 3할 비싸게 받아 2060원에 팔았다. A 상품과 B 상품의 가격은 각각 얼마인가?

▌생각하기▐ A 상품, B 상품의 가격을 알 수 없으므로 A 상품, B 상품의 정가를 각각 a원, b원이라 하자. 오전에 A 상품은 정가의 1.3배로 팔았고, 오후에는 B 상품을 정가의 1.3배로 팔았다.

▌풀이▐ $1.3 \times a + b - 300 = 1940 \cdots$ ①, $a - 300 + 1.3 \times b = 2060 \cdots$ ②
①, ②의 양변에 각각 300을 더하면 $1.3 \times a + b = 2240 \cdots$ ①′, $a + 1.3 \times b = 2360 \cdots$ ②′
①′의 양변에 1.3을 곱하면 $1.69 \times a + 1.3 \times b = 2912 \cdots$ ①″
①″의 양변에 ②′에 의해 서로 같은 $a + 1.3 \times b$와 2360을 각각 빼 주면 $0.69 \times a = 552$, $a = 800$(원)
②′에 $a = 800$을 넣으면 $800 + 1.3 \times b = 2360$, $1.3 \times b = 1560$, $b = 1200$(원)이다.

답 A : 800원, B : 1200원

핵·심·문·제 **2** 준용이가 A 지점에서 B 지점까지 가는 데 평소에 가던 속력보다 한 시간에 $\frac{1}{2}$km씩 더 가면 $\frac{3}{2}$시간 적게 걸리고, 한 시간에 $\frac{1}{2}$km씩 적게 가면 $\frac{5}{2}$시간 더 걸린다고 한다. A 지점에서 B 지점까지의 거리는 몇 km인가?

▌생각하기▐ A에서 B까지의 거리는 항상 같으므로 평소의 속력을 시속 $v$km, 걸린 시간을 t시간이라고 하자. A에서 B까지의 거리는 $v \times t$, $\left(v + \frac{1}{2}\right) \times \left(t - \frac{3}{2}\right)$, $\left(v - \frac{1}{2}\right) \times \left(t + \frac{5}{2}\right)$가 된다.

▌풀이▐ $v \times t = \left(v + \frac{1}{2}\right) \times \left(t - \frac{3}{2}\right)$, $v \times t = v \times t - \frac{3}{2} \times v + \frac{1}{2} \times t - \frac{3}{4} \cdots$ ①
$v \times t = \left(v - \frac{1}{2}\right) \times \left(t + \frac{5}{2}\right)$, $v \times t = v \times t + \frac{5}{2} \times v - \frac{1}{2} \times t - \frac{5}{4} \cdots$ ②
①의 양변에서 $v \times t$를 빼 주고 $\frac{3}{2} \times v$와 $\frac{3}{4}$을 각각 더하면 $\frac{3}{2} \times v + \frac{3}{4} = \frac{1}{2} \times t$

양변에 4를 곱하면 $6 \times v + 3 = 2 \times t \cdots$ ①′

②의 양변에서 $v \times t$를 빼 주고 $\frac{1}{2} \times t$를 각각 더하면 $\frac{1}{2} \times t = \frac{5}{2} \times v - \frac{5}{4}$

양변에 4를 곱하면 $2 \times t = 10 \times v - 5 \cdots$ ②′

①′, ②′에서 $2 \times t$가 같으므로 $6 \times v + 3 = 10 \times v - 5$

양변에서 $6 \times v$를 빼 주고 5를 더하면 $8 = 4 \times v$, $v = 2$

①′에 대입하면 $6 \times 2 + 3 = 2 \times t$, $t = \frac{15}{2}$, 따라서 A에서 B까지의 거리는 $2 \times \frac{15}{2} = 15$(km)이다.   답 15km

유제 **1** A, B, C 세 친구가 가지고 있는 동화책 수를 세어 보았다. A, B 두 사람이 가지고 있는 동화책 수의 평균은 세 사람의 평균보다 23권 더 많고, B, C 두 사람이 가지고 있는 동화책 수의 평균은 세 사람의 평균보다 17권 더 적다. B가 가지고 있는 동화책이 66권일 때, A와 C는 각각 몇 권의 동화책을 가지고 있는지 구하여라.

> A, C가 가지고 있는 동화책 수를 각각 x, y라고 하자.
>
> $$\frac{x+66}{2} = \frac{x+66+y}{3} + 23$$
>
> $$\frac{66+y}{2} = \frac{x+66+y}{3} - 17$$

유제 **2** 작년 가을에 어느 과수원에서는 사과와 배를 수확했는데 사과가 배보다 320개 더 많았다. 수확한 일부는 팔았고 일부는 창고에 저장했는데 판매한 과일과 저장해 둔 과일의 개수의 비는 3 : 2였다. 판매한 과일 중 사과와 배의 개수의 비는 5 : 4이고, 저장해 둔 과일 중 사과와 배의 개수의 비는 7 : 5이다. 판매한 과일은 모두 몇 개인가?

> 판매한 과일 중 사과는 $(5 \times a)$개, 배는 $(4 \times a)$개
> 저장해 둔 과일 중 사과는 $(7 \times b)$개, 배는 $(5 \times b)$개
> $9 \times a : 12 \times b = 3 : 2$
> $5 \times a + 7 \times b = 4 \times a + 5 \times b + 320$

유제 **3** 세 수 ㉠, ㉡, ㉢이 있는데, ㉠의 3배는 ㉢의 4배에 3을 더한 것과 같고, ㉡의 2배는 ㉢에 5를 더한 것과 같다고 한다. 세 수 ㉠, ㉡, ㉢의 합이 80일 때, ㉠을 구하여라.

> ㉠$\times 3 =$ ㉢$\times 4 + 3$
> ㉡$\times 2 =$ ㉢$+ 5$
> ㉠$+$㉡$+$㉢$= 80$

유제 **4** 140km 떨어진 ㉮, ㉯ 두 지점 사이를 달리는 시외버스가 있고, ㉮와 ㉯ 지점 사이에는 A, B 두 정거장이 있다. ㉮ 지점에서 A 정거장까지, A 정거장에서 B 정거장까지를 모두 시속 40km로 달리고, B 정거장에서 ㉯ 지점까지는 시속 50km로 달리면 3시간 12분이 걸린다. 그런데 ㉮ 지점에서 A 정거장까지만 시속 40km로 달리고 그 나머지는 시속 50km로 달리면 2시간 57분이 걸린다. A 정거장에서 B 정거장까지의 거리를 구하여라.

> ㉮에서 A 정거장까지의 거리, A 정거장에서 B 정거장까지의 거리, B 정거장에서 ㉯까지의 거리를 각각 $a$km, $b$km, $c$km라 하자.
> $a+b+c = 140$
>
> $$\frac{a+b}{40} + \frac{c}{50} = 3\frac{12}{60}$$
>
> $$\frac{a}{40} + \frac{b+c}{50} = 2\frac{57}{60}$$

1 큰 자루에 쌀을 담는데 큰 그릇으로 5번, 작은 그릇으로 3번 부었더니 전체의 $\frac{7}{12}$ 이 찼다. 나머지는 큰 그릇으로 1번, 작은 그릇으로 6번을 부었더니 가득 찼다. 같은 자루에 큰 그릇만으로 쌀을 가득 채우려면 몇 번 부어야 하는지 구하여라.

2 정우는 일요일에 아버지와 함께 등산을 하였다. 올라갈 때는 매시 3km의 속력으로, 내려올 때는 매시 5km의 속력으로 전체 12km의 산길을 걸었다. 올라간 길과 내려온 길이 다르고 모두 3시간 걸렸다면, 올라간 거리는 몇 km인가?

3 강당에 5인용 의자와 2인용 의자가 놓여 있다. 의자는 모두 75개이고 모두 260명이 빈 자리 없이 채워 앉았더니 마지막 남은 5인용 의자 한 개에는 1명만 앉게 되었다. 5인용 의자와 2인용 의자는 각각 몇 개씩인지 구하여라.

4 작년에는 국어 사전과 영어 사전을 한 권씩 사는 데 모두 53000원이 필요했다. 올해에는 국어 사전과 영어 사전의 값이 작년에 비해 각각 10%, 15%씩 올라 국어 사전과 영어 사전을 한 권씩 사는 데 모두 59700원이 필요하다고 한다. 작년에는 국어 사전의 값이 얼마였는지 구하여라.

5 한 척의 배가 강물의 흐름을 따라 80km를 내려갔다가 91km를 거슬러 올라오는 데 6시간이 걸렸고, 강물의 흐름에 따라 64km를 내려갔다가 52km를 거슬러 올라오는 데에 4시간이 걸렸다. 이 배가 104km 떨어진 상하류의 두 지점을 한 번 왕복하는 데는 몇 시간 몇 분이 걸리겠는가?

6 올해 아버지와 어머니의 나이의 합은 72세이고, 나와 동생의 나이의 합은 18세이다. 2년 후에 아버지의 나이는 동생의 나이의 4배가 되고, 어머니의 나이는 내 나이의 3배가 된다고 한다. 올해부터 몇 년 후에 아버지의 나이가 내 나이의 3배가 되는지 구하여라.

7 갑, 을, 병 세 사람이 함께 딴 밤을 나누어 가졌다. 갑은 을보다 1.5kg 더 가졌고, 을은 병의 $2\dfrac{3}{4}$배를 가졌다. 밤이 모두 53.5kg일 때, 갑이 가진 밤은 몇 kg인지 구하여라.

8 어느 학교의 강당에는 2인용, 3인용, 4인용 의자가 합해서 50개 놓여 있어 모두 150명까지 앉을 수 있다. 그런데 2인용 의자를 모두 5인용 의자로 바꾸면 모두 201명까지 앉을 수 있다고 한다. 이 강당에는 4인용 의자가 모두 몇 개 놓여 있는지 구하여라.

9 민기가 시속 48km의 속력으로 자동차를 타고 A 지점에서 B 지점을 향해 출발한 지 20분 후 현기가 자동차를 타고 A 지점에서 출발하여 민기를 따라갔다. 현기는 B 지점에서 76km 떨어진 곳에서 민기를 추월하고, B 지점에 먼저 도착하여 곧바로 같은 속력으로 되돌아서 B 지점에서 16km를 달린 후 B 지점을 향해 오고 있는 민기와 다시 만났다. A 지점에서 B 지점까지의 거리와 현기가 탄 자동차의 시속을 각각 구하여라.

10 속력이 각각 일정한 2대의 버스 A, B가 각각 두 마을 ㉮, ㉯에서 마주 보고 출발하였다. A 버스가 ㉮에서 ㉯까지 가는 데에는 1시간 20분 걸리고, B 버스가 ㉯에서 ㉮까지 가는 데에는 1시간 50분 걸린다고 한다. 두 버스가 두 마을 ㉮, ㉯의 중간 지점에서 11.4km 떨어진 지점에서 서로 지나치기 시작하였다면, A 버스는 한 시간에 몇 km를 갔는지 구하여라. (단, 두 버스 A, B의 노선은 같다.)

- 조건에 맞는 수를 적절히 분류하여 찾아내면 문제를 쉽게 해결할 수 있다.
- 일일이 찾으려면 중복되지도 않고, 누락되지도 않게 해야 한다.
- 경우의 수의 계산 원리를 이용하여도 된다.

핵·심·문·제 **1** 1, 2, 3을 이용하여 세 자리 자연수를 만들려고 한다. 1은 한 번만 사용할 수 있고, 1, 2는 합해서 두 번까지 사용할 수 있다고 한다. 이와 같이 만든 세 자리 자연수는 모두 몇 개인가?

┃생각하기┃ 1과 2는 합해서 두 번까지 사용할 수 있고, 1은 한 번만 사용할 수 있으므로 조건에 맞는 세 자리 수를 3이 쓰이는 횟수에 따라 분류하자.

┃풀이┃ • 3이 세 번 쓰일 때 : 333 → 1개
- 3이 두 번 쓰일 때 : □33, 3□3, 33□에서 □에 1 또는 2가 들어갈 수 있으므로 3×2=6(개)
- 3이 한 번 쓰일 때 : □□3, □3□, 3□□에서 □□에 12, 21, 22가 들어갈 수 있으므로 3×3=9(개)
- 3이 안 쓰일 때 : 1, 2는 합해서 두 번까지 사용할 수 있으므로 3이 안 쓰이는 경우는 없다.

따라서 모두 1+6+9=16(개)이다. 답 16개

핵·심·문·제 **2** 숫자 카드 ⓪, ⓪, ①, ①, ②, ② 중에서 4장을 골라 네 자리 수를 만들려고 한다. 만든 수가 1120일 때, 만든 수는 각 자리 숫자의 합인 1+1+2=4의 배수가 된다. 이와 같은 경우는 모두 몇 가지인지 구하여라.

┃생각하기┃ 2, 2, 1, 1, 0, 0 중 4장을 고르면 그 합은 6, 5, 4, 3, 2가 될 수 있다. 각 자리 숫자의 합에 따라 분류하여 생각해 보자.

┃풀이┃ • 각 자리 숫자의 합이 6인 경우
2+2+1+1=6이므로 2, 2, 1, 1로 네 자리 수를 만들어 6의 배수가 되어야 한다.
합이 3의 배수이므로 일의 자리 숫자는 2가 되어야 한다. □□□2에서 □□□에 2, 1, 1을 넣는 방법은 211, 121, 112의 3가지이다.
- 각 자리 숫자의 합이 5인 경우
2+2+1+0=5이므로 2, 2, 1, 0으로 네 자리 수를 만들어 5의 배수가 되어야 한다.
일의 자리 숫자는 0이 되어야 한다. □□□0에서 □□□에 2, 2, 1을 넣는 방법은 3가지이다.
- 각 자리 숫자의 합이 4인 경우
2+2+0+0=4이므로 2, 2, 0, 0으로 4의 배수를 만들면 2200, 2020의 2가지이다.
2+1+1+0=4이므로 2, 1, 1, 0으로 4의 배수를 만들면 1012, 1120의 2가지이다.
- 각 자리 숫자의 합이 3인 경우
2+1+0+0=3이므로 2, 1, 0, 0으로 3의 배수를 만들면 2□□□의 3가지, 1□□□의 3가지로 모두 6가지
이다.
- 각 자리 숫자의 합이 2인 경우
1+1+0+0=2이므로 1, 1, 0, 0으로 2의 배수를 만들면 1100, 1010의 2가지이다.

따라서 3+3+2+2+6+2=18(가지)이다. 답 18가지

111부터 9999까지의 자연수 중에서 115, 1011 등과 같이 숫자 1이 두 개만 연속하여 놓이는 수는 모두 몇 개인가?

세 자리 수일 때
11□, □11의 꼴이 있다.
네 자리 수일 때
11□□, □11□, □□11의 꼴이 있다.

한 자리의 자연수 중 네 개의 수를 골라, 곱이 $\frac{1}{2}$이 되는 두 개의 기약진분수를 만들었다. 네 수를 고르는 방법은 모두 몇 가지인가? (단, 네 개의 수 중 서로 같은 수가 있어도 된다.)

1, 2, 3, …, 9 중 두 수를 골라 기약진분수를 만들면 다음과 같다.
$\frac{1}{2}$, $\frac{1}{3}$, $\frac{2}{3}$, $\frac{1}{4}$, $\frac{3}{4}$,
$\frac{1}{5}$, $\frac{2}{5}$, $\frac{3}{5}$, $\frac{4}{5}$, $\frac{1}{6}$, $\frac{5}{6}$,
$\frac{1}{7}$, $\frac{2}{7}$, $\frac{3}{7}$, $\frac{4}{7}$, $\frac{5}{7}$, $\frac{6}{7}$,
$\frac{1}{8}$, $\frac{3}{8}$, $\frac{5}{8}$, $\frac{7}{8}$,
$\frac{1}{9}$, $\frac{2}{9}$, $\frac{4}{9}$, $\frac{5}{9}$, $\frac{7}{9}$, $\frac{8}{9}$

한 자리 자연수 중 여섯 개의 수를 골랐는데 그 중 세 수는 2, 3, 9이다. 여섯 개의 수를 세 개씩 두 묶음으로 나누어 더하면 각 묶음의 합은 모두 일의 자리의 숫자가 0이 된다. 나머지 세 수를 고르는 방법은 모두 몇 가지인가?(단, 여섯 개의 수 중 서로 같은 수가 있어도 된다.)

2, □, □/3, 9, □
3, □, □/2, 9, □
9, □, □/2, 3, □
위와 같이 3가지 경우로 나누어 생각하자.

031015는 2003년 10월 15일을 나타낸다. 이와 같은 방법으로 1963년의 날들을 표시해 보면 모두 다른 숫자가 쓰이는 경우가 있다. 이런 경우는 모두 몇 가지인가?

6301□□, 6302□□
6304□□, 6305□□
6307□□, 6308□□
6309□□, 6310□□
6312□□
위와 같이 9가지 경우로 나누어 생각하자.

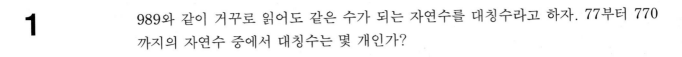

1 989와 같이 거꾸로 읽어도 같은 수가 되는 자연수를 대칭수라고 하자. 77부터 770까지의 자연수 중에서 대칭수는 몇 개인가?

2 1부터 1000까지의 자연수 중에서 같은 숫자가 2번 이상 사용된 것은 모두 몇 가지인가?

3 네 자리 수 중에서 4가 적어도 한 번 쓰이면서 4의 배수인 경우는 몇 가지인가?

4 세 자리 수 545는 5, 4, 5의 위치를 바꿔서 만든 세 자리 수 455와 더해 1000이 된다. 이와 같이 위치를 적당히 바꾼 세 자리 수와의 합이 1000이 되는 세 자리 자연수 중 545보다 큰 수는 모두 몇 개인가?

5 100부터 999까지의 자연수 중에서 각 자리의 숫자 중 짝수가 2개 이하인 수는 모두 몇 개인지 구하여라. (단, 0도 짝수이다.)

6   2, 3, 4, 5, 6의 5장의 숫자 카드 중 2장을 골라 두 자리 수를 만들고 다른 한 장을 골라 한 자리 수를 만들었다. 만들어진 두 자리 수를 한 자리 수로 나눌 때 나누어 떨어지는 경우는 모두 몇 가지인가?

7   0부터 9까지의 숫자가 각각 한 개씩 쓰인 10장의 숫자 카드가 있다. 이 중 4장의 카드를 뽑아 네 자리 수를 만들었는데 오른쪽에 놓인 카드의 숫자가 바로 왼쪽에 놓인 카드의 숫자보다 2 이상 더 작게 되었다고 한다. 이와 같은 네 자리 수는 모두 몇 개인지 구하여라.

8   0, 0, 1, 2, 3의 5장의 숫자 카드 중 3개를 골라 세 자리 수를 만들었다. 만든 세 자리 수가 각 자리의 숫자의 합의 배수가 되는 경우는 모두 몇 가지인가?

9   분모와 분자에 똑같은 자연수를 더하여 만든 새로운 분수와의 합이 1이 되는 분수 중 $\frac{1}{2}$ 보다 작고 분모가 11보다 작은 기약분수는 모두 몇 개인가?

10   1, 2, 3, 4로 네 자리 자연수를 만들려고 한다. 1은 많아야 한 번 사용되고 1, 2는 합해서 많아야 두 번 사용되며 1, 2, 3은 합해서 많아야 세 번 사용되는 네 자리 자연수는 모두 몇 개인지 구하여라.

- 물건을 양팔 저울에 올려놓고 수평이 되도록 놓은 추의 무게를 생각해 보면 문제를 해결할 수 있다.
- 물건을 양팔 저울에 올려놓고 수평이 되었는지, 한쪽으로 기울었는지에 따라 가능한 경우를 분석해 보면 문제를 해결할 수 있다.

핵·심·문·제 **1** 똑같아 보이는 26개의 동전이 있는데 이 중 한 개가 가벼운 가짜 동전이라고 한다. 양팔 저울을 최소 몇 번 사용해야 가짜 동전을 찾아낼 수 있겠는가?

생각하기 26개의 동전을 13개씩 나누어 양팔 저울에 다는 것보다 9개, 9개, 8개로 나누어 9개짜리 두 더미를 양팔 저울에 다는 것이 저울을 적게 사용할 수 있다.

풀이 1) 9개, 9개, 8개로 나누어 9개짜리 두 더미를 양팔 저울에 단다.
2) 수평이 되면 8개짜리 더미를 3개, 3개, 2개로 나누어 3개짜리 두 더미를 양팔 저울에 단다.
  3) 수평이 되면 2개짜리 더미를 하나씩 단다. 이 때, 올라간 접시의 동전이 가짜이다.
  3) 기울면 올라간 접시의 동전 3개 중 2개를 하나씩 단다. 수평이 되면 남은 한 개의 동전이 가짜이고 기울면 올라간 접시의 동전이 가짜이다.
2) 기울면 올라간 접시의 9개짜리 더미를 3개씩 세 더미로 나누어 그 중 두 더미를 양팔 저울에 단다.
  3) 수평이 되면 남은 동전 3개 중에서, 기울면 올라간 접시의 동전 3개 중에서 2개를 하나씩 단다. 수평이 되면 남은 한 개의 동전이 가짜이고 기울면 올라간 접시의 동전이 가짜이다.
각각의 경우마다 모두 3번씩 양팔 저울을 사용하였다.   답 3번

참고* 무게가 다른 한 개를 찾아낼 때 9개까지는 양팔 저울을 2번 사용하고, 27개까지는 세 번, 81개까지는 네 번 사용하면 가능하다.

핵·심·문·제 **2** 똑같아 보이는 12개의 동전이 있는데 이 중 한 개가 무게가 다른 가짜 동전이라고 한다. 양팔 저울을 세 번 사용하여 가짜 동전을 찾고, 이 가짜 동전이 진짜보다 무거운지 가벼운지도 알아내어라.

생각하기 가짜 동전 한 개가 무거운지 가벼운지 모른다는 점에 주의하여 생각해야 한다.

풀이 12개의 동전을 ①, ②, ③, ④, ⑤, ⑥, ⑦, ⑧, ⑨, ⑩, ⑪, ⑫라고 하자.
1) ①②③④＝⑤⑥⑦⑧ (①~⑧은 모두 진짜이다.)
  2) ①②③＝⑨⑩⑪ (⑫가 가짜이다.)
    3) ①＞⑫ (⑫가 가짜, 가볍다.) / ①＜⑫ (⑫가 가짜, 무겁다.)
  2) ①②③＞⑨⑩⑪ (⑨⑩⑪ 중에 가짜가 있는데 가볍다.)
    3) ⑨＝⑩ (⑪이 가짜, 가볍다.) / ⑨＞⑩ (⑩이 가짜, 가볍다.) / ⑨＜⑩ (⑨가 가짜, 가볍다.)
  2) ①②③＜⑨⑩⑪ (⑨⑩⑪ 중에 가짜가 있는데 무겁다.) 위의 경우와 같은 방법으로 알아낸다.
1) ①②③④＞⑤⑥⑦⑧ (①, ②, ③, ④ 중에 또는 ⑤, ⑥, ⑦, ⑧ 중에 가짜가 있다.)
  2) ①②⑤＝③④⑥ (⑦, ⑧ 중에 가짜가 있는데 가볍다.)
    3) ⑦＞⑧ (⑧이 가짜, 가볍다.) / ⑦＜⑧ (⑦이 가짜, 가볍다.)
  2) ①②⑤＞③④⑥ (③, ④, ⑤는 접시를 바꿔 달았는데 결과가 같으므로 ①, ②, ⑥ 중에 가짜가 있다.)
    3) ①＝② (⑥이 가짜, 가볍다.) / ①＞② (①이 가짜, 무겁다.) / ①＜② (②가 가짜, 무겁다.)
  2) ①②⑤＜③④⑥ (③, ④, ⑤는 접시를 바꿔 달았는데 결과가 반대로 되었으므로 ③, ④, ⑤ 중에 가짜가 있다.)
    3) ③＝④ (⑤가 가짜, 가볍다.) / ③＞④ (③이 가짜, 무겁다.) / ③＜④ (④가 가짜, 무겁다.)
1) ①②③④＜⑤⑥⑦⑧ 위의 경우와 같은 방법으로 알아낸다.

우혁이 어머니는 우혁이에게 줄 간식을 만들기 위해 밀가루 100g이 필요한데 밀가루 390g이 봉지에 담겨져 있다. 집에는 양팔 저울이 있는데 추는 고작 4g짜리, 11g짜리가 각각 한 개씩 있을 뿐이다. 어머니께서 우혁이에게 100g만 덜어낼 방법이 있겠냐고 물으셨는데 우혁이는 양팔 저울을 딱 두 번만 사용하여 100g을 덜어냈다. 우혁이가 어떻게 해서 100g을 덜어 냈는지 방법을 설명하여라.

▷ 밀가루 390g을 양쪽 접시에 적당히 나눠 놓고 한 쪽 접시에만 4g짜리 추를 올려놓은 후 수평이 되도록 밀가루 양을 조절해 보자.

무게가 서로 다른 구슬이 68개 있다. 양팔 저울을 100번 사용하여 가장 무거운 구슬과 가장 가벼운 구슬을 찾아내는 방법을 설명하여라.

▷ 68개의 구슬을 두 개씩 짝지어 양팔 저울에 각각 달면 가장 무거운 구슬이 포함되어 있는 34개의 구슬과 가장 가벼운 구슬이 포함되어 있는 34개의 구슬로 나눌 수 있다.

다섯 개의 상자에 금화가 15개씩 들어 있다. 진짜 금화는 한 개에 10g씩인데 이 중 몇 개의 상자에는 한 개에 9g씩인 가짜 금화만 들어 있다고 한다. 1g짜리 추가 15개 있으면 양팔 저울을 한 번만 사용하여 어느 상자가 가짜 금화만 들어 있는 상자인지 알아낼 수 있다. 그 방법을 써라. (단, 진짜 금화가 든 상자가 반드시 있다.)

▷ 가짜 금화만 들어 있는 상자가 몇 개 있는지 모르므로 1개, 2개, 3개, …로 각 상자에서 꺼내야 한다.

빨간 주사위 2개, 노란 주사위 2개, 파란 주사위 2개가 있다. 같은 색깔의 주사위 2개는 각각 하나는 가볍고 하나는 무겁다. 또, 가벼운 세 주사위의 무게가 같고 무거운 세 주사위의 무게도 같다. 눈으로 봐서는 구별이 안 되지만 양팔 저울을 두 번만 사용하면 가벼운 주사위와 무거운 주사위를 알아낼 수 있다. 그 방법을 써라.

▷ 한 쪽 접시에는 빨간 주사위 한 개와 노란 주사위 한 개를 올려놓고, 다른 쪽 접시에는 빨간 주사위 한 개와 파란 주사위 한 개를 올려놓자. 결과에 따라 가능한 경우를 분석해 보자.

특강탐구문제

1 설탕이 160g 있다. 양팔 저울을 이용하여 65g을 덜어 내려면 저울을 최소 몇 번 사용하여야 하겠는가?

2 어떤 약품이 227g 있다. 양팔 저울과 6g짜리 추 한 개, 15g짜리 추 한 개를 이용하여 50g을 덜어 내려고 한다. 양팔 저울을 두 번만 사용하여 50g을 덜어 내는 방법을 설명하여라.

3 무게가 다른 돌이 50개 있는데, 양팔 저울에 최소 54번을 달아서 가장 무거운 돌과 둘째 번으로 무거운 돌을 찾을 수 있다. 찾는 방법을 설명하여라.

4 동전이 6개 있다. 이 중 2개는 가짜 동전인데 진짜 동전보다 가볍다고 한다. 양팔 저울을 세 번 사용하여 2개의 가짜 동전을 찾아내는 방법을 설명하여라.

5 한 개의 무게가 10g인 "달콤해" 초콜릿은 한 상자에 10개씩 들어 있다. 어느 가게 주인이 이 "달콤해" 초콜릿을 15상자 들여놓았는데 그 중 한 상자가 불량품이라는 것을 알았다. 불량품 상자에 들어 있는 10개의 초콜릿은 모두 9g짜리라고 한다. 이 가게 주인은 양팔 저울과 1g짜리 추 몇 개를 가지고 있었는데, 양팔 저울을 한 번 사용하여 불량품 상자를 찾아냈다고 한다. 이 가게 주인이 양팔 저울을 단 한 번 사용하여 불량품 상자가 어느 것인지 알아내려면 1g짜리 추는 최소 몇 개가 있어야 하는지 구하여라.

6 동전 81개가 있다. 이 중 한 개가 가짜 동전인데 진짜 동전보다 가벼운지 무거운지 알지 못한다. 양팔 저울을 두 번 사용하여 가짜 동전이 진짜 동전보다 가벼운지 무거운지 알아내려고 한다. 방법을 설명하여라.

7 똑같은 모양의 금속 구슬이 5개 있다. 이 중 3개는 무게가 같고, 다른 하나는 이것들보다 가볍고, 또 다른 하나는 이것들보다 무겁다고 한다. 양팔 저울을 3번 사용하여 가벼운 구슬과 무거운 구슬을 각각 찾아내어라.

8 기념 주화 6개를 가지고 있는데 그 중 3개가 모조품이라고 한다. 모조품은 진품보다 가볍지만 눈으로 보기에는 구별이 되지 않는다. 진품 3개도 무게가 같고, 모조품 3개도 무게가 같을 때, 양팔 저울을 세 번 써서 3개의 모조품을 찾아내는 방법을 설명하여라.

9 크기가 같은 5개의 구슬이 있다. 빨간 구슬 2개의 무게는 각각 3g, 5g이고 파란 구슬 2개의 무게도 각각 3g, 5g이다. 그리고 노란 구슬 1개의 무게는 3g 또는 5g이라고 한다. 양팔 저울을 두 번만 사용하여 5개의 구슬의 무게를 각각 알아내려고 한다. 그 방법을 써라.

10 금화가 16개 있다. 그 중 한 개는 가짜인데 가짜가 진짜보다 무거운지 가벼운지는 모른다고 한다. 양팔 저울을 4번 사용하여 가짜 동전을 찾고 가짜 동전이 진짜보다 무거운지 가벼운지 알아내는 방법도 써라.

- 계산 과정을 생각해 보면 감춰 놓은 숫자를 알아낼 수 있다.
- 여러 가지 숫자가 가능한 경우에는 각각의 경우로 나누어 생각해 본다.
- 각 계산 과정의 자릿수를 생각해 보면 수의 크기를 알 수 있다.

핵·심·문·제 **1** 오른쪽 나눗셈식에서 몫을 구하여라.

| **생각하기** | ㉠6□ × ㉡ = 66□에서 6을 곱하면 네 자리 수가 되므로 ㉡은 5 이하이다.
㉠=1일 때는 ㉡=4이고, ㉠=2, 3, 4, 5일 때는 알맞은 ㉡이 없다.

| **풀이** |

```
            6 ㉡ ㉢
 ㉠6㉢)□□□□□□
        □□□□
         □□□
        6 6 □
        □□6□
         □□6□
              0
```

㉠6㉢ × ㉡ = 66□에서 ㉠=1, ㉡=4
즉, 16㉢ × 4 = 66□이므로 ㉢=5, 6, 7 중 하나이고,
16㉢ × 6 = □□□□이므로 ㉢=7, 8, 9 중 하나이다.
따라서 ㉢=7이다.
그러므로 167 × ㉣ = □□6□이고,
167 × 6 = 1002, 167 × 7 = 1169, 167 × 8 = 1336, 167 × 9 = 1503
따라서 ㉣=7이므로 몫은 647이다.   답 647

핵·심·문·제 **2** 10보다 작은 소수만을 사용하여 오른쪽 곱셈의 □ 안을 채우려고 한다. 곱을 구하여라.

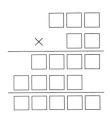

| **생각하기** | 10보다 작은 소수는 2, 3, 5, 7뿐이다. 2×2=4, 2×3=6, 2×5=10, 2×7=14, 3×3=9, 3×5=15, 3×7=21, 5×5=25, 5×7=35, 7×7=49에서 곱하는 두 수의 일의 자리 숫자는 3과 5, 5와 5, 5와 7이 될 수 있다.

| **풀이** |

```
  □㉠3       □㉠5       □㉠5       □㉠5       □㉠7
×    5     ×    3     ×    5     ×    7     ×    5
□□㉡5      □□㉡5      □□㉡5      □□㉡5      □□㉡5
```

1이 받아올려   ㉠=2, ㉡=7   ㉠=2, ㉡=2   ㉠=2, ㉡=7   ㉠=2, ㉡=3
지므로 ㉡이   ㉠=7, ㉡=2   ㉠=3, ㉡=7   ㉠=7, ㉡=2
소수가 되는   ㉠=5, ㉡=7
㉠은 없다.   ㉠=7, ㉡=7

이 때, 백의 자리 수를 생각해 보면 가능한 경우는 775×3, 555×5, 755×5, 325×7뿐이다.

```
   775          555          755          325
 ×  33        ×  55        ×  55        ×  77
  2325         2775         3775         2275
 2325         2775         3775         2275
 25575        30525        41525        25025
```

따라서 조건에 맞는 것은 775×33뿐이다.   답 25575

유제 1 1부터 9까지의 수를 꼭 한 번씩만 사용하여 오른쪽 계산식을 만들어라.

$$
\begin{array}{r}
* \ * \\
\times \quad * \\
\hline
* \ * \\
+ \ * \ * \\
\hline
* \ *
\end{array}
$$

> 곱하는 한 자리 수는 1, 5, 6, 7, 8, 9일 수 없다.

유제 2 다음 곱셈에서 세 자리 수 abc를 구하여라.

$$
\begin{array}{r}
a \ b \ c \\
\times \quad a \ b \ c \\
\hline
* \ * \ * \ * \\
* \ * \ * \ * \\
* \ * \ * \ * \\
\hline
* \ * \ * \ a \ b \ c
\end{array}
$$

> $c \times c = *c$에서
> c는 1, 5, 6 중 하나이다.

유제 3 다음 나눗셈에서 나누는 수를 구하여라.

$$
\begin{array}{r}
* \ 8 \ * \\
* * * \overline{)\, * * * * * *} \\
* \ * \ * \ * \\
\hline
* \ * \ * \\
* \ * \ * \\
\hline
* \ * \ * \ * \\
* \ * \ * \ * \\
\hline
0
\end{array}
$$

> 몫은 989이다.
> 나누는 수는
> $112 \times 9 = 1008$
> $124 \times 8 = 992$
> 에서 112 이상 124 이하이다.

유제 4 다음 곱셈에서 곱을 구하여라. (단, □ 안에는 7이 들어갈 수 없다.)

$$
\begin{array}{r}
\square \ \square \ \square \ 7 \\
\times \quad \square \ 7 \ \square \\
\hline
\square \ \square \ \square \ \square \\
\square \ 7 \ \square \ \square \\
\square \ 7 \ 7 \ \square \\
\hline
\square \ \square \ \square \ \square \ \square \ \square
\end{array}
$$

> ㉠□□7×7=□7□□에서 ㉠=1이다.
>
> $$
> \begin{array}{r}
> 1 \ 2 \ \boxed{4} \ 7 \\
> \times \quad \quad 7 \\
> \hline
> \square \ 7 \ \square \ 9
> \end{array}
> \qquad
> \begin{array}{r}
> 1 \ 2 \ \boxed{5} \ 7 \\
> \times \quad \quad 7 \\
> \hline
> \square \ 7 \ \square \ 9
> \end{array}
> $$
>
> $$
> \begin{array}{r}
> 1 \ 3 \ \boxed{8} \ 7 \\
> \times \quad \quad 7 \\
> \hline
> \square \ 7 \ \square \ 9
> \end{array}
> \qquad
> \begin{array}{r}
> 1 \ 3 \ \boxed{9} \ 7 \\
> \times \quad \quad 7 \\
> \hline
> \square \ 7 \ \square \ 9
> \end{array}
> $$

특강탐구문제

1 오른쪽 복면산은 잘 알려진 것이다. SEVENTY에 해당하는 일곱 자리 수를 구하여라. (단, T와 S는 0이 아니고, 같은 문자는 같은 숫자이며 다른 문자는 다른 숫자이다.)

```
  T W E N T Y
  T W E N T Y
+ T H I R T Y
S E V E N T Y
```

2 오른쪽 복면산을 완성하여라.

```
        □ □ 7 □
   ×    □ 7 □
      □ □ □ □
    □ □ □ 2 □
  □ □ 5 □
4 □ □ 0 □ □
```

3 오른쪽 복면산을 완성하여라. (단, 같은 문자는 같은 숫자이고, 다른 문자는 다른 숫자이다.)

```
  A B C D E
×         F
G G G G G G
```

4 오른쪽 나눗셈에서 나누는 수를 구하여라.

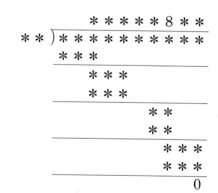

5 오른쪽 곱셈에서 네 자리 수 ABCD를 구하여라.

```
      A B C D
    × A B C D
    * * * * *
    * * * * *
  * * * * *
* * * * *
* * * * A B C D
```

6 오른쪽 곱셈을 완성하여라.

```
        2 * *
    ×     * *
      2 * * 2
    1 1 * *
    1 * * 1 2
```

7 오른쪽 곱셈을 완성하여라.

```
          * *
      × * 7 *
          * *
        * 7 *
      * 7 7
    * * * * *
```

8 오른쪽 복면산은 잘 알려진 것이다. 몫을 구하여라.

```
                    * 7 * * *
    * * * ) * * * * * * * * *
            * * * *
              * * *
              * * *
              * * * *
                * * *
                * * * *
                * * * *
                        0
```

9 X에는 0, 2, 4, 6, 8, Y에는 1, 3, 5, 7, 9가 들어갈 수 있다. 오른쪽 복면산을 완성하여라.

```
        X X Y
      ×   Y Y
      X Y X Y
      X Y Y
    Y Y Y Y Y
```

10 오른쪽 복면산을 완성하여라. (단, ☐ 안에는 1이 들어갈 수 없다.)

```
        ☐ ☐ ☐ ☐
    ×     ☐ ☐ ☐
        ☐ ☐ ☐ ☐
      ☐ 1 ☐ 1
    ☐ 1 ☐ ☐
    ☐ ☐ ☐ ☐ ☐ ☐
```

- (원기둥의 겉넓이)＝(밑면의 넓이)×2＋(옆면의 넓이), (원기둥의 부피)＝(밑면의 넓이)×(높이)

- (원뿔의 겉넓이)＝(밑면의 넓이)＋(옆면의 넓이), (원뿔의 부피)＝(밑면의 넓이)×(높이)×$\dfrac{1}{3}$

- (원뿔의 옆면의 넓이)＝(모선의 길이)×(모선의 길이)×3.14×$\dfrac{(중심각)}{360°}$

- 옆면인 부채꼴의 중심각의 크기 구하기
  옆면인 부채꼴의 호의 길이와 밑면의 둘레의 길이는 같으므로
  (모선의 길이)×2×3.14×$\dfrac{(중심각)}{360°}$
  ＝(밑면의 반지름)×2×3.14
  따라서 (중심각의 크기)＝360°×$\dfrac{(밑면의 반지름)}{(모선의 길이)}$

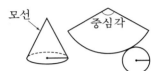

핵·심·문·제 **1** 오른쪽 그림과 같이 한 모서리가 12cm인 정육면체에 밑면의 반지름이 1cm인 원기둥 모양의 구멍을 뚫었다. 최소 몇 개의 구멍을 뚫으면 구멍 뚫린 입체도형의 겉넓이가 처음 정육면체의 겉넓이의 2배보다 커지겠는지 구하여라.

│생각하기│ 정육면체에 구멍을 한 개 뚫으면 처음 겉넓이에서 반지름이 1cm인 원의 넓이의 2배가 줄어들고 구멍 내부의 넓이가 늘어난다.

│풀이│ 구멍을 한 개 뚫으면 1×2×3.14×12＝75.36(cm²)가 늘어나고 1×1×3.14×2＝6.28(cm²)가 줄어들어 결국 75.36－6.28＝69.08(cm²)만큼 겉넓이가 늘어난다.
구멍 뚫린 입체도형의 겉넓이가 처음 정육면체의 겉넓이의 2배보다 커져야 하므로 늘어난 겉넓이가 처음 정육면체의 겉넓이보다 커야 한다. 12×12×6÷69.08＝12.507 … 이므로 13개를 뚫으면 처음 정육면체의 겉넓이의 2배보다 커진다. **답 13개**

핵·심·문·제 **2** 〈그림 1〉과 같이 그려서 오린 후 〈그림 2〉와 같은 입체도형을 만들었다. 각 ㉠의 크기를 구하여라.

〈그림 1〉

〈그림 2〉

│생각하기│ 〈그림 1〉의 두 부채꼴의 호의 길이가 같아야 〈그림 2〉와 같은 입체도형을 만들 수 있다.

│풀이│ 반지름이 12cm인 부채꼴의 중심각을 ㉡이라 하면 20×2×3.14×$\dfrac{㉠}{360°}$＝12×2×3.14×$\dfrac{㉡}{360°}$

20×㉠＝12×㉡, ㉠ : ㉡＝12 : 20＝3 : 5, ㉠＋㉡＝360°이므로 ㉠＝360×$\dfrac{3}{8}$＝135°이다. **답 135°**

유제 **1** 오른쪽 그림은 직각삼각형을 변 OA를 회전축으로 168° 회전하여 만든 입체도형이다. 이 회전체의 겉넓이를 구하여라.

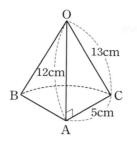

직각삼각형을 360° 회전한 원뿔의 옆면의 중심각은 $360° \times \dfrac{5}{13}$ 이다.
따라서, 곡면의 중심각은
$360° \times \dfrac{5}{13} \times \dfrac{168°}{360°} = \dfrac{840°}{13}$ 이다.

유제 **2** 오른쪽 그림은 밑면의 반지름이 3cm이고 모선의 길이가 10cm인 원뿔이다. 이 원뿔을 바닥에 놓고 점 ㄱ을 중심으로 3바퀴 굴렸을 때, 옆면이 움직인 부분의 넓이를 구하여라.

원뿔을 한 바퀴 굴리면 옆면은 중심각의 크기만큼 움직인다.

유제 **3** 오른쪽 그림과 같이 서로 합동인 두 직각삼각형을 꼭짓점이 만나도록 놓았다. 직선 AB를 회전축으로 두 직각삼각형을 1회전 시켜 만든 입체도형의 부피를 구하여라.

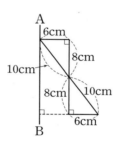

위와 같은 도형이 된다.

유제 **4** 오른쪽 그림과 같이 밑면의 반지름이 5cm, 모선의 길이가 12cm인 원뿔이 있다. 모선 OA의 중점이 B이고, 점 A에서 점 B까지의 길이가 가장 짧도록 선을 긋고 그 선과 선분 AB를 따라 원뿔의 옆면을 잘라 펼쳤을 때 꼭짓점 O를 포함하지 않는 원뿔의 옆면의 넓이를 구하여라.

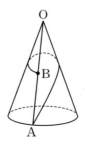

원뿔의 옆면의 중심각은
$360° \times \dfrac{5}{12} = 150°$ 이다.

1 오른쪽 그림은 밑면의 반지름이 10cm이고, 높이가 10cm인 원기둥에서 밑면의 반지름이 8cm, 높이가 3cm인 원기둥 모양으로 파내고, 또, 밑면의 반지름이 6cm, 높이가 2cm인 원기둥 모양, 밑면의 반지름이 4cm, 높이가 1cm인 원기둥 모양으로 각각 파낸 도형이다. 이 도형의 겉넓이를 구하여라.

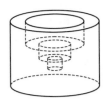

2 오른쪽 그림은 어떤 입체도형을 위에서 본 그림과 앞에서 본 그림이다. 이 도형은 크기가 같은 6개의 작은 원기둥 모양의 구멍이 큰 원기둥의 안쪽에 꼭 맞게 나 있는 입체도형이다. 이 입체도형의 부피를 구하여라.

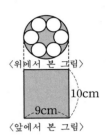

3 오른쪽 그림은 원기둥에서 원뿔대 모양으로 구멍을 낸 입체도형이다. 이 입체도형의 부피를 구하여라. (단, 원뿔의 부피는 밑면의 반지름과 높이가 같은 원기둥의 부피의 $\frac{1}{3}$ 이다.)

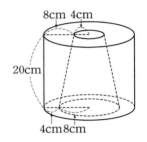

4 보민이는 생일날 쓸 고깔모자를 만들었다. 〈그림 1〉과 같이 도화지를 오려서 고깔모자를 만들었는 데 〈그림 2〉와 같이 되었다. 〈그림 1〉에서 색칠한 부분의 넓이를 구하여라.

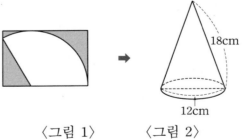

〈그림 1〉　　〈그림 2〉

5 오른쪽 그림과 같이 원기둥의 양쪽을 똑같이 비스듬히 잘랐다. 이 입체도형의 부피를 구하여라.

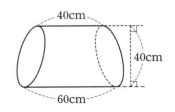

6 한 변의 길이가 10cm인 정삼각형을 직선 AB를 중심으로 1 회전 시켰다. 이 회전체의 겉넓이를 구하여라.

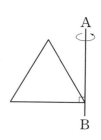

7 오른쪽 그림과 같이 원뿔대를 바닥에 눕혀 굴렸다. 4바퀴 반을 굴렸더니 처음의 자리에 오게 되었다. 원뿔대가 구른 부분의 넓이를 구하여라.

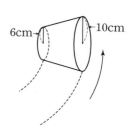

8 세로의 길이가 가로의 길이의 $\frac{2}{5}$인 직사각형 모양의 색종이가 2장 있다. 이 색종이로 그림과 같이 겹치는 부분 없이 둥글게 말아 두 개의 원기둥을 만들었을 때 두 원기둥의 부피의 비를 구하여라.

9 오른쪽 색칠한 그림의 도형은 선대칭도형이다. 이 도형을 직선 ㉮를 회전축으로 하여 270° 회전하였을 때 생긴 입체도형의 겉넓이를 구하여라.

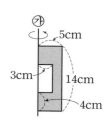

10 오른쪽 도형을 직선 ㉮를 회전축으로 하여 1회전 시킨 입체도형의 부피와 직선 ㉯를 회전축으로 하여 1회전 시킨 입체도형의 부피의 차를 구하여라.

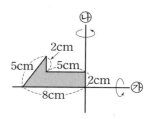

- 시간과 거리의 변화를 나타낸 그래프를 이용하여 속력에 관한 문제를 쉽게 해결할 수 있다.
- 점의 이동에 따른 넓이의 변화를 관찰할 때도 그래프를 이용하여 문제를 쉽게 해결할 수 있다.

핵·심·문·제 **1** 오른쪽 그래프와 같이 급행열차와 보통열차가 ⑺ 역을 출발하여 ⑷ 역을 거쳐 ⑸ 역에 도착하였다. 급행열차가 ⑸ 역에 도착한지 19분 후에 보통열차가 도착하였다면 보통열차는 ⑷ 역에서 몇 분 동안 정차하였는지 구하여라.

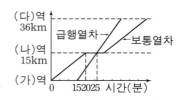

┃생각하기┃ 보통열차는 15km를 20분에, 급행열차는 15km를 10분에 간다.

┃풀이┃ 급행열차는 15km를 10분에 갔으므로 36km는 $10 \times \frac{36}{15} = 24$(분)에 간다. $15 + 24 = 39$(분)

급행열차가 ⑸ 역에 도착한지 19분 후에 보통열차가 도착하므로 보통열차는 ⑸ 역까지 가는 데

$39 + 19 = 58$(분) 걸린다. 보통열차는 15km를 20분 동안 갔으므로 36km는 $20 \times \frac{36}{15} = 48$(분) 동안 간다.

따라서 ⑷ 역에서 $58 - 48 = 10$(분) 동안 정차하였다.   답 10분

핵·심·문·제 **2** 혜지와 혜원이는 공원의 산책로를 따라 산책을 하였다. 처음에 두 사람이 함께 출발하였는데 두 사람 사이의 거리가 6m가 되었을 때 혜원이는 멈춰 섰고 두 사람 사이의 거리가 30m가 될 때까지 혜지만 걸었다. 그 뒤 혜지는 앉아서 혜원이를 기다렸고 혜원이가 가까이 다가오자 다시 앞서 걷기 시작하였다. 그러다가 혜지는 멈춰서 혜원이를 기다려 두 사람이 만나게 되었는데 처음 함께 출발했을 때부터 다시 만날 때까지 걸린 시간과 혜지가 혜원이를 기다린 시간을 각각 구하여라.

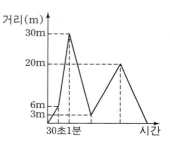

┃생각하기┃ 두 사람 사이의 거리가 처음 6m일 때부터 30m일 때까지 혜지만 걸었으므로 혜지는 30초에 24m, 즉 1초에 0.8m씩 간다. 처음 30초까지 혜지가 6m 앞섰으므로 혜지는 혜원이보다 1초에 0.2m씩 더 빨리 걷는다. 즉, 혜원이는 1초에 0.6m씩 간다.

┃풀이┃ 혜지의 속력은 초속 $(30 - 6) \div 30 = 0.8$(m)이다. $6 \div 30 = 0.2$이므로 혜원이의 속력은 초속 $0.8 - 0.2 = 0.6$(m)이다. 혜원이가 $30 - 3 = 27$(m)를 가려면 $27 \div 0.6 = 45$(초) 걸리므로 두 사람 사이의 거리가 3m일 때는 1분 45초 후이다. 그 후에는 거리가 20m가 될 때까지 두 사람 모두 걸었으므로

$(20 - 3) \div 0.2 = 85$(초) 걸렸고 다시 혜원이만 20m를 걸었으므로 $20 \div 0.6 = 33\frac{1}{3}$(초) 걸렸다.

따라서 처음 함께 출발했을 때부터 다시 만날 때까지 $30 + 30 + 45 + 85 + 33\frac{1}{3} = 223\frac{1}{3}$(초) ➡ $3분 43\frac{1}{3}$초

걸렸다. 또, 혜지가 멈춰서 혜원이를 기다린 시간은 $45 + 33\frac{1}{3} = 78\frac{1}{3}$(초) ➡ $1분 18\frac{1}{3}$초이다.

답 $3분 43\frac{1}{3}$초, $1분 18\frac{1}{3}$초

유제 **1** 보선이는 오전 7시 40분에 학교를 향해 집을 나섰다. 그런데 보선이가 잊고 간 물건이 있어 어머니께서 자전거를 타고 보선이를 뒤따라가서 전해 주셨다. 오른쪽 그래프는 시간과 보선이와 어머니 사이의 거리를 그래프로 나타낸 것이다. 이를 이용하여 자전거를 타고 가는 어머니의 속력은 시속 몇 km인지 구하여라.

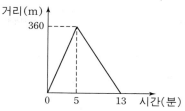

▶ 보선이는 5분 동안 360m를 갔고 8분 뒤에 어머니와 만났다.

유제 **2** 오른쪽 그래프는 A 마을에서 34km 떨어진 상류에 있는 B 마을까지 배를 타고 왕복하는 데 걸리는 시간과 거리와의 관계를 나타낸 것이다. A 마을에서 B 마을까지 강물을 거슬러 올라가는 도중 엔진이 고장나서 배가 잠시 떠내려갔다가 다시 정상적으로 운행하였다. ㉮, ㉯에 알맞은 수를 구하여라.

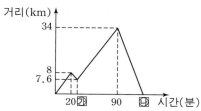

▶ 배는 강물을 거슬러 8km 가는 데 20분이 걸렸다.
따라서 34−7.6=26.4(km)가는 데는 26.4÷8×20=66(분) 걸린다.

유제 **3** 웅식이는 할머니댁에 가기 위해 집에서 540m 떨어진 버스정류장까지 걸어가서 6분간 버스를 기다려 탄 후 30분 후에 내렸다. 그리고 다시 같은 속도로 걸어 14분 후에 할머니댁에 도착하였다. 웅식이가 출발한지 20분 후에 아버지께서 승용차를 타고 웅식이를 따라갔는데 버스에서 내릴 때부터 할머니댁에 도착할 때까지 웅식이를 만나려면 승용차는 시속 몇 km 이상 몇 km 이하로 달려야 하는가?

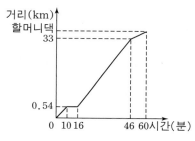

▶ 아버지는 가장 빨리 달릴 때 46−20=26(분) 동안 33km를 가게 되고 가장 천천히 달릴 때 60−20=40(분) 동안 할머니댁까지 가게 된다.

유제 **4** 오른쪽 그림과 같이 둘레의 길이가 41.2cm인 사다리꼴 ABCD가 있다. 변 BC의 길이는 변 AD의 길이의 3배이고 점 E, F는 변 BC의 삼등분점이다. 움직이는 점 P가 점 B를 출발하여 점 A, D를 지나 점 C에 도착할 때까지 같은 속력으로 움직일 때 삼각형 PEF의 넓이와 시간과의 관계를 나타낸 것이 오른쪽 그래프이다. 점 P의 초속과 사다리꼴 ABCD의 넓이를 각각 구하여라.

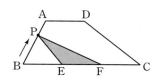

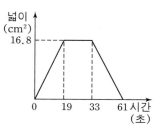

▶ 점 P가 A에서 D까지 갈 때 33−19=14(초) 걸렸으므로 만약 B에서 C까지 움직인다면 14×3=42(초) 걸리게 된다.

1 오른쪽 그래프는 기차가 철교를 건너기 시작해서 완전히 건널 때까지 시간과 철교 위에 있는 기차의 길이를 그래프로 나타낸 것이다. 철교의 길이는 몇 m인가? (단, 철교는 기차보다 길다.)

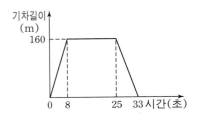

2 A 지점과 B 지점 사이를 두 대의 자동차가 마주 보고 달릴 때, 시간과 거리와의 관계를 그래프로 나타냈다. 두 자동차가 서로 만나는 것은 A 지점에서부터 몇 km 떨어진 지점인지 구하여라.

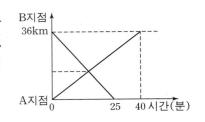

3 오른쪽 그래프는 용현이와 용진이가 (가) 지점을 출발하여 (나) 지점을 지나 (다) 지점까지 갈 때 걸린 시간과 거리와의 관계를 나타낸 것이다. 용진이는 (나) 지점까지는 시속 4.8km로 걷고 (나) 지점에서 (다) 지점까지는 시속 54km로 달리는 버스를 타고 갔다. 용현이는 자전거를 타고 일정한 속도로 달려 (다) 지점에 용진이와 동시에 도착하였다. 용현이는 용진이보다 (나) 지점을 몇 분 몇 초 빨리 지나 갔는지 구하여라.

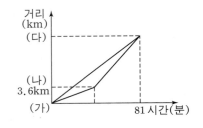

4 민성이는 A 지점에서 B 지점을 지나 C 지점까지 자전거를 타고 갔다가 다시 B 지점을 지나 A 지점으로 돌아왔다. 갈 때와 돌아올 때의 속력의 비는 3 : 2이고, 2시 정각에 A 지점에서 출발하여 2시 50분에 B 지점에 도착했으며 되돌아올 때 B 지점에 도착한 시각은 4시 15분이었고 4시 45분에 A 지점에서 12km 떨어진 지점을 지났다. A 지점에서 B 지점까지의 거리와 C 지점에 도착한 시각을 각각 구하여라.

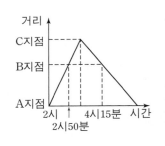

5 민지와 혁진이는 공원에서 만나기로 하고 혁진이가 먼저 출발하였다. 두 사람은 도중에 각각 몇 분씩 쉬었고 공원에 동시에 도착하였다. 오른쪽 그래프는 시간과 두 사람 사이의 거리를 나타낸 것이다. 공원은 집에서 몇 m 떨어져 있는지 구하여라.

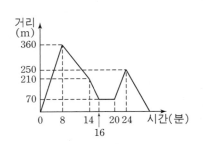

6 길이가 50m인 수영장에서 갑, 을 두 사람은 각각 일정한 속도로 수영을 했다. 두 사람이 처음으로 만난 곳은 출발 지점에서 몇 m 떨어진 곳인지 구하여라.

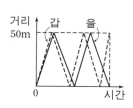

7 현정이는 A지점에서 B지점까지 걸어가고 한솔이는 B지점에서 A지점까지 자전거를 타고 간다. 어느 날 현정이가 오전 10시에 출발하고 한솔이가 10시 20분에 출발했는데 두 사람이 만난 지점에서 B까지의 거리는 A까지의 거리의 2배가 되었다. 다음 날에는 현정이와 한솔이가 모두 오전 10시에 출발했는데 두 사람이 만난 후 1시간 52분 뒤에 현정이는 B지점에 도착했고 8분 뒤에 한솔이는 A지점에 도착했다면 이 날 현정이와 한솔이가 만난 시각은 오전 10시 몇 분인지 구하여라.

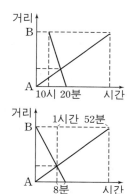

8 〈그림 1〉과 같은 도형이 있다. 점 P는 점 A에서 출발하여 점 B, C, D, E, F, G를 거쳐 점 H에 도착하였는데 2초에 1cm씩 움직였다. 이 때 시간과 삼각형 APH의 넓이를 그래프로 나타낸 것이 〈그림 2〉이다. 점 P가 점 A에서 출발하여 점H에 도착할 때까지 걸린 시간과 도형 ABCDEFGH의 넓이를 각각 구하여라.

〈그림 1〉

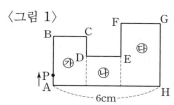

〈그림 2〉

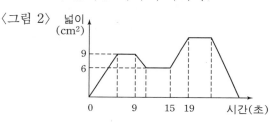

9 정사각형과 중심각이 30°인 부채꼴이 그림과 같이 점 O을 중심으로 화살표 방향으로 이동하는데 정사각형이 부채꼴 속력의 2배로

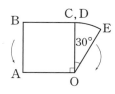

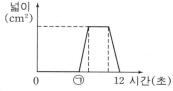

움직인다. 그래프는 두 도형이 겹쳐지는 부분의 넓이와 시간과의 관계를 나타낸 것이다. 부채꼴은 1초에 몇 도씩 움직이는가? 또, ㉠의 값은 얼마인가?

10 〈그림 1〉의 두 도형 (개), (내)는 매초 1cm의 속력으로 서로 마주 보고 움직인다. 〈그림 2〉는 두 도형 (개), (내)의 겹쳐지는 부분의 넓이와 시간과의 관계를 그래프로 나타낸 것이다. ㉠, ㉡, ㉢, ㉣에 알맞은 수를 각각 구하여라.

〈그림 1〉

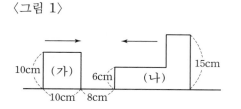

〈그림 2〉

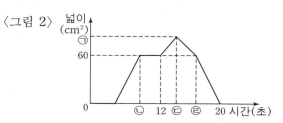

쾨니히스베르크의 다리 건너기

쾨니히스베르크는 먼 옛날에는 독일의 도시였으나 오늘날에는 러시아에 편입되어 칼리닌그라드라는 이름으로 불리우고 있다. 발트해 연안에 있는 이 도시는 프레골랴라는 강 하구에 있는데, 이 강에는 2개의 섬이 있고, 그림과 같이 섬들과 도시를 연결하는 일곱 개의 다리가 놓여져 있다.

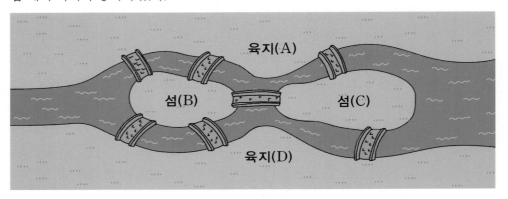

일곱 개의 다리를 이용하면서 사람들은 이런 궁금점을 갖기 시작했다.

'어느 한 지점에서 출발한 사람이 다리를 단 한 번씩만 지나면서 일곱 개의 다리를 빠짐없이 모두 건널 수 있을까?' 수 년 동안 많은 사람들이 여러 가지 방법을 시도해 보았지만 궁금증은 좀처럼 풀리지 않았다.

스위스의 수학자 오일러는 여행을 하다가 이 이야기를 전해듣게 되었다. 하룻밤을 자고 난 오일러는 새로운 시각으로 이 문제를 풀었다. 그 동안 사람들은 눈에 보이는 강과 다리 그리고 육지의 모양이나 길이 등에 너무 집착하여 이유를 찾지 못하였던 것으로, 이 문제를 풀기 위해서는 각 지역과 다리들의 연결 상태만 상관이 있을 뿐이다. 위의 그림에서 강에 의해 나누어지는 도시의 네 지역을 각각 A, B, C, D의 네 점으로 나타내고, 일곱 개의 다리를 점들을 연결하는 네 선으로 생각하여 그려 보면 다음과 같다.

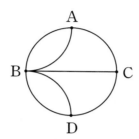

이렇듯 쾨니히스베르크의 다리 문제는 임의의 점에서 시작하여 종이에서 연필을 떼지 않고 한 번에 모두 그릴 수 있는가에 관한 '한붓그리기' 문제로 바뀌었다.

오일러 이전의 유클리드 기하학에서는 크기와 모양이 같을 때에만 같은 도형으로 생각하였다. 그러나 오일러에 의해 탄생한 새로운 기하학에서는 도형의 크기나 모양이 변하여도 도형의 연결 상태만 같으면 같은 도형으로 생각 하는데, 이를 '위상 기하학' 이라고 한다. 도형의 연결 상태가 같다는 것은 주어진 도형을 자르거나 이어붙이지 않고, 도형을 줄이고 늘이거나 구부릴 수 있다는 것이다. 예를 들어 원과 삼각형은 유클리드 기하학에서는 다른 도형이지만, 위상 기하학에서는 같은 도형이다.

그렇다면 쾨니히스베르크의 다리 일곱 개를 모두 건너면서도 한 번씩만 지나는 것은 과연 가능할까? 이것을 알기 위해서는 한붓그리기가 가능한 때는 언제인지를 알아야 한다.

〈한붓그리기가 가능한 경우〉
• 홀수점이 0개일 때 – 이 경우에는 출발점과 도착점이 같다.
• 홀수점이 2개일 때 – 한 홀수점에서 출발하면 다른 홀수점에 도착하게 된다.
(한 점을 지나는 선이 짝수 개일 때는 짝수점, 홀수 개일 때는 홀수점이라고 한다.)

위의 두 번째 그림을 보면 홀수점이 4개이므로 한붓그리기는 불가능하다. 따라서 쾨니히스베르크의 다리 일곱 개를 모두 건너면서도 한 번씩 지나는 것은 불가능하다는 것을 알 수 있다.

- 어떤 수를 가지고 여러 가지 계산을 한 후 그 결과에 간단한 조작을 하면 어떤 수를 알아낼 수 있는 경우가 있다. 이 때, 계산 과정을 식으로 풀어 보면 그 원리를 알 수 있다.
- 십진수의 전개식, 어떤 수로 나눈 몫과 나머지의 식 등이 많이 이용된다.

핵·심·문·제 **1** 선주는 자신의 생년월일을 가지고 다음과 같이 계산하였다.

- 태어난 해의 네 자리 수에 75를 곱한다.
- 그 답에 태어난 달을 더한다.
- 그 답에 200을 곱한다.
- 그 답에 태어난 날을 더한다.
- 그 답에 2를 곱한다.

위와 같이 계산하니 59730452가 되었다. 선주는 몇 년 몇 월 며칠에 태어났는가?

❙생각하기❙ 200을 곱하면 십의 자리 수와 일의 자리 수가 0이 된다. 태어난 날을 더한 후 2를 곱했으므로 계산 결과의 끝의 두 자리 수 52를 2로 나누면 태어난 날이 26일임을 알 수 있다. 이러한 성질을 이용하여 식을 세우면 분명하게 구할 수 있다.

❙풀이❙ 태어난 해를 a년, 태어난 달을 b월, 태어난 날을 c일이라 하자. 계산한 순서대로 식으로 나타내면
$\{(a \times 75 + b) \times 200 + c\} \times 2 = (a \times 15000 + b \times 200 + c) \times 2 = a \times 30000 + b \times 400 + c \times 2$
$a \times 30000$은 끝의 네 자리 수가 모두 0이다. $b \times 400$은 끝의 두 자리 수가 모두 0이다. $c \times 2$는 두 자리 수이다.
따라서 59730452의 5973은 $a \times 3$이고, 4는 $b \times 4$이며, 52는 $c \times 2$이다. $a = 1991$, $b = 1$, $c = 26$

답 1991년 1월 26일

핵·심·문·제 **2** 지혜가 선민이에게 "네가 네 자리 수를 정하고 각 자리의 숫자 중에서 하나를 고르면 내가 그 숫자를 맞혀볼께."라고 말하고 다음과 같이 계산하라고 하였다.

- 네 자리 수 중에서 고른 숫자를 빼고 세 자리 수로 만든다.
- 네 자리 수의 각 자리 숫자를 합한다.
- 세 자리 수에서 그 합을 뺀다.

선민이가 계산 결과로 407을 말하자 지혜는 선민이가 고른 수가 7이라고 말했다. 지혜는 선민이가 고른 숫자를 알아맞혔는데 어떻게 맞힌 것인지 원리를 설명하여라.

❙생각하기❙ 임의의 네 자리 수 5678을 가지고 6을 빼고 해 보자. $578 - (5 + 6 + 7 + 8) = 552$
407에서 7을, 552에서 6을 얻는 방법을 생각해 보자. $407 + 7 = 414$, $552 + 6 = 558$
414와 558은 9의 배수가 된다.

❙풀이❙ 네 자리 수를 ㄱㄴㄷㄹ이라 하고 ㄷ을 뺀 것으로 해 보자. 세 자리 수는 ㄱㄴㄹ이므로
$100 \times ㄱ + 10 \times ㄴ + ㄹ - ㄱ - ㄴ - ㄷ - ㄹ = 99 \times ㄱ + 9 \times ㄴ + ㄹ + ㄱ + ㄴ - ㄱ - ㄴ - ㄷ - ㄹ$
$= 99 \times ㄱ + 9 \times ㄴ - ㄷ$
$= 99 \times ㄱ + 9 \times ㄴ - 9 + 9 - ㄷ$
$= 9 \times (11 \times ㄱ + ㄴ - 1) + 9 - ㄷ$
계산 결과를 9로 나눈 나머지가 9 - ㄷ이므로 $407 \div 9 = 45 \cdots 2$, 9 - ㄷ = 2, ㄷ = 7이 된다.
ㄷ이 아닌 ㄱ, ㄴ, ㄹ을 골랐다 해도 마찬가지가 된다.

유제 **1** 주헌이는 규승이의 생일을 맞혀보겠다며 규승이에게 다음과 같이 계산해 보라고 하였다.

> • 태어난 달에 4를 곱한 후 9를 더한다.
> • 그 답에 25를 곱하고 태어난 날을 더한다.

규승이는 749라고 계산하였고 주헌이는 749에서 어떤 수를 빼서 규승이의 생일을 알아맞혔다. 규승이의 생일은 몇 월 며칠인가?

▶ a월 b일이라 하면
$(a \times 4 + 9) \times 25 + b = 749$
가 된다.

유제 **2** 20에서 99까지의 두 자리 수를 정한 후 그 수에서 그 수의 각 자리 숫자의 합을 빼 주었다. 그 결과 새로운 두 자리 수를 얻었는데 십의 자리 숫자가 3이었다. 일의 자리 숫자는 무엇인가?

▶ 두 자리 수를 ㉮㉯라고 하면
$10 \times ㉮ + ㉯ - (㉮ + ㉯) = 9 \times ㉮$
가 된다.

유제 **3** 다음 수 알아맞히기의 원리를 설명하여라.

> A : 네 자리 수를 생각하고 이 수에 73을 곱하여 끝의 네 자리 수를 말한다.
> B : A가 말한 네 자리 수에 137을 곱하여 끝의 네 자리 수를 말하면 A가 처음 생각한 네 자리 수를 맞히게 된다.

▶ $73 \times 137 = 10001$이다.

유제 **4** 장희는 새로 오신 선생님의 나이가 궁금해서 선생님께 다음과 같이 계산해 보시라고 말했다.
① 나이에 1을 더한 후 그 수를 두 번 곱한다.
② 나이를 두 번 곱한다.
③ ①에서 ②를 뺀다.
선생님은 53이라고 계산 결과를 알려주셨고 장희는 선생님의 나이를 알아맞혔다. 선생님의 나이는 얼마인가?

▶ (나이 + 1) × (나이 + 1)
= 나이 × 나이 + 나이 + 나이 + 1이
된다.

1 자연수를 하나 생각하고 그 수에서 1을 빼고 2배 한 후 다시 1을 빼고 생각한 자연수를 다시 더했다. 이 계산 결과에 두 번의 계산을 더 하면 처음 수를 알아낼 수 있다. 어떤 계산을 해야 하겠는가?

2 친구의 집 전화번호를 알아맞히기 위해 친구에게 다음과 같이 계산하라고 하였다. 『전화번호의 국번호에 80을 곱하고 6을 더한 후, 250을 곱하고 전화번호의 끝의 네 자리 수를 두 번 더하라.』이와 같은 계산을 한 결과를 가지고 전화번호를 알 수 있는 방법은 무엇인가? (단, 집 전화번호의 국번호와 끝의 번호는 각각 네 자리 수이다.)

3 주사위 두 개를 던졌다. 한 주사위의 눈에 5를 곱한 후 8을 더했다. 그 결과에 다시 4를 곱한 후 다른 주사위의 눈을 더했더니 97이 되었다. 두 개의 주사위의 눈은 얼마인가?

4 유현이, 하빈이, 소현이는 각각 한 자리 수를 생각하고 다음과 같이 계산하였다.
- 유현 : 생각한 한 자리 수에 2를 곱한 후 5를 더하고 다시 5를 곱했다.
- 하빈 : 유현이가 계산한 답에 자기가 생각한 수를 더하고 그 답에 10을 곱했다.
- 소현 : 하빈이가 계산한 답에 자기가 생각한 수를 더했다.

계산 결과가 629였고, 629에서 어떤 수를 뺐더니 유현이, 하빈이, 소현이가 생각한 한 자리 수를 차례대로 써서 만든 세 자리 수가 되었다고 한다. 어떤 수를 뺐는지 구하여라.

5 올림이 선생님은 상혁이와 환진이에게 각각 두 자리 수를 생각하라고 하였다. 상혁이에게 자신이 생각한 두 자리 수에 2를 곱하고 1을 더한 후 50을 곱하라고 하였다. 그 답을 환진이에게 알려 주게 한 후 환진이에게 그 답에 자신이 생각한 수를 더하도록 했다. 환진이가 계산 결과를 5017이라고 올림이 선생님께 말했다. 올림이 선생님은 상혁이와 환진이가 처음 생각했던 두 자리 수를 알아맞혔다. 상혁이와 환진이가 생각한 수는 각각 얼마인가?

6 세 자리수 abc를 생각한 후 cba와의 차가 세 자리 수가 되었는데 일의 자리 수를 안다면 그 차를 구할 수 있다고 한다. 일의 자리 수가 4였다면 차는 얼마인가?

7 준영이는 서우에게 아래 왼쪽과 같이 계산하라고 했고, 서우는 그 오른쪽에 써 있는 것과 같이 준영이가 하라는대로 따라 했다.

⟨준영⟩   ⟨서우⟩
- 네 자리 수를 생각해라. ─────────────────────→ 8541
- 그 수의 각 자리 숫자를 아무렇게나 바꿔 새로운 수를 만들어라. → 5418
- 그 두 수의 차를 구하여라. ──────────────→ $8541-5418=3123$
- 차를 나타내는 수 중 0을 제외한 한 숫자를 가리고 나머지 세 수를 말하여라.
  ─────────────────→ 2를 가리고 1, 3, 3이라고 말했다.
- 나머지 한 수는 2이다.

준영이가 나머지 한 수를 알아맞힌 원리를 설명하여라.

8 석현이는 종호에게 90보다 작은 두 자리 수를 생각하라고 했다. 그리고 그 수에 11을 더하고 99를 곱하라고 했다. 종호는 9504라고 대답했는데 석현이는 천의 자리 숫자와 백의 자리 숫자만 뗀 수 95에서 10을 빼서 85라고 알아맞혔다. 석현이가 처음 두 자리 수를 알아맞힌 원리를 설명하여라.

9 두 자리 수 ㉠㉡과 그 수의 일의 자리 숫자와 십의 자리 숫자를 바꾼 수 ㉡㉠을 연이어 쓰면 네 자리수 ㉠㉡㉡㉠이 된다. ㉠㉡㉡㉠÷11=㉮㉯㉰(㉮는 0일 수도 있다.)에서 끝의 두 자리 수 ㉯㉰를 안다면 ㉠은 ㉰이고 ㉡은 ㉯+㉰의 일의 자리 숫자가 되어 처음 두 자리 수 ㉠㉡을 맞힐 수 있다. 그 이유를 설명하여라.

10 한지철 선생님은 "내 나이를 11로 나눈 나머지에 45를 곱한 수와 내 나이를 9로 나눈 나머지에 55를 곱한 두 수를 더하면 425가 된단다."라고 말씀하셨다. 한지철 선생님의 나이는 얼마인가? (단, 한지철 선생님의 나이는 두 자리 수이다.)

- 입체도형에서도 가장 짧은 길의 가짓수를 구할 때는 각 점마다 그 점에 이르는 길의 가짓수를 적어 나가면 쉽게 구할 수 있다.
- 가장 짧은 길로 가는 것인지 돌아가도 되는 것인지와 한 번 지난 점을 다시 지날 수 있는지 지날 수 없는지를 확인하고 문제를 풀어야 한다.

핵·심·문·제 **1** 같은 크기의 정육면체 6개가 오른쪽 그림과 같이 놓여 있다. 가에서 출발하여 모서리를 따라 나에 이르는 가장 짧은 길은 모두 몇 가지인가?

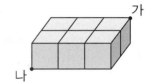

┃생각하기┃ 입체도형의 윗부분에서 길의 가짓수를 생각해 보자. 또 아랫부분에서 길의 가짓수를 생각해 보자. 이 때, 각 꼭짓점에 이르는 길의 수는 위에서 내려오는 길의 수까지 더해야 한다.

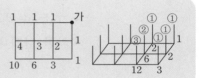

┃풀이┃ 오른쪽 그림과 같이 각 꼭짓점에 이르는 길의 수를 구해 나가면 된다.

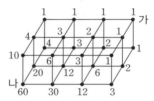

답 60가지

┃별해┃* 가에서 나로 가장 짧은 길을 택해 이동하려면 왼쪽으로 3번, 앞으로 2번, 아래로 1번 움직여야 한다.

따라서 이들을 일렬로 늘어놓는 방법은 $6 \times 5 \times 4 \times 3 \times 2 \times 1 \times \dfrac{1}{3 \times 2 \times 1} \times \dfrac{1}{2 \times 1} = 60$(가지)이다.

핵·심·문·제 **2** 오른쪽 그림과 같은 정육면체가 있다. 이 정육면체의 모서리 5개를 지나 점 ㄱ에서 점 ㄴ까지 가는 방법은 모두 몇 가지인지 구하여라. (단, 한 번 지난 점을 다시 지날 수 없다.)

┃생각하기┃ 길의 가짓수를 구할 때는 가장 짧은 길로 가야 하는지와 한 번 지난 점을 다시 지날 수 있는지를 확인하여야 한다. 이 문제는 가장 짧은 길로 가는 것이 아니고 한 번 지난 점을 다시 지날 수도 없으므로 지나는 점을 차례로 적어 가짓수를 세어야 한다.

┃풀이┃

```
         1개     2개     3개     4개     5개
  ㄱ───A ───── B ───── D ───── E ───── ㄴ
       \        C ───── D ───── B ───── ㄴ
        \                       E ───── ㄴ
         \               F ───── E ───── ㄴ
          F ───── C ───── A ───── B ───── ㄴ
                   \       D ───── B ───── ㄴ
                    \              E ───── ㄴ
                     E ───── D ───── B ───── ㄴ
```

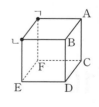

답 8가지

┃참고┃* 점 ㄱ에서 점 A로 가는 경우와 점 F로 가는 경우는 정육면체를 돌려놓으면 마찬가지가 되므로 점 ㄱ에서 점 A로 가는 경우인 4가지 방법만 찾고 2배 하여 답하여도 된다.

유제 **1** 오른쪽 그림과 같이 직육면체 모양
의 상자 겉면에 선이 그어져 있다.
보이는 세 면에만 선이 그어져 있
는데 ㉮에서 ㉯까지 이 선을 따라
이동하려고 한다. 가장 짧은 길로
간다면 모두 몇 가지 방법이 있는가?

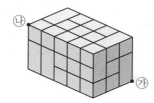

➤ 각 점에 이르는 길의 가짓수를 적어
보면 구할 수 있다.

유제 **2** 오른쪽 그림과 같은 사각뿔이 있다.
점 ㄴ에서 출발하여 모서리를 따라
서로 다른 네 개의 꼭짓점을 지나 다
시 점 ㄴ으로 돌아오는 서로 다른 길
은 몇 가지나 되는지 구하여라.

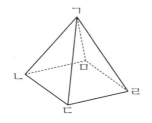

➤ 점 ㄴ에서는 ㄱ, ㅁ, ㄷ으로 갈 수 있
다.

유제 **3** 오른쪽 그림과 같은 사각뿔이 있다.
점 ㄴ에서 출발하여 모서리를 따라 꼭
짓점을 네 번 지나 다시 점 ㄴ으로 돌
아오는 서로 다른 길은 몇 가지나 되
는지 구하여라.

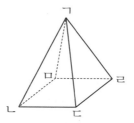

➤ 한 꼭짓점을 여러 번 지나도 된다.

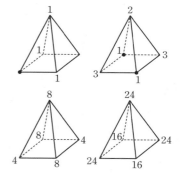

유제 **4** 철사로 오른쪽 그림과 같은 구조물을 만들었
다. 점 ㄱ에서 점 ㄴ으로 가는 가장 가까운
길이 몇 가지인지 구하여라.

➤ 각 점에 이르는 길의 가짓수를 적어
서 구하는 방법과 5개의 모서리를
그려 넣어 직육면체를 만들어 계산
한 후 그려 넣은 모서리를 지나가는
길의 가짓수를 빼는 방법이 있다.

1 철사를 사용하여 오른쪽과 같은 커다란 입체구조물을 만들었다. 점 A에서 점 B까지 철사를 따라 갈 때 가장 짧은 길은 몇 가지나 되는지 구하여라.

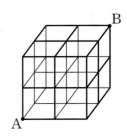

2 같은 크기의 정육면체 14개를 오른쪽 그림과 같이 책상 위에 쌓아놓았다. 점 ㄱ에서 출발하여 겉에서 보이는 모서리를 따라 점 ㄴ을 지나 점 ㄷ까지 가장 짧은 길로 가는 방법은 모두 몇 가지인가?

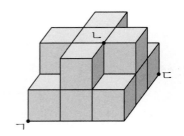

3 오른쪽 그림은 철사로 정육면체 4개를 붙여 놓은 모양을 만든 것이다. 가에서 출발하여 철사를 따라 나까지 갈 때 가장 짧은 길은 몇 가지인지 구하여라.

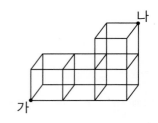

4 정육면체의 한 꼭짓점 A에서 출발하여 모서리를 따라 점 B까지 가는 길은 모두 몇 가지인가?(단, 각 꼭짓점들은 한 번씩만 지날 수 있다.)

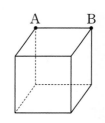

5 정육면체의 한 꼭짓점 A에서 출발하여 모서리를 따라 4개의 꼭짓점을 지나 점 B까지 가는 길은 모두 몇 가지인가?(같은 꼭짓점을 여러 번 지나도 된다.)

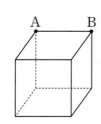

6 오른쪽 그림가 같이 정팔면체의 한 꼭짓점 ㄱ에서 ㄴ까지 모서리를 따라 이동하려고 한다. 같은 모서리를 두 번 지날 수는 없으나 같은 꼭짓점은 여러 번 지날 수 있다고 할 때, 서로 다른 길은 모두 몇 가지인가?(단, 점 ㄴ은 여러 번 지날 수 없다.)

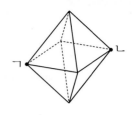

7 오른쪽 그림은 철사로 정육면체 4개를 붙여 놓은 모양을 만든 것이다. 철사를 따라 ㄱ지점에서 ㄴ지점까지 최단 거리로 가는데 ㄷ지점을 거치지 않고 가는 방법의 수를 구하여라.

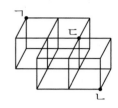

8 오른쪽 그림은 가는 나무막대를 이용하여 정육면체 4개를 붙여 놓은 모양을 만든 것이다. 가에 있는 개미 한 마리가 나무막대를 따라 라에 있는 먹이를 먹으러 가려고 하는데 나, 다 지점을 지나지 않고 가려 한다. 개미가 갈 수 있는 가장 짧은 길은 모두 몇 가지인가?

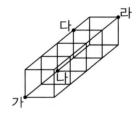

9 오른쪽 그림과 같이 두 개의 직육면체로 이루어진 도형이 있는데, 이 입체도형은 24개의 모서리를 가지고 있다. A지점에서 B지점까지 모서리를 따라 최단 거리를 가는 방법은 몇 가지인가?

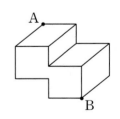

10 2개의 정육면체를 붙여 놓은 모양의 직육면체 2개로 만든 입체도형 [가]가 있다. 또, 이와 같은 모양의 철사로 만든 입체구조물 [나]가 있다. [가]에서 점 ㄱ에서 점 ㄴ으로 겉면의 모서리를 따라 가는 가장 짧은 길의 수와 [나]에서 점 ㄷ에서 점 ㄹ로 철사를 따라 가는 가장 짧은 길의 수의 차를 구하여라.

[가]   [나]

• 주어진 도형을 종류별로 모두 사용하여야 하는지 아니면 사용하지 않아도 되는지와 돌려놓아 같은 모양인 것은 같은 것으로 여기는지, 또 돌려놓거나 뒤집어 놓아 같은 모양인 것은 같은 것으로 여기는지를 잘 구별하자.

핵·심·문·제 **1** 한 변의 길이가 각각 1cm, 2cm, 3cm인 세 가지의 정사각형 모양의 색종이가 여러 장 있다. 이 중 8장을 사용하여 가로 9cm, 세로 3cm인 직사각형 모양을 만드는 방법은 모두 몇 가지인가? (단, 돌려놓아 같은 모양인 것은 같은 것으로 한다.)

▌생각하기▐ 넓이가 9cm²인 색종이를 사용하지 않는 경우, 1장 사용하는 경우, 2장 사용하는 경우, 3장 사용하는 경우로 나누어 생각해 보자.

▌풀이▐ •9cm²인 색종이를 사용하지 않는 경우 : 4cm²와 1cm²를 8장 사용하여 27cm²를 만들 수 없다.
• 9cm²인 색종이를 1장 사용하는 경우 : 4cm²와 1cm²를 7장 사용하여 18cm²를 만들 수 없다.
• 9cm²인 색종이를 2장 사용하는 경우 : 4cm²와 1cm²를 6장 사용하여 9cm²를 만들어야 한다.
4cm²인 색종이 1장과 1cm²인 색종이 5장을 사용하면 가능하다.

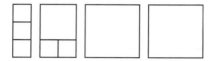

왼쪽의 네 가지 모양을 일렬로 늘어놓는 방법은

$4 \times 3 \times 2 \times 1 \times \dfrac{1}{2} = 12$(가지)이다.

• 9cm²인 색종이를 3장 사용하는 경우 : 불가능하다.   답 12가지

핵·심·문·제 **2** 오른쪽 그림의 정사각형 종이 카드 4장을 사용하여 큰 정사각형을 만들었다. 만들어진 큰 정사각형의 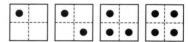 두 대각선을 보니 왼쪽 위에서 오른쪽 아래로 한 개의 점이 있고 왼쪽 아래에서 오른쪽 위로 세 개의 점이 있다. 큰 정사각형을 만드는 방법은 모두 몇 가지인가? (단, 돌려놓아 같은 모양인 것을 같은 것으로 한다.)

▌생각하기▐ 한 개의 점이 놓이는 대각선을 생각하면 다음 8가지 경우가 있다.

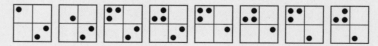

▌풀이▐ 왼쪽 위에서 오른쪽 아래로 한 개의 점이 놓이는 경우는 모두 8가지이고 각 경우에 왼쪽 아래에서 오른쪽 위로 세 개의 점이 놓이는 경우는 다음과 같다.

 3, 4의 위치가 바뀌는 경우와 3의 모양이 바뀌는 경우가 있어 4가지

 1, 4의 위치가 바뀌는 경우와 1의 모양이 바뀌는 경우가 있어 4가지

 2를 알맞게 놓을 수 없다. → 불가능

 2를 알맞게 놓을 수 없다. → 불가능

 위와 마찬가지로 4가지

 위와 마찬가지로 4가지

 2를 알맞게 놓을 수 없다. → 불가능

 2를 알맞게 놓을 수 없다. → 불가능

답 16가지

유제 **1** 똑같은 크기의 직각이등변삼각형 4개를 사용하여 같은 길이의 변끼리 맞붙여서 만들 수 있는 도형은 〔보기〕를 포함하여 모두 몇 가지인가? (서로 합동인 도형은 한 가지로 한다.)

〔보기〕

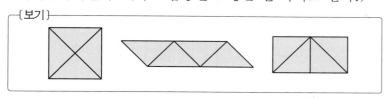

세 개의 직각이등변삼각형을 변끼리 붙여서 만들 수 있는 도형은 두 개의 직각이등변삼각형을 변끼리 붙여서 만들 수 있는 도형에 한 개를 더 그려서 찾는다.

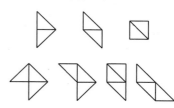

유제 **2** 오른쪽 그림과 같은 칠교판의 조각을 두 개 이상 사용하여 변끼리 서로 맞붙여 삼각형을 만들었다. 만들 수 있는 삼각형은 몇 가지 크기인가?

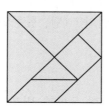

칠교판의 조각에서 모든 예각의 크기는 45°이므로 만들 수 있는 삼각형은 직각이등변삼각형뿐이다.

유제 **3** 다음 그림과 같이 크기가 같은 정삼각형 6개를 변끼리 붙여서 만들 수 있는 도형은 모두 몇 가지인가? (단, 합동인 도형은 한 가지로 본다.)

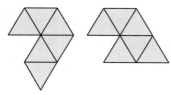

• 6개가 일렬로 연결된 경우

• 5개가 일렬로 연결된 경우

• 4개, 3개가 일렬로 연결된 경우도 찾아보자.

유제 **4** 큰 정사각형을 9개의 작은 정사각형으로 나누었다. 이 9개의 작은 정사각형 중에서 4개의 정사각형에 색칠하여 〔보기〕와 같이 선대칭도형을 만들려고 한다. 돌리거나 뒤집어 같은 모양이 되는 것은 한 가지로 볼 때, 모두 몇 가지의 선대칭도형을 만들 수 있겠는가?

〔보기〕

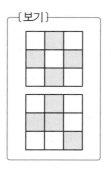

대칭축에 따라 두 가지 경우로 나누어 생각해 보자.

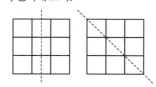

대칭축이 여러 개인 도형도 생각할 수 있다.

1 〈그림 1〉의 직사각형 모양 종이 6장으로 〈그림 2〉의 직사각형을 만드는 방법은 모두 몇 가지인가? (단, 돌리거나 뒤집어서 같은 모양이 되는 것은 한 가지로 본다.)

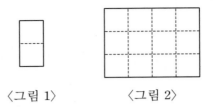

〈그림 1〉   〈그림 2〉

2 같은 크기의 정사각형 4개를 변끼리 꼭 맞게 붙여서 만들 수 있는 서로 다른 모양은 모두 몇 가지인가? (단, 합동인 도형은 한 가지로 본다.)

3 합동인 정사각형 5개를 변끼리 맞붙여서 〔보기〕와 같이 여러 가지 모양을 만들었다. 돌리거나 뒤집어서 같은 모양이 되는 것은 같은 것으로 할 때, 만들 수 있는 서로 다른 모양은 〔보기〕를 포함하여 모두 몇 가지인가?

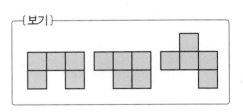

4 7개의 조각에 오른쪽과 같이 번호가 쓰여진 칠교판이 있다. 한 조각 또는 여러 조각으로 이등변삼각형을 만들 때, 사용되는 조각의 번호가 다른 경우는 몇 가지인가? (단, 같은 크기의 이등변삼각형을 만들 때 사용되는 조각의 번호가 같으면 배열 방법이 달라도 같은 것으로 본다.)

5 〈그림 2〉와 〈그림 3〉의 종이를 적어도 한 장 이상 사용하여 〈그림 1〉의 직사각형을 만들려고 한다. 돌려서 같은 모양인 것은 같은 것으로 할 때, 모두 몇 가지 방법이 있는지 구하여라.

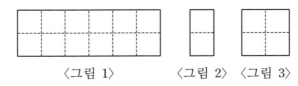

〈그림 1〉   〈그림 2〉 〈그림 3〉

6 한 변이 5cm인 정사각형을 세 가지 크기의 정사각형 11개로 덮으려고 한다. 돌려놓거나 뒤집어서 같은 방법이 되는 것을 한 가지로 세어 몇 가지 방법이 있는지 구하여라. (단, 모든 정사각형의 한 변의 길이는 자연수이다.)

7 〈그림 1〉과 같이 20개의 정사각형으로 이루어진 직사각형 모양의 종이가 있다. A, B, C, D 네 장의 직사각형 모양 종이로 〈그림 1〉의 직사각형을 덮는 방법은 모두 몇 가지인가? (단, 뒤집거나 돌려서 같은 모양인 것은 같은 것으로 보고, 모든 도형을 반드시 사용해야 한다.)

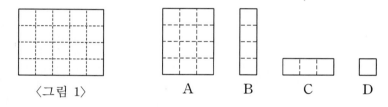

〈그림 1〉   A   B   C   D

8 다음 그림과 같이 정사각형 모양의 종이 한 장과 한 변은 정사각형의 변과 길이가 같고 다른 변은 두 배인 직사각형 모양의 종이 세 장이 있다. 이 네 장의 종이를 길이가 같은 변끼리만 맞붙여 서로 다른 모양을 만들었다. 종이를 붙이는 순서가 다르면 다른 모양으로 생각하고 돌리거나 뒤집어서 같으면 같은 모양으로 생각할 때, 모두 몇 가지 모양이 만들어지겠는가?

9 [보기]에서 가로, 세로에 쓰인 수는 각 줄에 색칠된 칸수를 나타낸다. 이와 같은 방법으로 오른쪽 그림에서 가로, 세로에 쓰인 수만큼 색칠하는 방법이 모두 몇 가지인지 구하여라.

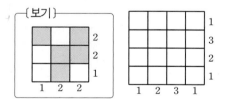

10 테트리스 게임에 등장하는 도형 네 가지가 오른쪽에 그려져 있다. 그 아래 그려져 있는 정사각형을 이 도형들로 덮는데 이 도형들은 각각 최대 4번까지 사용할 수 있고, 사용하지 않는 도형이 있어도 상관 없다고 한다. 뒤집거나 돌려서 모양이 같은 것은 한 가지로 볼 때, 빈틈없이 겹치지 않게 덮을 수 있는 서로 다른 방법은 모두 몇 가지가 있는가?

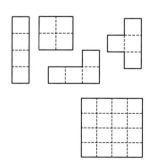

• 여러 조의 수의 합이 같을 때는 그 합이 얼마인지 먼저 구하는 것이 문제 해결에 도움이 된다.
• 합이 일정한 경우를 모두 찾아 각 경우마다 따져 보면 문제를 해결할 수 있다.

핵·심·문·제 **1** 오른쪽 정육면체의 각 모서리에 1에서 12까지의 수를 각각 한 번씩 사용하여 6개의 각 면의 네 변에 적힌 수의 합이 모두 같도록 하려고 한다. 빈 곳의 수를 모두 정하여라.

┃생각하기┃ 각 면의 모서리에 적힌 네 수의 합은 (1+2+3+⋯+12)×2÷6=26이다. 알려준 수의 합이 가장 큰 면에서부터 시작하는 것이 가능한 경우의 수가 적어 문제를 쉽게 풀 수 있다.

┃풀이┃

각 면에 적힌 네 수의 합이 26이므로 ㉠+㉡=5이다.
ⅰ) ㉠=1, ㉡=4일 때, ㉢=5, ㉣=9, 9는 이미 사용되었다.
ⅱ) ㉠=2, ㉡=3일 때, ㉢=6, ㉣=7, 7은 이미 사용되었다.
ⅲ) ㉠=3, ㉡=2일 때, ㉢=7, 7은 이미 사용되었다.
ⅳ) ㉠=4, ㉡=1일 때, ㉢=8, ㉣=3
남은 수는 2, 5, 6이므로 ⓐ=5, ⓑ=2, ⓒ=6이 된다.

답

핵·심·문·제 **2** 각 선분에 있는 ○ 안에 1부터 12까지의 수를 4개의 수의 합이 26이 되도록 써 넣으려고 한다. 또, 두 정삼각형의 세 꼭짓점에 있는 세 수의 합도 각각 26이 되어야 한다고 할 때, 가능한 경우를 모두 구하여라. (단, 좌우가 바뀐 경우는 같은 것으로 한다.)

┃생각하기┃ 합하여 26이 되는 네 수 중 7을 포함하는 것, 12를 포함하는 것을 모두 구해 보자.

┃풀이┃
7+1+8+10 : ㉠	7+3+6+10 : ㉭	12+1+2+11 : ⓐ	12+2+3+9 : ⓔ
7+2+6+11 : ㉡	7+4+5+10 : ㉮	12+1+3+10 : ⓑ	12+2+4+8 : ⓕ
7+2+8+9 : ㉢	7+4+6+9 : ㉯	12+1+4+9 : ⓒ	12+3+5+6 : ⓖ
7+3+5+11 : ㉣	7+5+6+8 : ㉰	12+1+5+8 : ⓓ	

• ㉠~㉰에서 2가지를 골라 같은 수가 겹치거나 꼭짓점의 세 수의 합이 26이 되도록 만들 수 없는 것은 가능한 경우가 없다.

• (㉠, ㉡)

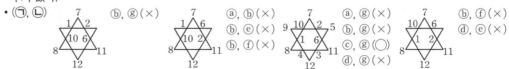

• (㉠, ㉯)

• (㉢, ㉭)

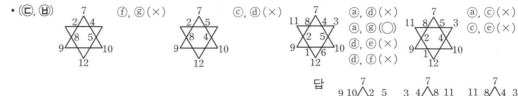

답

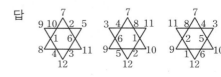

유제 **1** 오른쪽 그림은 두 원의 교점이 두 개가 되도록 네 개의 원을 그린 것이다. 12개의 점에 1부터 12까지의 수를 배치하여 각 원 위의 6개의 수들의 합이 모두 같도록 하여라. (여러 가지 방법이 있으나 한 가지만 구하면 된다.)

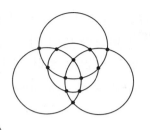

한 원 위에 있는 6개의 수의 합은 39이다. 또, 두 원의 교점인 두 수의 합이 13이 되도록 하면 된다.

유제 **2** 다음 그림의 두 별은 각 줄에 놓여 있는 수들의 합이 모두 같다. 빈 곳에 알맞은 수를 써 넣어라.

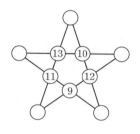
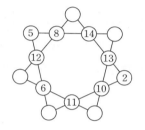

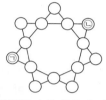

㉠에 알맞은 수를 찾은 후, ㉡에 알맞은 수를 찾으면 쉽게 해결할 수 있다.

유제 **3** 오른쪽 그림과 같이 8개의 오각형을 배치하였다. 각 오각형의 꼭짓점에 있는 수 다섯 개의 합이 모두 65가 되도록 빈 칸에 알맞은 수를 써 넣어라. (단, 각 꼭짓점의 15개 자연수는 모두 다르다.)

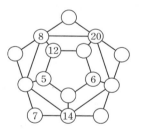

㉠+㉘=39, ㉢+㉤=25, ㉤+㉘=42임을 동시에 생각해 보자.

유제 **4** 오른쪽 정사면체에는 모서리가 6개 있다. 각 모서리의 네 수의 합이 각각 같도록 빈 곳에 알맞은 수를 넣을 때, ㉮, ㉯의 곱을 구하여라. (단, 1부터 16까지의 수가 모두 한 번씩 쓰였다.)

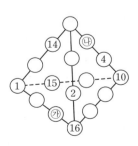

정사면체의 네 꼭짓점에 놓인 수는 세 번 더하고 나머지 수는 한 번씩 더하면 6의 배수가 되어야 한다.

1 오른쪽 그림에는 삼각형이 모두 4개 있다. 4부터 15까지의 수를 ○ 안에 한 번씩만 넣어 각 삼각형의 세 변 위에 있는 여섯 수의 합을 같게 하려고 한다. 6개의 변 위에 있는 두 수의 합이 모두 같게 만들 때, ㉮, ㉯에 알맞는 수의 곱은 얼마가 되겠는가?

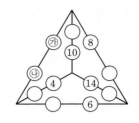

2 세 원을 오른쪽 그림과 같이 그렸다. 각 원 위에 있는 네 개의 수의 합이 28이 되도록 6개의 빈 칸에 수를 정하는 방법을 세 가지만 찾아라.

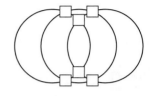

3 오른쪽 그림은 1부터 19까지의 수를 한 번씩 써서 만든 19개의 벌집이다. ↓ 방향의 5줄, ╱ 방향의 5줄, ╲ 방향의 5줄 총 15줄의 수의 합이 모두 같도록 빈 곳에 알맞은 수를 써 넣어라.

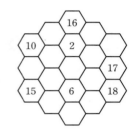

4 1부터 15까지의 자연수를 한 번씩 써서 오른쪽 그림의 8개의 오각형에 놓인 5개의 수의 합이 같도록 Ⓐ에 알맞은 수를 구하여라.

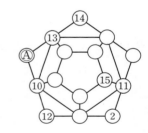

5 오른쪽 그림은 작은 정삼각형 9개로 큰 삼각형을 만든 것이다. 9개의 작은 정삼각형에는 1부터 9까지의 수가 각각 한 개씩 적혀 있다. 이 때, 작은 정삼각형 4개로 이루어진 정삼각형을 3개 찾을 수 있다. 이 3개의 정삼각형에 쓰인 수의 합이 17이 되도록 각각의 작은 정삼각형에 알맞은 수를 정하는 방법은 모두 몇 가지인가?

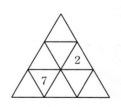

6 오른쪽 그림은 가로, 세로, 대각선에 있는 네 수의 합이 모두 34가 되는 마방진이다. 1부터 16까지의 수를 한 번씩만 사용해서 빈 칸을 채우려고 한다. 가능한 경우를 모두 구하여라.

16			13
	10	11	
9			
	15	14	

7 다음 〈그림 1〉과 〈그림 2〉의 각 줄에 놓여 있는 네 수의 합은 모두 같다. 각 별에는 같은 수가 두 번 이상 쓰일 수 없다고 할 때, 빈 칸에 알맞은 수를 써 넣어라.

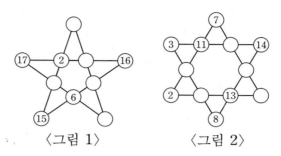

〈그림 1〉   〈그림 2〉

8 오른쪽 첫째 번 그림은 수레 바퀴를 그린 것이다. 여섯 개의 살이 있고 바퀴는 여섯 부분으로 나뉘어 있다. 이제 둘째 번 그림과 같이 여섯 개의 살과 바퀴의 여섯 부분에 있는 세 개의 수의 합이 모두 같게 되도록 1에서 19까지의 수를 동그라미 안에 넣으려고 한다. 세 수의 합이 24가 되는 경우와 26이 되는 경우로 써 넣어라.

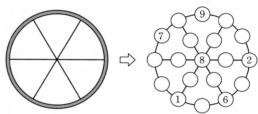

9 오른쪽 그림의 빈 칸에 1부터 7까지의 수를 한 번씩 써 넣어 각각의 직선 위에 있는 4개의 수의 합이 모두 같게 되는 경우를 모두 구하여라.

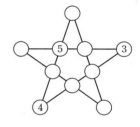

10 1에서부터 27까지의 수가 쓰여 있는 27개의 정육면체를 오른쪽 그림과 같이 쌓아 큰 정육면체를 만들었다. 큰 정육면체의 모서리와 평행한 세 수의 합은 모두 42가 되어야 하고, 또, 정육면체의 중심을 지나는 큰 정육면체의 가장 긴 대각선 위에 있는 세 수의 합도 42가 되어야 한다. 나머지 18개의 작은 정육면체에 쓰여 있는 수를 구하여 알맞게 배열하여라.

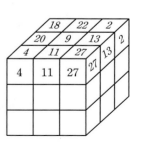

• 직접 넓이를 구할 수 없는 부분은 다른 부분과의 넓이 관계를 식으로 나타내 구할 수 있다.

핵·심·문·제 **1** 오른쪽 그림은 가로의 길이가 세로의 길이의 2배인 직사각형과 중심각이 90°인 크고 작은 두 개의 부채꼴을 그려 놓은 것이다. 직사각형의 가로의 길이가 8cm일 때, 색칠한 두 부분의 넓이의 차를 구하여라.

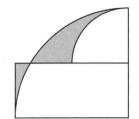

┃생각하기┃ 직사각형의 가로의 길이가 8cm이므로 세로의 길이는 4cm이고 큰 부채꼴의 반지름은 8cm, 작은 부채꼴의 반지름은 4cm이다.

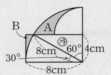

왼쪽 그림에서 직각삼각형 ㉮는 '정삼각형의 반쪽'이므로 중심각이 60°, 30°인 두 부채꼴로 나눌 수 있고 A, B 부분의 넓이를 각각 구하기 위해서는 직각삼각형 ㉮의 넓이를 구해야 한다. 그러나 직각삼각형 ㉮의 넓이를 구할 수 없으므로 식을 이용하여 두 부분의 넓이의 차를 구해 보자.

┃풀이┃ (큰 부채꼴의 넓이)=(직사각형의 넓이)−(B의 넓이)+(작은 부채꼴의 넓이)+(A의 넓이)

$8 \times 8 \times 3.14 \times \frac{1}{4} = 8 \times 4 - ⒝ + 4 \times 4 \times 3.14 \times \frac{1}{4} + ⒜$

$50.24 = 32 - ⒝ + 12.56 + ⒜$, $⒜ - ⒝ + 44.56 = 50.24$, $⒜ - ⒝ = 5.68$ 답 5.68cm²

핵·심·문·제 **2** 오른쪽 그림은 직사각형 내부에 삼각형을 두 개 그린 것이다. ㉮ 부분의 넓이는 22cm², ㉯ 부분의 넓이는 173cm², ㉰ 부분의 넓이는 36cm²일 때, 색칠한 부분의 넓이를 구하여라.

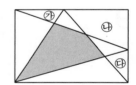

┃생각하기┃ 주어진 ㉮, ㉯, ㉰ 세 부분의 넓이를 가지고 색칠한 부분의 넓이를 직접 구할 방법이 없다. 다른 부분과의 넓이 관계를 식으로 나타내 구해 보자.

┃풀이┃

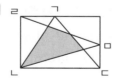

(직사각형의 넓이)=(삼각형 ㄱㄴㄷ의 넓이)+(삼각형 ㄹㅁㄴ의 넓이)
         −(색칠한 부분의 넓이)+(㉮의 넓이)
         +(㉯의 넓이)+(㉰의 넓이)

그런데 삼각형 ㄱㄴㄷ과 삼각형 ㄹㅁㄴ의 넓이는 각각 직사각형의 넓이의 $\frac{1}{2}$씩이므로

(두 삼각형의 넓이)=(직사각형의 넓이)

따라서 (색칠한 부분의 넓이)=(㉮의 넓이)+(㉯의 넓이)+(㉰의 넓이)
              =22+173+36
              =231(cm²)   답 231cm²

유제 **1** 오른쪽 정사각형 내부에 반원과 $\frac{1}{4}$원을 그렸다. ㉮의 넓이가 5.8cm², ㉯의 넓이가 21.5cm²일 때, 색칠한 부분의 넓이를 구하여라.

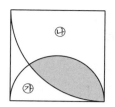

▶ 반원과 반원의 반지름의 2배인 반지름을 가진 $\frac{1}{4}$원과의 넓이를 비교해 보자.

유제 **2** 오른쪽 그림은 직각이등변삼각형 내부에 꼭짓점 B, C를 중심으로 하는 부채꼴을 그려 놓은 것이다. 변 AB의 길이가 15cm이고, 두 부채꼴의 반지름이 모두 11cm일 때, ㉮와 ㉯ 중 어느 것이 얼마나 더 넓은지 구하여라.

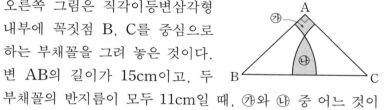

▶ (직각이등변삼각형의 넓이)
＝(두 부채꼴의 넓이)＋㉮－㉯

유제 **3** 오른쪽 사각형 ㄱㄴㄷㄹ에서 두 점 ㅁ, ㅂ은 변 ㄱㄹ의 삼등분점이고 두 점 ㅅ, ㅇ은 변 ㄴㄷ의 삼등분점이다. 사각형 ㄱㄴㄷㄹ의 넓이가 40cm²일 때, 사각형 ㅁㅂㅇㅅ의 넓이는 몇 cm²인지 구하여라.

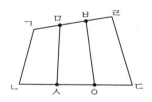

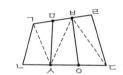

삼각형 ㄱㄴㅅ의 넓이와 삼각형 ㅂㄹㄷ의 넓이의 합은 사각형 ㄱㄴㄷㄹ의 넓이의 $\frac{1}{3}$과 같다.

유제 **4** 사각형 ABCD에서 두 점 M, N은 각 변 AB와 변 CD의 중점이다. 삼각형 ADM의 넓이가 14cm², 삼각형 BCM의 넓이가 26cm², 삼각형 MDC의 넓이가 36cm²일 때, 삼각형 ABN의 넓이를 구하여라.

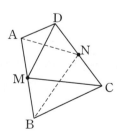

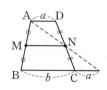

사다리꼴 ABCD에서 변 AB, CD의 중점이 M, N일 때 변 MN의 길이는 $(a+b) \times \frac{1}{2}$과 같다.

1 오른쪽 그림에서 색칠한 두 삼각형의 넓이의 차는 평행사변형 ㄱㄴㄷㄹ의 넓이의 몇 배인가?(단, 점 ㅁ, ㅂ은 각각 변 ㄱㄹ과 변 ㄱㄴ의 삼등분점이다.)

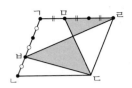

2 오른쪽 부채꼴에서 색칠한 부분의 넓이를 구하여라.

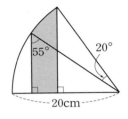

3 오른쪽 그림에서 원 A는 반지름이 5cm이고 $\frac{1}{4}$원인 B는 반지름이 8cm이다. ㉠+㉡−㉢+㉣의 넓이를 구하여라.

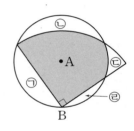

4 오른쪽 평행사변형 ㄱㄴㄷㄹ에서 두 변 ㅁㅂ, ㅅㅇ은 변 ㄱㄴ과 평행이고 두 변 ㅈㅊ, ㅋㅌ은 변 ㄱㄹ과 평행이다. ㉮ 부분의 넓이가 $7\frac{1}{2}$cm²이고 사각형 ㅁㅋㅇㅊ의 넓이가 $53\frac{1}{4}$cm²일 때, 평행사변형 ㄱㄴㄷㄹ의 넓이를 구하여라.

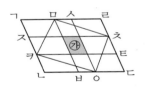

5 오른쪽 그림은 바닥에 크고 작은 바퀴 두 개를 세워 놓은 것이다. 두 바퀴가 겹쳐 놓인 ㉮ 부분과 바퀴가 놓이지 않은 ㉯ 부분의 넓이의 차를 구하여라.(단, 직선 OA와 바닥은 평행이고 직선 OA와 바닥 사이의 거리는 10cm이다.)

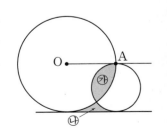

6 오른쪽 그림은 세로가 10cm인 직사각형 안에 반지름이 10cm인 부채꼴 두 개를 겹쳐서 그려 넣은 것이다. ㉮ 부분과 ㉯ 부분의 넓이의 차가 8cm²일 때, 직사각형의 가로의 길이가 될 수 있는 값을 모두 구하여라.(단, 원주율은 3으로 계산한다.)

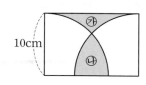

7 오른쪽 그림은 한 변의 길이가 16cm인 정사각형의 두 꼭짓점 ㄱ과 ㄷ을 중심으로 반지름이 13cm인 부채꼴을 그린 것이다. ㉯−㉮−㉰를 구하여라.

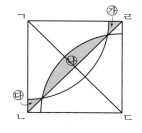

8 한 변의 길이가 1인 단위정사각형 4개를 겹치지 않게 이어 놓고 그 위에 중심각이 90°인 부채꼴 2개를 오른쪽 그림과 같이 그렸다. ㉮ 부분과 ㉯ 부분의 넓이의 차를 구하여라.

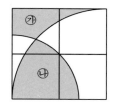

9 오른쪽 그림의 사각형 ㄱㄴㄷㄹ에서 네 점 ㅁ, ㅂ, ㅅ, ㅇ은 각 변의 중점이다. 삼각형 ㉮의 넓이는 62cm², 삼각형 ㉯의 넓이는 58cm², 삼각형 ㉰의 넓이는 95cm², 삼각형 ㉱의 넓이는 147cm²일 때, 색칠한 부분의 넓이는 몇 cm²인가?

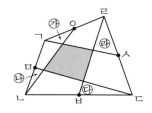

10 오른쪽 그림의 사각형 ABCD에서 M, N은 변 AB, 변 CD의 중점이다. 삼각형 안에 쓰인 수가 그 삼각형의 넓이를 나타낼 때, 색칠한 부분의 넓이를 구하여라.

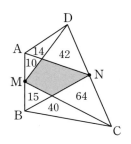

Chapter 30

오르고 내려가는 속력 문제

> • 경사진 길을 오르는 속력과 내려가는 속력이 다를 때는 일정한 거리를 오르는 데 걸리는 시간
> 과 내려가는 데 걸리는 시간의 차를 이용하여 문제를 쉽게 해결할 수 있다.

핵·심·문·제

1 상혁이는 일요일에 등산을 하려고 한다. 산은 A 역과 B 역 사이에 있는데 A 역에서 내려 산에 올랐다가 B 역으로 가면 5시간 48분이 걸리고, B 역에서 내려 산에 올랐다가 A 역으로 가면 6시간 12분이 걸린다. A 역에서 산 정상을 지나 B 역까지의 전체 거리가 23km이고, 평지에서 걷는 속도는 시속 4km, 오르막길에서는 시속 3km, 내리막길에서는 시속 5km로 갈 때, 평지의 길은 모두 몇 km인지 구하여라.

┃생각하기┃ ㄱ에서 ㄴ까지의 거리와 ㄴ에서 ㄷ까지의 거리가 같다면 걸린 시간이 같다. 그러나 ㄱ에서 ㄴ까지 올라가고 ㄴ에서 ㄷ까지 내려갈 때 걸린 시간이 더 짧으므로 ㄴ에서 ㄷ까지의 거리가 ㄱ에서 ㄴ까지의 거리보다 길다는 것을 알 수 있다. 즉, 시간의 차이 24분은 ㄹ에서 ㄷ까지의 거리때문에 생기는 것이다.

┃풀이┃ 1km 올라갈 때 $\frac{1}{3}$시간=20분, 1km 내려갈 때 $\frac{1}{5}$시간=12분 걸리므로 24÷(20−12)=3(km) 더 길다. 이 3km가 없다고 생각하면 A 역에서 B 역까지 가는 데 $\frac{3}{5}$시간=36분이 줄어든 5시간 12분이 걸리고, 전체 거리는 20km이다. ㄱ에서 ㄴ을 지나 ㄹ까지 가는 데 평균 속력은 $\frac{(거리)}{(시간)}=\frac{2}{\frac{1}{3}+\frac{1}{5}}=\frac{15}{4}$(km/시)이다.

만약, 5시간 12분 동안 모두 $\frac{15}{4}$km/시의 속력으로 간다면 거리는 $5\frac{1}{5}\times\frac{15}{4}=\frac{26}{5}\times\frac{15}{4}=\frac{39}{2}$(km)이다.

전체 거리 20km와는 $\frac{1}{2}$km 차가 생기는 데 이것은 4km/시의 속력으로 가는 때도 있기 때문이다.

따라서 평지에서 걸은 시간은 $\frac{1}{2}\div\frac{1}{4}=2$(시간)이고, 평지의 길은 모두 2×4=8(km)이다. **답 8km**

핵·심·문·제

2 건희와 수진이는 등산을 했다. 12.8km의 산길을 따라 정상까지 올라간 후 내려갈 때는 10.8km인 다른 길로 갔다. 오르막길을 오르는 속력의 비는 건희와 수진이가 4 : 3이고, 내리막길을 내려가는 속력의 비는 8 : 9이다. 등산하는 데 건희는 총 6시간 15분이 걸렸고, 수진이는 7시간 20분이 걸렸다. 수진이는 내리막길에서 시속 몇 km로 갔는지 구하여라.

┃생각하기┃ 오르막길을 오를 때 속력의 비는 4 : 3이므로 걸리는 시간의 비는 3 : 4이다. 또, 내리막길을 내려가는 데 걸리는 시간의 비도 9 : 8이 된다. 두 비의 기준량이 다르므로 차를 이용하여 풀기 방법을 이용해 보자.

┃풀이┃

	올라갈 때 걸리는 시간의 비	내려갈 때 걸리는 시간의 비	걸리는 시간
건희	3(○○○)	9 (△△△ △△△ △△△)	6시간 15분
수진	4(○○○○)	8 (△△△△ △△△△)	7시간 20분

4배→
3배→

	올라갈 때 걸리는 시간의 비	내려갈 때 걸리는 시간의 비	걸리는 시간
건희	12(○ 12개)	36(△ 36개)	25시간
수진	12(○ 12개)	24(△ 24개)	22시간

따라서 수진이가 내려가는 데 15분×8=120분=2시간이 걸리므로 속도는 시속 10.8÷2=5.4(km)이다.

답 5.4km

유제 **1** 태영이는 친구들과 함께 산에 올랐다. 공원에서 친구들과 만나 산입구까지의 평지에서는 시속 4.8km의 속력으로 걷고, 산을 오를 때는 시속 4km의 속력으로 꼭대기까지 갔으며 내려올 때는 시속 6km의 속력으로 올라갈 때와 같은 길로 왔다. 산에서 내려온 후 다시 처음 출발했던 공원까지 시속 4.8km의 속력으로 걸어서 5시간만에 처음의 위치로 되돌아 왔다면 태영이가 걸은 거리는 모두 몇 km인가?

▶ 올라갈 때와 내려올 때 같은 길로 왔으므로 평균 속력을 구해 보자.

유제 **2** 우리 마을에는 산이 하나 있는데 산꼭대기에 오르는 길이 ㉠, ㉡, ㉢ 세 가지로 나 있다. 세 갈래로 난 길의 길이를 모두 합하면 10km라고 한다. ㉠으로 올라가 ㉡으로 내려오는 데 걸리는 시간은 ㉡으로 올라가 ㉠으로 내려오는 데 걸리는 시간보다 15분 더 걸린다. 또, ㉡으로 올라가 ㉢으로 내려오는데 걸리는 시간은 ㉢으로 올라가 ㉡으로 내려오는 데 걸리는 시간보다 5분 적게 걸린다. 산에 올라갈 때는 시속 3km로, 내려올 때는 시속 4km로 간다고 할 때 ㉠, ㉡, ㉢ 세 갈래 길의 길이를 각각 구하여라.

▶ 걸리는 시간을 생각해 보면 ㉡이 가장 짧고, ㉠이 가장 길다는 것을 알 수 있다.

유제 **3** 동훈이와 주성이는 학교에서 여는 등반대회에 참가했다. 동훈이는 A 지점에서 출발하여 산 정상인 B 지점까지 10분씩 두 번 쉬고 올라갔다. 산 정상에서 10분간 쉬고 다시 C 지점까지 내려오는 데 모두 3시간 45분이 걸렸다. 주성이는 C 지점에서 산 정상인 B 지점까지 쉬지 않고 올라갔다가 정상에서 12분간 쉬고 다시 A 지점까지 쉬지 않고 내려오는 데 모두 3시간 15분이 걸렸다. 두 사람 모두 올라갈 때는 시속 4km로, 내려갈 때는 시속 5km로 갔다고 할 때 A 지점에서 B 지점까지, B 지점에서 C 지점까지의 거리를 각각 구하여라.

▶ 쉬는 시간을 빼면 동훈이는 3시간 15분 동안, 주성이는 3시간 3분 동안 갔다. 따라서 A 지점에서 B 지점까지의 거리가 B 지점에서 C 지점까지의 거리보다 더 길다.

유제 **4** 석원이네 집에서 학원까지 가는 길은 두 가지이다. 두 가지 길은 길이가 같은데 그 중 한 길은 평평한 길이고, 다른 길은 절반은 오르막길이고 절반은 내리막길이다. 석원이가 학원에 갈 때 두 가지 길 중 어느 길로 가든지 걸리는 시간이 같다고 한다. 석원이가 평지를 걸을 때는 오르막길을 걸을 때의 $\frac{9}{7}$배의 속력으로 간다고 한다면 평지를 걸을 때의 속력은 내리막길을 걸을 때 속력의 몇 배인지 구하여라.

▶ 평평한 길의 길이를 2, 오르막길의 길이를 1, 내리막길의 길이를 1이라 하자.

1 보람이는 집에서 공원까지 걸어서 갔다. 모두 4.29km를 1시간 10분 동안 걸었는데 가는 도중 평지에서는 3.6km/시의 속력으로 걷고 오르막길에서는 평지보다 15% 감소한 속도로, 내리막길에서는 평지보다 20% 증가한 속도로 걸었다. 평지를 걷는 데 45분이 걸렸다면 내리막길과 오르막길은 각각 몇 m씩인지 구하여라.

2 건강걷기대회가 열렸다. 평지의 한 지점에서 출발하여 언덕 위에 있는 깃대를 돌아 같은 길로 다시 돌아오는 데 평지에서는 시속 3.75km로, 오르막길에서는 시속 3km, 내리막길에서는 시속 5km로 걸었다. 처음 출발할 때부터 다시 돌아올 때까지 모두 4시간이 걸렸다면 모두 몇 km를 걸은 것인가?

3 선주와 선재는 산 아래 평지의 ㉮ 지점에서 각각 ㉯ 지점과 ㉰ 지점을 거쳐 산 정상인 ㉱ 지점을 향해 등산을 시작했다. ㉮ 지점에서 ㉰ 지점까지는 5km, ㉰ 지점에서 ㉱ 지점까지는 6km, ㉮ 지점에서 ㉯ 지점까지는 4km이다. 선주의 평지에서의 속력은 선재의 1.5배이고, 선주와 선재는 오르막길에서는 각각 각자 평지 속력의 $\frac{3}{4}$배로 걷는다고 한다. 선주와 선재가 동시에 ㉮ 지점을 떠나 동시에 ㉱ 지점에 도착하였다면 ㉯ 지점에서 ㉱ 지점까지의 거리는 몇 km인가?

4 집을 나서면 바로 언덕길이고 언덕 너머에 학교가 있는데 집에서 학교까지 걸어가는 데는 34분이 걸리고 학교에서 집까지 걸어가는 데는 29분이 걸린다. 언덕을 올라갈 때는 시속 3km의 속력으로, 언덕을 내려갈 때는 시속 4km의 속력으로 간다. 집에서 언덕 위까지의 거리와 언덕 위에서 학교까지의 거리를 각각 구하여라.

5 정발 초등 학교와 저동 초등 학교 사이에는 정발산이 있다. 두 학교는 산길을 따라 7km 떨어져 있다. 정발 초등 학교에서 저동 초등 학교까지 가는 데는 2시간 20분 걸리고, 저동 초등 학교에서 정발 초등 학교까지 가는 데는 2시간 30분이 걸린다. 평지에서는 시속 4km의 속력으로 걷고, 산을 올라갈 때는 시속 2km, 산을 내려갈 때는 시속 3km로 간다면, 두 초등 학교 사이의 평지는 몇 km나 되는지 구하여라.

6 웅식이는 도중에 평지와 언덕이 있는 A 마을에서 B 마을까지 왕복했다. 평지에서는 시속 5km, 오르막길에서는 시속 4km, 내리막길에서는 시속 6km로 걸었더니 A 마을에서 B 마을로 갈 때 걸린시간이 B 마을에서 A 마을로 갈 때 걸린 시간보다 10분 더 길었다. A 마을에서 B 마을까지는 모두 20km인데 그 중 평지는 6km이고 나머지는 오르막길이거나 내리막길이라고 한다. A 마을에서 B 마을로 갈 때 걸린 시간을 구하여라.

7 올림이 선생님은 일요일마다 건강을 위해 등산을 한다. 산에 올라갈 때는 7.2km인 산길을 따라 가고 내려올 때는 10.4km인 길로 간다. 지난 주에는 산에 오르기 시작하여 다 내려올 때까지 4시간 10분이 걸렸는데 이번 주에는 4시간 24분이 걸렸다. 산에 올라갈 때의 속력의 비는 지난 주와 이번 주가 6 : 5이고 내려올 때의 속력의 비는 지난 주와 이번 주가 12 : 13이다. 이번 주의 올라갈 때 속력과 내려올 때 속력을 각각 구하여라.

8 갑은 ㉮에서 ㉯까지 산을 오르고 ㉯에서 ㉰까지 내려가는 데 모두 4시간 52분 30초 걸렸고, 을은 ㉰에서 ㉯까지 산을 오르고 ㉯에서 ㉮까지 내려가는 데 모두 6시간 36분 걸렸다. 갑과 을의 산을 올라가는 속력의 비는 4 : 3이고, 산을 내려가는 속력의 비는 8 : 5이다. ㉮에서 ㉯까지의 거리가 10.8km, ㉯에서 ㉰까지의 거리가 7.2km일 때, 갑이 산을 내려갈 때의 속력을 구하여라.

9 고봉산에는 세 갈래의 등산로가 있다. 시속 4km로 올라가고 시속 6km로 내려간다고 할 때 A로 올라갔다 B로 내려오는 데 걸리는 시간은 B로 올라갔다 A로 내려오는 데 걸리는 시간보다 5분 길고, A로 올라갔다가 C로 내려오는 데 걸리는 시간보다 10분 짧다고 한다. C로 올라갔다 C로 내려오는 데 걸리는 시간이 2시간 5분일 때, 세 등산로 A, B, C의 길이를 각각 구하여라.

10 우리 학교 학생들은 가을 소풍으로 등산을 하기로 하였다. 산 정상까지 올라가는 등산로는 ㉮, ㉯ 두 가지인데 5학년은 ㉮ 길로 올라가서 ㉯ 길로 내려오고, 6학년은 ㉯ 길로 올라가서 ㉮ 길로 내려왔다. 올라갈 때는 5, 6학년 모두 시속 3km로 갔고 내려올 때는 모두 시속 5km로 왔는데 5학년은 정상에서 20분 동안 쉬었고 6학년은 올라갈 때 ㉯ 길의 중간 지점에서 5분 동안, 정상에서 10분 동안 쉬었다. 산에 오르기 시작할 때부터 완전히 내려올 때까지 5학년은 2시간 24분이 걸렸고, 6학년은 2시간 59분이 걸렸다고 한다. 5학년 학생과 6학년 학생이 만나는 지점은 산 정상에서 몇 km 떨어진 지점인지 구하여라.

π 이야기

수학자들에게 3월 14일은 '화이트 데이'가 아니라 '파이 데이'이다. 좋아하는 남녀가 초콜릿을 주고 받는 대신 파이를 주고 받자는 날일까? 파이 데이의 파이(π)는 먹거리의 하나가 아닌 원주율을 뜻한다.

원주율 π는 원의 지름의 길이에 대한 원의 둘레의 길이의 비로 어떤 크기의 원을 그리든지 π의 값은 항상 일정하다. 바빌로니아 사람들은 원주율을 3이라고 생각했고 이집트 사람들은 3.16이라고 했다. 이에 반해 그리스 사람들은 원에 대한 성질을 밝히고 그것을 증명하는데 치중하였기 때문에 원의 넓이와 같은 계산에는 흥미를 갖지 않았다. 이는 메소포타미아와 이집트에서 경험적인 과학으로 시작된 수학이 그리스에서는 이론적으로 발달한 것과도 무관하지 않다. 그리스 사람들은 구체적인 것 대신에 추상적인 것을 선호하였던 것이다. 그러나 알렉산드리아 사람들은 확대된 무역과 항해를 바탕으로 상업과 제조업에 관심을 두었고, 세계 상공업의 중심지가 되어 기술 향상에 노력하였다. 따라서 알렉산드리아에서의 수학과 과학은 순수한 이론적 학문으로서 뿐만 아니라 실용성과 실험을 과감히 도입한 새로운 것이었다.

아르키메데스의 수학에 관한 연구는 이러한 알렉산드리아의 상황을 반영하고 있다. 어떤 면에서는 지극히 현실적인 반면 다른 한편으로는 그리스적인 정신의 소유자로서 지나치게 비현실적인 데가 있었다. 그는 원주율의 근사값을 소수점 아래 둘째 자리까지 정확히 구하였는데, 어떤 방법을 사용하였을까?

원주율이 무엇인지 다시 생각해 보자. (원주율)＝(원의 둘레)÷(지름)으로, 원주율을 구하려면 먼저 원의 둘레가 얼마인지 알면 된다. 그런데 원은 곡선이기 때문에 정확한 길이 측정이 어렵다. 아르키메데스가 사용한 방법은 다음과 같다.

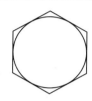

원의 둘레의 길이는 원의 안쪽에 꽉 들어차는 정다각형의 둘레의 길이보다는 크고 원의 바깥을 감싸는 정다각형의 둘레의 길이보다는 작다.

➡ 정 96각형을 생각해 보면 $3\frac{10}{71} <$ (원주율) $< 3\frac{1}{7}$ 이 되어

$$3.14084 < (원주율) < 3.14286$$

➡ 원주율을 소수 둘째 자리까지 구하면 3.14이다.

아르키메데스 이후로도 많은 수학자들이 원주율 π의 값을 구하기 위하여 연구하였다. 16세기 독일의 수학자 루돌프는 원주율을 소수점 아래 35자리까지 계산하는데 일생을 바쳤고, 17세기의 고레고리는 무한급수라는 개념을 이용하여 π의 값을 계산하였다. 컴퓨터가 등장한 이후로는 π의 값이 소수점 아래 천문학적인 자리까지 계산되고 있다. 언제쯤 정확한 π의 값이 구해질지 궁금하다면…. 아무리 계속 구해나가도 완전한 π의 값은 구할 수가 없다. 원주율을 π로 나타내기 시작한 18세기의 수학자 오일러에 의해 원주율 π는 무리수(순환하지 않는 무한소수)임이 증명되었기 때문이다.

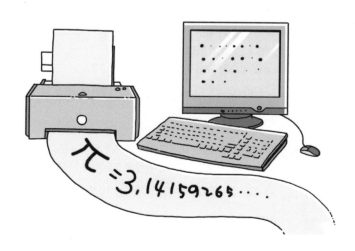

- 시계의 분침은 1분에 6°씩 움직인다. 시계의 시침은 1분에 0.5°씩 움직인다.
- 시계의 분침은 시침보다 1분에 5.5°씩 더 많이 움직인다.
- 구하고자 하는 시각을 a시 x분이라 하고 방정식을 세워 풀면 시계의 시침과 분침의 각도에 관한 여러 가지 문제를 쉽게 해결할 수 있다.

핵·심·문·제 **1** 지금 시계의 시침은 10시와 11시 사이에 있고, 지금부터 5분 후의 분침의 위치는 4분 전의 시침의 위치와 반대 방향으로 일직선이 된다고 한다. 지금 시각을 구하여라.

▌생각하기▐ 지금 시각의 분침보다 5분 후에는 $5 \times 6° = 30°$ 늘어나고 지금 시각의 시침보다 4분 전에는 $4 \times 0.5° = 2°$ 늘어난다. 늘어나서 시침과 분침이 이루는 각이 180°가 되었으므로 지금 시각에서는 $180° - 30° - 2° = 148°$를 이루고 있다.

▌풀이▐ 5분 후라면 $5 \times 6° = 30°$ 더 늘어나고 4분 전이라면 $4 \times 0.5° = 2°$ 더 늘어난다.
$180° - 30° - 2° = 148°$이므로 지금 시침과 분침이 148°를 이룬다. 10시 정각에는 분침이 시침보다 60° 앞섰는데 $148° - 60° = 88°$를 더 앞서면 된다. 분침은 시침보다 1분에 5.5°씩 더 가므로 $88° \div 5.5° = 16$(분) 후이다.

답 10시 16분

▌별해▐* 10시 x분이라고 하고 방정식을 세워 보자. 5분 후의 분침의 위치는 $6° \times (x+5)$이다. 4분 전의 시침의 위치는 $300° + 0.5° \times (x-4)$이다. 5분 후의 분침과 4분 전의 시침이 180° 차이가 나므로
$6° \times (x+5) + 180 = 300 + 0.5° \times (x-4)$, $x = 16$(분)이다. 따라서 지금 시각은 10시 16분이다.

핵·심·문·제 **2** 3시간 넘게 책을 읽었는데, 시계를 보니 시침과 분침의 위치가 책을 읽기 시작할 때의 시침과 분침의 위치와 정확히 바뀌어 있다. 현재 시각이 1시와 2시 사이라면 책을 읽기 시작한 시각은 언제인가? (단, 책을 읽은 시간은 4시간을 안 넘는다.)

▌생각하기▐ 책을 읽기 시작한 시각은 10시 5분과 10분 사이이고 현재 시각은 1시 50분과 55분 사이이다. 책을 읽기 시작한 시각을 10시 x분이라 하고, 현재 시각을 1시 y분이라 하자. 책을 읽기 시작한 때의 시침은 눈금 12와 $(300 + 0.5 \times x)°$만큼 떨어져 있고, 이것은 현재의 분침의 위치 $6 \times y°$와 같다. 마찬가지로 현재의 시침은 눈금 12와 $(30 + 0.5 \times y)°$만큼 떨어져 있고, 이것은 책을 읽기 시작한 때의 분침의 위치 $6 \times x$와 같다.

▌풀이▐ $300 + 0.5 \times x = 6 \times y$, $30 + 0.5 \times y = 6 \times x$에서 x를 구해야 하므로 둘째 번 식을 12배 하자.
$30 \times 12 + 0.5 \times y \times 12 = 6 \times x \times 12$, $360 + 6 \times y = 72 \times x$
$6 \times y$ 대신 $300 + 0.5 \times x$를 넣으면 $360 + 300 + 0.5 \times x = 72 \times x$
$360 + 300 = 71.5 \times x$, $x = 660 \div 71.5 = 9\frac{3}{13}$ (분)이다. 따라서 책을 읽기 시작한 시각은 10시 $9\frac{3}{13}$ 분이다.

답 10시 $9\frac{3}{13}$ 분

▌별해▐* 책을 읽기 시작한 시각을 10시 x분이라고 하면 3시간 후에는 분침이 3바퀴 돌아 1시 x분이 된다. 그 후 시침이 $a°$ 가서 처음 분침의 위치에 도달하면 분침은 $12 \times a°$ 가서 처음 시침의 자리로 온다.
$a + 12 \times a = 270$, $a = \frac{270}{13}$ 따라서 10시 x분에 시침과 분침이 이루는 각도가 $(90 + \frac{270}{13})°$
이므로 $60 - 0.5 \times x + 6 \times x = 90 + \frac{120}{13}$, $5.5 \times x = \frac{660}{13}$, $x = 9\frac{3}{13}$ (분)

유제 1   12분 전 시침의 위치와 2분 후 분침의 위치가 같아지는 5시 와 6시 사이의 시각을 구하여라.

12분 전이면 $12 \times 0.5° = 6°$ 줄고 2분 후이면 $2 \times 6° = 12°$ 줄어든 다. 즉, 현재 분침은 시침보다 $18°$ 뒤처져 있다.

유제 2   9시와 10시 사이에 시계의 시침과 분침이 이루는 작은 각을 시계 원판의 중심과 눈금 12를 잇는 선분이 이등분 할 때의 시각을 구하여라.

9시 x분이라고 하자. 시침과 눈금 12 사이의 각도는 $360° - (270° + 0.5° \times x)$이다.

유제 3   현승이는 오전 7시와 8시 사이에 학교를 향해 집을 나섰다. 수업을 마치고 집에 돌아와 보니 분침은 집을 나설 때의 시 침과 눈금 9를 중심으로 대칭이 되는 위치에 놓여 있고 집을 나선지 5시간 20여분이 지나 있었다. 현승이가 집에 돌아온 시각을 구하여라. (단, 집을 나설 때와 집에 돌아올 때의 분 침은 모두 자연수를 가리키고 있다.)

현승이가 집을 나선 것이 오전 7시 와 8시 사이이고 도착했을 때의 분 침이 눈금 9를 중심으로 대칭이며 자연수를 가리키고 있으므로 51, 52, 53, 54분 중 하나이다.

유제 4   호수공원의 산책길을 따라 한 바퀴 돌면 1시간이 채 못 걸린 다고 한다. 호수공원에 도착했을 때의 시침과 분침의 위치가 산책을 마쳤을 때의 시침과 분침의 위치와 바뀌어 있었다면 산책하는 데 걸린 시간은 몇 분이겠는가?

두 가지 방법으로 풀 수 있다.
① 12시 x분을 시작 시각으로, 1 시 y분을 끝난 시각으로 하여 푸는 방법
② a분 걸렸다고 하고 시침이 $0.5° \times a$만큼 가서 처음 분침의 위치에 놓일 때 분침은 $6° \times a$ 가서 처음 시침의 위치에 놓임 을 이용하는 방법
시작 시각이나 끝난 시각을 묻지 않고 걸린 시간을 물었으므로 ②번 의 방법으로 푸는 것이 좋다.

특강탐구문제

1   9시와 10시 사이에 다음의 조건을 만족하는 시각을 구하여라.

> 8분 후의 시침과 10분 전의 분침이 180°를 이룬다.

2   지금 시계의 시침은 4시와 5시 사이에 있고 지금부터 16분 전 분침의 위치와 8분 후의 시침의 위치가 같게 되는 곳에 분침이 있다고 한다. 지금 시각을 구하여라.

3   지금 시계의 시침은 6시와 7시 사이에 있고 지금부터 21분 전의 분침의 위치와 8분 후의 시침의 위치가 90°를 이룬다고 한다. 지금 시각을 구하여라.

4   2시와 3시 사이의 시각의 분침이 눈금 3과 이루는 각도가 시침이 눈금 3과 이루는 각도의 2배가 되는 시각을 구하여라.

5   4시와 5시 사이의 시각의 시침이 눈금 12와 분침이 이루는 각을 2등분 하게 되는 시각을 구하여라.

6 5시와 6시 사이의 시각의 시침과 분침이 이루는 각이 시계 원판의 중심과 눈금 9를 이은 선에 의해 이등분 되는 시각에서부터 7시와 8시 사이에 시침과 분침이 이루는 각이 시계 원판의 중심과 눈금 9를 이은 선에 의해 이등분 되는 시각까지 몇 시간 몇 분인지 구하여라.

7 7시 몇 분에 시계 원판의 중심과 눈금 6을 이은 선분에서 시침까지의 각과 분침까지의 각의 크기를 각각 구해 보니 그 크기의 비가 2 : 3이 되었다고 한다. 이 시각은 7시 몇 분인지 구하여라.

8 다음 그림과 같이 8시 몇 분에 시침과 분침이 이루는 각은 눈금 10과 중심을 이은 선분에 의해 1 : 4로 나뉘었고, 또 9시 몇 분에 같은 일이 일어났다고 한다. 9시 몇 분은 8시 몇 분에서 몇 시간 몇 분이 지났는지 구하여라.

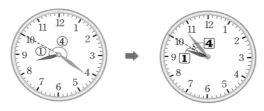

9 중학생이 된 선주는 아침 8시와 9시 사이에 집을 출발하여 7시간 몇 분만에 집에 돌아온다고 한다. 그런데 집을 떠날 때의 시계의 시침과 분침의 위치는 집에 돌아왔을 때의 시계의 시침과 분침의 위치가 바뀌어 있다고 한다. 선주가 집에 돌아온 시각은 몇 시 몇 분인지 구하여라.

10 태현이가 할머니 댁에 갔다 오는데 집을 나설 때의 시침과 분침의 위치는 집에 돌아왔을 때의 시침과 분침의 위치와 바뀌어 있었다. 태현이가 집을 나선 후 다시 집에 돌아올 때까지 4시간에서 5시간 사이의 시간이 흘렀다면, 할머니 댁에 다녀오는 데 걸린 시간은 4시간 몇 분인지 구하여라.

- (확률)= $\dfrac{(\text{어떤 사건이 일어나는 경우의 수})}{(\text{모든 경우의 수})}$ (확률은 항상 0 이상 1 이하이다.)
- A, B가 동시에 일어나지 않을 때, A가 일어날 확률을 p, B가 일어날 확률을 q라 하면 A 또는 B가 일어날 확률은 $p+q$이다.
- A, B가 서로 영향을 끼치지 않을 때, A가 일어날 확률을 p, B가 일어날 확률을 q라 하면 A와 B가 모두 일어날 확률은 $p \times q$이다.
- A가 일어날 확률을 p라 하면 A가 일어나지 않을 확률은 $1-p$이다.

핵·심·문·제 **1** 주머니 속에 흰 공 3개와 검은 공 5개가 들어 있다. 이 중에서 4개의 공을 꺼낼 때 흰 공 1개, 검은 공 3개를 꺼낼 확률을 구하여라.

▌생각하기▌ 전체 8개의 공 중에서 4개의 공을 꺼내는 경우의 수를 구해 보자. 또, 흰 공 3개 중 1개, 검은 공 5개 중 3개를 꺼내는 방법이 몇 가지인지 구하면 확률을 구할 수 있다.

▌풀이▌ 8개의 공 중 4개를 꺼내는 방법은 $8 \times 7 \times 6 \times 5 \times \dfrac{1}{4 \times 3 \times 2 \times 1} = 70$(가지)이다.

흰 공 3개 중 1개를 꺼내는 방법은 3가지이고, 검은 공 5개 중 3개를 꺼내는 방법은

$5 \times 4 \times 3 \times \dfrac{1}{3 \times 2 \times 1} = 10$(가지)이므로 흰 공 1개와 검은 공 3개를 꺼내는 방법은 $3 \times 10 = 30$(가지)이다.

따라서 확률은 $\dfrac{30}{70} = \dfrac{3}{7}$이다. 답 $\dfrac{3}{7}$

▌별해*▌ 연속 뽑기로 생각할 수도 있다. 흰 공 1개, 검은 공 3개를 꺼내는 방법은 (흰, 검, 검, 검), (검, 흰, 검, 검), (검, 검, 흰, 검), (검, 검, 검, 흰)이 있으므로

$\dfrac{3}{8} \times \dfrac{5}{7} \times \dfrac{4}{6} \times \dfrac{3}{5} + \dfrac{5}{8} \times \dfrac{3}{7} \times \dfrac{4}{6} \times \dfrac{3}{5} + \dfrac{5}{8} \times \dfrac{4}{7} \times \dfrac{3}{6} \times \dfrac{3}{5} + \dfrac{5}{8} \times \dfrac{4}{7} \times \dfrac{3}{6} \times \dfrac{3}{5} = \dfrac{3}{28} \times 4 = \dfrac{3}{7}$

핵·심·문·제 **2** 장희와 세인이는 수학문제풀기 대결을 하여 먼저 문제를 푸는 사람이 이기는 것으로 하고 올림이 선생님은 세 번 먼저 이기는 사람에게 10000원의 상금을 주기로 했다. 두 문제를 풀었는데 장희가 두 번 모두 먼저 풀었다. 그런데 시간이 다 되어 더 이상 진행할 수 없게 되었다. 올림이 선생님은 상금으로 장희에게는 ☐☐☐☐ 원, 세인이에게는 ☐☐☐☐원을 주셨다. ☐☐ 안에 알맞은 금액은 무엇인가?

▌생각하기▌ 셋째 번 문제부터는 다음과 같은 네 가지의 경우가 생길 수 있다.
- 장희 • 세인 – 장희 • 세인 – 세인 – 장희 • 세인 – 세인 – 세인

▌풀이▌

문제	③	④	⑤	확률
먼저 푼 사람	장희			$\dfrac{1}{2}$
	세인	장희		$\dfrac{1}{2} \times \dfrac{1}{2} = \dfrac{1}{4}$
	세인	세인	장희	$\dfrac{1}{2} \times \dfrac{1}{2} \times \dfrac{1}{2} = \dfrac{1}{8}$
	세인	세인	세인	$\dfrac{1}{2} \times \dfrac{1}{2} \times \dfrac{1}{2} = \dfrac{1}{8}$

장희가 이길 확률 : $\dfrac{1}{2} + \dfrac{1}{4} + \dfrac{1}{8} = \dfrac{7}{8}$

세인이가 이길 확률 : $\dfrac{1}{8}$

따라서 상금은 장희에게 10000원의 $\dfrac{7}{8}$인 8750원, 세인이에게 10000원의 $\dfrac{1}{8}$인 1250원을 주는 것이 알맞다.

답 8750, 1250

유제 **1** A, B, C 세 개의 통에 바둑돌이 들어 있다. A통에는 흰 돌이 2개, 검은 돌이 3개 들어 있고, B통에는 흰 돌이 1개, 검은 돌이 2개 들어 있으며 C통에는 흰 돌이 4개, 검은 돌이 1개 들어 있다. 한 개의 통을 택하여 바둑돌 1개를 꺼낼 때, 흰 돌일 확률을 구하여라.

▶ A, B, C 세 개의 통 중 한 개의 통을 선택할 때의 확률은 각각 $\frac{1}{3}$씩이다.

유제 **2** 어떤 고양이가 발견한 쥐를 잡을 확률은 $\frac{2}{3}$이고, 놓칠 확률은 $\frac{1}{3}$이다. 어느 날 이 고양이가 셋째 번으로 발견한 쥐가 있는데 이 쥐가 잡히지 않을 확률을 구하여라.

▶ 셋째 번으로 발견한 쥐가 잡히지 않는 경우는 다음과 같다. (○ : 잡히는 경우, × : 잡히지 않는 경우)

①	②	③
○	○	×
○	×	×
×	○	×
×	×	×

유제 **3** 세 학생 갑, 을, 병이 있다. 이 세 학생 모두가 영재교육원에 입학하고자 선발시험을 치르기로 하였는데 합격할 확률은 각각 $\frac{1}{4}$, $\frac{2}{5}$, $\frac{1}{3}$이라고 한다. 세 학생 중 적어도 한 명이 합격할 확률을 구하여라.

▶ 적어도 한 명이 합격할 확률과 모두 불합격할 확률의 합은 1이 된다.

유제 **4** 할아버지 댁에는 암탉이 한 마리 있는데 알을 낳은 다음 날 다시 알을 낳을 확률은 $\frac{3}{4}$이고, 알을 낳지 않은 다음 날 알을 낳을 확률은 $\frac{1}{3}$이라고 한다. 어느 날 알을 낳은 이 암탉이 3일 뒤에 또 알을 낳을 확률을 구하여라.

▶ 알을 낳은 다음 날 다시 알을 낳을 확률이 $\frac{3}{4}$이므로 알을 낳은 다음 날 알을 낳지 않을 확률은 $\frac{1}{4}$이다.

1 1cm, 2cm, 3cm, 4cm, 5cm짜리 나무막대가 각각 1개씩 있다. 이 중 세 개의 막대를 골라 삼각형을 만들려고 할 때, 삼각형이 될 확률을 구하여라.

2 윷가락 한 개를 던졌을 때 등이 나올 확률과 배가 나올 확률이 같다면 윷놀이를 할 때 개가 나올 확률은 얼마인가? 또, 윷가락 한 개를 던졌을 때 등이 나올 확률이 $\dfrac{2}{3}$ 라면, 개가 나올 확률은 얼마인가?

3 두 개의 주사위를 동시에 던져 나온 눈을 각각 가, 나라고 하자. 가가 나의 배수이거나 나가 가의 배수일 확률을 구하여라.

4 남자 5명과 여자 3명 중 대표 3명을 뽑을 때 3명의 대표에 남녀가 모두 뽑힐 확률을 구하여라.

5 제비뽑기를 하려고 한다. 10개의 제비 중 3개가 당첨제비일 때 처음 뽑는 사람과 둘째로 뽑는 사람, 셋째로 뽑는 사람 중에서 가장 유리한 사람은 누구인지 답하고, 그 이유를 설명하여라.

6 두 개의 주머니 ㉮, ㉯가 있다. ㉮ 주머니에는 흰 공 1개, 검은 공 4개가 들어 있고, ㉯ 주머니에는 흰 공 2개, 검은 공 3개가 들어 있다. ㉮ 주머니에서 한 개의 공을 꺼내 ㉯ 주머니에 넣은 후 ㉯ 주머니에서 한 개의 공을 꺼낼 때 이 공이 흰 공일 확률을 구하여라.

7 갑, 을 두 사람이 한 번씩 주사위를 던져 3의 배수의 눈이 나오는 사람이 이기는 것으로 하고, 1회에 갑, 2회에 을, 3회에 갑, 4회에 을의 순서로 주사위를 던졌다. 4회 이내에 을이 이길 확률을 구하여라.

8 A, B 두 팀이 축구 경기를 한다. 세 번을 먼저 이기는 팀이 우승하는 것으로 하여 상금 3만 원의 $\frac{2}{3}$를 우승팀이 받고 나머지를 상대팀이 받는 것으로 하였다. A 팀이 B 팀보다 실력이 좋아 한 경기에서 A 팀이 이길 확률이 B 팀이 이길 확률의 세 배인데 A 팀이 두 번 이기고 B 팀이 한 번 이긴 상태에서 비가 오는 바람에 경기가 중단되었다. 비기는 경우는 없다고 할 때, A 팀은 얼마의 상금을 받게 될지 구하여라.

9 세 개의 주사위를 동시에 던질 때 나타나는 눈의 수 중 가장 큰 수와 가장 작은 수의 차가 1보다 클 확률을 구하여라.

10 운동회 때, 반 대항 줄다리기를 하기로 하였다. 여러 번의 연습시합을 하면서 우리 반이 1반과 줄다리기를 해서 이길 확률은 $\frac{2}{5}$, 2반과 줄다리기를 해서 이길 확률은 $\frac{7}{10}$, 3반과 줄다리기를 해서 이길 확률은 $\frac{1}{4}$임을 알게 되었다. 운동회 때 우리 반이 1, 2, 3반과 각각 줄다리기 시합을 하여 2번 이길 확률을 구하여라.

- 다각형으로만 이루어진 입체도형을 다면체라고 한다. 면의 개수에 따라 사면체, 오면체, 육면체 ··· 라고 부른다.
- 모든 면이 합동인 정다각형으로 되어 있고, 한 꼭짓점에 모이는 면의 수가 같은 입체도형을 정다면체라고 한다.
- 정다면체의 관찰

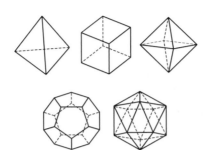

한 꼭짓점에 모이는 면의 수	면의 모양	정다면체	모서리 수	꼭짓점 수
3개	△	정4면체	6	4
	□	정6면체	12	8
	⬠	정12면체	30	20
4개	△	정8면체	12	6
5개	△	정20면체	30	12

핵·심·문·제

1 정삼각형 20개로 정이십면체를 만들었다. 정이십면체의 두 꼭짓점을 이은 선분 중에서 정이십면체의 내부에 있는 선분(대각선)은 모두 몇 개인가?

┃생각하기┃ 정이십면체는 한 꼭짓점에 정삼각형이 5개 모여서 만들어진다. 따라서 꼭짓점은 $3 \times 20 \div 5 = 12$(개)이다. 또, 모서리는 $3 \times 20 \div 2 = 30$(개)이다.

┃풀이┃ 정이십면체는 한 꼭짓점에 5개의 모서리가 만난다. 따라서 한 꼭짓점에서 그을 수 있는 대각선의 개수는 $12 - 1 - 5 = 6$(개)이다. 각 꼭짓점에서 6개씩 모두 $6 \times 12 = 72$(개)의 대각선을 그을 수 있으나, 한 대각선을 두 번씩 계산한 것이므로 $72 \div 2 = 36$(개)의 대각선이 있다. 　　　　　　　답 36개

별해* 꼭짓점 12개 중 2개를 선택하는 방법은 $12 \times 11 \times \dfrac{1}{2} = 66$(가지)이다.

여기서 모서리의 수 30개를 빼 주면 대각선의 수 $66 - 30 = 36$(개)를 구할 수 있다.

핵·심·문·제

2 정오각형 12개와 정육각형 20개가 있다. 정오각형과 정육각형은 한 변의 길이가 같다고 한다. 이 정오각형과 정육각형을 모두 사용하여 입체도형을 만들 때, 만들어진 입체도형의 꼭짓점과 모서리의 수를 각각 구하여라.

┃생각하기┃ 정오각형 12개와 정육각형 20개에는 꼭짓점이 모두 $5 \times 12 + 6 \times 20 = 180$(개) 있다. 입체도형을 만들면 세 꼭짓점이 모여 한 꼭짓점으로 된다.

┃풀이┃ (꼭짓점의 수)$= (5 \times 12 + 6 \times 20) \div 3 = 60$(개),
　　　(모서리의 수)$= (5 \times 12 + 6 \times 20) \div 2 = 90$(개)
　　　　　　　답 60개, 90개

참고* 정20면체의 12개의 꼭짓점을 중심으로 각 모서리의 3등분점을 지나도록 자르면 오른쪽 그림과 같이 12개의 정오각형과 20개의 정육각형으로 이루어진 입체도형이 된다. 이와 같은 입체도형은 준정다면체의 하나로 '깎은 정이십면체'라고 부른다.

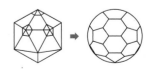

별해* 정이십면체의 꼭짓점 $3 \times 20 \div 5 = 12$(개)가 없어지고, 정오각형 12(개)의 꼭짓점 $5 \times 12 = 60$(개)만 남았다. 또, 모서리 $3 \times 20 \div 2 = 30$(개)는 그대로 있고, 정오각형 12개의 모서리 $5 \times 12 = 60$(개)가 새로 생겼다. 따라서 꼭짓점은 60개, 모서리는 90개가 된다.

정이십면체의 꼭짓점을 모두 지나서 처음의 꼭짓점으로 돌아올 때, 지나가지 않은 모서리는 모두 몇 개인지 구하여라.

▷ 정이십면체의 꼭짓점은
3×20÷5＝12(개)이고,
모서리는
3×20÷2＝30(개)이다.

정육면체에서 오른쪽 그림과 같이 한 꼭짓점과 이 꼭짓점이 포함된 세 모서리의 중점을 꼭짓점으로 하는 삼각뿔을 잘라내었다. 이와 같이 각 꼭짓점에서 삼각뿔을 모두 잘라내면 새로운 입체도형이 만들어진다. 이 입체도형의 꼭짓점과 모서리는 각각 몇 개씩인가?

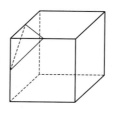

▷ 새로운 입체도형은 정사각형 6개, 정삼각형 8개로 이루어졌다.

오른쪽 그림과 같이 정육면체를 마주 보는 면의 대각선을 지나도록 여섯 번 자르면 몇 조각으로 나누어지는지 구하여라.

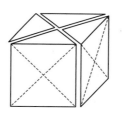

▷ 굵은 선을 따라 두 번 자르면 4개의 삼각기둥이 생긴다.

정삼각형 20개와 정오각형 12개가 있다. 이들 도형의 한 변의 길이는 모두 같다. 한 꼭짓점에 정삼각형 2개와 정오각형 2개가 만나도록 입체도형을 만들 때, 꼭짓점과 모서리는 각각 몇 개가 되는지 구하여라.

▷ 한 꼭짓점에 정삼각형 2개와 정오각형 2개가 만나므로 입체도형을 만들면 4개의 꼭짓점이 1개의 꼭짓점으로 모인다.

1 정육면체의 이웃하는 면의 중심을 이으면 어떤 입체도형이 만들어지는가? 또, 정팔면체의 이웃하는 면의 중심을 이으면 어떤 입체도형이 만들어지는가?

2 오른쪽 그림과 같은 정육면체가 있다. 변 ㅁㅅ의 중점을 ㅈ이라 할 때, 각 ㅇㄷㅈ의 크기를 구하여라.

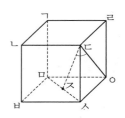

3 정십이면체에서 5개의 꼭짓점을 지나도록 자른 단면은 몇 개인지 구하여라.

4 정팔면체를 자른 단면이 될 수 있는 도형을 보기에서 모두 찾아라.

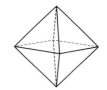

| 보기 | 삼각형, 정사각형, 정사각형이 아닌 마름모, 정사각형이 아닌 직사각형, 오각형, 정육각형, 정육각형이 아닌 육각형 |

5 가로 15cm, 세로 9cm, 높이 12cm인 직육면체가 있다. 이 직육면체의 각 모서리에 오른쪽 그림과 같이 3cm 간격으로 점을 찍은 후, 이 점들을 지나면서 단면이 서로 평행이 되도록 계속 잘랐다. 자른 단면이 삼각형, 사각형, 오각형, 육각형이 되는 경우는 각각 몇 번씩 있는지 구하여라.

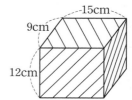

6 정육면체를 잘라 삼각뿔을 얻으려고 한다. 몇 개의 삼각뿔을 만들고, 남는 부분이 없도록 할 때 얻을 수 있는 삼각뿔은 최소 몇 개인지 구하여라.

7 오른쪽 그림과 같은 정팔면체에서 모든 모서리와 대각선 중에서 3개를 골라 삼각형을 만들 때, 모두 몇 가지로 만들 수 있는지 구하여라. (단, 대각선은 전체 길이를 한 변으로 사용해야 한다.)

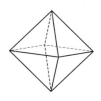

8 오른쪽 입체도형은 정사면체의 각 꼭짓점 부분을 단면이 정삼각형이 되도록 잘라서 만든 것이다. 두 꼭짓점을 이은 대각선 중에서 도형의 내부에 있는 것은 모두 몇 개인지 구하여라.

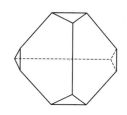

9 오른쪽 그림은 삼각기둥에서 꼭짓점 ㄱ을 지나는 세 모서리 ㄱㄴ, ㄴㄷ, ㄱㄹ의 3등분점을 이어 만든 삼각뿔을 잘라낸 것이다. 6개의 꼭짓점에서 모두 이와 같은 방법으로 삼각뿔을 잘라내어 만든 새로운 입체도형에서 꼭짓점의 수와 모서리의 수, 면의 수를 각각 구하여라.

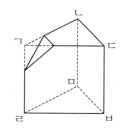

10 오른쪽 그림은 정오각형 12개와 정사각형 30개, 정삼각형 20개로 만든 입체도형이다. 꼭짓점의 수와 모서리의 수를 각각 구하여라.

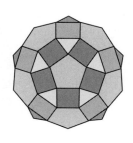

- 적당히 색을 칠하면 문제를 쉽게 해결할 수 있다. 이러한 문제를 염색 문제라고 한다.
- 염색 문제는 적당히 색을 칠한 후, 홀·짝의 성질을 이용하거나 서랍 원리를 이용하여 풀기도 한다.

핵·심·문·제 **1** 두 개의 붙은 ●◆ 모양의 타일을 다음 그림과 같은 화장실 바닥에 붙이려고 한다. 한 무늬의 좌우상하는 다른 무늬가 되도록 해야 하며 빈 곳은 장애물이 있어서 타일을 붙일 수 없는 곳이라고 할 때, 붙은 2개의 타일을 깨지 않고 붙일 수 있는 것이 어느 것인지 모두 골라라.

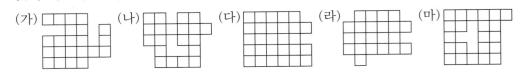

▌생각하기▐ 한 무늬의 위와 아래, 오른쪽과 왼쪽에는 다른 무늬가 되도록 해야 하므로 각 그림의 각 칸을 흰색과 검은색이 서로 엇갈리게 색칠하고, 검은색 칸의 개수와 흰색 칸의 개수를 세어 보자.

▌풀이▐

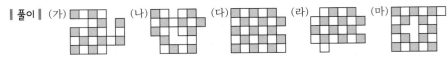

(가)는 검은색 칸이 11칸, 흰색 칸이 11칸이므로 짝이 맞아 가능하다.
(나)는 검은색 칸이 10칸, 흰색 칸이 10칸이므로 짝이 맞아 가능하다.
(다)는 검은색 칸이 15칸, 흰색 칸이 13칸이므로 짝이 맞지 않아 불가능하다.
(라)는 검은색 칸이 11칸, 흰색 칸이 11칸이므로 짝이 맞아 가능하다.
(마)는 검은색 칸이 12칸, 흰색 칸이 10칸이므로 짝이 맞지 않아 불가능하다.
(가), (나), (라)는 쉽게 타일 붙일 수 있는 방법을 찾을 수 있다.

답 (가), (나), (라)

핵·심·문·제 **2** 종이 위에 서로 다른 6개의 점을 찍고 두 점씩 붉은 선 또는 푸른 선으로 연결하여 20개의 삼각형을 만들었다. 이 중에서 같은 색 선분으로 이루어진 삼각형을 적어도 하나는 찾을 수 있는데, 그 이유를 설명하여라.

▌생각하기▐ 아무 점이나 한 점을 정하면 이 점과 다른 다섯 개의 점은 붉은 선 또는 푸른 선으로 연결되어 있으므로 서랍 원리에 의해 같은 색 선으로 연결된 세 점이 반드시 있게 된다.

▌풀이▐ 한 점을 가라고 하자. 이 점과 다른 다섯 개의 점을 연결하는 다섯 개의 선은 두 가지씩 뿐이므로 적어도 세 선은 같은 색이 된다. 점 가와 같은 색 선으로 연결된 세 점을 ㄱ, ㄴ, ㄷ이라고 하자.
점 ㄱ, ㄴ 사이 또는 두 점 ㄴ, ㄷ 사이, 두 점 ㄱ, ㄷ 사이에 가와 연결된 선과 같은 색 선이 있다면 같은 색 삼각형이 된다.
세 점 ㄱ, ㄴ, ㄷ 사이에 가와 연결된 선과 같은 색이 없다면 세 점 ㄱ, ㄴ, ㄷ이 가와 연결된 선과 다른 색으로 연결되어 있으므로 삼각형 ㄱㄴㄷ이 같은 색 삼각형이 된다.

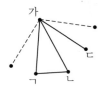

유제 **1** 우리 반 학생은 모두 35명이다. 교실에 책상이 7개씩 5줄로 놓여있는데 어느 날 선생님께서 모두 자기 자리에서 일어나 앞 또는 뒤 또는 오른쪽 또는 왼쪽 자리로 한 번씩만 옮겨 앉으라고 하셨다. 35명의 학생이 모두 선생님의 지시대로 자리를 옮겨 앉을 수 있겠는가?

책상 배치도를 그려 흰색과 검은색을 엇갈리게 칠해 보자.

유제 **2** 왼쪽 그림과 같이 장기판 위에 놓인 마(馬)는 화살표 방향으로 움직인다. 어떤 말이 어느 한 점에서 출발하여 장기판 위의 각 점을 모두 지나 처음의 출발점으로 돌아올 수 있겠는가? 그 이유를 말하여라.

장기판의 각 점을 흰색과 검은색이 엇갈리게 칠해 보자.

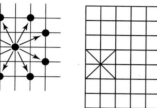
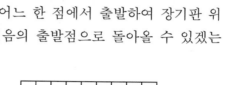

유제 **3** 한 변의 길이가 160cm인 정사각형 모양의 바닥에 타일을 붙이려고 한다. 타일은 가로 20cm, 세로 40cm인 직사각형 모양이고 왼쪽 맨위와 오른쪽 맨아래에 한 변의 길이가 20cm인 정사각형 모양에는 타일을 붙이지 말아야 한다면 타일을 자르지 않고 붙일 수 있겠는가?

문제에서 정해진 모양대로 정사각형 62개가 놓인 그림을 그리자.
한 칸 건너 엇갈리게 색칠하고 색칠한 칸과 색칠하지 않은 칸의 개수를 세어 보자.

유제 **4** 정육면체를 125개의 크기가 같은 작은 정육면체로 분할하였다. 중심에 있는 작은 정육면체 안에 있는 딱정벌레 한 마리가 그 이웃에 있는 6개의 작은 정육면체 중의 어느 하나로 기어갈 때 이 딱정벌레가 모든 작은 정육면체를 지나갈 수 있는지 판단하고, 그 이유를 말하여라.

125개의 작은 정육면체를 흑백으로 엇갈리게 칠했다고 생각해 보자.

1 9개의 방으로 이루어진 미술관이 있다. 이웃한 두 방 사이에 문이 하나씩 있으며 바깥으로 연결된 출입문이 한 방에 있다. 한 번 갔던 방에 다시 갈 수 없고, 출입문이 있는 방은 두 번 들어갈 수 있을 때, 출입문으로 들어가 9개의 방을 모두 지나 다시 출입문으로 나오는 것이 가능한 일인지 아닌지 판단하여라.

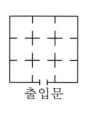

출입문

2 오른쪽 그림과 같이 34개의 크기가 같은 정사각형으로 이루어진 도형이 있다. 같은 크기의 정사각형 두 개로 이루어진 직사각형 모양의 작은 종이 17장으로 이 도형을 완전히 덮을 수 있겠는가?

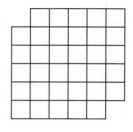

3 장기판 위의 마(馬)가 홀수 번 뛰어 원래의 자리에 돌아올 수 있겠는가? 그 이유도 써라.

4 오른쪽 그림과 같이 장기판에 마(馬) 한 개와 졸(卒) 다섯 개가 놓여 있다. 마가 홀수 번 이동해야 잡을 수 있는 졸은 모두 몇 개인가? (단, 졸은 이동하지 않는 것으로 한다.)

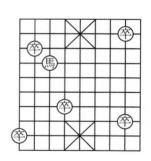

5 오른쪽 그림과 같이 큰 정사각형을 64개의 작은 정사각형으로 나누었다. 〈그림 1〉과 같은 종이 15장과 〈그림 2〉와 같은 종이 1장으로 이 정사각형을 완전히 덮을 수 있는지 알아보아라.

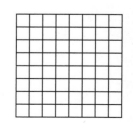

〈그림 1〉 〈그림 2〉

6 가로, 세로가 각각 20cm인 정사각형 모양의 큰 종이에 같은 간격으로 가로선 9개, 세로선 9개를 그려 100개의 작은 정사각형을 겹치지 않게 그렸다. 오른쪽 그림과 같은 한 변이 2cm인 작은 정사각형 4개로 이루어진 모양의 종이 25장을 정사각형 모양의 종이에 겹치지 않게 놓아 완전히 덮을 수 있겠는가? 대답에 대한 이유도 설명하여라.

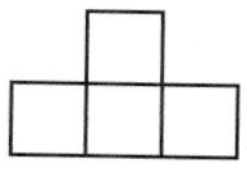

7 가로, 세로, 높이가 각각 1cm, 1cm, 2cm인 직육면체 13개로 한 가운데에 가로, 세로, 높이가 모두 1cm인 정육면체가 꼭맞게 들어갈 공간이 빈 가로, 세로, 높이가 모두 3cm인 정육면체를 만들 수 있는지 알아보아라.

8 오른쪽 그림과 같은 정사각형 네 개로 이루어진 종이를 겹치지 않게 놓아 직사각형을 만들었다. 직사각형을 이루고 있는 작은 정사각형의 개수는 8의 배수임을 증명하여라.

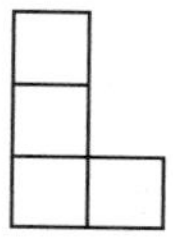

9 6명의 학생을 아무렇게나 뽑으면 이 중에 둘씩 서로 알고 있는 3명의 학생 또는 둘씩 서로 모르고 있는 3명의 학생을 반드시 찾을 수 있다. 그 이유를 설명하여라.

10 17명의 학생들이 과학 캠프에 참가했다. 두 학생이 한 가지 주제에 대해서만 토론하는데 토론할 주제는 제시된 A, B, C 세 가지 주제 중에서 한 가지를 선택하도록 되어 있다. 각 학생들은 16명의 다른 학생들과 모두 한 번씩 토론해야 한다고 할 때, 서로 같은 주제에 대해 토론한 세 학생을 반드시 찾을 수 있다. 그 이유를 설명하여라.

- 보조선을 이용하면 문제를 쉽게 해결할 수 있다.
- 보조선은 구하고자 하는 선분을 자르지 않도록 다른 선분과 평행이 되도록 그어야 문제 해결
  에 도움이 될 수 있다.

핵·심·문·제 **1** 삼각형 ㄱㄴㄷ에서 선분 ㄱㅁ과 선분 ㅁㄷ의 길이의 비는 1 : 3, 선분 ㄴㄹ과 선분 ㄹㄷ의 길이의 비는 1 : 2이다. 삼각형 ㅁㅂㄹ의 넓이는 삼각형 ㄱㄴㄷ의 넓이의 몇 배인지 구하여라.

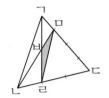

생각하기 높이가 같은 삼각형을 이용하면 쉽게 구할 수 있지만, 선분 ㄱㅂ과 선분 ㅂㄹ의 길이의 비를 알아야 한다.

풀이

점 ㄹ에서 변 ㄱㄷ에 평행인 선을 긋고, 선분 ㄴㅁ과 만나는 점을 ㅅ이라 하자. (선분 ㄹㅅ)＝(선분 ㄷㅁ)×$\frac{1}{3}$＝(선분 ㅁㄱ)이므로 삼각형 ㅂㄹㅅ과 삼각형 ㅂㄱㅁ은 합동이다. 따라서 (선분 ㄱㅂ)＝(선분 ㅂㄹ)

삼각형 ㅁㅂㄹ의 넓이를 1이라 하면 삼각형 ㄱㄹㅁ의 넓이는 2이고, 삼각형 ㄱㄹㄷ의 넓이는 8, 삼각형 ㄱㄴㄷ의 넓이는 12이다.

따라서 삼각형 ㅁㅂㄹ의 넓이는 삼각형 ㄱㄴㄷ의 넓이의 $\frac{1}{12}$배이다.

답 $\frac{1}{12}$배

핵·심·문·제 **2** 오른쪽 그림의 평행사변형 ABCD에서 점 F는 변 AD를 1 : 2 로 나누는 점이고, 점 E는 변 CD를 3 : 2로 나누는 점이다. 변 BG와 변 GE의 길이의 비와 변 FG와 변 GC의 길이의 비를 각각 간단한 자연수의 비로 구하여라.

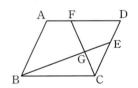

생각하기 변 BG와 변 GE의 길이의 비를 구하기 위해 점 E에서 변 BC에 평행인 보조선을 긋고, 변 FG와 변 GC의 길이의 비를 구하기 위해 점 F에서 변 AB에 평행인 보조선을 긋는다.

풀이

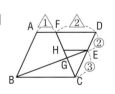

삼각형 CEH와 CDF는 닮음이고, 닮음비가 3 : 5이므로 변 EH는 변 DF의 $\frac{3}{5}$이고, 변 BC는 변 DF의 $\frac{3}{2}$이다.

따라서 (변 EH) : (변 BC)＝$\frac{3}{5}$: $\frac{3}{2}$＝6 : 15＝2 : 5이다.

삼각형 GEH와 삼각형 GBC는 닮음이고, 닮음비가 2 : 5이므로 (변 BG) : (변 GE)＝5 : 2이다.

삼각형 AIJ와 삼각형 BEC는 닮음이고 닮음비가 1 : 3이므로 변 IJ는 변 CE의 $\frac{1}{3}$이고, 변 FI는 변 FJ의 $\frac{4}{5}$이다.

변 CE는 변 CD의 $\frac{3}{5}$이므로 (변 FI) : (변 CE)＝4 : 3이다.

삼각형 FIG와 삼각형 CEG는 닮음이고 닮음비가 4 : 3이므로 (변 FG) : (변 GC)＝4 : 3이다.

답 5 : 2, 4 : 3

오른쪽 삼각형 ㄱㄴㄷ에서 점 ㄹ은 변 ㄴㄷ의 삼등분점이고, 점 ㅁ은 변 ㄱㄹ의 중점이다. 선분 ㄱㅂ의 길이는 변 ㄱㄷ의 길이의 몇 배인가?

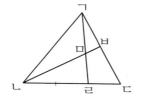

▶ 점 ㄹ을 지나고 변 ㄱㄷ에 평행인 보조선을 그어 보자.

삼각형 ㄱㄴㄷ에서 점 ㄹ은 변 ㄱㄷ을 5 : 3으로 나누는 점이고, 점 ㅁ은 변 ㄱㄴ을 3 : 2로 나누는 점이다. 삼각형 ㄹㅂㄷ의 넓이가 30cm^2일 때 삼각형 ㄱㄴㄷ의 넓이를 구하여라.

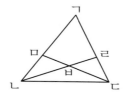

▶ 선분 ㄴㅂ과 선분 ㅂㄹ의 길이의 비를 구하면 된다. 점 ㅁ에서 변 ㄴㄹ에 평행인 보조선을 그어 보자. 또, 선분 ㅁㅂ과 선분 ㅂㄷ의 길이의 비를 구해도 된다. 점 ㅁ에서 변 ㄱㄷ에 평행인 보조선을 그어 보자.

오른쪽 그림에서 (변 ㄴㄹ) : (변 ㄹㄷ) =(변 ㅂㅁ) : (변 ㅁㄹ)=2 : 1이다. 선분 ㄴㅁ과 선분 ㅁㄱ의 길이의 비와 선분 ㅂㄱ과 선분 ㄱㄷ의 길이의 비를 각각 가장 간단한 자연수의 비로 나타내어라.

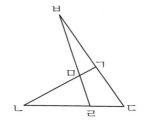

▶ 점 ㄹ에서 변 ㄱㄴ에 평행한 보조선을 긋는다. 또, 점 ㄹ에서 변 ㄱㄷ에 평행인 보조선을 긋는다.

오른쪽 그림에서 점 F는 변 AC의 중점이고, 점 D, 점 E는 변 BC의 삼등분점이다. (선분 BM) : (선분 MN) : (선분 NF)의 비를 가장 간단한 자연수의 비로 나타내어라.

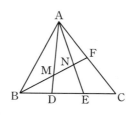

▶ 점 F에서 변 BC에 평행인 선을 긋는다.

1 오른쪽 그림에서 두 점 ㅁ과 ㄷ은 각각 변 ㄱㄷ, 변 ㄴㅂ의 중점이다. 변 ㄹㄴ이 12cm일 때, 변 ㄱㄹ의 길이를 구하여라.

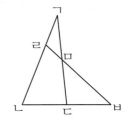

2 오른쪽 평행사변형 ㄱㄴㄷㄹ에서 점 ㅁ, 점 ㅂ은 각각 변 ㄱㄴ, 변 ㄹㄷ의 중점이다. 변 ㄴㄷ의 길이의 $\frac{1}{3}$이 변 ㄴㅅ의 길이일 때, 선분 ㅅㅈ의 길이는 선분 ㅅㄹ의 길이의 몇 배인지 구하여라.

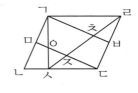

3 삼각형 ABC의 변 또는 그 연장선과 만나는 직선이 있다. 이 직선이 선분 AB와 만나는 점을 E, 선분 AC와 만나는 점을 F, 선분 BC의 연장선과 만나는 점을 D라고 한다. 이 직선은 선분 AB를 1 : 2로, 선분 AC를 3 : 2로 나눈다. 선분 BC와 선분 CD의 길이의 비를 구하여라.

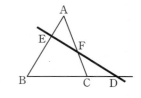

4 오른쪽 그림의 삼각형 ABC에서 점 D는 변 AC를 4 : 1로 나누는 점이고, 점 E는 변 AB를 1 : 2로 나누는 점이다. 선분 BD가 33cm일 때, 선분 BF의 길이를 구하여라.

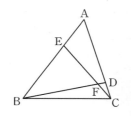

5 오른쪽 삼각형 ABC에서 점 E는 변 AB의 중점이고, 선분 AD와 선분 DC의 길이의 비는 2 : 1이다. 삼각형 DFC의 넓이가 30cm²일 때, 사각형 AEFD의 넓이를 구하여라.

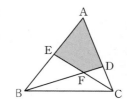

6 삼각형 ㄱㄴㄷ에서 점 ㅁ, ㅂ은 각각 변 ㄱㄷ, ㄱㄴ의 중점이고, 점 ㄹ은 변 ㄴㄷ을 2 : 1로 나누는 점이다. 삼각형 ㅂㄴㅅ의 넓이가 6cm²일 때, 사각형 ㄱㅂㅅㅁ의 넓이를 구하여라.

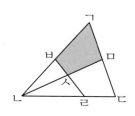

7 오른쪽 그림에서 삼각형 ABC의 넓이는 10cm²이고, (선분 AF)=(선분 BF)$\times\dfrac{1}{3}$, (선분 CE)=(선분 EF)이다. 색칠한 부분의 넓이를 구하여라.

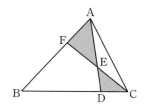

8 오른쪽 평행사변형 ㄱㄴㄷㄹ에서 점 ㅅ은 변 ㄱㄹ을 3 : 4로 나누는 점이고, 점 ㅂ은 변 ㄷㄹ을 3 : 2로 나누는 점이며, 점 ㅁ은 변 ㄴㄷ을 1 : 4로 나누는 점이다. 선분 ㅅㅇ의 길이는 선분 ㅅㄷ의 길이의 몇 배인지 구하여라.

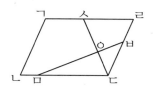

9 오른쪽 삼각형 ㄱㄴㄷ에서 점 ㅅ은 변 ㄱㄴ의 중점이고, 세 점 ㄹ, ㅁ, ㅂ은 변 ㄴㄷ을 4등분 한 점이다. 선분 ㅅㅇ, ㅇㅈ, ㅈㅊ, ㅊㄷ의 길이의 비를 가장 간단한 자연수의 비로 나타내어라.

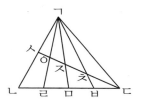

10 오른쪽 그림의 삼각형 ABC에서 (선분 BD) : (선분 DC) =3 : 2, (선분 AO) : (선분 OD)=4 : 1이다. 다음을 구하여라.
(1) (선분 AE) : (선분 EC)
(2) (선분 BO) : (선분 OE)
(3) (선분 AF) : (선분 FB)
(4) (선분 CO) : (선분 OF)

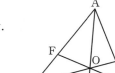

- 시간과 물의 부피 또는 시간과 물의 높이를 그래프로 나타낸 것을 이용하여 부피 문제를 해결할 수 있다.
- 물이 들어 있는 용기와 그래프를 연관지어 생각해 보면 문제를 쉽게 해결할 수 있다.

핵·심·문·제 **1** 오른쪽 그래프는 어떤 용기에 매초 $25cm^3$씩 물을 넣을 때 물의 높이와 시간과의 관계를 물이 가득 찰 때까지 나타낸 것이다. 이 용기에 매초 $30cm^3$씩 물을 넣을 때 물을 넣은 지 10초, 15초, 20초일 때의 물의 높이를 각각 구하여라.

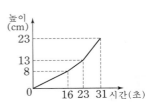

┃생각하기┃ 이 용기의 모양을 생각해 보자. 이 용기는 아랫부분, 가운데 부분, 윗부분의 밑넓이가 다름을 알 수 있다.

┃풀이┃ (아랫부분의 부피)=$16 \times 25 = 400(cm^3)$, (아랫부분의 밑넓이)=$400 \div 8 = 50(cm^2)$
(가운데 부분의 부피)=$7 \times 25 = 175(cm^3)$, (가운데 부분의 밑넓이)=$175 \div 5 = 35(cm^2)$
(윗부분의 부피)=$8 \times 25 = 200(cm^3)$, (윗부분의 밑넓이)=$200 \div 10 = 20(cm^2)$
(10초일 때 물의 부피)=$10 \times 30 = 300(cm^3)$이므로 (물의 높이)=$300 \div 50 = 6(cm)$
(15초일 때 물의 부피)=$15 \times 30 = 450(cm^3)$이므로 (물의 높이)=$8 + 50 \div 35 = 9\frac{3}{7}(cm)$
(20초일 때 물의 부피)=$20 \times 30 = 600(cm^3)$이므로 (물의 높이)=$8 + 5 + 25 \div 20 = 14\frac{1}{4}(cm)$

답 $6cm$, $9\frac{3}{7}cm$, $14\frac{1}{4}cm$

핵·심·문·제 **2** 〈그림 1〉과 같이 직육면체 모양의 그릇에 옆면과 평행이 되도록 칸막이를 만들어 넣었다. ㉮ 부분에 1분에 $350cm^3$씩 38분 동안 물을 넣었더니 물이 흘러 넘쳐서 ㉯ 부분의 물의 높이가 $8\frac{3}{4}cm$가 되었다. 물을 모두 비운 후, ㉮ 부분에 돌을 넣고 이 그릇에 가득 찰 때까지 ㉯ 부분에 1분에 $480cm^3$씩 물을 넣었을 때, 시간과 물의 높이와의 관계를 그래프로 나타낸 것이 〈그림 2〉이다. (ㄱ),(ㄴ)에 알맞은 수를 구하여라.(단, 칸막이의 두께는 생각하지 않는다.)

〈그림 1〉 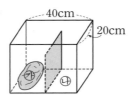 〈그림 2〉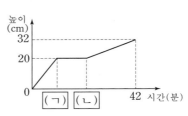

┃생각하기┃ $350cm^3$씩 38분 동안 물을 넣으면 오른쪽 그림과 같이 되어 색칠한 부분의 넓이는 $350 \times 38 \div 20 = 665(cm^2)$이다.

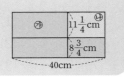

┃풀이┃ (㉮ 부분의 가로)=$(350 \times 38 \div 20 - 40 \times 8\frac{3}{4}) \div 11\frac{1}{4} = 28(cm)$,
(㉯ 부분의 가로)=$40 - 28 = 12(cm)$
(ㄱ)=$12 \times 20 \times 20 \div 480 = 10(분)$, (돌의 부피)=$40 \times 20 \times 32 - 480 \times 42 = 5440(cm^3)$
(ㄴ)=$(28 \times 20 \times 20 - 5440) \div 480 + 10 = 22(분)$

답 (ㄱ) : 10, (ㄴ) : 22

유제 **1** 오른쪽 그래프는 원기둥 모양의 높이가 1m인 물통에 ㉮ 수도꼭지만 사용하다가 나중에 ㉯ 수도꼭지까지 함께 사용하여 물을 넣을 때, 물의 높이와 시간과의 관계를 나타낸 것이다. ㉯ 수도꼭지를 먼저 32분 동안 사용하고 나서 ㉮ 수도꼭지만으로 나머지를 채운다면, 이 물통에 물이 가득 차게 되는 때는 처음부터 몇 분 몇 초 후가 되겠는가?

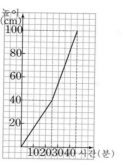

▶ ㉮ 수도꼭지는 25분 동안 40cm를 채우고 ㉮, ㉯ 두 수도꼭지는 20분 동안 60cm를 채운다.

유제 **2** 그림과 같이 두 부분으로 나누어 있는 직육면체 모양의 그릇이 있다. 그릇의 오른쪽 부분은 사각기둥이 놓여 있는 모양으로 되어 있다. 오른쪽 그래프는 왼쪽 부분에 1초에 32cm³씩 물을 넣을 때, 시간과 물의 높이의 관계를 나타낸 것이다. 길이 x를 구하여라.

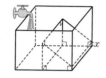 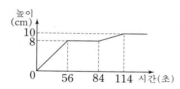

▶ 직육면체 모양 그릇의 밑넓이는 $(114-84)\times32\div2=480(cm^2)$ 이다.

유제 **3** 어느 공장에 두 개의 물 탱크 A, B가 설치되어 있다. 각 물 탱크에 연결된 수도관으로 물을 넣다가 물 탱크 A의 수도관만 잠근 후 동시에 물 탱크 A의 배수관을 열어 물 탱크 B로 물이 모두 흘러 들어가게 하였다. 이 때, 시간과 물 탱크 A, B의 물의 양과의 관계를 그래프로 나타내었다. 물 탱크 B에 처음 몇 t의 물이 들어 있었는가?

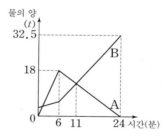

▶ 물 탱크 A의 수도관은 18분 동안 18t의 물을 물 탱크 B로 흘러 들어가게 하였으므로 11분에 물 탱크 A에 남은 물은 $18-5=13(t)$이다.

유제 **4** 다음과 같은 직육면체 모양의 그릇에 옆면과 평행이 되도록 칸막이를 두 개 만들어 세 칸으로 나누었다. (가) 수도꼭지에서는 매분 48L의 물이 나오고, (나) 수도꼭지에서는 매분 일정한 양의 물이 나올 때, 시간과 물의 높이와의 관계를 그래프로 나타낸 것이다. 그래프의 (ㄱ)에 알맞은 수를 구하여라.

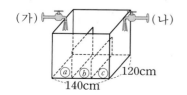 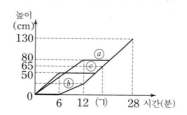

▶ 28분 동안 $140\times120\times130$ $=2184000(cm^3)=2184(L)$의 물이 찼으므로 1분 동안 $2184\div28=78(L)$의 물이 (가), (나) 두 수도꼭지에서 나온다.

특강탐구문제

1 커다란 수조에 A, B 두 수도관과 C 배수관이 연결되어 있다. 처음 6분 동안 A, B 두 수도관을 모두 틀어 놓았다가 B 수도관을 잠근 후 4분 뒤에 C 배수관을 열었다. 다시 4분 뒤에 A 수도관을 잠궜다면 수조에 물이 하나도 남지 않게 될 때는 처음부터 몇 분이 지났을 때인가?

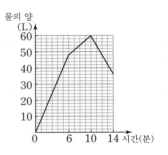

2 반지름이 다른 세 개의 원기둥을 연결해 놓은 모양의 물통에 28초 동안 일정한 비율로 물을 넣을 때, 시간과 높이와의 관계를 그래프로 나타낸 것이다. 아랫부분과 가운데 부분, 윗부분의 밑면의 넓이의 비를 가장 간단한 자연수의 비로 나타내어라.

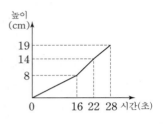

3 오른쪽 그림과 같은 수조에 수도꼭지로 20분 동안 물을 넣었더니 그래프와 같이 물의 높이가 변하였다. 색칠한 부분을 아래로 하여 같은 비율로 물을 넣을 때 6분, 12분일 때의 물의 높이를 각각 구하여라.

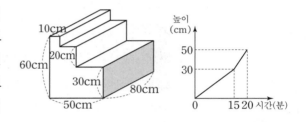

4 오른쪽 그래프는 직육면체 모양의 물통 ㉮, ㉯에 물이 채워지는 것을 나타낸 것이다. ㉮ 물통의 밑넓이는 ㉯ 물통의 밑넓이의 몇 배인가? 또, ㉯ 물통의 물의 높이가 ㉮ 물통의 물의 높이의 1.5배가 될 때는 ㉮ 물통에 물을 넣기 시작한지 몇 분 후인지 구하여라. (단, 두 물통에는 서로 같은 양의 물이 계속해서 들어간다.)

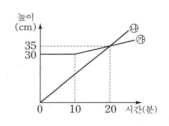

5 30cm 높이의 크고 작은 두 원기둥 모양의 물통이 접해 있고, 두 물통의 8cm 높이에 작은 관을 넣어 두 물통을 연결하였다. (가) 물통에 수도관을 연결하여 1분에 600cm³씩 물이 들어가도록 하고, 물이 들어간 시간과 (가) 물통의 물의 높이를 그래프로 나타내었다. 14분 이후에는 두 물통의 물의 높이가 똑같이 올라간다고 할 때, 이 두 물통에 물이 가득 차는 데 걸리는 시간은 몇 분 몇 초인지 구하여라.

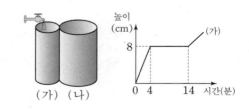

6 그림과 같은 직육면체 모양의 그릇의 오른쪽에 돌을 넣고, 이 그릇에 물이 가득 찰 때까지 왼쪽에 매초 60cm³씩 물을 넣었을 때, 시간과 물의 높이의 관계를 나타낸 것이 오른쪽 그래프이다. 이 때, 돌의 부피를 구하여라. (단, 칸막이의 두께는 무시한다.)

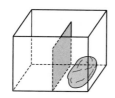 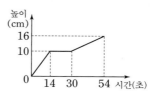

7 직육면체 모양의 물통에 두꺼운 칸막이가 옆면과 평행이 되도록 설치되어 있다. 칸막이의 왼쪽 부분에 일정한 비율로 물을 넣으면서 시간과 물의 높이의 관계를 그래프를 보고, 칸막이의 두께를 구하여라.

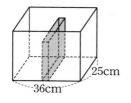 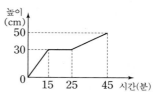

8 그림과 같은 수조에 A, B 두 수도관으로부터 매분 일정한 양의 물이 공급된다. 이 때, 시간과 높이와의 관계를 나타낸 그래프를 보고, A, B 두 수도관에서는 각각 1분에 몇 L의 물이 나오는지 구하여라.(단, 칸막이의 두께는 무시한다.)

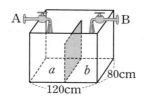 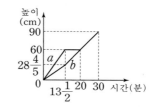

9 오른쪽 그림과 같이 30L의 물이 들어 있는 큰 수조 속에 작은 수조가 들어 있다. 매분 일정한 양의 물이 작은 수조로 들어갈 때 그래프를 보고, 두 번째로 두 수조의 물의 양이 같아지는 것은 처음 작은 수조로 물이 들어가기 시작한 지 몇 분 후인지 구하여라.

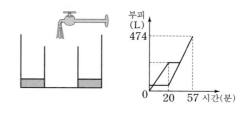

10 다음과 같이 직육면체 모양의 어항을 (가), (나), (다) 세 칸으로 나누었다. (가) 칸에는 1분에 31.5L씩, (다) 칸에는 1분에 56L씩 물이 들어가고, (나) 칸에는 7L의 물이 들어 있었다. 시간에 따른 (가), (나), (다) 세 칸의 물의 높이를 나타낸 그래프를 보고, 두 칸막이의 높이를 각각 구하여라. (단, 칸막이의 부피는 무시한다.)

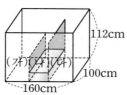

올해 노벨 수학상 수상자는 누구일까?

빌헬름 뢴트겐, 마리 퀴리(퀴리부인), 막스 플랑크, 알베르트 아인슈타인, 닐스 보어, 베르너 하이젠베르크, …. 20세기 초, 위대한 업적을 이룬 이 학자들의 공통점은 노벨상을 받았다는 점이다. 알프레드 노벨의 유언에 따라 적립한 기금으로 수여되는 노벨상은 '지난해 인류에 가장 큰 공헌을 한 사람들'에게 1901년 12월 10일부터 해마다 상을 주고 있다. 그렇다면, 이 중에서 노벨 수학상 수상자는 누구일까? 금방 생각나지 않는다고 실망해선 안 된다. – 노벨 수학상 수상자는 없다. 노벨상에는 수학상이 없기 때문이다.

노벨은 근대화약의 시초인 다이너마이트를 만들어 많은 돈을 벌었다. 그러나 다이너마이트가 건설이나 산업개발 등 인류 문명에 유익하게 사용되는 반면 무기로도 사용되었기 때문에 노벨은 사람들에게 비난을 받았고 많은 고민을 하였다. 그는 평화를 바라는 뜻에서 유언장에 물리학, 화학, 생리학·의학, 문학, 평화부문에서 해마다 가장 큰 공헌을 한 사람들에게 상을 주도록 하였다. 노벨의 사망 5주기인 1901년부터 상이 수여되기 시작했으며 1968년 경제학상이 추가로 제정되었다.

그렇다면, 왜 노벨상에 수학부문은 없는 것일까? 그 이유에 대해서는 여러 가지 해석이 있다. 노벨은 이론과학에 그리 큰 관심을 두지 않았고, 수학은 실용 학문과는 거리가 있기 때문에 노벨이 수학상을 만들지 않았다는 것이다. 또 다른 설로 노벨은 당시 최고의 수학자였던 미탁 레플러와 사이가 좋지 않았다고 한다. 그런데 노벨 수학상을 만들면 레플러가 첫 수상자가 되거나, 수상자가 안 된다고 해도 수상자의 선정에서 수학의 대가인 레플러의 의견을 들어야 할 처지였기 때문에 의도적으로 수학상을 뺐다는 것이다. 하지만, 이는 노벨을 깎아내리려는 사람들이 지어낸 말일 가능성도 크다.

수학부문에서 뛰어난 업적을 이룬 사람에게 주는 상으로 '필즈상'이 있다. 캐나다 토론토 대학의 교수였던 존 필즈는 1924년에 토론토에서 열린 제 7회 국제 수학자 회의의 회장을 맡아 기금을 모으고 회의를 성공적으로 마쳤다. 수학부문에도 국제적으로 인정

받는 상이 필요하다고 생각해왔던 필즈는 회의에서 남은 기금을 바탕으로 수학부문의 노벨상에 해당하는 상을 제정하기 위해 많은 노력을 기울였다. 마침내 1932년에 스위스 취리히에서 열린 제 9회 국제 수학자 회의에서 필즈 교수의 제안이 만장일치로 채택되었지만, 안타깝게도 그는 상이 제정되기 몇 주 전에 과로로 인하여 사망하고 말았다. 새로이 제정된 상의 이름은 그를 기려 '필즈상'이라고 명명되었고, 1936년부터 4년마다 열리는 국제수학학회에서 2명 이상 4명 이하의 젊은 수학자들에게 수여되었다. 필즈상은 수학에서의 노벨상이라 일컬어지고 있지만, 그 수상기준에는 노벨상보다 훨씬 더 엄격하다. 수상자의 나이가 40세 미만이어야 하기 때문이다. 그러나 4년마다 한 번씩 수여되기 때문에 노벨상에 비해 대중들의 주목을 끌지 못한다는 점, 40세 미만의 수학자에게만 수여되고 순수수학분야에 초점을 맞춘다는 점, 노벨상의 상금이 100만 달러에 상당하는 데 반해 필즈상의 상금은 1만 달러에 불과하다는 점 등은 수학부문의 최고의 상으로서 필즈상의 미흡한 점으로 지적되어 왔다. 따라서 연령 제한 없이 매년 수학 분야에 주어지는 권위 있는 상을 제정하자는 움직임이 있었고, 이에 따라 2003년 노르웨이 정부에 의해 '아벨상'이 제정되었다.

아벨상은 2003년 6월 3일 노르웨이 오슬로에서 첫 시상식을 했는데 아벨상이란 이름은 27세로 요절한 노르웨이 출신의 세계적인 수학자인 닐스 아벨을 기념하여 붙여졌다. 아벨상은 연령에 관계없이 매년 순수·응용수학 분야의 심도 있고 영향력 있는 연구 성과를 낸 1명에게 주어지는 것이 원칙이나, 여러 사람이 서로 밀접하게 관련된 큰 성과를 냈으면 공동으로 수여할 수 있다. 상금은 제정 당시 노르웨이 화폐로 600만 크로네(약 75만 유로)가 책정되었다.

안타깝게도 우리나라에서는 아직 노벨 과학상 수상자나 필즈상 수상자, 아벨상 수상자가 나오지 않았다. 지금 이 시간에도 열심히 연구하고 있는 수학자들이 조금 더 힘을 내서 훌륭한 연구 성과를 가지고 필즈상, 아벨상을 수상하는 그날이 하루빨리 오기를…….

상위권의 기준

최상위
사고력

수학 좀 한다면

상위권을 위한
사고력
생각하는 방법도
최상위!

디딤돌

상위권의 기준

상위권의 기준

최상위
사고력

수학 좀 한다면
디딤돌

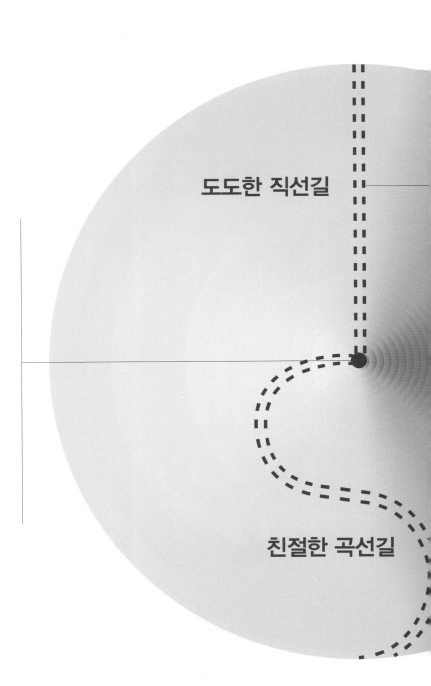

도도한 직선길

친절한 곡선길

3%

초등수학

올림피아드

피원아 지음

정답과 풀이

4 과정

3%

초등수학

올림피아드

4과정

정답과 풀이

디딤돌 목장

01

유제

1 12마리   **2** 20대   **3** 13개   **4** $33\frac{1}{3}\%$

특강탐구문제

1 128kg   **2** 52마리   **3** 108만 원   **4** 13시간 20분

5 8%   **6** 27마리   **7** 13개   **8** 90L

9 1.6배   **10** 15ha

유제풀이

1 36마리의 소가 8일 동안 먹은 풀은 처음 있었던 풀과 8일 동안 새로 자라는 풀이다. 또, 24마리의 소가 16일 동안 먹은 풀은 처음 있었던 풀과 16일 동안 새로 자라는 풀이다.

소 한 마리가 하루에 먹는 풀의 양을 1로 생각하고 이것을 식으로 나타내면 다음과 같다.

$36 \times 8 = 288 =$ (처음에 있었던 풀의 양)
         $+$ (8일 동안 새로 자라는 풀의 양)

$24 \times 16 = 384 =$ (처음에 있었던 풀의 양)
         $+$ (16일 동안 새로 자라는 풀의 양)

두 식을 비교하면

$384 - 288 = 96 =$ (8일 동안 새로 자라는 풀의 양),
(하루 동안 새로 자라는 풀의 양) $= 12$

따라서 매일 새로 자라는 풀의 양에 꼭 맞게 소를 기른다면 계속해서 소를 기를 수 있으므로 최대 12마리를 기르면 된다.

2 정오부터 1시 20분까지는 80분이 흘렀으므로 4분에 3대꼴로 나간 차의 수는 $80 \div 4 \times 3 = 60$(대)이다.

1시 20분에 차가 하나도 없었으므로

$60 =$ (처음에 있었던 차의 수)
         $+$ (80분 동안 들어오는 차의 수)   … ①

한편 정오부터 2시까지는 120분이 흘렀으므로 3분에 2대꼴로 나간 차의 수는 $120 \div 3 \times 2 = 80$(대)이다.

2시에 차가 하나도 없었으므로

$80 =$ (처음에 있었던 차의 수)
         $+$ (120분 동안 들어오는 차의 수)   … ②

①과 ②를 비교하면

$20 =$ (40분 동안 들어오는 차의 수)

즉, 2분에 1대꼴로 차가 들어오는 것이다.

①에서 (처음에 있었던 차의 수) $+ 80 \times \frac{1}{2} = 60$,

(처음에 있었던 차의 수) $= 20$

따라서 정오에 주차되어 있었던 차는 20대이다.

3 한 개의 배수구로 1시간 동안 빠져나가는 물의 양을 1이라고 하자.

매시간 일정한 양의 물이 들어오고, 배수구 8개를 열어 놓으면 5시간 만에 물이 다 빠지고 배수구 5개를 열어 놓으면 9시간 만에 물이 다 빠지므로

$8 \times 5 = 40 =$ (처음에 있었던 물의 양)
         $+$ (5시간 동안 들어오는 물의 양)   … ①

$5 \times 9 = 45 =$ (처음에 있었던 물의 양)
         $+$ (9시간 동안 들어오는 물의 양)   … ②

①과 ②를 비교하면

$5 =$ (4시간 동안 들어오는 물의 양),
(1시간 동안 들어오는 물의 양) $= \frac{5}{4}$

①에서 (처음에 있었던 물의 양) $+ 5 \times \frac{5}{4} = 40$,

(처음에 있었던 물의 양) $= \frac{135}{4}$

(3시간 동안 들어오는 물의 양) $= \frac{135}{4} + 3 \times \frac{5}{4} = \frac{75}{2}$ 이고,

3시간 이내에 물을 모두 빼야 하므로 1시간에

$\frac{75}{2} \div 3 = \frac{75}{2} \times \frac{1}{3} = \frac{25}{2} = 12\frac{1}{2}$ 이상 물이 빠져야 한다.

따라서 한 개의 배수구로 1시간 동안 빠져나가는 물의 양이 1이므로 적어도 13개의 배수구를 열어야 한다.

4 가뭄이 들기 전 하루에 논에 공급하는 물의 양을 xt이라고 하면

$x \times 40$
$= 1600 +$ (40일 동안 흘러들어오는 물의 양)   … ①

한편 흘러들어오는 물의 양이 $\frac{1}{3}$로 감소했을 때 24일 동안 흘러들어온 물의 양은 감소하기 전 $24 \times \frac{1}{3} = 8$(일) 동안 흘러들어온 물의 양과 같으므로

$x \times 24$
$= 1600 +$ (8일 동안 흘러들어오는 물의 양)   … ②

①과 ②를 비교하면

$x \times 16 =$ (32일 동안 흘러들어오는 물의 양),

(하루에 흘러들어오는 물의 양)$= x \times \dfrac{1}{2}$이므로

하루에 논에 공급하는 물의 양은 저수지에 흘러들어오는 물의 양의 2배이다.

①에서 $x \times 40 = 1600 + 40 \times x \times \dfrac{1}{2}$,

$x \times 40 = 1600 + 20 \times x$, $20 \times x = 1600$, $x = 80$(t)

즉, 가뭄이 들기 전에는 하루에 40t씩의 물이 저수지로 흘러들어왔고, 하루에 80t씩의 물을 논에 공급할 수 있었다. 그러나 가뭄이 들면 하루에 $40 \times \dfrac{1}{3} = \dfrac{40}{3}$(t)씩 물이 흘러들어오므로 $\left(1600 + \dfrac{40}{3} \times 40\right) \div 40 = \dfrac{160}{3}$(t)의 물을 하루에 공급할 수 있으므로 줄여야 하는 공급량은 $80 - \dfrac{160}{3} = \dfrac{80}{3}$(t)이다.

따라서 하루 공급량을 $\dfrac{\frac{80}{3}}{80} \times 100 = 33\dfrac{1}{3}$(%) 감소해야 한다.

특강탐구문제풀이

1 재고량이 변하지 않으므로 120kg의 쌀로 매일 도시락을 1000개 만드는 것이다. 즉, 도시락 한 개에 사용되는 쌀의 양은 $120 \div 1000 = 0.12$(kg)이다.

도시락의 개수를 15% 늘리는 것은 $1000 \times \dfrac{15}{100} = 150$(개)씩 더 만드는 것이다. 도시락을 150개 더 만드는 데 사용되는 쌀의 양은 $0.12 \times 150 = 18$(kg)이고 이렇게 50일을 사용하면 재고가 없어지므로 재고량은 $18 \times 50 = 900$(kg)이다.

도시락을 15% 늘려서 90일 동안 도시락을 만들 때, 추가로 매일 18kg의 쌀이 필요한데 재고량 900kg 중에서 매일 $900 \div 90 = 10$(kg)씩 사용할 수 있으므로 $18 - 10 = 8$(kg)씩 더 구입해야 한다.

따라서 매일 구입해야 하는 쌀의 양은 $120 + 8 = 128$(kg)이다.

2 소 한 마리가 하루에 먹는 풀의 양을 1이라고 하면, 현재 목장에 자라 있는 풀은 $80 \times 7 = 560$이다.

방목하면 20일 동안 기를 수 있으므로

$80 \times 20 = 560 +$ (20일 동안 새로 자라는 풀의 양),

(20일 동안 새로 자라는 풀의 양)$= 1040$,

(하루 동안 새로 자라는 풀의 양)$= 52$

따라서 새로 자라는 만큼 소를 기르면 풀이 줄어들지 않으므로 최대 52마리를 방목하면 된다.

3 (4만 원)$\times$(36개월)$=$(144만 원)

$\qquad\qquad\qquad\quad =$(상금)$+$(36개월 동안의 용돈)

(5만 5천 원)$\times$(24개월)$=$(132만 원)

$\qquad\qquad\qquad\quad =$(상금)$+$(24개월 동안의 용돈)

두 식을 비교하면

(12만 원)$=$(12개월 동안의 용돈),

(1달 용돈)$=$(1만 원)

따라서 (144만 원)$=$(상금)$+$(1만 원)$\times 36$이므로

(상금)$=$(108만 원)이다.

4 양수기 1대가 1시간 동안 퍼내는 물의 양을 1이라고 하자.

$7 \times 8 = 56 =$ (처음 저수지에 있었던 물의 양)

$\qquad\qquad\quad +$ (8시간 동안 흘러드는 물의 양)

$10 \times 5 = 50 =$ (처음 저수지에 있었던 물의 양)

$\qquad\qquad\quad +$ (5시간 동안 흘러드는 물의 양)

두 식을 비교하면

$6 =$ (3시간 동안 흘러드는 물의 양),

(1시간 동안 흘러드는 물의 양)$= 2$

$56 =$ (처음 저수지에 있었던 물의 양)$+ 2 \times 8$,

(처음 저수지에 있었던 물의 양)$= 40$

1시간 동안 흘러드는 물은 양수기 2대 분량이므로 나머지 3대의 양수기가 40만큼의 물을 퍼내는 데 걸리는 시간이 5대의 양수기가 물을 모두 퍼내는 데 걸리는 시간이다.

따라서 5대의 양수기를 사용하면

$40 \div 3 = 13\dfrac{1}{3}$(시간), 즉 13시간 20분이 걸린다.

5 1상자를 만드는 데 필요한 밀가루의 양을 1이라고 하자.

$560 \times 30 = 16800 =$ (남아 있는 밀가루의 양)
$\qquad$ + (30일 동안 구입하는 밀가루의 양)
$600 \times 18 = 10800 =$ (남아 있는 밀가루의 양)
$\qquad$ + (18일 동안 구입하는 밀가루의 양)

두 식을 비교하면
$6000 =$ (12일 동안 구입하는 밀가루의 양),
(매일 구입하는 밀가루의 양) $= 500$
$16800 =$ (남아 있는 밀가루의 양) $+ 30 \times 500$,
(남아 있는 밀가루의 양) $= 1800$이므로
남아 있는 밀가루는 30일 동안 매일 $1800 \div 30 = 60$만큼 쓸 수 있다.
매일 밀가루를 500씩 구입하므로 매일 $500 + 60 = 560$씩 사용해야 하는데, 하루에 600상자씩 만들려고 하므로 구입해야 하는 양을 $600 - 560 = 40$만큼 늘려야 한다.
따라서 매일 구입해야 하는 밀가루의 양을
$\dfrac{40}{500} \times 100 = 8(\%)$ 늘려야 한다.

6 소 한 마리가 하루에 먹는 풀의 양을 1이라고 하자.
$36 \times 12 = 432 =$ (처음에 있었던 풀의 양)
$\qquad$ + (12일 동안 새로 자라는 풀의 양)
$32 \times 18 = 576 =$ (처음에 있었던 풀의 양)
$\qquad$ + (18일 동안 새로 자라는 풀의 양)

두 식을 비교하면
$144 =$ (6일 동안 새로 자라는 풀의 양),
(하루 동안 새로 자라는 풀의 양) $= 24$
$432 =$ (처음에 있었던 풀의 양) $+ 12 \times 24$,
(처음에 있었던 풀의 양) $= 144$이고,
(48일 동안 새로 자라는 풀의 양) $= 24 \times 48 = 1152$이므로 48일 동안 먹을 수 있는 풀의 양은 $144 + 1152 = 1296$이다.
따라서 48일 동안 기를 수 있는 소는 최대
$1296 \div 48 = 27$(마리)이다.

7 1개의 매표소에서 1분 동안 표를 사는 사람을 x명이라고 하자.
2시간 $=$ 120분이므로
$3 \times 120 \times x = 360 \times x =$ (처음에 있었던 사람 수)
$\qquad$ + (120분 동안 늘어나는 사람 수)

$5 \times 48 \times x = 240 \times x =$ (처음에 있었던 사람 수)
$\qquad$ + (48분 동안 늘어나는 사람 수)

두 식을 비교하면
$120 \times x =$ (72분 동안 늘어나는 사람 수),
(1분 동안 늘어나는 사람 수) $= 120 \times x \div 72 = \dfrac{5}{3} \times x$
$360 \times x =$ (처음에 있었던 사람 수) $+ \dfrac{5}{3} \times x \times 120$,
(처음에 있었던 사람 수) $= 160 \times x$
15분 동안 늘어나는 사람 수는 $\dfrac{5}{3} \times x \times 15 = 25 \times x$이므로
(처음에 있었던 사람 수) $+$ (15분 동안 늘어나는 사람 수)
$= 160 \times x + 25 \times x = 185 \times x$만큼이 15분 이내에 없어져야 한다.
따라서 $(185 \times x) \div (15 \times x) = 12\dfrac{1}{3}$이므로 최소 13개의 매표소에서 입장권을 팔아야 한다.

8 현재 하루에 사용하는 지하수의 양을 xL라고 하자.
20일 동안 사용하는 지하수는 $x \times 20$이므로
$x \times 20 = 1200 +$ (20일 동안 새로 들어오는 지하수의 양)
또 지하수의 양이 절반으로 줄었을 때 8일 동안 들어오는 지하수의 양은 줄어들기 전 양만큼 4일 동안 들어오는 지하수의 양과 같으므로
$x \times 8 = 1200 +$ (4일 동안 새로 들어오는 지하수의 양)
두 식을 비교하면
$x \times 12 =$ (16일 동안 새로 들어오는 지하수의 양),
(하루 동안 새로 들어오는 지하수의 양) $= \dfrac{12}{16} \times x = \dfrac{3}{4} \times x$
$x \times 20 = 1200 + \dfrac{3}{4} \times x \times 20$
$x \times 20 = 1200 + x \times 15$,
$x \times 5 = 1200$, $x = 240$(L)
현재 하루에 사용하는 지하수의 양은 240L이고 하루 동안 새로 들어오는 지하수의 양은 $\dfrac{3}{4} \times 240 = 180$(L)이다.
가뭄이 들면 하루에 들어오는 양이 반으로 줄어들므로 하루에 $180 \div 2 = 90$(L)씩 들어온다.
20일 동안 $90 \times 20 = 1800$(L) 들어오므로
$1200 + 1800 = 3000$(L)의 지하수를 20일 동안 사용하려면 매일 $3000 \div 20 = 150$(L)씩 사용하면 된다.
따라서 하루 사용량을 $240 - 150 = 90$(L) 줄여야 한다.

9 A 공장에서 24일 동안 생산하는 양을 식으로 나타내면 다음과 같다.

(A 공장의 하루 생산량)×24

＝(A 공장의 원료 재고량)

　＋(A 공장에서 매일 구입하는 원료의 양)×24 ··· ①

A 공장을 기준으로 B 공장에서 30일 동안 생산하는 양을 식으로 나타내면 다음과 같다.

(B 공장의 하루 생산량)×30

＝(A 공장의 원료 재고량)×2

　＋(A 공장에서 매일 구입하는 원료의 양)×1.6×30

··· ②

①을 2배 해 보면

(A 공장의 하루 생산량)×24×2

＝(A 공장의 원료 재고량)×2

　＋(A 공장에서 매일 구입하는 원료의 양)×24×2 ··· ③

②의 우변과 ③의 우변은 같으므로

(A 공장의 하루 생산량)×48＝(B 공장의 하루 생산량)×30

따라서 하루의 제품 생산량은 B 공장이 A 공장의

$\dfrac{48}{30}$＝1.6(배)이다.

10 소 한 마리가 하루에 먹는 풀의 양을 1이라고 하자.

A 목장의 경우를 식으로 나타내면

$18 \times 20 = 360 = $ ($2\frac{1}{4}$ha에 처음 있었던 풀의 양)

　＋($2\frac{1}{4}$ha에서 매일 자라는 풀의 양)×20 ··· ①

B 목장은

$50 \times 36 = 1800 = $ (9ha에 처음 있었던 풀의 양)

　＋(9ha에서 매일 자라는 풀의 양)×36 ··· ②

$2\frac{1}{4} \times 4 = 9$이므로 ①을 4배 하면

$360 \times 4 = 1440 = $ (9ha에 처음 있었던 풀의 양)

　＋(9ha에서 매일 자라는 풀의 양)×20 ··· ③

②와 ③을 비교하면

$360 = $ (9ha에서 매일 자라는 풀의 양)×16,

(9ha에 매일 자라는 풀의 양)＝22.5,

(1ha에 매일 자라는 풀의 양)＝2.5

②에서

$1800 = $ (9ha에 처음 있었던 풀의 양)＋22.5×36

이므로 (9ha에 처음 있었던 풀의 양)＝990,

(1ha에 처음 있었던 풀의 양)＝110

C 목장의 넓이를 $x$ha라고 하면 65마리의 소가 60일 동안 풀을 먹었으므로

$65 \times 60 = 3900 = x \times 110 + x \times 2.5 \times 60$,

$3900 = x \times 260$,

$x = \dfrac{3900}{260} = 15$(ha)

따라서 C 목장의 넓이는 15ha이다.

도형의 개수 세기 ② 　02

유제

1 29개　　**2** 50개　　**3** 179개　　**4** 316개

특강탐구문제

1 136개　　**2** 40개　　**3** 150가지　　**4** 60개

5 42개　　**6** 32개　　**7** 8개　　**8** 90개

9 1240개　　**10** 112개

유제풀이

1 그림과 같이 번호를 붙이고 삼각형의 꼭짓점이 되는 세 번호를 적어 나가는 방법으로 찾아보자.

이 때 중복을 피하기 위해 오른쪽에 항상 큰 수가 오도록 주의하며 찾아보면 다음 표와 같다.

①②⑥	①④⑦	②③④	②⑦⑨	④⑤⑨
①②⑦	①④⑨	②③⑥	②⑧⑨	④⑥⑦
①②⑧	①⑤⑥	②④⑥	③④⑦	④⑥⑨
①②⑨	①⑥⑨	②④⑦	③⑤⑧	⑤⑥⑨
①④⑤	①⑦⑧	②④⑨	③⑥⑦	⑥⑦⑨
①④⑥	①⑦⑨	②⑥⑦		⑦⑧⑨

따라서 삼각형은 모두 29개이다.

2 다음 그림과 같이 9종류의 사각형이 있다. 각각의 경우에 그릴 수 있는 개수를 세어 보면 모두 50개가 있음을 알 수 있다.

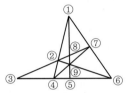

4개	4개	1개

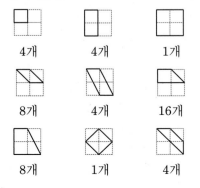

8개	4개	16개

8개	1개	4개

3

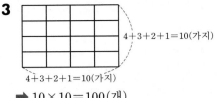

4＋3＋2＋1＝10(가지)

4＋3＋2＋1＝10(가지)

➡ 10×10＝100(개)

〈그림 1〉

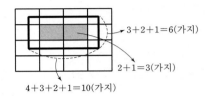

3＋2＋1＝6(가지)

2＋1＝3(가지)

4＋3＋2＋1＝10(가지)

➡ 10×6－3＝57(개)

〈그림 2〉

안쪽에 그려진 사각형을 제외하고 센다면 〈그림 1〉과 같이 100개의 사각형이 있다.

이 때 안쪽의 사각형에 의해 나누어지는 사각형을 세어 보면 〈그림 2〉와 같이 6×10＝60(개)이지만 이 중 한가운데의 3개는 〈그림 1〉에서 이미 한 번 세었으므로 60－3＝57(개)가 더 있다.

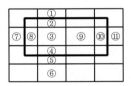

또, ①, ①＋②＋③＋④, ②＋③＋④＋⑤, ②＋③＋④＋⑤＋⑥, ⑤, ⑤＋⑥의 6×3＝18(개)가 더 있다.

또, ⑦, ⑦＋⑧＋③＋⑨＋⑩, ⑧＋③＋⑨＋⑩＋⑪, ⑪의 4개가 더 있다.

따라서 모두 100＋57＋18＋4＝179(개)이다.

4

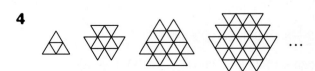

1개　　1＋3＝4(개)　1＋3＋6＝10(개)　1＋3＋6＋9＝19(개)···

그림에서 다음 단계에 추가된 삼각형에 의해서 1단계 삼각형이 더 들어갈 수 있는 개수를 알아보면 1개에서 시작하여 3, 6, 9, …씩 늘어나는 것을 알 수 있다.

따라서 〈15단계〉에는 〈1단계〉의 삼각형이

1＋3＋6＋9＋…＋42＝1＋(3＋42)×14÷2＝316(개)

있다.

특강탐구문제풀이

1 먼저 사선이 없을 때의 사각형의 개수를 알아보면
$(4+3+2+1)×(4+3+2+1)=100$(개)이다.

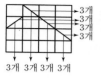

대각선 1칸을 이용
하는 경우
$3+3+3+3+3$
$+3+3+3=24$(개)

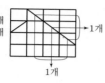

대각선 2칸을 이용
하는 경우
$2+2+2+2=8$(개)

대각선 3칸을 이용
하는 경우
$1+1=2$(개)

〈그림 1〉

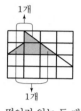

떨어져 있는 두 대각
선을 이용하는 경우

〈그림 2〉

〈그림 1〉과 같이 대각선을 이용하는
경우가 $24+8+2=34$(개)가 있고
〈그림 2〉와 같이 떨어져 있는 두 대
각선을 이용하는 경우가 2개 있다.
따라서 사각형은 모두
$100+34+2=136$(개) 있다.

2

 ① $3×2=6$(개)
 ② $2×2=4$(개)
 ③ $1×2=2$(개)
 ④ $2×2=4$(개)

 ⑤ $2×2=4$(개)
 ⑥ $2×2=4$(개)
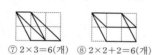 ⑦ $2×3=6$(개) ⑧ $2×2+2=6$(개)

 ⑨ $1×2=2$(개) ⑩ 2개

• 세로로 평행인 한 쌍의 대변을 이용하는 경우
①에서 3가지에 위 아래를 뒤집는 경우를 생각하면
$3×2=6$(개)이다.
②에서 2가지에 위 아래를 뒤집는 경우를 생각하면
$2×2=4$(개)이다.
③에서 1가지에 위 아래를 뒤집는 경우를 생각하면
$1×2=2$(개)이다.

• 가로로 평행인 한 쌍의 대변을 이용하는 경우
④에서 2가지에 위의 가로 한 줄과 아래 가로 한 줄에
서 각각 같으므로 $2×2=4$(개)이다.
⑤, ⑥ 역시 같은 방법으로 각각 $2×2=4$(개)이다.
⑦은 ④, ⑤, ⑥과 같은 방법으로 $2×3=6$(개)를 찾아
낼 수 있다.

⑧은 ②, ③과 같은 방법으로 $2×2+2=6$(개)를 찾아
낼 수 있다.
이 때 가로, 세로에 평행인 대변이 없는 경우는 ⑨의 2
개, ⑩의 2개가 있다.
따라서 직사각형이 아닌 평행사변형은 모두
$6+4+2+4+4+4+6+6+2+2=40$(개)이다.

3 사각형을 만들 때 세 점이 한 직선 위에 있어서는 안
되므로 $\overline{AD}$, $\overline{BC}$에서 각각 2개씩을 골라 사다리꼴을 만
들어야 한다.
한편, 처음 사다리꼴의 (윗변)＋(아랫변)＝16(cm)인데
만들려는 사다리꼴은 그 넓이의 $\frac{3}{8}$이 되어야 하므로 만
들려는 사다리꼴에서
(윗변)＋(아랫변)＝$16×\frac{3}{8}=6$(cm)가 되어야 한다.

• 윗변에서 1cm 고르는 경우 → 6, 아랫변에서 5cm 고르
는 경우→6, 만들 수 있는 사다리꼴의 수 : $6×6=36$(개)
• 윗변에서 2cm 고르는 경우 → 5, 아랫변에서 4cm 고르
는 경우→7, 만들 수 있는 사다리꼴의 수 : $5×7=35$(개)
• 윗변에서 3cm 고르는 경우 → 4, 아랫변에서 3cm 고르
는 경우→8, 만들 수 있는 사다리꼴의 수 : $4×8=32$(개)
• 윗변에서 4cm 고르는 경우 → 3, 아랫변에서 2cm 고르
는 경우→9, 만들 수 있는 사다리꼴의 수 : $3×9=27$(개)
윗변에서 5cm 고르는 경우 → 2, 아랫변에서 1cm 고르는
경우 → 10, 만들 수 있는 사다리꼴의 수 : $2×10=20$(개)
따라서 조건에 맞는 사다리꼴은 모두
$36+35+32+27+20=150$(가지)이다.

4 다음의 그림과 같이 8종류의 삼각형 또는 사각형을
찾을 수 있고 각 경우에 그릴 수 있는 개수를 세어 보면
모두 60개의 삼각형 또는 사각형을 만들 수 있다.

 8가지
 8가지
 8가지
 16가지

 8가지
 4가지
 4가지
 4가지

5

 ① $3×6=18$(개) ② $2×3=6$(개)

③ $1 \times 6 = 6$(개)   ④ $2 \times 6 = 12$(개)

①에서 3종류의 정삼각형을 각각 6개씩 찾을 수 있으므로 $3 \times 6 = 18$(개)가 있다.

②에서 3개의 정육각형이 각각 2개씩 갖고 있으므로 $2 \times 3 = 6$(개)가 있다.

③에서 그림과 같은 정삼각형을 작은 정육각형의 대각선 6개에서 모두 찾을 수 있으므로 6개가 있다.

④에서 가장 큰 정육각형의 꼭짓점마다 2개씩 찾을 수 있으므로 $2 \times 6 = 12$(개)가 있다.

따라서 정삼각형은 모두 $18 + 6 + 6 + 12 = 42$(개)이다.

6

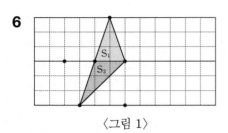

〈그림 1〉

〈그림 1〉과 같이 세 줄에서 각각 1개씩의 점을 잡아 삼각형을 그려 보자. 이 때 그림과 같이 위, 아래 두 개의 삼각형으로 나누어 생각하면 각각의 삼각형의 넓이가 3cm²씩임을 알 수 있다.

따라서 밑변의 길이가 되는 $\overline{MN}$ 위의 부분의 길이는 2cm가 되어야 한다.

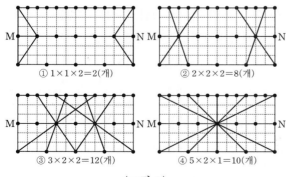

① $1 \times 1 \times 2 = 2$(개)   ② $2 \times 2 \times 2 = 8$(개)

③ $3 \times 2 \times 2 = 12$(개)   ④ $5 \times 2 \times 1 = 10$(개)

〈그림 2〉

①에서 $\overline{MN}$ 위의 제일 왼쪽 점을 지나는 조건에 맞는 직선은 1개뿐이다. 이 때 $\overline{MN}$ 위의 한 점은 1개 밖에 선택할 수 없다. 따라서 (1×1)개의 삼각형이 있다. 이 때 반대쪽 끝의 점도 마찬가지이므로 $1 \times 1 \times 2 = 2$(개)의 삼각형이 있다.

②에서 $\overline{MN}$ 위의 둘째 점을 지나는 조건에 맞는 직선은 2개이다. 이 때 $\overline{MN}$ 위의 한 점 중 왼쪽, 오른쪽의 2개를 선택할 수 있으므로 (2×2)개이다. 한편 반대쪽을 생각하면 $2 \times 2 \times 2 = 8$(개)의 삼각형이 있다.

③에서 $\overline{MN}$ 위의 세 번째 점을 지나는 조건에 맞는 직선은 3개이다. 이 때 $\overline{MN}$ 위의 한 점 중 왼쪽, 오른쪽의 2개를 선택할 수 있고, 반대쪽의 점도 마찬가지이므로 $3 \times 2 \times 2 = 12$(개)의 삼각형이 있다.

④에서 $\overline{MN}$ 위의 가운데 점을 지나는 조건에 맞는 직선은 5개이다. 이 때 $\overline{MN}$ 위의 한 점 중 왼쪽, 오른쪽의 2개를 선택할 수 있다. 가운데 점은 1개 뿐이므로 $5 \times 2 \times 1 = 10$(개)의 삼각형이 있다.

따라서 삼각형은 모두 $2 + 8 + 12 + 10 = 32$(개) 만들 수 있다.

7

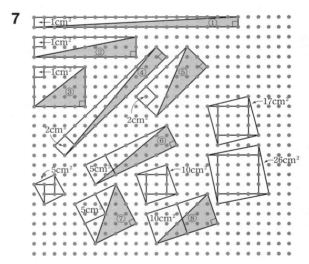

합동이고 넓이가 10cm²인 직각삼각형 2개를 맞붙이면 넓이가 20cm²인 직사각형을 만들 수 있다. 우선 넓이가 20cm²인 직사각형을 정사각형의 넓이별로 생각하여 찾아보자.

만들 수 있는 가장 작은 정사각형의 넓이는 1cm²이고 이것으로 만들 수 있는 직사각형은 ①, ②, ③의 경우이다.

그 다음으로 만들 수 있는 정사각형은 2cm²이고 이것으로 만들 수 있는 직사각형은 ④, ⑤의 경우이다.

그 다음으로 만들 수 있는 정사각형은 5cm²이고 이것으로 만들 수 있는 직사각형은 ⑥, ⑦의 경우이다.

그 다음으로 만들 수 있는 정사각형은 10cm²이고 이것으로 만들 수 있는 직사각형은 ⑧의 경우이다.

따라서 넓이가 10cm²인 직각삼각형은 모두 8가지이다.

8

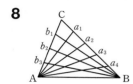

점 A와 점 B 모두를 포함하지 않는 부분은 사각형이므로 A, B 둘 중 하나 이상을 반드시 포함해야 삼각형을 만들 수 있다.

우선 삼각형의 밑변을 중심으로 생각해 보자.

$\overline{AC}$에서 만들어지는 선분은 모두

$4+3+2+1=10$(개)이다. 10개의 선분은 모두 점 B와 연결하여 삼각형이 될 수 있다.

같은 방법으로 $\overline{Aa_1}$, $\overline{Aa_2}$, $\overline{Aa_3}$, $\overline{Aa_4}$에서도 10개씩 찾을 수 있다.

그러므로 $10 \times 5 = 50$(개)의 삼각형을 찾을 수 있다.

또 $\overline{BC}$, $\overline{Bb_1}$, $\overline{Bb_2}$, $\overline{Bb_3}$에서도 같은 방법으로 $15 \times 4 = 60$(개)의 삼각형을 찾을 수 있다.

이 중 점 A, B 모두를 꼭짓점으로 갖는 삼각형은 2번씩 쓰였다. 즉 점 A, B 그리고 $\overline{AC}$와 $\overline{BC}$, $\overline{Bb_1}$, $\overline{Bb_2}$, $\overline{Bb_3}$가 만나는 각 네 개의 점으로 이루어진 4개의 삼각형은 2번씩 세었다.

또 $\overline{Aa_1}$, $\overline{Aa_2}$, $\overline{Aa_3}$, $\overline{Aa_4}$에서도 4개씩 찾을 수 있다.

그러므로 $4 \times 5 = 20$(개)의 삼각형은 2번씩 세었다.

따라서 구하는 삼각형의 개수는 $50+60-20=90$(개)이다.

9 주어진 21개의 점 중에서 3개를 고르는 방법은

$21 \times 20 \times 19 \times \dfrac{1}{3 \times 2 \times 1} = 1330$(가지)이다.

이 중에 3개의 점을 골랐으나 삼각형이 되지 않는 경우, 즉 3개의 점이 한 직선 위에 있는 경우를 찾아 빼 보자.

① 세 점이 한 직선 위에 있는 경우 14가지 　② 네 점이 한 직선 위에 있는 경우 4가지 　③ 다섯 점이 한 직선 위에 있는 경우 6가지

①에서 세 점이 한 직선 위에 있는 경우가 14가지이고 세 점 중 세 점을 고르는 방법은 1가지이므로 모두 14가지 경우가 있다.

②에서 네 점이 한 직선 위에 있는 경우가 4가지이고 네 점 중 세 점을 고르는 방법은 $4 \times 3 \times 2 \times \dfrac{1}{3 \times 2 \times 1} = 4$(가지)이므로 모두 $4 \times 4 = 16$(가지) 경우가 있다.

③에서 다섯 점이 한 직선 위에 있는 경우가 6가지이고 다섯 점 중 세 점을 고르는 방법은

$5 \times 4 \times 3 \times \dfrac{1}{3 \times 2 \times 1} = 10$(가지)이므로 모두 $6 \times 10 = 60$(가지) 경우가 있다.

따라서 만들 수 있는 삼각형은 모두

$1330 - (14+16+60) = 1240$(개)이다.

10 ① 　② 　③ 　④

각 단계별로 늘어난 도형에 의해 새롭게 추가되는

△ 모양의 개수를 관찰하자.

①에서 가로 방향으로 △ 또는 ▽ 가 2개 있고 세로 방향으로 ◁ 또는 ▷도 2개가 있으므로 $2 \times 2 = 4$(개)가 있다.

②에서 가로 방향으로 늘어난 △ 또는 ▽ 는 4개이고 세로 방향으로 ◁ 또는 ▷의 개수도 4개이므로 ①에 더하면 $2 \times 2 + 4 \times 2 = 12$(개)이다.

③에서 가로 방향으로 늘어난 △ 또는 ▽ 는 6개이고 세로 방향으로 ◁ 또는 ▷의 개수도 6개이므로 ②에 더하면 $2 \times 2 + 4 \times 2 + 6 \times 2 = 24$(개)이다.

④에서 가로 방향으로 늘어난 △ 또는 ▽ 는 8개이고 세로 방향으로 ◁ 또는 ▷의 개수도 8개이므로 ③에 더하면 $2 \times 2 + 4 \times 2 + 6 \times 2 + 8 \times 2 = 40$(개)이다.

따라서 ①, ②, ③, ④에서 찾은 규칙을 사용하여 알아보면 일곱째에는

$2 \times 2 + 4 \times 2 + \cdots + 14 \times 2 = (2+4+\cdots+14) \times 2$

$= 112$(개)가 있다.

도형의 이동자취 문제 **03**

유제

1 714cm² **2** 56.52cm **3** 47.1cm

4 326 $\frac{21}{34}$ cm

특강탐구문제

1 358.64cm² **2** 25.12cm **3** 27.9cm

4 282.6cm **5** 108초 **6** 174.15cm²

7 31.4cm **8** 150.72cm **9** 156° **10** 17개

유제풀이

1

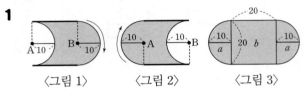

〈그림 1〉 〈그림 2〉 〈그림 3〉

막대가 위부터 아래까지 지나간 곳은 〈그림 1〉의 색칠한 부분이고, 또 다시 올라오며 지나간 곳은 〈그림 2〉의 색칠한 부분이다.

두 부분을 합치면 〈그림 3〉과 같다.

a 부분 두 곳의 합은 반지름이 10cm인 원의 넓이와 같고, b 부분은 한 변의 길이가 20cm인 정사각형의 넓이와 같다.

따라서 막대가 지나간 곳의 넓이는

$10 \times 10 \times 3.14 + 20 \times 20 = 314 + 400 = 714(\text{cm}^2)$이다.

2

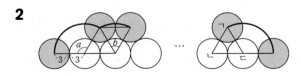

원의 중심이 이동한 자취는 그림에서 보이는 굵은 선, 즉 부채꼴의 호들의 합이다.

위의 그림에서 삼각형 ㄱㄴㄷ은 정삼각형이므로

(각 b)=60°, (각 a)=180°−60°=120°이고,

부채꼴의 반지름은 3+3=6(cm)이다.

각 a를 중심각으로 하는 부채꼴은 처음과 끝에 2개 있으므로 호의 길이의 합은

$6 \times 2 \times 3.14 \times \frac{120}{360} \times 2 = 25.12(\text{cm})$이다.

또, 각 b를 중심각으로 하는 부채꼴은 5개가 있으므로 호의 길이의 합은 $6 \times 2 \times 3.14 \times \frac{60}{360} \times 5 = 31.4(\text{cm})$

이다.

따라서 원의 중심이 이동한 거리는

25.12+31.4=56.52(cm)이다.

3

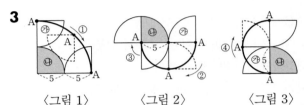

〈그림 1〉 〈그림 2〉 〈그림 3〉

〈그림 1〉에서 ㉮가 ①번 회전을 하는 동안 점 A는 굵은 선을 따라 반지름이 5+5=10(cm)이고 중심각이 90°인 부채꼴의 호를 따라 이동한다.

그러므로 점 A가 이동한 거리는

$10 \times 2 \times 3.14 \times \frac{1}{4} = 15.7(\text{cm})$이다.

〈그림 2〉에서 ㉮가 ②번 회전을 하는 동안 점 A는 굵은 선을 따라 반지름이 5cm이고 중심각이 180°인 부채꼴의 호를 따라 이동한다.

그러므로 점 A가 이동한 거리는

$5 \times 2 \times 3.14 \times \frac{1}{2} = 15.7(\text{cm})$이다.

또, ③번 회전을 하는 동안에는 점 A는 이동하지 않는다.

〈그림 3〉에서 ㉮가 ④번 회전을 하는 동안 점 A는 〈그림 2〉의 ②번 회전과 같이 움직인다.

그러므로 점 A는 15.7cm 이동한다.

따라서 점 A가 이동한 거리는 15.7×3=47.1(cm)이다.

4

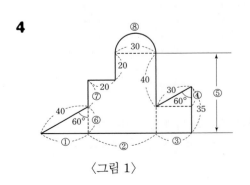

〈그림 1〉

먼저 도형의 둘레의 길이를 구해 보자.

전체 둘레의 길이는 〈그림 1〉에서 ①부터 시계 반대 방향으로 가면서

①+②+③+35+30+40+⑧+20+20+⑦+40이다.

①은 한 변의 길이가 40cm인 정삼각형의 높이이므로

$40÷2×1.7=34$(cm)이다.

②는 $20+30=50$(cm)이다.

③은 한 변의 길이가 30cm인 정삼각형의 높이이므로

$30÷2×1.7=25.5$(cm)이다.

④는 정삼각형의 한 변의 길이의 절반이므로

$30÷2=15$(cm)이고

⑤는 $40+35-15=60$(cm)이다.

⑥도 정삼각형의 한 변의 길이의 절반이므로

$40÷2=20$(cm)이다.

그러므로 ⑦은 $60-(20+20)=20$(cm)이다.

⑧은 반원의 호이므로 $30×3÷2=45$(cm)이다.

따라서 도형의 둘레의 길이는

$34+50+25.5+35+30+40+45+20+20+20+40$
$=359.5$(cm)이다.

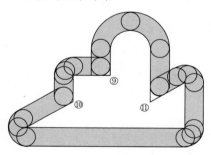

〈그림 2〉

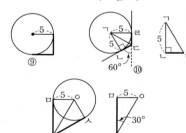

〈그림 3〉

한편 〈그림 2〉에서 원이 닿지 않은 부분은

⑨, ⑩, ⑪임을 알 수 있다.

⑨에서 한 선분이 5cm이므로 안 닿은 부분은

$5×2=10$(cm)이다.

⑩에서 삼각형 ㄱㄴㄷ과 삼각형 ㄱㄹㄷ은 합동이다.

한편 각 ㄴㄷㄹ은 $180°-60°=120°$이므로

각 ㄴㄷㄱ은 $120°÷2=60°$이다.

그러므로 삼각형 ㄱㄴㄷ은 정삼각형의 반쪽이고 선분 ㄴㄷ의 길이는 높이가 5cm인 정삼각형의 한 변의 길이의 절반이므로

$5÷1.7×2÷2=5×\frac{10}{17}=\frac{50}{17}$(cm)이고 안 닿은 부분은 $\frac{50}{17}×2=\frac{100}{17}=5\frac{15}{17}$(cm)이다.

⑪도 같은 방법으로 삼각형 ㅁㅂㅇ은 정삼각형의 반쪽이고 선분 ㅁㅂ은 한 변의 길이가 $5×2=10$(cm)인 정삼각형의 높이이므로 $10÷2×1.7=8.5$(cm)가 되어 안 닿은 부분은 $8.5×2=17$(cm)이다.

따라서 원이 닿은 부분의 길이는

$359.5-\left(10+5\frac{15}{17}+17\right)=326\frac{21}{34}$(cm)이다.

특강탐구문제풀이

1

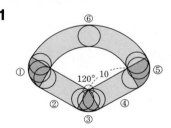

원이 지나간 부분의 넓이는 위의 그림에서 색칠한 부분의 넓이의 합이다.

①, ⑤는 모두 반지름이 6cm이고, 중심각이 $90°$인 부채꼴이므로 (①+⑤)의 넓이는

$6×6×3.14×\frac{1}{4}×2=56.52$(cm²)이다.

②, ④는 모두 가로가 10cm, 세로가 6cm인 직사각형이므로 (②+④)의 넓이는 $10×6×2=120$(cm²)이다.

③은 반지름이 6cm이고, 중심각이

$360°-(120°+90°+90°)=60°$인 부채꼴이므로

③의 넓이는 $6×6×3.14×\frac{1}{6}=18.84$(cm²)이다.

⑥은 반지름이 16cm이고, 중심각 $120°$인 부채꼴에서 반지름이 10cm이고, 중심각이 $120°$인 부채꼴을 뺀 넓이이므로 ⑥의 넓이는

$16 \times 16 \times 3.14 \times \dfrac{1}{3} - 10 \times 10 \times 3.14 \times \dfrac{1}{3}$

$=163.28(cm^2)$이다.

따라서 원이 지나간 부분의 넓이는

$56.52+120+18.84+163.28=358.64(cm^2)$이다.

2 외부에서 이동할 때를 먼저 살펴보자.

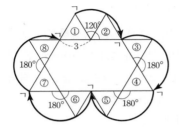

그림에서 ① → ②로 이동할 때는 중심각이 120° 인 부채꼴의 호의 길이만큼 이동하고, ③ → ④, ④ → ⑤, ⑥ → ⑦, ⑦ → ⑧로 이동할 때는 각각 중심각이 180° 인 부채꼴의 호의 길이만큼 이동한다.

⑤ → ⑥으로 이동할 때와 ⑧ → ①로 제자리에 돌아갈 때에는 점 ㄱ은 움직이지 않는다.

이 부채꼴들은 모두 반지름이 3cm이다.

그러므로 외부에서 이동할 때 점 ㄱ이 움직인 거리는

$3 \times 2 \times 3.14 \times \dfrac{120}{360} + 3 \times 2 \times 3.14 \times \dfrac{180}{360} \times 4$

$=43.96(cm)$이다.

다음으로 내부에서 이동할 때를 살펴보자.

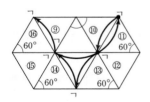

그림에서 보면 ⑨ → ⑩으로 이동할 때는 중심각이 120° 인 부채꼴의 호의 길이만큼 이동하고,

⑪ → ⑫, ⑫ → ⑬, ⑭ → ⑮, ⑮ → ⑯으로 이동할 때는 각각 중심각이 60° 인 부채꼴의 호의 길이만큼 이동한다.

⑬ → ⑭로 이동할 때와 ⑯ → ⑨로 제자리에 돌아갈 때에는 점 ㄱ은 움직이지 않는다.

이 부채꼴들은 모두 반지름이 3cm이다.

그러므로 내부에서 이동할 때 점 ㄱ이 움직인 거리는

$3 \times 2 \times 3.14 \times \dfrac{120}{360} + 3 \times 2 \times 3.14 \times \dfrac{60}{360} \times 4$

$=18.84(cm)$이다.

따라서 두 경우에 점 ㄱ이 움직인 거리의 차는

$43.96-18.84=25.12(cm)$이다.

3

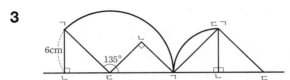

직각이등변삼각형 ㄱㄴㄷ를 1회전 시킬 때 점 ㄱ이 움직인 거리는 변 ㄱㄷ을 반지름으로 하는 중심각 135° 인 부채꼴의 호의 길이와 변 ㄱㄴ을 반지름으로 하는 중심각 90° 인 부채꼴의 호의 길이의 합이다.

한 변의 길이가 1인 정사각형의 대각선의 길이는 1.4이므로 한 변의 길이가 6cm인 정사각형의 대각선의 길이는 8.4cm이다.

따라서 (점 ㄱ이 움직인 거리)

$=8.4 \times 2 \times 3 \times \dfrac{135}{360} + 6 \times 2 \times 3 \times \dfrac{90}{360}$

$=\dfrac{84}{10} \times 2 \times 3 \times \dfrac{3}{8} + 6 \times 2 \times 3 \times \dfrac{1}{4}$

$=27.9(cm)$이다.

4

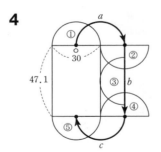

반원의 호의 길이는 $15 \times 2 \times 3.14 \div 2 = 47.1(cm)$이므로 주어진 직사각형의 세로의 길이와 같다.

그러므로 반원은 위에서 아래로 내려올 때까지 그림과 같이 ① → ② → ③ → ④ → ⑤의 순서로 움직이고 원의 중심 ㅇ은 굵은 선 a, b, c를 따라 움직인다.

$a+c$는 반지름이 15cm인 원의 원주와 같으므로

$15 \times 2 \times 3.14 = 94.2(cm)$이고,

b는 직사각형의 세로의 길이이므로 47.1cm이다.

따라서 위에서 아래로 올 때까지 움직인 거리가
$94.2+47.1=141.3(cm)$이고,
아래에서 처음의 위치로 갈 때까지도 똑같이 움직이므로
원의 중심 ㅇ이 움직인 전체 거리는
$141.3×2=282.6(cm)$이다.

5

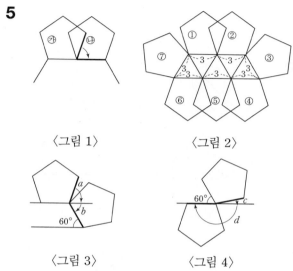

〈그림 1〉 〈그림 2〉

〈그림 3〉 〈그림 4〉

정오각형이 ㉮에서 ㉯로 이동하는 동안은 〈그림 1〉과 같이 한 꼭짓점을 중심으로 정오각형의 외각인 72°만큼 이동한다.

이 때, 9초가 걸리므로 $72°÷9=8°$, 즉 8° 이동하는 데 1초가 걸린다.

한편 주어진 사다리꼴은 〈그림 2〉와 같이 5개의 정삼각형으로 나누어지고, 정오각형은

①→②→③→④→⑤→⑥→⑦→①의 순서로 한 바퀴 돈다.

①→②, ④→⑤, ⑤→⑥에서는

각각 〈그림 1〉과 같이 72°씩 회전했으므로 모두
$72°×3=216°$ 이동했다.

또 ②→③, ⑦→①에서는

〈그림 3〉을 보면 (각 a)+(각 b)만큼 이동했다.

각 a는 오각형의 외각으로 72°이고

각 b는 60°의 엇각으로 60°이므로

(각 a)+(각 b)$=72°+60°=132°$가 되어 두 곳에서
$132°×2=264°$ 이동했다.

③→④, ⑥→⑦에서는

〈그림 4〉를 보면 (각 c)+(각 d)만큼 이동했다.

(각 c)$=120°-108°=12°$이고, 각 d는 180°이므로,

(각 c)+(각 d)$=12°+180°=192°$가 되어 두 곳에서
$192°×2=384°$ 이동했다.

따라서 정오각형이 한 바퀴 돌며 이동한 전체 각도는
$216°+264°+384°=864°$인데, 8° 이동하는 데 1초 걸리므로 정오각형이 한 바퀴 도는 데는
$864÷8=108$(초) 걸린다.

6

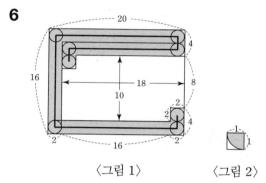

〈그림 1〉 〈그림 2〉

원이 선을 따라 지나간 곳이 〈그림 1〉의 색칠된 부분이므로, 지나가지 않은 부분은 가운데 부분과 ◯에서 색칠 안 된 부분들이다.

가운데 부분의 넓이는
$18×10-(2×2+2×2)=172(cm^2)$이다.

한편 〈그림 2〉에서 색칠 안 된 부분의 넓이는
$1×1-1×1×3.14×\frac{1}{4}=0.215(cm^2)$이고

이런 것은 〈그림 1〉에서 10개를 찾을 수 있으므로 그 넓이는 $0.215×10=2.15(cm^2)$이다.

따라서 원이 지나가지 않은 부분의 넓이는
$172+2.15=174.15(cm^2)$이다.

7

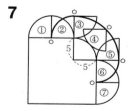

그림을 보면 ①→②에서 중심은 움직이지 않는다.

②→③에서 중심은 반지름이 5cm이고, 중심각이 90°인 부채꼴의 호의 길이만큼 움직였다.

즉, $5 \times 2 \times 3.14 \times \frac{1}{4} = 7.85$(cm) 움직였다.

③ → ④ → ⑤에서 중심은 반지름이 $5+5=10$(cm),
중심각이 $90°$인 부채꼴의 호의 길이만큼 움직였다.

즉, $10 \times 2 \times 3.14 \times \frac{1}{4} = 15.7$(cm) 움직였다.

⑤ → ⑥에서는 ② → ③과 같으므로

$5 \times 2 \times 3.14 \times \frac{1}{4} = 7.85$(cm) 움직였다.

⑥ → ⑦에서 중심은 움직이지 않았다.

따라서 부채꼴의 중심 ㅇ이 움직인 전체 거리는

$15.7 + 7.85 \times 2 = 31.4$(cm)이다.

8

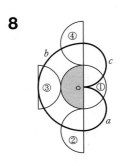

반원 ㉯는 ① → ② → ③ → ④ → ①의 순서로 제자리로 돌아오고 원의 중심 ㅇ은 a, b, c의 굵은 선을 따라 움직인다.

$a+c$는 지름이 24cm인 원의 원주이므로

$24 \times 3.14 = 75.36$(cm)이다.

한편 b는 반지름이 24cm이고, 중심각이 $180°$인 부채꼴의 호의 길이이므로

$24 \times 2 \times 3.14 \times \frac{180}{360} = 75.36$(cm)이다.

따라서 반원의 중심 ㅇ이 움직인 거리는

$75.36 + 75.36 = 150.72$(cm)이다.

9

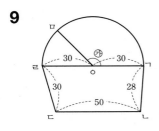

실은 점 ㄱ에서 점 ㄴ을 지나 점 ㄷ까지 갈 수 있으므로 실의 길이는 $28+50=78$(cm)이다.

이 실이 점 ㄱ에서 점 ㅁ까지 갈 수 있으므로, 반지름이 30cm, 중심각이 ㉮인 부채꼴의 호의 길이는 78cm인 것이다.

따라서 $30 \times 2 \times 3 \times \frac{㉮}{360} = 78$, $\frac{㉮}{2} = 78$,

$㉮ = 78 \times 2 = 156(°)$이다.

10

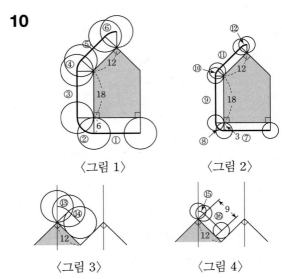

〈그림 1〉　　　〈그림 2〉

〈그림 3〉　　　〈그림 4〉

〈그림 1〉, 〈그림 2〉와 같이 내각이 $90°$인 꼭짓점이 3개일 때 반지름이 6cm인 원과 반지름이 3cm인 두 원의 중심이 지나간 거리를 비교해 보자.

①과 ⑦, ③과 ⑨, ⑤와 ⑪은 각각 길이가 같으므로 제외한다.

반지름이 6cm일 때 〈그림 1〉에서 ②는 반지름이 6cm, 중심각이 $90°$인 부채꼴의 호의 길이이고, ④, ⑥은 각각 반지름이 6cm, 중심각 $45°$인 부채꼴의 호의 길이이다.

$② = 6 \times 2 \times 3.14 \times \frac{90}{360} = 9.42$(cm),

$④+⑥ = 6 \times 2 \times 3.14 \times \frac{45}{360} \times 2 = 9.42$(cm)이므로

$②+④+⑥ = 9.42 + 9.42 = 18.84$(cm)이다.

한 바퀴 돌면 이런 부분이 각각 두 곳이므로 길이가 같아 제외한 부분을 빼면 한 바퀴 돌 때 원의 중심은

$18.84 \times 2 = 37.68$(cm) 이동한다.

또 반지름이 3cm일 때 〈그림 2〉에서 같은 방법으로 길이가 같아 제외한 부분을 빼고 원의 중심이 이동한 거리를 구하면

⑧＋⑩＋⑫

$$=3\times2\times3.14\times\frac{90}{360}+3\times2\times3.14\times\frac{45}{360}\times2$$

$=9.42(cm)$이고, 이런 부분이 두 곳이므로
$9.42\times2=18.84(cm)$이다.

그러므로 반지름이 6cm일 때가 3cm일 때보다 원의 중심이 이동한 거리가 $37.68-18.84=18.84(cm)$ 길다.
한편 내각이 90°인 꼭짓점이 한 개 늘어나면 〈그림 3〉, 〈그림 4〉에서 반지름이 6cm일 때는 (⑬＋⑭)의 두 배, 반지름이 3cm일 때는 (⑮＋⑯)의 두 배만큼씩 각각 늘어난다.

$$⑬＋⑭=6\times2\times3.14\times\frac{45}{360}+6=10.71(cm)$$이고,
이런 부분이 두 곳이므로 $10.71\times2=21.42(cm)$이다.

$$⑮＋⑯=3\times2\times3.14\times\frac{45}{360}+9=11.355(cm)$$이고,
이런 부분이 두 곳이므로 $11.355\times2=22.71(cm)$이다.
결국 꼭짓점이 한 개 늘어나면 반지름이 3cm일 때가 6cm일 때보다 $22.71-21.42=1.29(cm)$ 길어진다.
반지름이 3cm인 원의 중심이 이동한 거리가 반지름이 6cm인 원의 중심이 이동한 거리보다 짧아야 하므로,
$18.84\div1.29=14.60\cdots$에서 꼭짓점은 최대 14개가 늘어날 수 있다.
따라서 내각의 크기가 90°인 꼭짓점은 최대
$3+14=17(개)$까지 있을 수 있다.

홀·짝의 성질을 이용한 문제　**04**

유제

1 홀수　　　　　　　**2** 짝수(이유는 풀이 참조)
3 늘어놓을 수 없다.(이유는 풀이 참조)　**4** 풀이 참조

특강탐구문제

1 짝수 : 4로 나누어떨어지거나 나머지가 3인 수
　　홀수 : 4로 나누어 나머지가 1 또는 2인 수
2 59가지
3 첫째 수가 홀수이면 짝수, 첫째 수가 짝수이면 홀수
4 없다.(풀이 참조)　　**5** 10개
6 홀수(이유는 풀이 참조)　**7** 없다.(이유는 풀이 참조)
8 짝수(이유는 풀이 참조)　**9** 짝수(이유는 풀이 참조)
10 짝수(이유는 풀이 참조)

유제풀이

1 (홀수)×(홀수)=(홀수)이고 (짝수)×(짝수)=(짝수)이므로 홀수는 거듭제곱해도 홀수이고 짝수는 거듭제곱해도 짝수이다. 즉, $1+2^2+3^3+4^4+\cdots+1234^{1234}$는 617개의 홀수와 617개의 짝수의 합이다.
또한 홀수를 홀수 개 더하면 홀수이고 짝수끼리의 합은 짝수이다.
따라서 617개의 홀수의 합은 홀수이고, 617개의 짝수의 합은 짝수이므로 주어진 식은 (홀수)+(짝수)=(홀수)가 된다.

2
```
㉠   ㉡    ㉢
□   △ ─→ ○
□   △ ─→ ○
□   △ ─→ ○
⋮   ⋮    ⋮
□   △ ─→ ○
```

그림에서 처음에 골라 세로로 적은 ㉠열의 수들의 합이 짝수라면 순서를 바꿔 적은 ㉡열의 합도 짝수이고 각각의 합을 적어 놓은 ㉢열의 합도 짝수이다.
또한 ㉠열의 수들의 합이 홀수라면 ㉡열의 합도 홀수이고, ㉢열의 합은 짝수가 된다.

㉢열의 15개의 수가 모두 홀수이어야 그 수들의 곱이 홀수가 될 수 있는데 그 때 15개의 홀수의 합, 즉 ㉢열의 합은 반드시 홀수가 되어야 한다.
그러나 ㉢열의 합은 항상 짝수이다.
따라서 어떤 경우에도 ㉢열의 합이 홀수가 될 수 없으므로 ㉢열에 있는 15개의 수들의 곱은 짝수이다.

3 1은 두 개의 1 사이에 한 개의 수가 놓이므로 1이 홀수째 번에 놓이면 다른 1도 홀수째 번에, 짝수째 번에 놓이면 다른 1도 짝수째 번에 놓여야 한다.
마찬가지로 각 홀수들은 하나가 홀수째 번에 놓이면 다른 하나도 홀수째 번에, 짝수째 번에 놓이면 다른 하나도 짝수째 번에 놓이게 된다.
같은 방법으로 짝수를 생각해 보면 하나가 홀수째 번에 놓이면 다른 하나는 짝수째 번에 놓이게 되고, 짝수째 번에 놓이면 다른 하나는 홀수째 번에 놓이게 된다.
문제에서 주어진 20개의 자리에 10개의 짝수들을 먼저 규칙에 맞게 늘어놓으면 어떻게 놓아도 홀수 5자리와 짝수 5자리를 차지하게 된다.
남은 홀수를 채워 넣기 위해선 홀수자리나 짝수자리가 짝수개씩 필요하므로 남은 짝수 5자리와 홀수 5자리에 모두 늘어놓을 수 없다.

4 팔씨름은 2명씩 짝을 이루어 하게 되므로 각 개인들의 팔씨름한 횟수의 총합은 짝수이어야 한다.
짝수 번 팔씨름한 학생은 짝수에 어떤 수를 곱해도 짝수이므로 몇 명이든 상관없지만 홀수 번 팔씨름한 학생은 (홀수)×(짝수)=(짝수)이므로 반드시 짝수 명이어야 한다.

특강탐구문제풀이

1 1부터 n까지의 합을 적어 보면 다음과 같다.

n	1	2	3	4	5	6	7	8	9	⋯
1~n까지의 합	1	3	6	10	15	21	28	36	45	⋯
홀·짝	홀	홀	짝	짝	홀	홀	짝	짝	홀	⋯

즉, n이 4의 배수로 변할 때마다 「홀·홀·짝·짝」이 반복됨을 알 수 있다.

따라서 합이 짝수가 되려면 n은 4로 나누어떨어지거나 나머지가 3인 수이고, 합이 홀수가 되려면 n은 4로 나누어 나머지가 1 또는 2인 수이어야 한다.

별해*

$$\begin{array}{cccccc} 1 & + & 2 & + & 3 & + \cdots + & n \\ n & + & (n-1) & + & (n-2) & + \cdots + & 1 \\ \hline (n+1) & + & (n+1) & + & (n+1) & + \cdots + & (n+1) \end{array}$$

$\Rightarrow 1+2+3+\cdots+n = \dfrac{n \times (n+1)}{2}$

① n이 짝수이면 $n+1$은 홀수이다.

• 합이 짝수가 되려면 $\dfrac{n}{2}$이 짝수이어야 하므로 n은 4의 배수이다.

• 합이 홀수이려면 $\dfrac{n}{2}$이 홀수이어야 하므로 n은 4로 나누어 나머지가 2인 수이다.

② n이 홀수이면 $n+1$은 짝수이다.

• 합이 짝수가 되려면 $\dfrac{n+1}{2}$이 짝수이어야 하므로 $n+1$은 4의 배수, 즉 n은 4로 나누어 나머지가 3인 수이다.

• 합이 홀수가 되려면 $\dfrac{n+1}{2}$이 홀수이어야 하므로 $n+1$은 4로 나누어 나머지가 2인 수, 즉 n은 4로 나누어 나머지가 1인 수이다.

2 (가)$+$(나)$\times$(다)가 짝수가 되는 경우는 다음과 같다.

① (홀)$+$(홀)$\times$(홀)$=$(짝)

② (짝)$+\begin{pmatrix} (\text{홀})\times(\text{짝}) \\ (\text{짝})\times(\text{홀}) \\ (\text{짝})\times(\text{짝}) \end{pmatrix}=$(짝)

①번의 경우 (가), (나), (다)에 올 홀수를 고르는 방법이 각각 3가지씩이므로 $3 \times 3 \times 3 = 27$(가지)

②번의 경우 각 자리에 홀수를 고르는 방법은 3가지, 짝수를 고르는 방법은 2가지이므로

$2 \times 3 \times 2 + 2 \times 2 \times 3 + 2 \times 2 \times 2 = 12+12+8$
$=32$(가지)

따라서 (가)$+$(나)$\times$(다)가 짝수가 되는 경우는
$27+32=59$(가지)이다.

3 75개의 연속하는 자연수 중 첫째 수가 홀수이면 38개의 홀수와 37개의 짝수가 더해지게 된다.

이 때, 홀수를 짝수 개 더하면 짝수이고 짝수의 합은 항상 짝수이므로 75개의 수의 합은
(짝수)$+$(짝수)$=$(짝수)이다.

또, 첫째 수가 짝수이면 38개의 짝수와 37개의 홀수가 더해지고, 짝수의 합은 짝수, 홀수를 홀수 개 더하면 홀수이므로 (짝수)$+$(홀수)$=$(홀수)이다.

따라서 75개의 연속하는 자연수의 합은 첫째 수가 홀수이면 짝수, 첫째 수가 짝수이면 홀수이다.

4 한 자리 수 두 개를 더하여 19가 될 수 없으므로 더하는 과정에서 받아올림은 생기지 않는다.

처음 수를 ○○○○○, 바꾼 수를 △△△△△라고 하면

○$+$△$=9$
○$+$△$=9$
○$+$△$=9$
○$+$△$=9$
○$+$△$=9$

(○$+$○$+$○$+$○$+$○)$+$(△$+$△$+$△$+$△$+$△)$=45$이다.

그런데 ○$+$○$+$○$+$○$+$○의 값과
△$+$△$+$△$+$△$+$△의 값이 같다.

왼쪽 변은 짝수가 되고 45는 홀수이므로 99999가 될 수는 없다.

5 사물함의 문은 사물함 번호의 약수의 개수만큼 열리고 닫히게 된다.

100명의 학생이 모두 지나간 후에 사물함 문이 열려 있

으려면 열리고 닫힌 총 횟수가 홀수 번이어야 한다.
제곱수의 약수의 개수는 홀수이므로 100 이하의 자연수 중 제곱수의 개수가 문이 열려 있는 사물함의 개수와 같다.
따라서 100 이하의 자연수 중 제곱수는
$1×1=1$, $2×2=4$, …, $10×10=100$의 10개이므로 문이 열려 있는 사물함은 10개이다.

6 지울 두 수를 선택하는 방법은
「짝수, 짝수」, 「짝수, 홀수」, 「홀수, 홀수」의 3가지 경우가 있다.
- 「짝수, 짝수」를 선택하는 경우
  두 수의 합 또는 차는 모두 짝수이므로 전체 짝수의 개수는 1개 줄어들고 홀수의 개수는 그대로이다.
- 「짝수, 홀수」를 선택하는 경우
  두 수의 합 또는 차는 모두 홀수이므로 전체 짝수의 개수는 1개 줄어들고 홀수의 개수는 그대로이다.
- 「홀수, 홀수」를 선택하는 경우
  두 수의 합 또는 차는 모두 짝수이므로 전체 짝수의 개수는 1개 늘고 홀수의 개수는 2개가 줄어든다.

따라서 1부터 2002까지 1001개의 홀수와 1001개의 짝수 중에서 짝수는 1개씩 늘거나 줄기 때문에 모두 없어질 수 있지만 홀수는 2개씩 줄어들기 때문에 마지막 남는 한 개의 수는 홀수이다.

7 그림이 보이도록 놓여 있는 카드와 뒤집혀 있는 카드 중 8장을 골라서 반대로 뒤집어야 하는데 8은 짝수이므로 두 가지 경우가 있다.
- 그림이 보이는 카드와 뒤집혀진 카드에서 홀수 개씩 8장을 골라 반대로 뒤집었을 때 홀수 개씩 줄었다가 홀수개씩 늘어나므로 양쪽 카드 모두 짝수 개씩 늘거나 줄어든다.(예를 들어 3장, 5장을 반대로 뒤집으면 그림이 보이는 카드는 2장 늘고, 뒤집혀 있는 카드는 2장 줄어든다.)
- 그림이 보이는 카드와 뒤집혀진 카드에서 짝수 개씩 8장을 골라 반대로 뒤집었을 때 짝수 개씩 줄었다가 짝

수개씩 늘어나므로 양쪽 카드 모두 짝수 개씩 늘거나 줄어든다.

따라서 51장의 뒤집혀 있는 카드는 짝수 개씩 늘거나 줄어들어 항상 홀수 개가 뒤집혀 있으므로, 모든 카드를 그림이 보이도록 놓을 수 없다.

8 1부터 1024까지의 자연수 중 홀수는 512개, 짝수는 512개로 개수가 각각 4의 배수이다.
또한 홀수와 홀수, 또는 짝수와 짝수의 차는 항상 짝수이고 홀수와 짝수의 차는 항상 홀수이다.
1024개의 수를 둘씩 짝지어 512쌍을 만들었을 때 「홀수, 홀수」, 「짝수, 짝수」, 「홀수, 짝수」의 3가지 종류의 쌍이 만들어지는데 「홀수, 홀수」와 「짝수, 짝수」쌍에는 홀수와 짝수가 각각 짝수 개씩 쓰였으므로 홀수, 짝수가 1개씩 쓰이는 「홀수, 짝수」쌍에도 홀수와 짝수가 짝수 개 있어야 한다.
그러므로 512쌍을 계산하여 생긴 256개의 수 중에는 반드시 홀수가 짝수 개 있게 되고, 같은 방법으로 계속 수의 개수를 줄여나갈 때마다 항상 홀수는 짝수 개가 있게 된다.
따라서 마지막 계산을 하기 직전의 두 수는 모두 홀수 또는 모두 짝수가 되므로 그 차는 짝수가 된다.

9 어떤 수들의 곱이 홀수이기 위해서는 곱해지는 모든 수가 홀수이어야 하고 두 수의 차가 홀수가 되기 위해서는 하나는 홀수, 다른 하나는 짝수이어야 한다.
홀수 개의 연속된 자연수는 홀수와 짝수의 개수 차이가 항상 1이다. 그러므로 홀수 개의 연속된 자연수를 a_1, a_2, a_3, …과 b_1, b_2, b_3, …의 두 가지 종류로 배열하고, a_1과 b_1, a_2와 b_2, a_3과 b_3, …의 차를 모두 홀수로 만들기 위해 홀수와 짝수가 1개씩 만나도록 짝을 지으면 나머지 한 쌍은 「홀수, 홀수」 또는 「짝수, 짝수」의 쌍이 생기게 되어 차가 짝수가 된다.
따라서 두 가지 배열속에 있는 수들을 짝을 지어 차를 구한 후 그 값들을 모두 곱하면 반드시 짝수가 된다.

10 두 직사각형에 각각 홀수 개의 칸 또는 짝수 개의 칸씩 검은색을 칠하므로 양쪽의 검은색 칸수의 합은 항상 짝수이다.

두 직사각형을 꼭맞게 포개어 볼 때 검은색끼리 포개어지는 칸이 없다면 양쪽 직사각형에 있는 짝수 개의 검은색 칸은 모두 색을 칠하지 않은 칸과 포개어지게 되어 색이 다른 칸끼리 포개어지는 경우가 짝수 쌍 생긴다.

또한 검은색끼리 포개어지는 칸이 있다면 검은색 칸수의 합이 짝수 개 줄어들어 여전히 짝수 개의 검은색 칸이 남게 되고 남은 검은색 칸이 색을 칠하지 않은 칸과 각각 포개어지게 되므로 색이 다른 칸끼리 포개지는 경우가 여전히 짝수 쌍 생기게 된다.

입체도형 관찰 ① **05**

유제

1 6, 7, 9, 10, 11, 12, 14, 15
2 A : 3, B : 2　　**3** 5　　**4** 풀이 참조

특강탐구문제

1 7　　**2** (ㄱ) : 3, (ㄴ) : 3, (ㄷ) : 1　　**3** 109, 66
4 15　　**5** 2　　**6** 4번
7 ㉮ : 1, ㉯ : 4, ㉰ : 2　　**8** 1, 3, 5
9 풀이 참조　　**10** 풀이 참조

유제풀이

1 그림과 같이 같이 반대편의 눈의 수를 적고 8개의 꼭짓점에서 각각 살펴보자.

① : 1+2+4=7,　② : 1+2+3=6,
③ : 1+3+5=9,　④ : 1+4+5=10,
⑤ : 2+4+6=12,　⑥ : 2+3+6=11,
⑦ : 3+5+6=14,
끝으로 보이지 않는 한 꼭짓점은 4+5+6=15이다.
따라서 찾는 수는 6, 7, 9, 10, 11, 12, 14, 15의 8가지이다.

2

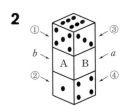

문제의 뜻에 따라 ①+b+②=12이다.
①=7−3=4, ②=7−4=3이므로
4+b+3=12, b=5이다.
따라서 B=7−5=2이다. 또, ③+a+④=12이다.
③=7−5=2, ④=7−1=6이므로
2+a+6=12, a=4이다.
따라서 A=7−4=3이다.

3 주사위는 마주 보는 면의 눈의 합이 7이므로 다음과 같다.

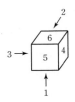

따라서 그림과 같이 윗면에 오는 수를 생각하며 번호를 적어 가다가 모서리에 닿으면 주사위 각 면의 수를 정리한 후, 다시 돌려나가면 ㉮에서 5가 윗면에 오게 되는 것을 알 수 있다.

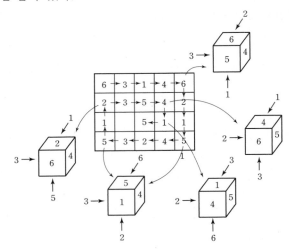

4

각 정육면체는 모두 다른 번호와 맞닿도록 놓아야 하므로
a=①, c=③, e=②, g=①이고
b≠①, d≠③, f≠②, h≠①이다.
b, d, f, h를 제외하고 ①은 8개, ②는 8개, ③은 7개 사용되었으므로 ① 1개, ② 1개, ③ 2개를 b, d, f, h에 넣어야 한다.
모두 다른 번호와 맞닿도록 넣으면
b=③, f=①, d=②, h=③이 된다.
따라서 큰 정육면체를 뒤에서 본 그림을 그리면 오른쪽과 같다.

③	①	②
①	②	③
③	①	②

특강탐구문제풀이

1 ① (1, 2, 5, 6), ② (2, 3, 6, 7), ③ (2, 4, 5, 7)에서
2, 6은 ①번 묶음, ②번 묶음에 같이 나타나므로 서로 이
웃하는 것을 알 수 있다.

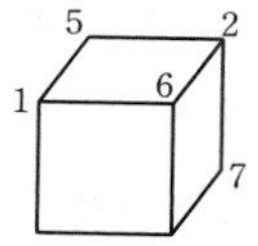

또, 2, 5는 ①번 묶음, ③번 묶음에서 같
이 나타나므로 이웃하는 것을 알 수 있다.

또, 2, 7은 ②번 묶음, ③번 묶음에서 같이 나타나므로 이
웃하는 것을 알 수 있다.

앞의 조건에 따라 왼쪽 그림과 같이 적어 나가면 '1'에서
가장 멀리 떨어진 꼭짓점의 수는 '7'임을 알 수 있다.

항상 7×7=49이다.

그림에서 ①은 한 면, ②는 두 면, ③은 세 면임에 주의하
여 수를 넣으면 된다.

가장 큰 경우는 ①에 6이 오는 경우, ②에 5, 6이 오는 경
우, ③에 4, 5, 6이 오는 경우이므로 합은

49+6×2+(5+6)×3+(4+5+6)×1=109이다.

가장 작은 경우는 ①에 1이 오는 경우, ②에 1, 2가 오는
경우, ③에 1, 2, 3이 오는 경우이므로 합은

49+1×2+(1+2)×3+(1+2+3)×1=66이다.

2

왼쪽 오른쪽

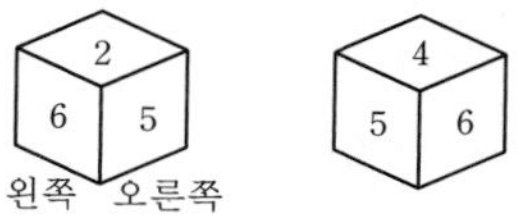

〈그림 1〉　　〈그림 2〉

쌓기나무의 숫자는 〈그림 1〉, 〈그림 2〉와 같은 겨냥도에서
옆면의 왼쪽, 오른쪽에 들어가는 숫자가 무엇이냐에 따라
윗면의 숫자를 알 수 있다. 예를 들어 문제에 주어진 쌓기
나무는 〈그림 1〉과 같이 겨냥도의 옆면 왼쪽에 6, 오른쪽
에 5가 씌어진 경우 윗면이 2이지만, 〈그림 2〉와 같이 왼
쪽이 5, 오른쪽이 6이면 윗면은 4가 됨을 알 수 있다.

첫째 번 쌓기나무는 왼쪽 2, 오른쪽이 1이므로 윗면인
㉠은 3이 된다.

둘째 번 쌓기나무는 쌓기나무는 왼쪽 6, 오른쪽 2로 돌려
놓고 생각하면 ㉡은 3이 된다.

셋째 번 쌓기나무는 왼쪽 2, 오른쪽 5로 돌려놓고 생각하
면 ㉢은 1이 된다.

3

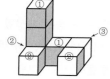

그림에서 색칠한 면과 그 마주 보는 면은 항상 합이 7이
되어 결과에 아무런 영향을 주지 못한다.

즉, 색칠한 면 7개와 그 마주 보는 면은 합하여 7이므로

4

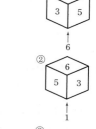

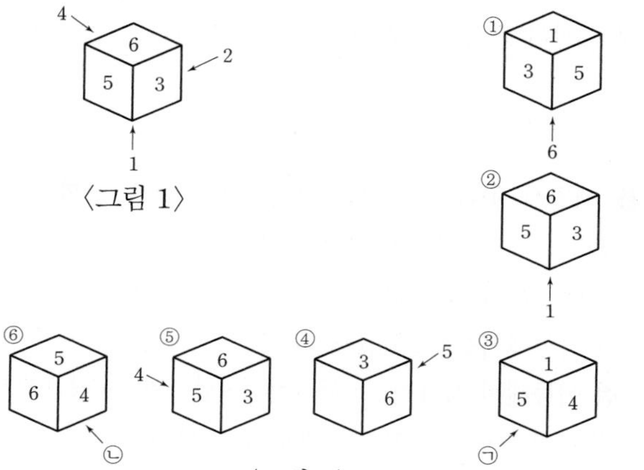

〈그림 1〉

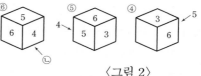

〈그림 2〉

〈그림 2〉의 ⑤의 주사위를 사용해 이 주사위의 각 면의
숫자를 채워 보면 〈그림 1〉과 같다.

〈그림 2〉에서 ①의 주사위의 윗면, 즉 D는 3이 왼쪽, 5가
오른쪽이므로 1임을 알 수 있다. 아랫면은 7−1=6이므
로 접하고 있는 ②의 주사위의 윗면은 6이다. 6을 왼쪽,
5를 오른쪽으로 놓고 생각하면 ②의 주사위의 C에 해당
하는 숫자는 3이다.

③의 주사위에서 4를 왼쪽, 1을 오른쪽으로 놓고 생각하
면 ㉠에 해당하는 숫자는 5이다.

④의 주사위의 접하는 면도 5이므로 5를 왼쪽, 3을 오른
쪽으로 놓고 생각하면 B에 해당하는 숫자는 6이다.

⑤의 주사위에서 ⑥의 주사위와 만나는 면은 4이다.

⑥의 주사위의 ㉡도 4이므로 6을 왼쪽, 4를 오른쪽으로
놓으면 A에 해당하는 숫자는 5이다.

즉 D=1, C=3, B=6, A=5이므로 모두 더한 값은
5+6+3+1=15이다.

5

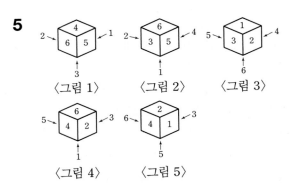

〈그림 1〉과 같이 문제의 조건대로 각 면을 채워 넣자.

조건에 맞게 굴린 후의 상태에서 숫자들을 채워 넣으면, 뒷쪽으로 1회 굴린 것이 〈그림 2〉, 다시 오른쪽으로 2회 굴린 것이 〈그림 3〉, 또, 앞쪽으로 2회 굴린 것이 〈그림 4〉가 되고 마지막으로 왼쪽으로 1회 굴리면 〈그림 5〉와 같이 되어 윗면에 나타나는 눈은 2가 된다.

6 색칠한 곳과 ㉮는 2칸 떨어져 있으므로 ㉮까지 이동하려면 최소 2번 이동하여야 한다.

2번 이동은 동으로 2번이므로 6의 눈이 위에 온다.

3번 이동해서는 ㉮에 갈 수 없다.

4번 이동해서 북 1칸 → 동 1칸 → 남 1칸 → 동 1칸으로 움직이면 그림과 같이 2가 위로 오게 된다.

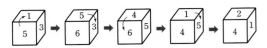

7

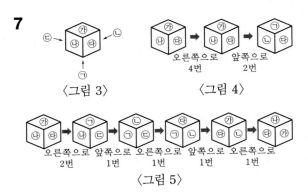

〈그림 3〉과 같이 각 면에 이름을 정하자.

〈그림 4〉와 같이 회전시키며 처음의 ㉮를 포함하여 윗면에 나타나는 7개의 눈의 수의 합은
㉮+㉢+㉠+㉺+㉮+㉡+㉠이다.

이 때 ㉮+㉠=㉯+㉡=㉰+㉢=7이므로 합은 21+㉡이다. 즉, 21+㉡=24이므로 ㉡=3이고 ㉯=4이다.

〈그림 5〉와 같이 회전시키며 처음의 ㉮를 포함하여 윗면에 나타나는 7개의 눈의 수의 합은
㉮+㉢+㉠+㉡+㉰+㉮+㉯이고

앞에서와 같이 이것은 ㉮+21=22이므로 ㉮=1이다.

문제의 〈그림 1〉에서 주사위의 모양은 오른쪽과 같으므로 1을 왼쪽, 4를 오른쪽으로 놓고 생각하면 ㉰=2이다.

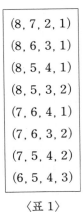

8 먼저 1부터 8까지의 수 중에서 네 수의 합이 18이 되는 경우를 찾아보자.

$$
\begin{aligned}
&(8, 7, 2, 1)\\
&(8, 6, 3, 1)\\
&(8, 5, 4, 1)\\
&(8, 5, 3, 2)\\
&(7, 6, 4, 1)\\
&(7, 6, 3, 2)\\
&(7, 5, 4, 2)\\
&(6, 5, 4, 3)
\end{aligned}
$$

〈표 1〉

〈표 1〉에서 5를 중심으로 생각해 보자.

먼저 제일 위의 (8, 5, 4, 1)을 배열해 보자. 〈그림 2〉와 같이 배열할 경우 8, 4가 또 들어간 짝이 없으므로 완성할 수 없다.

〈그림 3〉과 같이 8, 4를 떨어뜨려 놓을 경우 완성할 수 있다. 돌리거나 뒤집어 같은 것은 의미가 없다면 한 면에 숫자를 배열하는 것은 2가지 방법뿐이므로 〈그림 3〉에 나온 짝을 제외하고 1, 3, 7이 접하지 않도록 만들어 나가 보면 오직 〈그림 3〉의 경우만 완성시킬 수 있다는 것을 알 수 있다.

따라서 8이 적혀 있는 정육면체와 접하는 정육면체에 적혀 있는 수는 1, 3, 5이다.

9 테이프가 붙어 있는 곳과 면 ㉮, ㉯, ㉰, ㉱의 적혀 있는 위치를 살펴보면서 정육면체의 위치를 〈그림 2〉와 같이 바꾸면 다음과 같다.

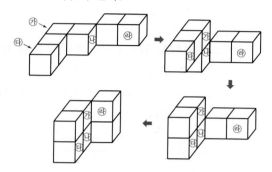

따라서 ㉰, ㉱의 위치는 다음 그림과 같다.

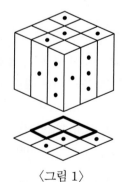

10 주어진 조건에서 〈그림 1〉의 밑면 중 굵은 선으로 둘러싸인 부분에 나머지 한 점이 어느 위치에 있을지를 결정하면 된다.

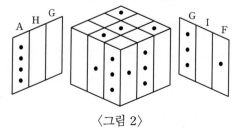

〈그림 1〉

먼저 A가 네 점이 있는 면을 안쪽으로 두는 경우를 생각해 보면 조건에 맞는 것을 찾을 수 없다.

〈그림 2〉

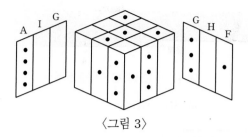

〈그림 3〉

그러므로 A가 네 점이 있는 면을 바깥으로 두는 경우를 생각해 보면 〈그림 2〉와 〈그림 3〉만 가능하다.
따라서 밑에서 바라 본 그림은

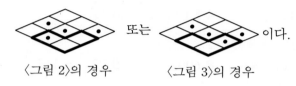

농도에 관한 문제

06

유제

1 $8\frac{4}{7}\%$ **2** B→15%, C→22.5%

3 9% **4** 36g, 10%

특강탐구문제

1 A→11.25%, B→2.25%

2 가→16%, 나→12%

3 $17\frac{3}{7}\%$ **4** 5 : 23 : 7 **5** 11%

6 B→8%, C→2%

7 168g, 48g **8** 600g **9** $73\frac{7}{11}$g, $113\frac{7}{11}$g

10 8% 소금물 315g

유제풀이

1 (가), (나), (다)의 세 그릇에 들어 있는 소금물의 무게를 각각 a, b, c라고 하면 a의 0.05와 b의 0.12, c의 0.15는 서로 같다.

$a\times0.05=b\times0.12$, $a\times5=b\times12$이므로 $a : b=12 : 5$이고, $b\times0.12=c\times0.15$, $b\times12=c\times15$이므로 $b : c=15 : 12=5 : 4$이다.

따라서 (가), (나), (다)의 세 그릇에 들어 있는 소금물의 양의 비는 $a : b : c=12 : 5 : 4$이고, 모두 섞으면

$$\frac{12\times0.05+5\times0.12+4\times0.15}{12+5+4}\times100$$

$$=\frac{180}{21}=\frac{60}{7}=8\frac{4}{7}(\%)의 소금물이 된다.$$

2 A에는 원래 있던 물 400g에 B에서 옮겨 담은 소금물 100g이 합쳐져서 3%의 소금물이 되었으므로

$500\times\frac{3}{100}=15(g)$의 소금이 들어 있고, 이것은 B에 들어 있는 소금물 100g 안에 있던 것이다.

즉, 처음 B에는 소금물 100g 속에 소금 15g이 들어 있었으므로 B의 농도는 $\frac{15}{100}\times100=15(\%)$이다.

처음 C에 들어 있던 소금물의 농도를 a라 하면, 나중에 C에 들어 있는 소금물의 양은 400g,

B에 들어 있는 소금의 양은

$300\times\frac{15}{100}+100\times\frac{a}{100}=45+a$이다.

마지막에 B와 C의 농도가 같아졌다고 하였고, 두 컵에 들어 있는 소금물의 양이 같으므로 $3\times a$와 $45+a$는 서로 같다.

따라서 처음에 C에 들어 있던 소금물의 농도는

$3\times a=45+a$, $2\times a=45$, $a=22.5(\%)$이다.

3 농도자를 그려 보면 A, B를 1 : 3으로 섞었을 때 11%가 되므로 11에서 A, B까지의 거리가 3 : 1이 된다.

또, 9 : 7로 섞었을 때 8.5%가 되므로 8.5에서 A, B까지의 거리가 7 : 9가 된다.

위와 같이 생각하면 $11-8.5=2.5$는 $\boxed{5}$가 되어 $\boxed{1}$은 0.5에 해당되므로 A의 농도는 $8.5-0.5\times7=5(\%)$이고, B의 농도는 $11+0.5\times4=13(\%)$이다.

따라서 A, B를 같은 양으로 섞으면 $(5+13)\div2=9(\%)$가 된다.

4 40g의 물을 더 넣을 때와 40g의 설탕을 더 넣을 때 설탕물의 양은 같다.

설탕 40g이 10%의 농도 차이를 만든다.

즉, 설탕 40g이 전체 설탕물의 10%를 차지하므로

설탕물은 $40\times\frac{100}{10}=400(g)$이고,

처음 설탕물은 $400-40=360(g)$이다.

또, 처음 설탕물에 녹아있던 설탕의 양을 ag이라 하면 40g의 물을 더 넣어 농도가 1% 낮아졌으므로

$$\frac{a}{360}\times100-1=\frac{a}{400}\times100이다.$$

따라서 어떤 설탕물 360g 속에 녹아 있던 설탕의 양은

$\frac{10}{36}\times a-\frac{1}{4}\times a=1$, $\frac{1}{36}\times a=1$, $a=36(g)$이고,

그 농도는 $\frac{36}{360}\times100=10(\%)$이다.

특강탐구문제풀이

1 A를 많이 넣었을 때의 농도가 B를 많이 넣었을 때의 농도보다 크므로 소금물 A의 농도가 더 크다.

농도자를 그려 보면 A, B를 3 : 1로 섞었을 때 9%가 되므로 9에서 A, B까지의 거리가 1 : 3이 된다.

또, 1 : 3으로 섞었을 때 4.5%가 되므로 4.5에서 A, B까지의 거리가 3 : 1이 된다.

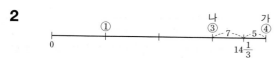

위와 같이 생각하면 9−4.5=4.5가 ②가 되어 ①은 2.25에 해당된다.

따라서 A의 농도는 9+2.25=11.25(%)이고, B의 농도는 4.5−2.25=2.25(%)이다.

2

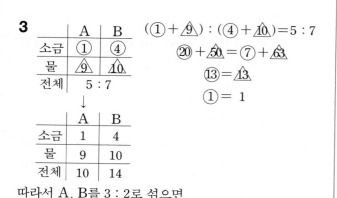

농도자를 이용하면

가, 나의 무게의 비는 700 : 500=7 : 5이므로

나와 가 사이를 7 : 5로 나누는 지점이 $14\frac{1}{3}=\frac{43}{3}$이 된다.

①×3+①×$\frac{7}{12}$이 $\frac{43}{3}$이므로

①×$\frac{43}{12}$=$\frac{43}{3}$, ①=4이다.

따라서 나 소금물의 농도 ③=12%이고,
가 소금물의 농도 ④=16%이다.

3

	A	B
소금	①	④
물	⑨	⑩
전체	5 : 7	

(①+⑨) : (④+⑩)=5 : 7

⑳+㊿=⑦+㊿

⑬=⑬

①=1

↓

	A	B
소금	1	4
물	9	10
전체	10	14

따라서 A, B를 3 : 2로 섞으면

$\dfrac{3\times\frac{1}{10}+2\times\frac{4}{14}}{5}\times100$

$=\dfrac{122}{7}=17\dfrac{3}{7}(\%)$가 된다.

4 각 컵에 들어 있는 소금의 양을 모두 1이라 하면 (ㄱ)+(ㄴ)에는 2의 소금이 들어 있고 (ㄷ)에는 1의 소금이 들어 있지만 (ㄱ)+(ㄴ)이 (ㄷ) 농도의 $\frac{1}{2}$이므로 소금물의 양은 (ㄱ)+(ㄴ)과 (ㄷ)이 4 : 1이 된다.

또, (ㄴ)+(ㄷ)에는 2의 소금이 들어 있고 (ㄱ)에는 1의 소금이 들어 있지만 (ㄴ)+(ㄷ)이 (ㄱ) 농도의 $\frac{1}{3}$이므로 소금물의 양은 (ㄴ)+(ㄷ)과 (ㄱ)이 6 : 1이 된다.

전체를 5와 7의 최소공배수인 35로 하면 (ㄱ)+(ㄴ)과 (ㄷ)은 28과 7, (ㄴ)+(ㄷ)과 (ㄱ)이 30과 5가 된다.

따라서 소금물의 비는 (ㄱ) : (ㄴ) : (ㄷ)=5 : 23 : 7이다.

5 농도자를 그려 보자.

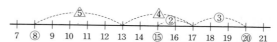

15%의 B 소금물과 20%의 C 소금물을 섞어 17%가 되었으므로 B와 C 소금물 양의 비는 3 : 2이다.

또, B, C를 섞은 17%의 소금물과 8%의 A 소금물을 섞으면 13%의 소금물이 되므로 A와 B+C 소금물의 양의 비는 4 : 5이다

따라서 A, B, C 소금물의 양의 비는 4 : 3 : 2이고 A, B 두 소금물만 섞으면 8과 15를 3 : 4로 나눈 점이 11이므로 11%가 된다.

별해* 다음과 같이 구할 수도 있다.

A, B, C 세 소금물의 무게를 각각 ag, bg, cg이라 하면

$\dfrac{0.08\times a+0.15\times b+0.2\times c}{a+b+c}\times100=13$,

$\dfrac{0.15\times b+0.2\times c}{b+c}\times100=17$

$8\times a+15\times b+20\times c=13\times a+13\times b+13\times c$ … ①

$15\times b+20\times c=17\times b+17\times c$ … ②

②에서 $2\times b=3\times c$, $b : c=3 : 2$

②를 ①에 넣으면

$$8 \times a + 17 \times b + 17 \times c = 13 \times a + 13 \times b + 13 \times c$$
$$4 \times b + 4 \times c = 5 \times a$$
$$4 \times (b+c) = 5 \times a$$
$$a : (b+c) = 4 : 5$$

따라서 $a : b : c = 4 : 3 : 2$이므로 A, B 두 소금물만 섞으면 8과 15 사이를 3 : 4로 나눈 11%가 된다.

6 농도가 12%인 A의 300g에는 소금이

$300 \times 0.12 = 36(g)$, 600g에는 소금이

$600 \times 0.12 = 72(g)$ 들어 있다.

A, B, C를 각각 300g, 400g, 500g씩 섞으면 6.5%의 소금물 1200g이 되므로

소금은 $1200 \times \dfrac{6.5}{100} = 78(g)$이 되고,

B, C만 400g, 500g씩 섞으면 소금은 $78 - 36 = 42(g)$이 된다.

또, A, B, C를 각각 600g, 300g, 100g씩 섞으면 9.8%의 소금물 1000g이 되므로

소금은 $1000 \times \dfrac{9.8}{100} = 98(g)$이 되고, B, C만 300g, 100g씩 섞으면 소금은 $98 - 72 = 26(g)$이 된다.

$$\begin{array}{l} ④ + \triangle{5} = 42 \\ ③ + \triangle{1} = 26 \end{array} \rightarrow \begin{array}{l} ④ + \triangle{5} = 42 \\ ⑮ + \triangle{5} = 130 \end{array}$$

$\rightarrow ⑪ = 88$, $① = 8$, $\triangle{1} = 2$

따라서 B 소금물 100g에는 8g의 소금이, C 소금물 100g에는 2g의 소금이 들어 있으므로 B는 8%, C는 2%인 소금물이다.

7

	처음	나중
물	300g	180g
알콜	120g	120g

물을 120g 줄이고 알콜을 그대로 유지해야 하므로 처음에 물 120g과 알콜 $120 \times \dfrac{120}{300} = 48(g)$을 퍼내고 다시 알콜 48g을 넣으면 된다.

따라서 퍼낸 알콜 용액은 $120 + 48 = 168(g)$이고, 더 넣은 알콜은 48g이 된다.

8 먼저 A와 B만 섞으면 5.5%가 된다.

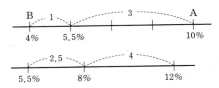

5.5% 소금물과 12% 소금물을 섞으면 8%가 되는 셈이므로 5.5% 소금물과 12% 소금물의 무게의 비는 $4 : 2.5 = 8 : 5$가 된다.

$$2600 \times \dfrac{8}{13} = 1600(g), \quad 2600 \times \dfrac{5}{13} = 1000(g)$$

따라서 A는 $1600 \times \dfrac{1}{4} = 400(g)$,

B는 $1600 \times \dfrac{3}{4} = 1200(g)$,

C는 1000g이었음을 알 수 있다.

이제 A와 B만 섞어서 8% 소금물을 만들어야 하므로 A와 B를 $4 : 2 = 2 : 1$의 비로 섞어야 한다.

A 소금물이 400g이므로 B 소금물을 200g만 사용할 수 있고 최대 600g을 만들 수 있다.

9 처음 포도원액의 일부를 물에 섞어 만든 혼합액에서 다시 포도원액 쪽으로 일부를 준다해도 혼합액의 농도는 변하지 않는다. 즉, 처음 만들어진 혼합액의 농도는 12%이다.

농도자를 그려 보면 농도 100%인 포도원액과 0%인 물이 섞여서 12%의 혼합액이 되기 위해서는 물과 포도원액이 $88 : 12 = 22 : 3$ 의 비율로 섞여야 하고, 물의 양이 540g이므로 포도원액의 양은

$$540 \times \dfrac{3}{22} = \dfrac{810}{11} = 73\dfrac{7}{11}(g)이다.$$

다시 12%의 혼합액 중 일부와 100%의 포도원액 $360 - 73\dfrac{7}{11} = 286\dfrac{4}{11}(g)$이 섞여 75%의 혼합액을 이루기 위해서는 포도원액과 혼합액의 비율이 $25 : 63$으로 섞여야 한다.

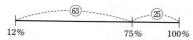

따라서 포도원액에 섞인 혼합액의 양은

$$286\frac{4}{11}\times\frac{25}{63}=\frac{3150}{11}\times\frac{25}{63}=\frac{1250}{11}=113\frac{7}{11}(g)이다.$$

10 소금 30g이 $1+5\frac{2}{3}=6\frac{2}{3}(\%)$의 농도 차이를 만든다. 즉 소금 30g이 전체 소금물의 $6\frac{2}{3}\%$를 차지하므로 소금물은 $30\div6\frac{2}{3}\times100=450(g)$이고, 처음 소금물은 420g이었다.

처음 들어 있던 소금의 양을 ag이라 하면

$$\frac{a}{420}\times100-1=\frac{a}{450}\times100,$$

$$\frac{10}{42}\times a-\frac{10}{45}\times a=1,$$

$$\frac{5}{21}\times a-\frac{2}{9}\times a=\frac{15}{63}\times a-\frac{14}{63}\times a=\frac{1}{63}\times a=1,$$

$a=63(g)$이므로 처음 소금물의 농도는

$$\frac{63}{420}\times100=15(\%)이었다.$$

12%의 소금물을 만들기 위해 더 넣어야 하는 소금물의 양은 $735-420=315(g)$이고,

처음 15%의 소금물과 더 넣어야 할 소금물의 양의 비는 $420:315=4:3$이다.

농도자를 그려 보면 그림과 같이 되어 ③이 3%이므로 ①은 1%이다.

따라서 더 넣어야 할 소금물의 농도는 8%이고, 그 양은 315g이다.

07 물 부피에 관한 문제 ②

유제

1 2.826L **2** 4cm

3 4분 10초 **4** $53\frac{1}{4}$초, $137\frac{5}{8}$초

특강탐구문제

1 $4\frac{36}{91}$cm **2** 19.5cm³ **3** 9cm **4** 21.8cm

5 65cm², 18cm **6** 4분 후 **7** 3.42L **8** $102\frac{6}{7}^{\circ}$

9 1분 $23\frac{1}{2}$초, 2분 $20\frac{7}{30}$초, 3분 $20\frac{7}{30}$초

10 80cm, 47.6cm, 26cm

유제풀이

1 그림 (가), (나)에서 물의 높이는 각각 $16-4=12$(cm), $10+3=13$(cm)이다. (나)의 물높이가 1cm 높아진 것은 (가)에서 4cm만큼 나와 있는 원기둥의 부피때문이다.

그러므로 (수조의 밑넓이)$\times 1=5\times 5\times 3.14\times 4=314$에서 수조의 밑넓이는 314cm²이다.

따라서 그림 (가)에서 수조 속의 물의 부피는 {(수조의 밑넓이)$-$(원기둥의 밑넓이)}$\times 12$이므로 $(314-5\times 5\times 3.14)\times 12=2826$(cm³)$=2.826$(L)이다.

2 〈그림 2〉와 〈그림 3〉에서 원기둥의 부피의 $\frac{1}{2}$이 원뿔의 부피의 $\frac{1}{2}$과 원기둥의 부피의 $\frac{1}{5}$의 합과 같음을 알 수 있다.

즉, (원기둥의 부피)$\times\frac{1}{2}$

$=$(원뿔의 부피)$\times\frac{1}{2}+$(원기둥의 부피)$\times\frac{1}{5}$

(원기둥의 부피)$\times\left(\frac{1}{2}-\frac{1}{5}\right)=$(원뿔의 부피)$\times\frac{1}{2}$

(원기둥의 부피)$\times\frac{3}{10}=$(원뿔의 부피)$\times\frac{1}{2}$

(밑넓이)$\times$(원기둥의 높이)$\times\frac{3}{10}=$(밑넓이)$\times 9\times\frac{1}{3}\times\frac{1}{2}$

(원기둥의 높이)$=9\times\frac{1}{3}\times\frac{1}{2}\times\frac{10}{3}=5$(cm)이다.

또, 물은 그릇의 $\frac{1}{2}$만큼 들어 있으므로 〈그림 3〉의 빈 부분이 〈그림 1〉의 물이 들어 있는 부분이 된다.

따라서 〈그림 1〉의 수면의 높이는 $5\times\frac{4}{5}=4$(cm)이다.

별해* 〈그림 2〉에서 물의 부피가 그릇의 $\frac{1}{2}$이므로 〈그림 3〉에서는 수면이 원기둥의 높이의 $\frac{1}{5}$까지 올라오고

〈그림 3〉 〈그림 1〉

〈그림 1〉에서는 수면이 원기둥의 높이의 $\frac{4}{5}$까지 올라온다.

〈그림 3〉에서 수면 높이가 원기둥의 $\frac{1}{5}$지점이므로 원뿔의 부피는 원기둥의 부피의 $\frac{3}{5}$이다. 밑넓이가 서로 같고 원뿔의 높이가 9cm이므로

(밑넓이)$\times 9\times\frac{1}{3}=$(밑넓이)$\times$(원기둥의 높이)$\times\frac{3}{5}$,

(원기둥의 높이)$\times\frac{3}{5}=3$

따라서 원기둥의 높이가 5cm이므로 〈그림 1〉에서 수면의 높이는 $5\times\frac{4}{5}=4$(cm)이다.

3 세 부분을 왼쪽부터 a, b, c라고 하자.

a의 부피는 $25\times 40\times 40=40000$(cm³)이고, 1초에 0.5L$=500$cm³씩 물이 차므로 $40000\div 500=80$(초) 후에 물이 가득 찬다.

이 때부터 b로 물이 500cm³씩 넘쳐오지만 0.1L$=100$cm³씩 물이 흘러나가므로 1초에 400cm³씩 물이 찬다. b의 부피는 $40\times 40\times 25=40000$(cm³)이므로 $40000\div 400=100$(초) 후에 물이 가득 찬다.

이 때부터 c로 400cm³씩 물이 넘쳐오는데 c에 물이 20cm까지 차려면 $35\times 40\times 20=28000$(cm³)의 물이 필요하므로 $28000\div 400=70$(초)가 걸린다.

따라서 오른쪽 칸에 물이 20cm까지 차려면 $80+100+70=250$(초), 즉 4분 10초 걸린다.

4 (나)의 2.5cm가 물 위로 떠 있는데 이것은 전체의 $\frac{1}{4}$이므로 (가)가 물에 뜨기 시작한 것은 수면의 높이가 $4\times\frac{3}{4}=3$(cm)가 되었을 때이다.

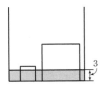

이 때 물의 부피는

$20 \times 20 \times 3 - 4 \times 4 \times 3 - 10 \times 10 \times 3 = 852 (\text{cm}^3)$이므로

정육면체 시각은 (개)가 물에 뜨기 시작한

$852 \div 16 = 53\frac{1}{4}$ (초) 후이다.

한편 (나)가 물에 뜨기 시작한 것은 수면의 높이가 7.5cm
될 때이다.

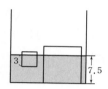

이 때의 물의 부피는

$20 \times 20 \times 7.5 - 4 \times 4 \times 3 - 10 \times 10 \times 7.5 = 2202 (\text{cm}^3)$

이므로 시각은 $2202 \div 16 = 137\frac{5}{8}$ (초) 후이다.

특강탐구문제풀이

1 먼저 처음 그릇에 들어 있던 물의 부피는

$20 \times 20 \times 3.14 \times 4 = 5024 (\text{cm}^3)$이다.

원기둥이 들어 있는 상태에서 높이 5cm까지 물의 양은

$(20 \times 20 \times 3.14 - 6 \times 6 \times 3.14) \times 5 = 5714.8 (\text{cm}^3)$이
므로 물의 높이는 5cm 이하이다.

따라서 수면의 높이는

$5024 \div (20 \times 20 \times 3.14 - 6 \times 6 \times 3.14) = 4\frac{36}{91} (\text{cm})$

이다.

2

〈그림 1〉　　〈그림 2〉

빈 부분의 부피는 변하지 않으므로 이 병 전체의 부피는
〈그림 1〉에서 물의 부피에 해당하는

(병의 밑넓이)×5와 〈그림 2〉에서 빈 부분에 해당하는

(병의 밑넓이)×4의 합과 같다.

즉, 35.1=(병의 밑넓이)×9이므로

(병의 밑넓이)=$35.1 \times \frac{1}{9} = 3.9 (\text{cm}^2)$이다.

따라서 물의 부피는 $3.9 \times 5 = 19.5 (\text{cm}^3)$이다.

3

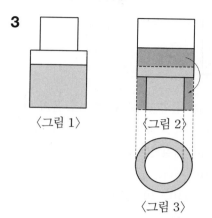

〈그림 1〉　　〈그림 2〉

〈그림 3〉

뒤집었을 때 높아진 5cm에 해당하는 물의 양은

$15 \times 15 \times 3.14 \times 5 = 3532.5 (\text{cm}^3)$이다.

이것은 밑면이 〈그림 3〉의 도형이고, 높이가 반지름이 작
은 원기둥과 같은 입체도형의 부피와 같다.

따라서 작은 원기둥의 높이는

$3532.5 \div (15 \times 15 \times 3.14 - 10 \times 10 \times 3.14) = 9 (\text{cm})$

이다.

4 〈그림 3〉에서 물의 높이가 3cm 높아진 것은 입체도
형이 높이 5cm만큼 물에 잠겼기 때문이다.

(수조의 밑넓이)×3=9×9×3×5이므로

(수조의 밑넓이)=405(cm^2)이다.

입체도형이 완전히 잠기면 전체 부피는

$9 \times 9 \times 3 \times 8 + 9 \times 9 \times 3 \times 10 \times \frac{1}{3} = 2754 (\text{cm}^3)$가 늘어

나고 $2754 \div 405 = 6.8$이므로 물의 높이는 6.8cm 높아
진다.

따라서 수면의 높이는 15+6.8=21.8(cm)가 된다.

5 처음 원기둥의 밑면의 넓이를 x, 높이를 y라고 하면

$x \times y = 390$이다.

이 때 원뿔 모양의 수면의 넓이는 $\frac{5}{2} \times x$, 높이는 $y+3$이

되므로 물의 부피는

$(\frac{5}{2} \times x) \times (y+3) \times \frac{1}{3} = 390$이다.

$x \times (y+3) = 390 \times \frac{3}{1} \times \frac{2}{5} = 468$, $x \times y + x \times 3 = 468$인

데 $x \times y = 390$이므로 $x \times 3 = 78$, $x = 26 (\text{cm}^2)$이다.

또 $x \times y = 390$이므로 $y = 390 \div 26 = 15 (\text{cm})$이다.

따라서 원뿔 모양의 그릇의 수면의 넓이는 $26 \times \frac{5}{2} = 65 (\text{cm}^2)$

이고, 높이는 15+3=18(cm)이다.

6

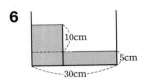

1분에 260cm³씩 20분 동안 물을 채웠으므로 물의 양은
$260 \times 20 = 5200$(cm³)이고 그릇 밑면의 세로의 길이가
20cm이므로 그림에서 색칠한 부분의 넓이는
$5200 \div 20 = 260$(cm²)이다.
$260 - 30 \times 5 = 110$, $110 \div 10 = 11$이므로 ㉮의 가로의
길이는 11cm이다.
㉮ 부분은 1분에 $264 \div (11 \times 20) = 1.2$(cm)씩 높아지고,
㉯ 부분은 1분에 $171 \div (19 \times 20) = 0.45$(cm)씩 높아지
므로 1분에 $1.2 - 0.45 = 0.75$(cm)씩 차이가 난다.
따라서 두 부분의 물의 높이의 차가 3cm가 되는 때는
$3 \div 0.75 = 4$(분) 후이다.

7

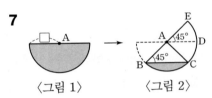

〈그림 1〉　　　〈그림 2〉

그릇을 기울여도 그릇의 폭은 변하지 않으므로 남아있는
물의 양은 $18.84 \times \dfrac{(\text{〈그림 2〉의 색칠한 부분의 넓이})}{(\text{〈그림 1〉의 색칠한 부분의 넓이})}$ 가
된다.
이 그릇의 옆면의 반지름을 x라고 하자.
〈그림 1〉에서 색칠한 넓이는
$x \times x \times 3.14 \times \dfrac{1}{2} = x \times x \times 1.57$
한편 〈그림 2〉에서 색칠한 부분의 넓이는
(부채꼴 ABC의 넓이) $-$ (삼각형 ABC의 넓이)이다.
이 때, 각 ABC는 각 EAD와 동위각으로 45°이고 변
AB와 변 AC는 원의 반지름으로 길이가 같기 때문에 삼
각형 ABC는 직각이등변삼각형이다.
그러므로 〈그림 2〉에서 색칠한 부분의 넓이는
$x \times x \times 3.14 \times \dfrac{1}{4} - x \times x \times \dfrac{1}{2}$
$= x \times x \times (3.14 \times \dfrac{1}{4} - \dfrac{1}{2})$
$= x \times x \times 0.285$
따라서 물통에 남아 있는 물의 양은
$18.84 \times \dfrac{x \times x \times 0.285}{x \times x \times 1.57} = 18.84 \times \dfrac{0.285}{1.57} = 3.42$(L)이다.

8

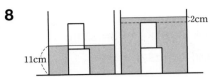

5cm에서 11cm로 높이가 6cm 늘어난 것은 입체도형이
11cm 까지 물속에 잠겨졌기 때문이다.
(수조의 밑넓이) $\times 6$
$= 4 \times 4 \times 3.14 \times 10 +$ (윗부분의 밑넓이) $\times 1$　……①
또, 14.5cm에서 22cm로 높이가 7.5cm 늘어난 것은 입
체도형이 모두 물속에 잠겨졌기 때문이다.
(수조의 밑넓이) $\times 7.5$
$= 4 \times 4 \times 3.14 \times 10 +$ (윗부분의 밑넓이) $\times 10$　……②
윗부분의 밑넓이를 구하기 위해 ①에 5배 하고 ②에 4배
하면
(수조의 밑넓이) $\times 30$
$= 2512 +$ (윗부분의 밑넓이) $\times 5$　　　　　……①'
(수조의 밑넓이) $\times 30$
$= 2009.6 +$ (윗부분의 밑넓이) $\times 40$　　　　……②'
②' $-$ ①' 을 하면
(윗부분의 밑넓이) $\times 35 = 2512 - 2009.6 = 502.4$
(윗부분의 밑넓이) $= 502.4 \div 35 = \dfrac{502.4}{35}$
윗부분의 밑면은 부채꼴이므로 $4 \times 4 \times 3.14 \times \dfrac{x°}{360°} = \dfrac{502.4}{35}$
$x° = \dfrac{502.4 \times 360°}{35 \times 4 \times 4 \times 3.14} = \dfrac{3600°}{35}$
$= \dfrac{720°}{7} = 102\dfrac{6}{7}°$

9 물 위에 떠 있는 부분의 높이가 각각 1cm, 2cm,
3cm이므로 잠긴 부분의 높이는 각각 3cm, 5cm, 7cm
이다.

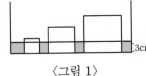

〈그림 1〉

㉮가 물에 뜨기 시작한
것은 수조의 물 높이가
3cm가 되었을 때이다.
이 때, 물의 양은
$(40 \times 25 - 4 \times 4 - 7 \times 7 - 10 \times 10) \times 3 = 2505$(cm³)이
므로 걸린 시간은 $2505 \div 30 = 83\dfrac{1}{2}$(초),
즉 1분 $23\dfrac{1}{2}$초이다.

⑭가 물에 뜨기 시작한 것은 수조의 물 높이가 5cm가 되었을 때이다.

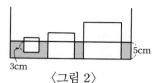

〈그림 2〉

이 때, 물의 양은

$(40 \times 25 - 7 \times 7 - 10 \times 10) \times 5 - 4 \times 4 \times 3 = 4207 (cm^3)$

이므로 걸린 시간은

$4207 \div 30 = 140\frac{7}{30}$(초), 즉 2분 $20\frac{7}{30}$초이다.

⑮가 물에 뜨기 시작한 것은 수조의 물 높이가 7cm가 되었을 때이다.

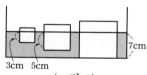

〈그림 3〉

이 때, 물의 양은

$(40 \times 25 - 10 \times 10) \times 7 - 7 \times 7 \times 5 - 4 \times 4 \times 3$

$= 6007 (cm^3)$이므로

걸린 시간은 $6007 \div 30 = 200\frac{7}{30}$(초),

즉 3분 $20\frac{7}{30}$초이다.

10 (개) 부분에는 1초에 48L−8L=40L=40000(cm³) 씩 물이 찬다.

((개) 부분 밑넓이)=180×200=36000(cm²)

따라서 1초에 $\frac{40000}{36000}=\frac{10}{9}$(cm)씩 물 높이가 높아지므로 $120 \div \frac{10}{9}=108$(초)가 되면 가득 찬다.

(내) 부분에는 1초에 40L−8L=32L=32000(cm³)씩 물이 찬다.

((내) 부분 밑넓이)=200×200=40000(cm²)

따라서 1초에 $\frac{32000}{40000}=\frac{4}{5}$(cm)씩 물 높이가 높아지므로 $80 \div \frac{4}{5}=100$(초)가 되면 가득 찬다.

(대) 부분에는 1초에 32L−8L=24L=24000(cm³)씩 물이 찬다.

((대) 부분 밑넓이)=120×200=24000(cm²)

따라서 1초에 $\frac{24000}{24000}=1$(cm)씩 물 높이가 높아지므로 $80 \div 1=80$(초)가 되면 가득 찬다.

5분=300초이므로 300−(108+100+80)=12초 동안에는 1초에 24000cm³씩 (내)와 (대) 부분에 물이 찬다.

그러므로 1초에 $\frac{24000}{40000+24000}=\frac{24000}{64000}=\frac{3}{8}$(cm)

씩 물높이가 높아지므로

12초 후에는 $12 \times \frac{3}{8}=\frac{9}{2}=4.5$(cm) 높아진다.

즉, 물을 넣기 시작하여 5분 후의 물 높이는 (개) 120cm, (내) 84.5cm, (대) 84.5cm가 된다.

다음 3분 동안 물을 잠그게 되어 3분=180초 동안 (개) 부분에는 1초에 8L=8000cm³씩 물이 줄어들므로

1초에 $\frac{8000}{36000}=\frac{2}{9}$(cm)씩 물 높이가 낮아진다.

따라서 3분 후 $180 \times \frac{2}{9}=40$(cm)가 낮아지므로

(개)의 물 높이는 120−40=80(cm)가 된다.

또, (내), (대) 부분에는 1초에 8L+8L=16L=1600cm³씩 물이 줄어들므로

1초에 $\frac{16000}{40000+24000}=\frac{16000}{64000}=\frac{1}{4}$(cm)씩 물 높이가 낮아진다.

이 때, 물 높이가 4.5cm 낮아지려면 $4.5 \div \frac{1}{4}=18$(초) 걸리므로 물을 잠그고 18초 후 (내), (대) 부분의 물 높이는 각각 80cm가 된다.

그 후 180초−18초=162초 동안 (내) 부분에는 1초에 $\frac{8000}{40000}=\frac{1}{5}$(cm)씩 물 높이가 낮아지므로 모두

$162 \times \frac{1}{5}=32.4$(cm) 낮아져서 3분 후 (내) 부분의 물 높이는 80−32.4=47.6(cm)가 된다.

한편, (대) 부분에는 1초에 $\frac{8000}{24000}=\frac{1}{3}$(cm)씩 물 높이가 낮아지므로 모두 $162 \times \frac{1}{3}=54$(cm) 낮아져서 3분 후 (대) 부분의 물 높이는 80−54=26(cm)가 된다.

따라서 물을 넣기 시작하여 8분 후의 물 높이는 (개) 80cm, (내) 47.6cm, (대) 26cm가 된다.

08 길 찾기 ②

유제

1 32가지   **2** 20가지   **3** 17가지   **4** 84가지

특강탐구문제

1 1024가지   **2** 16가지   **3** 37가지   **4** 38가지
5 22가지   **6** 124가지   **7** 19가지   **8** 32가지
9 236가지   **10** 130가지

유제풀이

1 A에서 B로 가는 길은 1가지, A에서 C로 가는 길은 2가지, B에서 C로 가는 길은 2가지, B에서 D로 가는 길은 4가지, C에서 D로 가는 길은 3가지이다.
A에서 D로 가는 방법은 다음과 같다.

방법	가짓수
A→B→D	$1 \times 4 = 4$
A→B→C→D	$1 \times 2 \times 3 = 6$
A→C→B→D	$2 \times 2 \times 4 = 16$
A→C→D	$2 \times 3 = 6$

따라서 A에서 D로 가는 방법은 $4+6+16+6=32$(가지)이다.

2 점 ㄱ에서는 →, ↘, ↓ 세 가지 길로 갈 수 있고, 교차로에서는 직진하거나 직각으로 꺾어 가야 하므로 각 경우에 대하여 다음과 같이 생각할 수 있다.

① 점 ㄱ에서 → 방향으로 출발할 경우 : 6가지

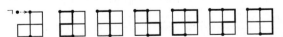

② 점 ㄱ에서 ↓ 방향으로 출발할 경우 : 4가지

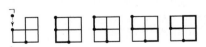

③ 점 ㄱ에서 ↘ 방향으로 출발할 경우 : 10가지

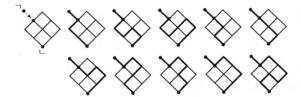

따라서 점 ㄱ에서 점 ㄴ으로 가는 방법은 모두 $6+4+10=20$(가지)이다.

3 ㉠ 1번 뛰었을 때   ㉡ 2번 뛰었을 때

A			
		1	
	1		

2		1		1
		①	1	
1	①			1
	1		2	

㉢ 3번 뛰었을 때

②	2	①	1	①
2		8	①	3
①	6		3	①
	①	3	②	1

4번 뛰었을 때 B칸에 갈 수 있는 말들의 3번 뛰었을 때의 위치는 색칠된 부분과 같다.

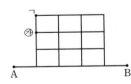

따라서 4번 뛰었을 때 B칸에 가는 방법은 모두 $6+8+3=17$(가지)이다.

4 • 점 ㄱ만 지나는 경우

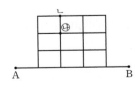

A에서 점 ㄱ으로 갈 때와 점 ㄱ에서 B로 갈 때 모두 ㉮ 지점을 지나야 한다.
→ $1 \times 10 = 10$(가지)

• 점 ㄴ만 지나는 경우

A에서 점 ㄴ으로 갈 때와 점 ㄴ에서 B로 갈 때 모두 ㉯ 지점을 지나야 한다.
→ $3 \times 6 = 18$(가지)

• 점 ㄷ만 지나는 경우
점 ㄴ만 지나는 경우와 마찬가지로 $6 \times 3 = 18$(가지)
• 점 ㄹ만 지나는 경우
점 ㄱ만 지나는 경우와 마찬가지로 $10 \times 1 = 10$(가지)
• 점 ㄱ, ㄴ만 지나는 경우

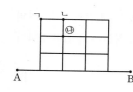

점 ㄴ에서 B로 갈 때 ㉯ 지점을 지나야 한다.
→ 6가지

- 점 ㄱ, ㄴ, ㄷ만 지나는 경우

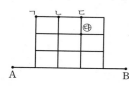

점 ㄷ에서 B로 갈 때 ㉰ 지점을 지나야 한다.
→ 3가지

- 점 ㄱ, ㄴ, ㄷ, ㄹ을 지나는 경우

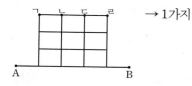

→ 1가지

- 점 ㄴ, ㄷ만 지나는 경우

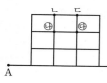

A에서 점 ㄴ으로 갈 때 ㉯ 지점을 지나야 하고, 점 ㄷ에서 B로 갈 때 ㉰ 지점을 지나야 한다.
→ 3×3=9(가지)

- 점 ㄴ, ㄷ, ㄹ만 지나는 경우

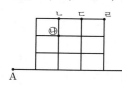

A에서 점 ㄴ으로 갈 때 ㉯ 지점을 지나야 한다.
→ 3×1=3(가지)

- 점 ㄷ, ㄹ만 지나는 경우

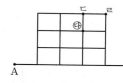

A에서 점 ㄷ으로 갈 때 ㉯ 지점을 지나야 한다.
→ 6×1=6(가지)

따라서 10+18+18+10+6+3+1+9+3+6=84(가지)
별해 다음 그림과 같이 선대칭시켜서 방법의 수를 구할 수도 있다.

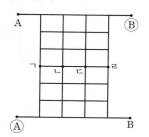

Ⓐ에서 Ⓑ까지 가는 방법의 수를 구하면 84가지이다.

특강탐구문제풀이

1

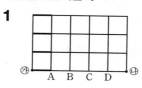

가로로 난 길은 오른쪽으로만, 세로로 난 길은 위아래로 갈 수 있다. 최단거리로 가야 한다는 조건이 없으며 한 번 지나간 곳을 다시 갈 수 없다. ㉮에서 A로 갈 때 4가지의 가로로 난 길 중에서 선택할 수 있고, A에서 B로, B에서 C로, C에서 D로, D에서 ㉯로 갈 때도 마찬가지이다.
따라서 ㉮지점에서 ㉯지점까지 가는 방법은 모두
4×4×4×4×4=1024(가지)이다.

2 ① 점 ㄱ에서 → 방향으로 출발할 경우 : 8가지

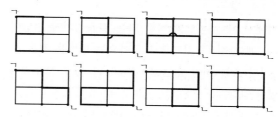

② 점 ㄱ에서 ↓방향으로 출발할 경우 : 8가지

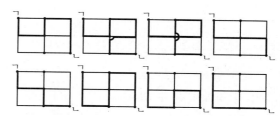

따라서 8+8=16(가지)이다.
참고* 점 ㄱ에서 → 방향으로 출발할 경우에 8가지 방법이 있다면 ↓방향으로 출발할 경우에도 마찬가지임을 알 수 있다.

3 오른쪽, 아래쪽, 왼쪽 아래, 오른쪽 아래로만 갈 수 있으므로 각 점까지 갈 수 있는 방법의 수는 다음 그림과 같다.

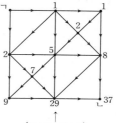

(9+7+5+8)
따라서 점 ㄱ에서 점 ㄴ으로 가는 방법은 37가지이다.

4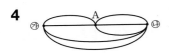

㉮ 지점에서 ㉯ 지점으로 가는 방법은 A를 거쳐 가는 경우와 직접 가는 경우 2가지이다.

• A를 거쳐 가는 경우

㉯ 지점으로 가는 방법은 ㉮ 지점에서 A까지 2가지 길과 A에서 ㉯ 지점까지 3가지 길이 있으므로 2×3=6(가지) 방법이 있다. 이 때 다시 ㉮ 지점으로 돌아가는 방법은 한 번 지난 길을 다시 갈 수 없으므로 ㉯ 지점에서 A로 갈 때 2가지, A에서 ㉮ 지점으로 갈 때 1가지 길이 있으므로 2×1=2(가지), 그리고 직접 ㉮ 지점으로 가는 2가지로 모두 4가지 방법이 있다.

• 직접 가는 경우

㉮ 지점에서 ㉯ 지점으로 직접 가는 길은 2가지 방법이 있다. 이 때 다시 ㉮ 지점으로 돌아오는 방법은 직접 오는 1가지와 A를 거쳐 오는 3×2=6(가지)로 모두 7가지 방법이 있다.

따라서 ㉮ 지점에서 ㉯ 지점으로 갔다가 다시 돌아오는 방법의 수는 6×4+2×7=24+14=38(가지)이다.

5 길을 따라서 오른쪽, 위쪽, 오른쪽 위로만 갈 수 있으므로 A에서부터 각 점까지 갈 수 있는 방법의 수를 적어 보면 오른쪽 그림과 같다.

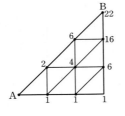

따라서 A에서 B까지 가는 방법의 수는 22가지이다.

6

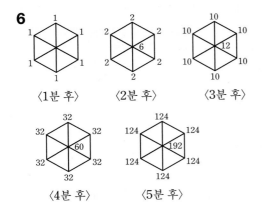

〈1분 후〉 〈2분 후〉 〈3분 후〉

〈4분 후〉 〈5분 후〉

따라서 1분마다 각 점까지 갈 수 있는 방법의 수는 위의 그림과 같으므로, 5분 후 점 A에 도착하는 방법은 124가지이다.

7 ㉠ 1번 뛰었을 때   ㉡ 2번 뛰었을 때

㉢ 3번 뛰었을 때   ㉣ 4번 뛰었을 때

한 번씩 뛸 때마다 각 점에 갈 수 있는 방법의 수는 위의 그림과 같다.

5번 뛰었을 때 점 ㄴ에 가는 점은 ⑦, ⑥, ⑥이다.

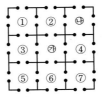

따라서 5번 뛰어 점 ㄴ에 가는 방법은 모두 7+6+6=19(가지)이다.

8 다음 그림과 같이 각 방에 번호를 붙여 보자.

• 방 밖으로 나가지 않고 ㉮에서 ㉯로 가는 방법 : 2가지

㉮ → ③ → ① → ② → ㉯

㉮ → ⑥ → ⑦ → ④ → ㉯

• 1개 방을 거쳐 밖으로 나갔다가 ② 또는 ④ 방으로 들어와서 ㉯로 가는 방법 : 6가지

㉮ → ② → 밖 → ④ → ㉯

㉮ → ③ → 밖 ⟨ ② → ㉯ / ④ → ㉯

㉮ → ④ → 밖 → ② → ㉯

㉮ → ⑥ → 밖 ⟨ ② → ㉯ / ④ → ㉯

• 2개 방을 거쳐 밖으로 나갔다가 ㉯로 가는 방법 : 24가지

「㉮ → ② → ① → 밖 → ㉯」의 경우 ①에서 밖으로 나가는 문이 2가지, 밖에서 ㉯로 들어오는 문이 2가지이므로 $2 \times 2 = 4$(가지)가 생긴다.

같은 방법으로 다음과 같이 갈 수 있으므로,

$4 \times 6 = 24$(가지)이다.

㉮ ── ③ ── ① ── 밖 ── ㉯

㉮ < ⑥ / ④ > ⑦ → 밖 → ㉯

㉮ < ③ / ⑥ > ⑤ → 밖 → ㉯

따라서 출입문 4개를 지나 ㉮에서 ㉯로 가는 방법은 모두 $2 + 6 + 24 = 32$(가지)이다.

9

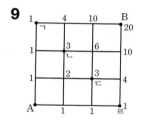

위의 그림과 같이 태은이가 A에서 B로 가장 짧은 길로 갈 수 있는 방법은 20가지이고, 별이가 B에서 A로 가는 방법의 수도 마찬가지로 20가지이다.

그러므로 태은이가 A에서 B로 가고 동시에 별이가 B에서 A로 가는 방법의 수는 $20 \times 20 = 400$(가지)이다.

A에서 B 또는 B에서 A로 가장 빠른 길을 통해 가려면 작은 정사각형의 변 6개를 거쳐 가야 하므로 태은이와 별이가 만날 수 있는 곳은 각자 절반만큼인 변 3개를 지난 점 ㄱ, 점 ㄴ, 점 ㄷ, 점 ㄹ뿐이다.

• 점 ㄱ과 점 ㄹ까지 갈 수 있는 방법의 수는 각각 1가지씩이므로 만나는 경우는 $(1 \times 1) \times 2 = 2$(가지)이다.

• 점 ㄴ과 점 ㄷ까지 갈 수 있는 방법의 수는 각각 3가지씩인데, 만나고 난 후 A 또는 B로 가는 방법의 수 또한 3가지이므로 만나는 경우는

$\{(3 \times 3) \times (3 \times 3)\} \times 2 = 162$(가지)이다.

따라서 태은이와 별이가 서로 만나지 않고 각자 목적지에 가는 방법의 수는 전체 가짓수에서 만나는 가짓수를 뺀 $400 - (162 + 2) = 236$(가지)이다.

10

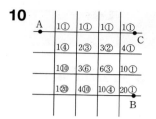

위의 그림에서 각 교차로 옆에 쓰여진 수는 A 지점으로부터 각 교차로까지 갈 수 있는 방법의 수이고, 그 옆의 ○ 안에 쓰여진 수는 각 교차로에서 C 지점까지 갈 수 있는 방법의 수이다.

그림에서 가장 윗부분 교차로를 살펴보면 A 지점에서 a까지 갔다가 목적지를 바꿔 C 지점으로 가는 것과 A 지점에서 b로 갔다가 C 지점으로 가는 것, A 지점에서 c로 갔다가 C 지점으로 가는 것, A 지점에서 d로 갔다가 C 지점으로 가는 방법이 모두 같은 이동 방법이다.

같은 방법으로 각 교차로에서의 겹친 횟수를 구해 보면 다음 그림과 같다.

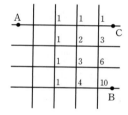

또한 A 지점에서 어느 한 교차점까지 갈 수 있는 방법이 x가지이고 그 교차점부터 C 지점까지 갈 수 있는 방법이 y가지이면, A 지점부터 C 지점까지 가는 방법의 수는 $(x \times y)$가지이다.

따라서 A 지점에서 B 지점을 향해 가다가 방향을 바꾸어 C 지점으로 가는 방법은

$1 \times 1 + (1-1) \times 1 + (1-1) \times 1 + (1-1) \times 1 + 1 \times 4$
$+ (2-1) \times 3 + (3-2) \times 2 + (4-3) \times 1 + 1 \times 10$
$+ (3-1) \times 6 + (6-3) \times 3 + (10-6) \times 1 + 1 \times 20$
$+ (4-1) \times 10 + (10-4) \times 4 + (20-10) \times 1$
$= 1 + 4 + 3 + 2 + 1 + 10 + 12 + 9 + 4 + 20 + 30 + 24 + 10$
$= 130$(가지)이다.

09 닮음을 이용한 도형 문제 ③

유제

1 18cm **2** 49 : 9 : 82 **3** 30.25cm **4** 1.5cm

특강탐구문제

1 96cm² **2** 9 : 1600 **3** $8\frac{1}{3}$cm²

4 1 : 1 : 3 : 4 **5** $\frac{11}{40}$배 **6** 25 : 49 : 64

7 172cm² **8** 90 : 27 : 13 **9** $22\frac{2}{9}$cm²

10 1.2m

유제풀이

1 (변 ㄱㅁ) : (변 ㄱㅂ)=1 : 2,
(변 ㄱㅇ) : (변 ㄱㄷ)=1 : 2
삼각형 ㄱㅁㅇ과 삼각형 ㄱㅂㄷ은 각 ㅂㄱㄷ이 공통이므로 닮음비가 1 : 2인 닮은 삼각형이다.
따라서 변 ㅁㅇ과 변 ㅂㄷ의 길이의 비도 1 : 2이므로 변 ㅂㄷ의 길이는 6×2=12(cm)이다.
한편 변 ㅂㄷ과 변 ㅁㅈ이 평행이므로 삼각형 ㅂㄴㄷ과 삼각형 ㅁㄴㅈ도 세 각의 크기가 같은 닮은 삼각형이고, (변 ㄴㅂ)×2=(변 ㄴㅁ)이므로 닮음비는 1 : 2이다.
따라서 선분 ㅁㅈ의 길이가 12×2=24(cm)이므로, 선분 ㅇㅈ의 길이는 24−6=18(cm)이다.

2

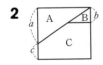 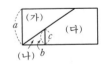

〈그림 1〉

〈그림 1〉에서 b의 길이와 c의 길이가 같음을 알 수 있다. 이 때 a=4.9cm이고 b=7−4.9=2.1(cm)이다.

〈그림 2〉

〈그림 2〉에서 (밑변) : (높이) =7 : 4.9=10 : 7이다.
또 (가)와 (나)는 닮은 도형이므로 (나)의 밑변의 길이는
$2.1 \times \frac{10}{7} = 3$(cm)이다.

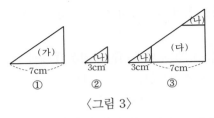

〈그림 3〉

〈그림 3〉에서 ①, ②, ③의 삼각형은 모두 닮음이고 그 닮음비가 7 : 3 : (3+7)=7 : 3 : 10이므로 넓이의 비는 (7×7) : (3×3) : (10×10)=49 : 9 : 100이다.
따라서 ①=(가), ②=(나), ③=(다)+(나)×2이므로
(가) : (나) : (다)=49 : 9 : (100−9×2)=49 : 9 : 82이다.

3

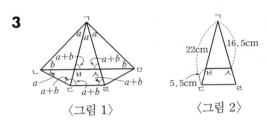

〈그림 1〉   〈그림 2〉

이등변삼각형 ㄱㄴㄷ, ㄱㄷㄹ, ㄱㄹㅁ에서
(각 ㄴㄱㄷ)=(각 ㄷㄱㄹ)=(각 ㄹㄱㅁ)=a,
이등변삼각형 ㄱㄴㅁ에서
(각 ㄱㄴㅂ)=(각 ㄱㅁㅅ)=b라 하자.
(각 ㄱㅂㅅ)=(각 ㄱㅅㅂ)=$a+b$, 삼각형 ㄱㅂㅅ은 이등변삼각형이다. 또, 이등변삼각형 ㄱㄷㄹ도 꼭지각이 a이므로 밑각은 $a+b$가 된다.
(각 ㄱㄷㄹ)=(각 ㄴㄷㅂ)=(각 ㄴㄷㅂ)=$a+b$
(각 ㅂㄴㄷ)=$(a+b)-b=a$
따라서 삼각형 ㄴㄷㅂ도 이등변삼각형이다.
(선분 ㄴㄷ)=(선분 ㄴㅂ)=(선분 ㅅㅁ)=11cm
(선분 ㄷㅂ)=11÷2=5.5(cm)
(선분 ㄱㅂ)=(선분 ㄱㅅ)=22−5.5=16.5(cm)
(선분 ㅂㅅ)=16.5÷2=8.25(cm)
(선분 ㄴㅁ)=11×2+8.25=30.25(cm)

4

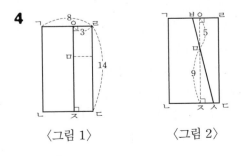

〈그림 1〉   〈그림 2〉

〈그림 1〉과 같이 선분 ㅇㅈ을 선분 ㄱㄴ과 평행이 되도록 그어 보자.

사각형 ㅇㅈㄷㄹ의 넓이는 $3 \times 14 = 42(cm^2)$가 되고, 〈그림 2〉에서 삼각형 ㅁㅂㅇ과 삼각형 ㅁㅈㅅ은 닮음비가 5 : 9인 삼각형이므로 넓이의 비는

$(5 \times 5) : (9 \times 9) = 25 : 81$이다. 이 때 사다리꼴 ㅂㅅㄷㄹ의 넓이는 사각형 ㄱㄴㄷㄹ의 넓이의 $\frac{1}{3}$이므로

$8 \times 14 \times \frac{1}{3} = \frac{112}{3}(cm^2)$가 되어 삼각형 ㅁㅈㅅ의 넓이는 삼각형 ㅁㅂㅇ보다 $42 - \frac{112}{3} = \frac{14}{3}(cm^2)$만큼 더 넓다. 즉, 넓이 $\frac{14}{3}cm^2$는 $81 - 25 = 56$에 해당되므로 1은

$\frac{14}{3} \times \frac{1}{56} = \frac{1}{12}(cm^2)$이고, 삼각형 ㅁㅈㅅ의 넓이는

$\frac{1}{12} \times 81 = \frac{27}{4}(cm^2)$가 된다.

$(선분 ㅈㅅ) \times 9 \times \frac{1}{2} = \frac{27}{4}(cm^2)$이므로

$(선분 ㅈㅅ) = \frac{27}{4} \times \frac{2}{9} = 1.5(cm)$이다.

따라서 선분 ㅅㄷ의 길이는 $3 - 1.5 = 1.5(cm)$이다.

특강탐구문제풀이

1

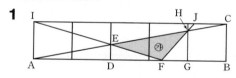

삼각형 ABC와 삼각형 ADE는 닮음이고 닮음비는 5 : 2이다. 선분 BC의 길이가 12cm이므로 선분 DE의 길이는 $12 \times \frac{2}{5} = \frac{24}{5}(cm)$이다.

삼각형 IAF와 EDF는 닮음이고 닮음비는 5 : 2이다.

$(선분 AF) : (선분 DF) = 5 : 2$이므로

$(선분 AF) : (선분 AD) = 5 : 3$이고

$(선분 AD) = 24cm$이므로

$(선분 AF) = 24 \times \frac{5}{3} = 40(cm)$이다.

그러므로 삼각형 AFE의 넓이는

$40 \times \frac{24}{5} \times \frac{1}{2} = 96(cm^2)$이다.

따라서 삼각형 AFE와 삼각형 ㉮는 높이가 같은 삼각형이고 $(선분 AE) : (선분 EH) = 1 : 1$이므로 삼각형 ㉮의 넓이는 삼각형 AFE의 넓이와 같은 $96cm^2$이다.

2

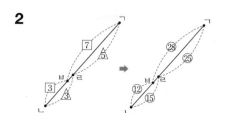

$(선분 ㄱㅂ) : (선분 ㅂㄴ) = \boxed{7} : \boxed{3}$이므로

$(선분 ㄱㄴ) = \boxed{10}$이다.

또 $(선분 ㄴㅁ) = (선분 ㄴㄹ)$,

$(선분 ㅁㄷ) = (선분 ㄹㄱ)$이고

$(선분 ㄴㄹ) : (선분 ㄹㄱ) = \triangle{3} : \triangle{5}$이므로

$(선분 ㄱㄴ) = \triangle{8}$이다.

선분 ㄱㄴ의 길이를 $\boxed{10}$과 $\triangle{8}$의 최소공배수인 $\textcircled{40}$으로 생각하면

$(선분 ㄱㅂ) : (선분 ㅂㄴ) = \textcircled{28} : \textcircled{12}$,

$(선분 ㄴㄹ) : (선분 ㄹㄱ) = \textcircled{15} : \textcircled{25}$이므로

선분 ㄹㅂ은 $\textcircled{15} - \textcircled{12} = \textcircled{3}$이다.

따라서 삼각형 ㄹㅂㅇ과 삼각형 ㄱㄴㄷ의 닮음비는

3 : 40이므로 넓이의 비는 $3 \times 3 : 40 \times 40 = 9 : 1600$이다.

3

삼각형 ㄴㅅㅊ과 삼각형 ㅁㅂㅊ은 세 각의 크기가 같은 닮음이고 대응변인 선분 ㄴㅅ과 선분 ㅁㅂ의 길이의 비가 1 : 2이므로 $(선분 ㄴㅊ) : (선분 ㅊㅁ) = \boxed{1} : \boxed{2}$이다. 이 때 $(선분 ㄴㅁ) = \boxed{3}$이다.

또, 삼각형 ㄱㄴㅋ과 삼각형 ㅇㅁㅋ도 세 각의 크기가 같은 닮음이고 대응변인 선분 ㄱㄴ과 선분 ㅇㅁ의 길이의 비가 3 : 1이므로

$(선분 ㄴㅋ) : (선분 ㅋㅁ) = \triangle{3} : \triangle{1}$이다.

이 때 $(선분 ㄴㅁ) = \triangle{4}$이다.

선분 ㄴㅁ을 $\boxed{3}$과 $\triangle{4}$의 최소공배수인 $\textcircled{12}$로 생각하면

$(선분 ㄴㅊ) : (선분 ㅊㅁ) = \textcircled{4} : \textcircled{8}$이고

$(선분 ㄴㅋ) : (선분 ㅋㅁ) = \textcircled{9} : \textcircled{3}$이다.

따라서 $(선분 ㅊㅋ) = \textcircled{9} - \textcircled{4} = \textcircled{5}$이다.

한편 선분 ㄱㅂ의 길이는 선분 ㄴㅁ의 길이의 절반이므로 $\textcircled{12} \div 2 = \textcircled{6}$이다.

따라서 삼각형 ㄱㅂㅈ과 삼각형 ㅋㅊㅈ의 닮음비는 6 : 5이고 넓이의 비는 36 : 25이므로 삼각형 ㄱㅂㅈ의 넓이가 $12cm^2$일 때 삼각형 ㅋㅊㅈ의 넓이는

$12 \times \dfrac{25}{36} = \dfrac{25}{3} = 8\dfrac{1}{3}(\text{cm}^2)$이다.

4

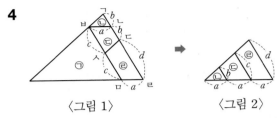

〈그림 1〉 　　　　〈그림 2〉

〈그림 1〉에서 (선분 ㅂㄴ)=(선분 ㅁㄹ)=a라고 하자.
또 만나게 되는 두 선분 (선분 ㄱㄴ)=(선분 ㄴㄷ)=b,
(선분 ㅂㅅ)=(선분 ㅅㅁ)=c라고 하고,
(선분 ㄷㄹ)=d라고 하자. 잘라낸 도형을 이어 붙이면
〈그림 2〉와 같음을 알 수 있다.
이 때, ㉡ : (㉡+㉢) : (㉡+㉢+㉣)의 닮음비는
$a : a \times 2 : a \times 3$이므로 $1 : 2 : 3$이고 $b : c : d = 1 : 2 : 3$
이다.
따라서 (선분 ㅁㅂ)=$c \times 2$이므로
(선분 ㄱㄴ) : (선분 ㄴㄷ) : (선분 ㄷㄹ) : (선분 ㅁㅂ)
=$1 : 1 : 3 : 4$이다.

5

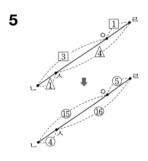

삼각형 ㄱㄴㅇ과 삼각형 ㅂㄹㅇ은 세 각의 크기가 같은 닮음이고 대응변인 선분 ㄱㄴ과 선분 ㅂㄹ의 비가 3 : 1이므로
(선분 ㄴㅇ) : (선분 ㅇㄹ)=$\boxed{3}$: $\boxed{1}$이고
(선분 ㄴㄹ)=$\boxed{4}$이다.
또 삼각형 ㄴㅁㅅ과 삼각형 ㄹㄱㅅ도 세 각의 크기가 같은 닮음이고 대응변인 선분 ㄴㅁ과 선분 ㄹㄱ의 비가 1 : 4
이므로 (선분 ㄴㅅ) : (선분 ㅅㄹ)=$\triangle{1}$: $\triangle{4}$이고
(선분 ㄴㄹ)=$\triangle{5}$이다.
선분 ㄴㄹ의 길이를 $\boxed{4}$와 $\triangle{5}$의 최소공배수인 ⑳으로 생각하면
(선분 ㄴㅇ) : (선분 ㅇㄹ)=⑮ : ⑤이고
(선분 ㄴㅅ) : (선분 ㅅㄹ)=④ : ⑯이므로
(선분 ㅅㅇ)=⑮－④=⑪이다.
따라서 정사각형 ㄱㄴㄷㄹ의 넓이를 1로 생각하면
(삼각형 ㄱㄴㄹ)=$1 \times \dfrac{1}{2} = \dfrac{1}{2}$이고

(삼각형 ㄱㅅㅇ)=$\dfrac{1}{2} \times \dfrac{11}{20} = \dfrac{11}{40}$이므로 $\dfrac{11}{40}$배이다.

6

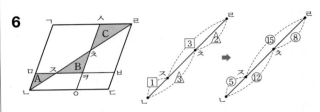

삼각형 ㅁㄴㅈ과 삼각형 ㅂㄹㅈ은 닮음이고 대응변인 선분 ㅁㄴ과 선분 ㅂㄹ의 길이의 비가 1 : 3이므로
(선분 ㄴㅈ) : (선분 ㅈㄹ)=$\boxed{1}$: $\boxed{3}$이고
(선분 ㄴㄹ)=$\boxed{4}$이다.
삼각형 ㄴㅇㅊ과 삼각형 ㄹㅅㅊ은 닮음이고 대응변인 선분 ㄴㅇ과 선분 ㄹㅅ의 길이의 비가 3 : 2이므로
(선분 ㄴㅊ) : (선분 ㅊㄹ)=$\triangle{3}$: $\triangle{2}$이고
(선분 ㄴㄹ)=$\triangle{5}$이다.
선분 ㄴㄹ의 길이를 $\boxed{4}$와 $\triangle{5}$의 최소 공배수인 ⑳으로 생각하면
(선분 ㄴㅈ) : (선분 ㅈㄹ)=⑤ : ⑮
(선분 ㄴㅊ) : (선분 ㅊㄹ)=⑫ : ⑧이므로
(선분 ㅈㅊ)=⑫－⑤=⑦이다.
따라서 A, B, C의 닮음비는 5 : 7 : 8이고 넓이의 비는
$(5 \times 5) : (7 \times 7) : (8 \times 8) = 25 : 49 : 64$이다.

7

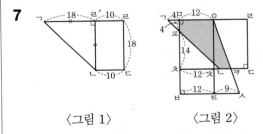

〈그림 1〉 　　　　〈그림 2〉

〈그림 1〉과 같이 윗쪽의 사다리꼴을 사각형 ㄱㄴㄷㄹ이라 하면 보조선 ㄹ′ㄴ을 그어 나타나는 삼각형 ㄱㄴㄹ′가 직각이등변삼각형임을 알 수 있다.
〈그림 2〉에서 색칠된 부분의 넓이는 사다리꼴 ㅁㅊㅋㅇ의 넓이에서 삼각형 ㅍㅊㄴ의 넓이를 빼면 된다.
삼각형 ㅇㅌㅅ과 삼각형 ㅇㅈㅋ은 서로 닮음이고 대응변인 변 ㅇㅌ과 변 ㅇㅈ의 길이의 비가 $27 : 18 = 3 : 2$이므로 닮음비는 3 : 2이다.
한편 선분 ㅌㅅ의 길이가 $21 - 12 = 9(\text{cm})$이고
선분 ㅈㅋ의 길이는 $9 \times \dfrac{2}{3} = 6(\text{cm})$이므로,

사다리꼴 ㅁㅊㅋㅇ의 넓이는

$\{12+(12+6)\}\times18\times\dfrac{1}{2}=270(\text{cm}^2)$이다.

삼각형 ㄱㅁㅍ과 삼각형 ㄴㅊㅍ은 직각이등변삼각형이고, 선분 ㅁㅍ의 길이는 4cm, 선분 ㅍㅊ의 길이는 $18-4=14(\text{cm})$이므로 삼각형 ㄴㅊㅍ의 넓이는

$14\times14\times\dfrac{1}{2}=98(\text{cm}^2)$이다.

따라서 색칠한 부분의 넓이는 $270-98=172(\text{cm}^2)$이다.

8

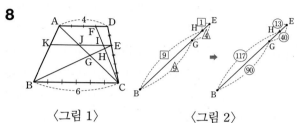

〈그림 1〉　　　　〈그림 2〉

변 AD와 변 BC의 길이의 비가 2 : 3이므로 변 AD의 길이를 4, 변 BC의 길이를 6이라고 하고, 〈그림 1〉과 같이 보조선 KE를 그리자.

삼각형 FDC와 삼각형 IEC는 닮음이고

(선분 CD) : (선분 CE)=3 : 2이므로

(선분 IE)=$1\times\dfrac{2}{3}=\dfrac{2}{3}$이다.

삼각형 BCH와 삼각형 EIH가 닮음이고

(선분 BC) : (선분 EI)=$6 : \dfrac{2}{3}=9 : 1$이므로

(선분 BH) : (선분 HE)=$\boxed{9}$: $\boxed{1}$이고

(선분 BE)=$\boxed{10}$이다.

또 삼각형 ADC와 삼각형 JEC는 닮음이고

(선분 CD) : (선분 CE)=3 : 2이므로

(선분 JE)=$4\times\dfrac{2}{3}=\dfrac{8}{3}$이다.

삼각형 BCG와 삼각형 EJG가 닮음이고

(선분 BC) : (선분 EJ)=$6 : \dfrac{8}{3}=9 : 4$이므로

(선분 BG) : (선분 GE)=$\triangle\!9$: $\triangle\!4$이고

(선분 BE)=$\triangle\!13$이다.

선분 BE를 $\boxed{10}$과 $\triangle\!13$의 최소공배수인 $\boxed{130}$으로 생각하면 (선분 BH) : (선분 HE)=$\boxed{117}$: $\boxed{13}$이고

(선분 BG) : (선분 GE)=90 : 40이므로

(선분 GH)=$\boxed{117}-\boxed{90}=\boxed{27}$이다.

따라서 (선분 BG) : (선분 GH) : (선분 HE)

=90 : 27 : 13이다.

9

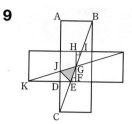

삼각형 ABC와 삼각형 DEC는 닮음이고 그 닮음비는 3 : 1이므로

(선분 DE)$=10\times\dfrac{1}{3}=\dfrac{10}{3}(\text{cm})$이고,

선분 KE의 길이는 $10+\dfrac{10}{3}=\dfrac{40}{3}(\text{cm})$이다.

또 선분 HF를 G를 지나도록 수직으로 그으면

(선분 HG)=(선분 GF)=$10\div2=5(\text{cm})$

따라서 삼각형 GKE의 넓이는

$\dfrac{40}{3}\times5\times\dfrac{1}{2}=\dfrac{100}{3}(\text{cm}^2)$이다.

한편 (선분 JD)=(선분 DE)=$\dfrac{10}{3}$cm이므로

(삼각형 JKE)=$\dfrac{40}{3}\times\dfrac{10}{3}\times\dfrac{1}{2}=\dfrac{200}{9}(\text{cm}^2)$

따라서 삼각형 GJE의 넓이는

$\dfrac{100}{3}-\dfrac{200}{9}=\dfrac{100}{9}(\text{cm}^2)$이고

색칠한 두 삼각형은 합동이므로 색칠한 부분의 넓이는

$\dfrac{100}{9}\times2=\dfrac{200}{9}=22\dfrac{2}{9}(\text{cm}^2)$이다.

10

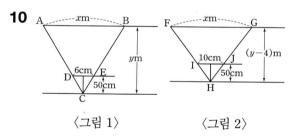

〈그림 1〉　　　〈그림 2〉

〈그림 1〉에서 삼각형 ABC와 삼각형 DEC는 닮음이므로 게시판의 길이를 x, 게시판까지의 거리를 y라고 하면

$6 : 50=x : y$,

$50\times x=6\times y$　　　　　　　… ①

〈그림 2〉에서 삼각형 FGH와 삼각형 IJH도 닮음이고 선주는 앞으로 4m 걸어 갔으므로

$10 : 50=x : (y-4)$,

$50\times x=10\times(y-4)$　　　　… ②

①과 ②에서 왼쪽이 모두 같으므로

$6\times y=10\times(y-4)$, $y=10(\text{m})$이다.

따라서 $y=10$m를 ①에 넣어 보면

$50\times x=6\times10$, $50\times x=60$, $x=1.2(\text{m})$이므로,

게시판의 가로의 길이는 1.2m이다.

서랍 원리 ②

10

유제

1 6명　**2** 풀이 참조　**3** 풀이 참조　**4** 풀이 참조

특강탐구문제

1 풀이 참조　**2** 풀이 참조　**3** 풀이 참조

4 풀이 참조　**5** 41명　**6** 풀이 참조

7 풀이 참조　**8** 풀이 참조　**9** 풀이 참조

10 풀이 참조

유제풀이

1 학습지를 신청할 수 있는 방법은

(A), (B), (C),

(A, B), (A, C), (B, C),

(A, B, C)

의 7가지 경우가 있다.

따라서 38명의 학생을 7개의 서랍에 넣는다고 생각하면 $38 = 7 \times 5 + 3$이므로 같은 학습지로 공부하는 학생은 최대 6명이 반드시 있다.

2 각 바구니에 들어 있는 사과와 배의 수의 홀·짝을 생각해 보면

(홀, 홀), (홀, 짝), (짝, 홀), (짝, 짝)

의 4가지 경우가 있다.

따라서 4개의 서랍에 다섯 개의 바구니를 넣는다고 생각하면 적어도 두 개의 바구니는 같은 서랍에 들어 있다. 같은 서랍에 들어 있는 두 바구니는 사과와 배의 홀짝이 서로 같고, 한 바구니에 든 과일의 수가 홀수이든 짝수이든 두 번 더하면 짝수가 된다.

3 10개의 자연수를 a_1, a_2, a_3, $\cdots$, a_{10}이라 하고 다음 10개의 수를 10으로 나눈 나머지를 생각해 보자.

a_1

$a_1 + a_2$

$a_1 + a_2 + a_3$

$a_1 + a_2 + a_3 + a_4$

$a_1 + a_2 + a_3 + a_4 + a_5$

$a_1 + a_2 + a_3 + a_4 + a_5 + a_6$

$a_1 + a_2 + a_3 + a_4 + a_5 + a_6 + a_7$

$a_1 + a_2 + a_3 + a_4 + a_5 + a_6 + a_7 + a_8$

$a_1 + a_2 + a_3 + a_4 + a_5 + a_6 + a_7 + a_8 + a_9$

$a_1 + a_2 + a_3 + a_4 + a_5 + a_6 + a_7 + a_8 + a_9 + a_{10}$

• 위와 같이 나누어 놓은 10개의 수 중 10으로 나누어 나머지가 0이 되는 수가 하나라도 있다면 몇 개의 자연수를 더한 합이 10의 배수가 되는 경우가 반드시 있다는 것을 설명할 수 있다.

• 10개의 수 중 10으로 나누어 나머지가 0이 되는 수가 하나도 없다면 나머지는 1부터 9까지 9종류가 될 수 있고, 10개의 수를 9개의 서랍에 넣으면 적어도 2개의 수는 나머지가 같아진다.

따라서 10으로 나누어 나머지가 같은 두 수의 차는 항상 10으로 나누어떨어지므로 10개의 자연수 중 몇 개의 자연수를 더하면 그 합이 10의 배수가 되는 경우가 반드시 있다.

4 피로연장에서 식사를 하고 있는 사람의 수를 n명이라 하자.

• n명 중 아는 사람이 한 명도 없는 사람이 없다고 할 때, 어떤 사람이 아는 사람의 수는 1명부터 $(n-1)$명까지이다.

$(n-1)$개의 서랍에 n명의 사람을 넣는다고 하면 아는 사람의 수가 같은 사람이 적어도 2명은 있게 된다.

• n명 중 아는 사람이 한 명도 없는 사람이 1명이라 하면 그 사람을 제외한 $(n-1)$명의 사람들 중 어떤 사람이 아는 사람의 수는 1명부터 $(n-2)$명까지이고, $(n-2)$개의 서랍에 $(n-1)$명의 사람을 넣는 방법을 생각할 때 아는 사람의 수가 같은 사람이 마찬가지로 적어도 2명은 있게 된다.

아는 사람이 한 명도 없는 사람이 2명, 3명, $\cdots$으로 늘어나도 같은 방법으로 설명할 수 있다.

따라서 피로연장에 모인 사람 중 아는 사람의 수가 같은 두 사람은 반드시 있다.

특강탐구문제풀이

1 어떤 수를 25로 나누었을 때 생기는 나머지는 0, 1, 2, 3, …, 24의 25가지이다.

25개의 서랍에 26개의 수를 넣으면 같은 서랍에 들어가는 수가 적어도 2개가 생기므로 26개의 수 중 25로 나눈 나머지가 같은 두 수가 반드시 있다.

따라서 25로 나누어 나머지가 같은 두 수는 그 차가 25의 배수이므로 26개의 수 중에서 차가 25의 배수가 되는 두 수는 반드시 있다.

2 어떤 수를 3으로 나누면 나머지는 0, 1, 2의 3가지 중 하나가 된다.

5개의 자연수를 3으로 나누었을 때의 나머지는 다음 3가지 경우로 생각할 수 있다.

• 나머지 0, 1, 2가 모두 나타날 때

나머지가 각각 0, 1, 2인 3개의 수를 더하면 나머지의 합이 3이 되므로 3으로 나누어떨어진다.

• 나머지가 0, 1, 2 중 2가지만 나타날 때

2개의 서랍에 5개의 수를 넣으면 $5=2 \times 2+1$이므로 한 가지 나머지가 적어도 세 번 나타날 수 있고, $0 \times 3=0$, $1 \times 3=3$, $2 \times 3=6$ 모두 3의 배수이므로 나머지가 같은 세 수의 합은 3으로 나누어떨어진다.

• 나머지가 0, 1, 2 중 1가지만 나타날 때

$0 \times 3=0$, $1 \times 3=3$, $2 \times 3=6$ 모두 3의 배수이므로 나머지가 같은 5개의 수 중 3개의 수를 골라 더하면 3으로 나누어떨어진다.

따라서 5개의 자연수 중 합이 3의 배수가 되는 세 수가 반드시 있다.

3 1부터 42까지의 자연수의 합은 $(1+42) \times 42 \div 2=903$이다.

아무렇게나 3개씩 짝지어 놓은 $42 \div 3=14$(개)의 묶음 중 세 수의 합이 65 이상이 되는 묶음이 없다면 42개의 자연수의 합은 최대 $64 \times 14=896$이 된다.

따라서 그 합이 65 이상인 세 수는 반드시 있다.

별해* 1부터 42까지의 자연수의 합은 $(1+42) \times 42 \div 2=903$이다.

1부터 42까지의 자연수를 아무렇게나 늘어놓은 뒤 앞에서부터 차례로 a_1, a_2, a_3, …, a_{42}의 번호를 붙여 보자.

번호를 붙인 수들을 차례로 3개씩 묶어 (a_1, a_2, a_3), (a_4, a_5, a_6), …, (a_{40}, a_{41}, a_{42})의 14개의 묶음으로 나타내면

$(a_1, a_2, a_3)+(a_4, a_5, a_6)+\cdots+(a_{40}, a_{41}, a_{42})$
$=903$이다.

$903=64 \times 14+7$이므로 903의 수를 14개의 서랍에 64씩 나누어 주면 남은 7은 1개 이상의 서랍에 다시 나누어 주어야 한다.

따라서 세 수의 합이 65 이상이 되는 경우가 반드시 있게 된다.

4 50의 배수는 십의 자리 이하의 수가 00 또는 50이다. 즉, 두 수의 십의 자리 이하의 수가 서로 같거나 합이 50이면 두 수의 합 또는 차가 50의 배수가 되므로 십의 자리 이하의 수에 따라 다음과 같은 26개의 서랍을 만들 수 있다.

「(00), (01, 49), (02, 48), (03, 47), …, (24, 26), (25)」

따라서 27개의 수를 26개의 서랍에 넣으면 2개의 수가 같은 서랍에 들어가는 경우가 반드시 생긴다.

이 때, 그 두 수는 십의 자리 이하의 수가 같거나 합이 50이기 때문에 합 또는 차가 50의 배수가 된다.

5 A, B, C, D 네 가지의 잡지 중에서 최대 두 가지까지 구독할 수 있는 방법은

(A), (B), (C), (D),
(A, B), (A, C), (A, D), (B, C), (B, D), (C, D)

의 10가지이다.

구독하는 잡지가 똑같은 학생 5명이 있으려면 10가지의 구독하는 방법마다 4명씩 있어야 하고 1명이 더 있어야 한다.

따라서 우리 반 학생은 최소 $10 \times 4+1=41$(명)은 있어야 한다.

6 1부터 100까지의 수 중 50개의 홀수가 각각 1개씩 들어간 50개의 서랍을 만들자. 남은 50개의 모든 짝수는 홀수에 2를 한 번 이상 곱해서 나타낼 수 있으므로 50개의 서랍은 각 서랍을 대표하는 홀수에 2를 몇 번씩 곱해서 다음 표와 같이 나눌 수 있다.

1, 2, 4, 8, 16, 32, 64
3, 6, 12, 24, 48, 96
5, 10, 20, 40, 80
⋮
97
99

따라서 1부터 100까지의 수 중 51개를 골라 나눠 놓은 50개의 서랍에 넣어 보면 같은 서랍에 들어가는 2개의 수가 반드시 있게 되고, 이 중 큰 수는 작은 수의 배수가 된다.

7
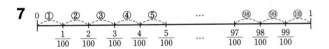

위의 수직선과 같이 0 이상 1 미만을 $\frac{1}{100}$씩 쪼개어 100개의 서랍을 만들어 보자.

0 이상 1 미만의 분수 101개를 나눠 놓은 100개의 서랍에 넣으면 같은 서랍에 들어가는 분수가 반드시 2개가 있다.

따라서 같은 서랍에 들어가는 2개의 분수는 차가 $\frac{1}{100}$보다 작다.

8 1, 11, 111, 1111, ⋯, $\underbrace{111\cdots111}_{1이\ 2000개}$의 2000개의 수를

1999로 나누었을 때 나머지는 0, 1, 2, ⋯, 1998로, 1999가지이다.

즉, 2000개의 수를 나머지에 따라 1999개의 서랍에 넣으면 나머지가 같은 두 수가 반드시 생기고 이 두 수의 차는 1999의 배수이다.

따라서 $\underbrace{111\cdots111}_{1이\ x개} - \underbrace{111\cdots111}_{1이\ y개} = \underbrace{11\cdots11}_{1이\ (x-y)개} \times \underbrace{100\cdots0}_{0이\ y개}$

이 1999의 배수인데 $\underbrace{100\cdots0}_{0이\ y개}$은 1999의 배수가 아니므로 $\underbrace{11\cdots11}_{1이\ (x-y)개}$이 1999의 배수이다.

9 $253 = 11 \times 23$이므로 $(\square - \square) \times (\square - \square)$가 253의 배수가 되려면 두 수의 차가 11의 배수인 수와 두 수의 차가 23의 배수인 수를 찾아 각각의 차를 곱하면 된다.

36개의 서로 다른 자연수를 아무렇게나 24개와 12개로 분류하자.

24개의 수를 각각 23으로 나누면

나머지는 0, 1, 2, ⋯, 22로 23가지이다.

그러므로 나머지가 같은 2개의 수가 반드시 있고, 이 두 수의 차는 23의 배수가 된다.

또, 12개의 수를 각각 11로 나누면

나머지는 0, 1, 2, ⋯, 10으로 11가지이다.

그러므로 나머지가 같은 2개의 수가 반드시 있고, 이 두 수의 차는 11의 배수가 된다.

따라서 23의 배수와 11의 배수를 곱하면 253의 배수가 되므로 $(\square - \square) \times (\square - \square)$의 $\square$ 안에 알맞은 수를 넣어 253의 배수가 되게 할 수 있다.

10 특강탐구문제 **2**번에서 5개의 자연수 중 합이 3의 배수가 되는 세 수가 있음을 설명하였다.

11개의 자연수 중 합이 3의 배수가 되는 세 수를 찾아 그 합을 $3 \times a$라 하자.

$x_1 + x_2 + x_3 = 3 \times a$

남은 8개의 자연수 중 합이 3의 배수가 되는 세 수를 찾아 그 합을 $3 \times b$라 하자.

$x_4 + x_5 + x_6 = 3 \times b$

또, 남은 5개의 자연수 중 합이 3의 배수가 되는 세 수를 찾아 그 합을 $3 \times c$라 하자.

$(x_7+x_8+x_9=3\times c)$

이 때, 세 개의 세 수의 합 $3\times a$, $3\times b$, $3\times c$에서 a, b, c 중 짝수가 2개 이상 있다면 짝수인 두 개를 이루는 6개의 수의 합이 6의 배수가 된다.

(a, b)가 짝수라면

$3\times a+3\times b=3\times(a+b)=(6의 \ 배수)$

즉, $x_1+x_2+x_3+x_4+x_5+x_6=(6의 \ 배수)$이다.

또, a, b, c 중 짝수가 1개 이하라면 홀수는 2개 이상이 되고, 홀수인 두 개를 이루는 6개의 수의 합이 6의 배수가 된다.

(a, b)가 홀수라면

$3\times a+3\times b=3\times(a+b)=3\times(짝수)=(6의 \ 배수)$

즉, $x_1+x_2+x_3+x_4+x_5+x_6=(6의 \ 배수)$이다.

도형 분할 문제

유제풀이

1

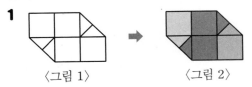

〈그림 1〉　　　　　　　　　　　〈그림 2〉

주어진 도형은 크기가 같은 4개의 정사각형과 정사각형의 절반인 직각이등변삼각형 2개로 이루어져 있으므로 전체 넓이는 (정사각형 1개의 넓이)×5에 해당한다.

따라서 4개의 합동인 도형으로 나눈다면 한 도형의 넓이는

(정사각형 1개의 넓이)$\times 5 \times \dfrac{1}{4}$

=(정사각형 1개의 넓이)$\times 1\dfrac{1}{4}$이다.

〈그림 1〉과 같이 두 개의 직각이등변삼각형을 반으로 나누면 정사각형의 $\dfrac{1}{4}$이 되고, 이것을 나머지 4개의 정사각형들과 짝지으면 〈그림 2〉와 같이 4개의 합동인 도형이 된다.

2 큰 정사각형을 그대로 두고서는 4등분 할 수 없으므로 각각의 정사각형을 다시 4개의 작은 정사각형으로 나누어 보자.

이 때 가운데의 2개의 큰 정사각형에 주의하여 같은 모양으로 나누어 보면 다음과 같이 나눌 수 있다.

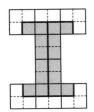

3

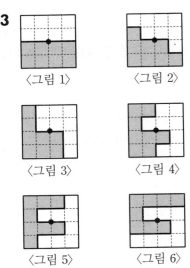

〈그림 1〉　　　　　　〈그림 2〉

〈그림 3〉　　　　　　〈그림 4〉

〈그림 5〉　　　　　　〈그림 6〉

가장 단순한 모양으로 분할한 것이 〈그림 1〉이 된다.

주어진 도형은 표시된 점을 중심으로 하는 점대칭도형이므로 이 점을 중심으로 점대칭도형이 되도록 분할선을 같은 모양으로 변형시키면 5가지 방법을 더 찾을 수 있다.

이 밖의 경우는 모두 돌리거나 뒤집어 같아지므로 위의 6가지 방법이 있다.

4

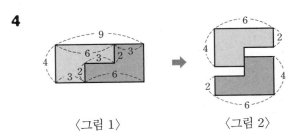

〈그림 1〉　　　　　　　〈그림 2〉

주어진 처음 도형의 넓이는 $9 \times 4 = 36(\text{cm}^2)$이다.

$36 = 6 \times 6$이므로 정사각형을 만든다면 한 변의 길이는 6cm가 된다.

따라서 〈그림 1〉과 같이 윗변과 아랫변에서 각각 6cm 지점에서 잘라 나간다.

처음 도형의 긴 변은 3cm씩 3등분되고, 이 중 $\dfrac{2}{3}$인 6cm가 한 변의 길이이므로 세로를 2등분 하여

$4 \div 2 = 2(\text{cm})$ 지점에 가로로 자른다면 〈그림 2〉와 같이 서로 합동이고, 이어 붙여 정사각형이 되는 두 개의 도형으로 나눌 수 있다.

특강탐구문제풀이

1

〈그림 1〉　　　　〈그림 2〉

4개의 정사각형을 〈그림 1〉과 같이 각각 4개의 작은 정사각형으로 나누자.

16개의 작은 정사각형으로 4개의 합동인 도형을 만드는 것이므로 하나의 도형에 16÷4＝4(개)의 작은 정사각형이 들어가야 하는 것에 주의하여 나누면 〈그림 2〉와 같이 됨을 알 수 있다.

2

〈그림 1〉　　　　〈그림 2〉

3개의 정사각형으로 4개의 도형을 만들 것이므로 〈그림 1〉과 같이 각각의 정사각형을 작은 정사각형 4개로 나누자.

12개의 작은 정사각형으로 4개의 합동인 도형을 만드는 것이므로 하나의 도형에 12÷4＝3(개)의 작은 정사각형이 들어가야 하는 것에 주의하여 나누면 〈그림 2〉와 같이 나눌 수 있다.

3

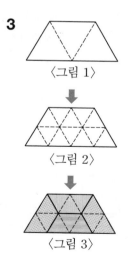

〈그림 1〉

〈그림 2〉

〈그림 3〉

주어진 사다리꼴을 〈그림 1〉과 같이 3개의 정삼각형으로 나눈 후, 다시 각각의 정삼각형을 〈그림 2〉와 같이 4개의 작은 정삼각형으로 나누자.

모두 12개로 나누어져 있는 정삼각형을 4개의 합동인 도형으로 만드는 것이므로 하나의 도형에 12÷4＝3(개)의 작은 정삼각형이 들어가야 하는 것에 주의하여 나누면 〈그림 3〉과 같이 나눌 수 있다.

4

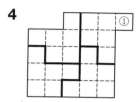

24개의 작은 정사각형을 나누어 4개의 합동인 도형을 만드는 것이므로 하나의 도형에는 24÷4＝6(개)의 작은 정사각형이 들어가야 한다.

한편 ①과 같이 하나의 정사각형이 튀어나온 부분이 있으므로 그것에 주의하여 나누면 위의 그림과 같이 나누어짐을 알 수 있다.

5

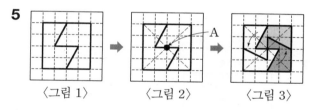

〈그림 1〉　　　〈그림 2〉　　　〈그림 3〉

주어진 도형을 〈그림 1〉과 같이 연장하여 정사각형이 되도록 그리면 합동인 두 개의 도형으로 나누어지는 것을 알 수 있다.

〈그림 2〉와 같이 정사각형의 두 대각선을 그으면 그 교점인 A는 정사각형을 반으로 나누는 처음 선의 한가운데에 온다.

이제 정사각형을 반으로 나누는 처음의 선을 점 A를 중심으로 90° 돌리면 〈그림 3〉과 같이 합동인 4개의 도형으로 나누어지고 이 중 색칠한 두 도형은 처음 도형을 합동인 두 개의 도형으로 나눈 것이 된다.

따라서 주어진 도형을 합동인 두 개의 도형으로 나눈 그림은 다음과 같다.

6

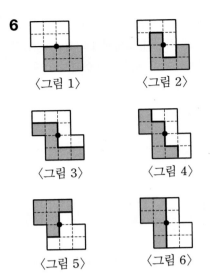

〈그림 1〉　　　　〈그림 2〉

〈그림 3〉　　　　〈그림 4〉

〈그림 5〉　　　　〈그림 6〉

가장 단순한 모양으로 분할한 것이 〈그림 1〉이 된다.
주어진 도형은 표시된 점을 중심으로 하는 점대칭 도형
이므로 이 점을 중심으로 점대칭이 되도록 분할선을 같
은 모양으로 변형시키면 5가지 방법을 더 찾을 수 있다.
이 밖의 경우는 모두 돌리거나 뒤집어 같아지므로 모두 6
가지 방법이 있다.

7

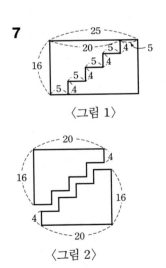

〈그림 1〉

〈그림 2〉

주어진 처음 도형의 넓이는 25 × 16 = 400 (cm²)이다.
400 = 20 × 20이므로 정사각형을 만들려면 한 변의 길이
는 20cm가 된다.
〈그림 1〉과 같이 가로 20cm 지점에서 잘라 나가면 가운
데 15cm만큼 남고 그 안에 양끝의 5cm가 들어가야 하므
로 15 ÷ 5 = 3(번) 꺾어가며 그리면 〈그림 2〉와 같이 합동

이면서 이어 붙여서 정사각형이 되는 두 도형으로 나눌 수
있다.

8

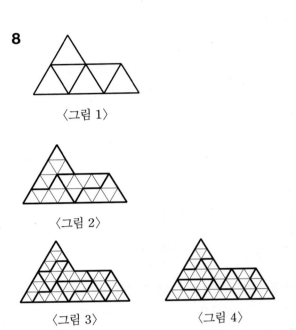

〈그림 1〉

〈그림 2〉

〈그림 3〉　　　　〈그림 4〉

처음 주어진 도형은 〈그림 1〉과 같이 6개의 크기가 같은
정삼각형으로 이루어진 도형이다.
주어진 도형을 4등분 하려면 〈그림 2〉와 같이 크기가 같
은 6 × 4 = 24(개)의 정삼각형으로 나눈 후 한 개의 도형
에 6개의 정삼각형이 들어가도록 나누면 된다.
또, 9등분 하려면 6 × 9 = 54(개)의 크기가 같은 정삼각
형으로 나눈 후 〈그림 3〉과 같이 한 개의 도형에 6개의
정삼각형이 들어가도록 나누면 된다.

9

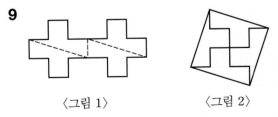

〈그림 1〉　　　　〈그림 2〉

주어진 도형을 4등분 하려면 우선 두 개의 합동인 십자
모양으로 나눈 후 〈그림 1〉과 같이 4개가 되도록 나눈다.
이것을 〈그림 2〉와 같이 이어 붙이면 정사각형이 된다.

10

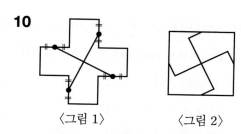

〈그림 1〉　　　　　〈그림 2〉

〈그림 1〉과 같이 그은 교점은 전체 십자가 모양의 중심이
된다.

그 교점을 지나고 서로 수직으로 만나는 두 직선으로 〈그
림 1〉과 같이 나눈 후 〈그림 2〉와 같이 이어 붙이면 된다.

속력에 관한 문제 ③

유제

1 1시간 12분　　　　**2** 10시 21분

3 24km, 6대　　　　**4** $3\frac{1}{13}$km, $16\frac{12}{13}$km

특강탐구문제

1 $2\frac{1}{10}$km　**2** 시속 72km　**3** 112m　**4** $13\frac{1}{3}$분

5 혜연 : 시속 4.68km, 정현 : 시속 6.12km

6 27번　**7** A : 시속 63.64km, B : 시속 114.94km

8 오후 3시 32분 30초

9 15km는 버스를 타고 6km는 걷는다.

10 1000m 초과 1875m 미만의 속력으로 달린다.

유제풀이

1 버스가 8분 간격으로 ㉮ 정류장을 출발하고 ㉯ 정류장까지 가는 데 24분이 걸리므로 예나가 ㉯ 정류장을 떠날 때 다음 그림과 같이 버스가 달리고 있다.

㉮━━━━━━━━━━㉯
　　　　　　　　예나

예나가 ㉮ 정류장으로 가는 도중 11대의 버스를 만나기 위해서는 ㉮ 정류장에서 막 출발하는 버스 이외에 8대의 버스가 더 출발해야 하고, 예나가 ㉮ 정류장에 도착했을 때 또 다시 한 대가 떠나야 한다. 따라서 예나가 ㉯ 정류장에서 ㉮ 정류장까지 가는 데 걸린 시간은 버스 9대가 출발하는 간격인 8분×9=72분=1시간 12분과 같다.

2 재호가 멈춰 있다면 기차는 (기차 속력)−(재호 속력)으로 18초 동안 90m를 가는 셈이므로
(기차 속력)−(재호 속력)은 초속 $\frac{90}{18}$=5(m),
시속 5×3600=18000(m)=18(km)이고, 재호의 속력은 40−18=22(km/시)이다.
또, 재희가 멈춰 있다면 기차는 (기차 속력)+(재희 속력)으로 6초 동안 90m를 가는 셈이므로
(기차 속력)+(재희 속력)은 초속 $\frac{90}{6}$=15(m),
시속 15×3600=54000(m)=54(km)이고, 재희의 속력은 54−40=14(km/시)이다.
10시 3분부터 10시 15분까지 12분 동안 기차가 간 거리

는 40×$\frac{12}{60}$시간=8(km)이고, 재호가 간 거리는
22×$\frac{12}{60}$=4.4(km)이므로 10시 15분에 재호와 재희의
거리는 8−4.4=3.6(km)이다.
재호와 재희는 마주 보고 가고 있으므로
(재호 속력)+(재희 속력)으로 3.6km를 가려면
3.6÷(22+14)=0.1(시간)=6(분)이 걸린다.
따라서 재호와 재희가 만나는 시각은
10시 15분+6분=10시 21분이다.

3 순환도로의 길이는 (버스 대수)×(버스간 거리)이므로 다음 그림과 같이 생각할 수 있다.

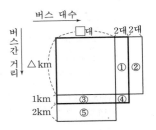

버스를 2대 줄이면 간격이 3분 늘어나는데 버스 속력이 40km/시이므로 버스 사이의 간격이
40×$\frac{3}{60}$=2(km) 늘어난다.
마찬가지 방법으로 버스를 2대 늘리면 버스 사이의 간격이 40×$\frac{1.5}{60}$=1(km) 줄어든다.
그림에서 ①=②이고 ②=③+④이므로 ①+④=⑤에 ① 대신 ③+④를 넣을 수 있다. 즉, ③+④+④=⑤,
③+(1km×2대)×2=③+4km=⑤인데 직사각형 ⑤의 크기가 ③의 크기의 2배이므로 ③=4km가 된다.
따라서 □=4대이고 원래의 버스는 4+2=6(대),
②=③+④에서 ③+④=4+2=6(km)이므로
△=6÷2=3(km), 순환도로의 길이는
6×(3+1)=24(km)이다.

4 두 조의 학생들이 동시에 공원에 도착하였으므로 두 조 모두 같은 거리만큼 걸었고, 같은 거리만큼 버스를 타고 갔다.

먼저 탄 조를 B에 내려준 버스는 A 지점으로 되돌아가서 다음 조를 태우고 다시 B를 거쳐 공원으로 가서 B 지점에서 내려준 조원들과 동시에 도착하게 된다. 버스의 속력과 학생들이 걷는 속력의 비는 $40 : 4 = 10 : 1$이므로 같은 시간에 이동한 거리도 $10 : 1$이 되므로 학교에서 B 지점까지의 거리와 A, B 사이의 거리의 합은 학교에서 A 지점까지의 거리의 10배가 된다.

따라서 A, B 사이의 거리는 학교에서 A 지점까지 거리의 4.5배가 된다.

학교 ① ‥‥‥‥ 4.5 ‥‥‥‥ 공원
         A   B
         $1 + 4.5 + 4.5 = 10$

즉, 학교부터 공원까지의 거리 20km의

$\dfrac{1}{1 + 4.5 + 1} = \dfrac{1}{6.5} = \dfrac{2}{13}$가 학교에서 A 지점까지의 거리이고, $\dfrac{11}{13}$이 학교에서 B 지점까지의 거리이다.

따라서 학교에서부터 떨어진 거리를 구하면

A 지점은 $20 \times \dfrac{2}{13} = \dfrac{40}{13} = 3\dfrac{1}{13}$(km),

B 지점은 $20 \times \dfrac{11}{13} = \dfrac{220}{13} = 16\dfrac{12}{13}$(km)이다.

특강탐구문제풀이

1

A $\triangleright$ $\triangleright$ $\triangleright$ $\triangleleft$ B $\triangleright$ $\triangleright$ $\triangleright$ $\triangleright$ $\triangleleft$ B
A   A

전차가 A, B에 막 도착했을 때의 전차 위치   2분 후 A, B에 있던 전차가 출발하려는 순간의 전차 위치

그림과 같이 전차가 놓여야 문제의 뜻에 맞는다.

따라서 A, B 두 지점 사이의 거리는

$2 + 4 + 4 + 4 = 14$(분) 동안 달리는 거리이므로

$9 \times \dfrac{14}{60} = 2\dfrac{1}{10}$(km)이다.

참고* A, B 지점에서 2분간 쉬는 대신 A, B 두 지점을 $9 \times \dfrac{2}{60} = \dfrac{3}{10}$(km)씩 늘여 생각할 수도 있다. 모든 전차는 4분 간격을 유지하므로 왕복 거리는 $4 \times 8 = 32$(분) 동안 달리는 거리이다.

$9 \times \dfrac{32}{60} \times \dfrac{1}{2} = 2\dfrac{2}{5}$(km),

$2\dfrac{2}{5} - \dfrac{3}{10} = 2\dfrac{1}{10}$(km)

2 열차가 터널을 완전히 통과하기 위해서는 터널의 길이인 1200m와 열차의 길이 만큼을 더 가야 한다.

또, 같은 길이의 열차를 스쳐 지나갈 때는 한 열차가 멈추어 서 있다고 생각하면 열차 원래 속력의 2배의 속력으로 열차 길이의 두 배 만큼을 갔다고 생각할 수 있다.

즉, 원래의 속력으로 열차 길이만큼 움직이는 데 5초가 걸리므로 터널을 통과하는 데 걸린 65초 중 5초만큼은 열차 길이만큼을 가는 데 걸린 시간이고, 나머지 60초 동안 순수한 터널의 길이 1200m 만큼을 간 것이다.

따라서 열차의 속력은

$\dfrac{1200\text{m}}{60\text{초}} = 20\text{m/초} = 20 \times 3600\text{m/시}$
$= 72000\text{m/시} = 72\text{km/시}$

이다.

3 그림과 같이 생각해 보자.

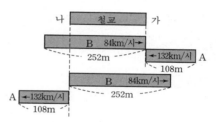

가 지점에서 만난 두 열차는 나 지점에서 떨어졌다. 두 열차 중 하나를 멈춰 있다고 생각하고 두 열차 속력의 합으로 두 열차의 길이의 합만큼을 가는 데 걸리는 시간을 구하면 다음과 같다.

$(0.252 + 0.108) \div (84 + 132) = \dfrac{0.36}{216} = \dfrac{1}{600}$(시간)

따라서 두 열차가 완전히 스쳐 지나가는 데 걸린 시간은 $\dfrac{1}{600}$시간이고, 그 시간 동안 A 열차는 철교를 완전히 통과했으므로 철교의 길이는

$132000 \times \dfrac{1}{600} - 108 = 220 - 108 = 112$(m)이다.

4 세인이의 속력을 분속 xm라고 하면 강인이의 속력은 분속 $(4 \times x)$m이다.

버스가 1분에 ym를 간다고 하면 그림에서와 같이 $15 \times y - 15 \times x = ($차간 거리$)$이다.

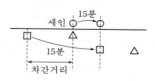

마찬가지로 강인이에 대해서도

$24 \times y - 24 \times 4 \times x = ($차간 거리$)$가 된다.

$$15 \times y - 15 \times x = 24 \times y - 96 \times x$$
$$81 \times x = 9 \times y$$
$$9 \times x = y$$

따라서 차간 거리는 $15 \times 9 \times x - 15 \times x = 120 \times x$이고,

버스는 $120 \times x \div (9 \times x) = \dfrac{120}{9} = \dfrac{40}{3} = 13\dfrac{1}{3}$(분) 간격을 두고 달리는 것이다.

5 혜연이와 정현이가 처음 만났을 때까지 이동 거리의 합은 100m이고, 그때부터 둘째 번 만날 때까지 이동한 거리의 합은 200m, 그 다음부터 셋째 번, 다시 넷째 번, 다시 다섯째 번 만날 때까지 이동한 거리의 합도 각각 200m씩이다.

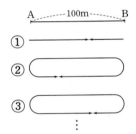

즉, 다섯째 번 만날 때까지 두 명이 총 이동한 거리의 합은 $100 + 200 \times 4 = 900$(m)이고, 걸린 시간은 5분이다.

따라서 두 명의 속력의 합은

$$\dfrac{900\text{m}}{5\text{분}} = 180\text{m/분} = 3\text{m/초}$$

이고 정현이가 0.4m/초 더 빠르므로

혜연이의 속력은

$(3 - 0.4) \div 2 = 1.3$(m/초)$= 4.68$(km/시)

정현이의 속력은

$3 - 1.3 = 1.7$(m/초)$= 6.12$(km/시)이다.

6 신일이의 속력은 3.6km/시$=$1m/초, 산이의 속력은 2.88km/시$=$0.8m/초이다.

둘이 20분 동안 쉬지 않고 수영했다면 이동한 거리의 합은 $1.8 \times (20 \times 60) = 2160$(m)이다.

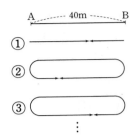

양쪽 끝에서 출발하여 처음 만났을 때까지 이동한 거리의 합은 40m이지만 그림에서 보는 바와 같이 그 다음 만날 때부터는 두 사람의 이동한 거리의 합이 80m씩 늘어나게 된다.

따라서 두 사람은 $(2160 - 40) \div 80 = 26 \cdots 40$이므로 $26 + 1 = 27$(번) 만났다.

7 B 열차가 A 열차를 따라잡은 후 앞설 때까지 A 열차가 정지해 있다고 생각하면 (B 열차의 속력)$-$(A 열차의 속력)으로 (B 열차 길이)$+$(A 열차 길이)만큼을 24초 동안 지나간 셈이므로

(B 열차의 속력)$-$(A 열차의 속력)

$= \dfrac{150 + 192}{24} = \dfrac{342}{24} = 14.25$(m/초)

$= 51.3$(km/시)

A 열차가 120m 앞에 있는 B 열차를 따라잡은 후 앞설 때까지 B 열차가 정지해 있다고 생각하면

(A 열차의 속력)$- \dfrac{2}{7} \times$(B 열차의 속력)으로

(A 열차 길이)$+$120m$+$(B 열차 길이)만큼을 54초 동안 지나간 셈이므로

(A 열차의 속력)$- \dfrac{2}{7} \times$(B 열차의 속력)

$= \dfrac{192 + 120 + 150}{24\text{초}} = \dfrac{462}{54} = \dfrac{77}{9}$(m/초)

$= 30.8$(km/시)

따라서 두 가지 속력을 더해 보면

(B 열차의 속력)$\times \dfrac{5}{7} = 51.3 + 30.8 = 82.1$(km/시)

이므로

(B 열차의 속력)$= 82.1 \times \dfrac{7}{5} = 114.94$(km/시),

(A 열차의 속력)$= 114.94 - 51.3 = 63.64$(km/시)

이다.

8 전철이 B 지점을 향해 달리던 중 마주 보고 오던 사람을 지나쳐 갈 때, 사람이 정지해 있다고 생각하면 (전철

속력)＋(사람 속력)으로 전철의 길이 160m를 9초만에 지나간 셈이므로

(전철 속력)＋(사람 속력)＝$\dfrac{160}{9}$(m/초)

$\qquad\qquad\qquad\qquad=64$(km/시)

즉, 사람의 속력은 64－60＝4(km/시)이다.

또, 오후 3시 10분에 사람을 마주친 후 3km 떨어진 B 지점에 전철이 도착한 시각은

오후 3시 10분＋$\dfrac{3}{60}$시간＝오후 3시 10분＋3분

＝오후 3시 13분이고, 15분간 전철을 반대 방향으로 돌렸으므로 전철이 B 지점에서 다시 출발한 시각은 오후 3시 28분이다. 그 사이 사람은

오후 3시 28분－오후 3시 10분＝18분 동안

$4 \times \dfrac{18}{60}=1.2$(km)를 A방향으로 더 가 있다.

따라서 전철이 B 지점을 출발하여 사람을 만날 때까지 걸리는 시간은

$\dfrac{(3+1.2)\text{km}}{(\text{전철 속력})-(\text{사람 속력})}=\dfrac{4.2\text{km}}{56\text{km/시}}$

＝0.075시간＝4.5분＝4분 30초이고, 만나는 시각은

오후 3시 28분＋4분 30초＝오후 3시 32분 30초이다.

9 버스의 속력은 시속 36km이고 학생들이 걷는 속력은 시속 4km이므로 버스가 9배 빠르다.

즉, 같은 시간에 이동하는 거리는 버스가 학생의 9배이다. 120명의 학생을 40명씩 3개 조로 나누어 모든 학생들을 동시에 역에 도착시키기 위해 다음 그림과 같이 생각해 보자.

(가) —————(나)—(다)——

버스의 속력이 학생들의 걷는 속력의 9배이므로 그림에서 학생이 1칸을 갈 때 버스는 9칸을 갈 수 있다.

따라서 버스가 한 조의 학생들을 (나) 지점에 내려주고 다시 (가) 지점으로 돌아가 다른 한 조를 태우고 (다) 지점까지 가면 (나) 지점에 내려준 학생들과 (가) 지점에서 태운 학생들이 (다) 지점에 동시에 도착할 수 있다.

A B C   F G H
학교   21km   소풍 장소

같은 방법으로 3개 조의 학생들을 태우고 내리는 일을 반복하여 생각하면 A 지점에서 버스에 한 조를 태우고 나

머지 두 조는 걷게 한 뒤 F 지점에 내려주고, 다시 돌아와 B 지점에서 다시 한 조를 태우고 G 지점에 내려주고, 다시 C 지점으로 돌아와 마지막 한 조를 태우고 H 지점까지 가면 3개 조 학생들이 모두 같은 시각에 소풍 장소에 도착하게 된다.

따라서 $21 \times \dfrac{5}{7}=15$(km)는 버스를 타고

$21 \times \dfrac{2}{7}=6$(km)는 걸어가면 된다.

10 상민이가 A 지점에서 B 지점까지 15km＝15000m 를 가는 데 걸리는 시간은 $\dfrac{15000}{250}=60$(분)이다.

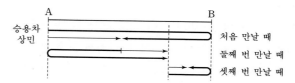

상민이가 B 지점에 도착하기 전에 승용차와 3번 만나기 위해서는 다음 2가지의 조건이 필요하다.

승용차의 속력을 분속 □m라 하면

① 위의 그림과 같이 상민이가 B 지점에 도착하기 전에 승용차는 A, B 지점 사이 거리의 3배를 초과하여 가야만 한다. 즉 60분 동안 승용차가 간 거리는 A, B 지점 사이의 거리의 3배를 초과하여야 한다.

이때, 5분씩 세 번 멈췄으므로 달린 시간은 45분이다.

45×□＞15000×3, □＞1000이므로 승용차의 속력은 분속 1000m보다 빠르다.

② 승용차가 상민이를 셋째 번 만난 후에 A 지점으로 갔다가 다시 돌아서 상민이를 쫓아와 상민이가 B 지점에 도착하기 전에 만나면 안 된다. 즉, 60분 동안 승용차가 간 거리는 A, B 지점 사이 거리의 5배 미만이 되어야 한다.

이 때, 5분씩 네 번 멈췄으므로 달린 시간은 40분이다.

40×□＜15000×5, □＜1875이므로 승용차의 속력은 분속 1875m 미만이다.

따라서 승용차의 속력은 매분 1000m 초과 1875m 미만의 속력으로 달린 것이다.

13 수열 응용 문제

유제

1 73째 번   **2** 564개   **3** 473장

4 7째 번 선분, 4121째 번 점

특강탐구문제

1 42cm   **2** 338, 339   **3** $81\frac{1}{3}$ cm²

4 86, 89, 92, 95번, 74째 날   **5** 177째 날, 22째 날

6 540개   **7** (326, 325)   **8** 953

9 157개   **10** 8회

유제풀이

1 정사각형의 한 변의 길이가 3cm이므로 정사각형 하나의 넓이는 $3 \times 3 = 9$(cm²)이다. 따라서 도형 전체의 넓이가 12654cm²가 되려면 모두 $12654 \div 9 = 1406$(개)의 정사각형이 있어야 한다.

홀수째 번 그림은 직사각형이고, 짝수째 번 그림은 정사각형이다.

$1406 = 37 \times 38$이므로 홀수째 번 도형이다.

1째 번 : (1×2)개

3째 번 : (2×3)개

5째 번 : (3×4)개

7째 번 : (4×5)개

$\vdots$

□째 번 : (37×38)개

$□ = 37 \times 2 - 1 = 73$(째 번)

따라서 73째 번 도형의 넓이가 12654cm²이다.

2 1째 번 : 3개

2째 번 : $(5+9)$개

3째 번 : $(7+11+15)$개

4째 번 : $(9+13+17+21)$개

$\vdots$

따라서 12째 번에 놓이게 되는 구슬은 $12 \times 2 + 1 = 25$부터 시작하여 4씩 늘어나는 수 12개의 합이다.

$25 + 29 + 33 + \cdots + (25 + 4 \times 11)$

$= 25 + 29 + 33 + \cdots + 69$

$= (25 + 69) \times 12 \div 2$

$= 564$

따라서 12째 번에 놓이게 되는 구슬은 모두 564개이다.

3 89장 남았는데 이것을 다 쓰고 13장이 더 필요했으므로 모두 $89 + 13 = 102$(장)의 색종이를 쓴 것이다.

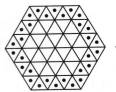

1×6　　　$1 \times 6 + 3 \times 6$　　　$1 \times 6 + 3 \times 6 + 5 \times 6$

$102 = 17 \times 6$이므로 선재가 가지고 있는 색종이는

$1 \times 6 + 3 \times 6 + 5 \times 6 + \cdots + 17 \times 6 - 13$

$= (\underbrace{1 + 3 + 5 + \cdots + 17}_{\text{홀수 9개}}) \times 6 - 13$

$= 9 \times 9 \times 6 - 13$

$= 473$

따라서 473장이다.

4 각 선분의 점의 개수를 구해 보면 다음 표와 같다.

선분 번호	점의 개수
1	2
2	$2 + 1 \times 1 = 3$
3	$3 + 2 \times 2 = 7$
4	$7 + 6 \times 3 = 25$
5	$25 + 24 \times 4 = 121$
6	$121 + 120 \times 5 = 721$
7	$721 + 720 \times 6 = 5041$
$\vdots$	$\vdots$

이 때 6째 번 선분까지 점의 개수의 합이

$2 + 3 + 7 + 25 + 121 + 721 = 879$(개)이고, 7째 번 선분에서 5000개가 넘으므로 5000은 7째 번 선분의

$5000 - 879 = 4121$(째 번) 점이 된다.

특강탐구문제풀이

1 주어진 선분들 중 짝수째 번 선분들을 관찰해 보면 다음과 같이 되는 것을 알 수 있다.

② ④ ⑥ ⑧ …

1cm 2cm 3cm 4cm …

따라서 ⑧④번 선분은 84÷2=42(cm)이다.

2 1개, 2개, 3개가 3개의 괄호마다 규칙적으로 반복된다.

170=3×56+2이므로 170째 번 괄호에는 2개의 수가 들어 있고, 2개씩 묶인 괄호만 따지면 57째 번으로 나오는 것이다. 그 중 첫 수는 둘째 번 괄호의 처음 수인 2부터 6씩 56번 커진 수이다.

즉 2+6×56=338이다.

따라서 170째 번 괄호 안에 들어 있는 수는 338, 339이다.

3

1째 번   2째 번   3째 번   4째 번

1째 번 삼각형은 100cm²인 삼각형에서 ① 삼각형 세 개를 뺀 것과 같다.

또 2째 번 삼각형은 ② 삼각형 세 개,

3째 번 삼각형은 ③ 삼각형 세 개,

4째 번 삼각형은 ④ 삼각형 세 개, …를 뺀 것과 같다.

①$=100×\frac{1}{2}×\frac{1}{2}$, ②$=100×\frac{2}{3}×\frac{1}{3}$,

③$=100×\frac{3}{4}×\frac{1}{4}$, ④$=100×\frac{4}{5}×\frac{1}{5}$ …

이므로 14째 번 삼각형에서 빼야 하는 삼각형 한 개의 넓이는 $100×\frac{14}{15}×\frac{1}{15}$이 된다.

이러한 삼각형 세 개를 100cm²의 삼각형에서 빼야 하므로 14째 번 삼각형의 넓이는

$100-100×\frac{14}{15}×\frac{1}{15}×3=100-18\frac{2}{3}=81\frac{1}{3}$(cm²)

이다.

4 회원 번호가 3씩 커지도록 매일 4명에게 빌려 주고 있으므로 같은 날 빌려 가는 회원들의 끝 번호는 3×4=12씩 커진다.

첫날의 끝 번호가 10이므로 끝 번호는 10, 22, 34, 46,

…과 같이 차가 같은 수열을 이룬다.

이 중 324를 넘지 않는 가장 큰 수는 10+12×26=322이므로 우선 27일 동안 책을 빌려 줄 수 있다.

이제 처음으로 돌아와 35-27=8일 동안 더 빌려 주면 되는데 다시 마지막 회원 번호가 11부터 12씩 커지므로 35째 날 책을 빌리는 마지막 회원 번호는

11+12×7=95(번)이다.

그러므로 35째 날 무료로 책을 빌릴 수 있는 회원은 86, 89, 92, 95번 회원이다.

한편, 처음부터 책을 빌려 가는 회원들의 번호는 모두 3으로 나누어 1이 남는 수이고, 끝까지 간 후 다시 앞으로 돌아와 빌려 가는 회원들의 번호는 모두 3으로 나누어 2가 남는 수이다. 다시 끝까지 간 후 다시 앞줄로 돌아와 빌려 가는 회원들의 번호는 모두 3으로 나누어떨어지는 수이다.

240번은 3으로 나누어떨어지므로 끝까지 두 번 간 후 앞으로 돌아와 빌려 가는 회원 중 하나이다.

처음부터 빌려 가는 회원들은 27일 동안 빌려 가고, 28째 날부터 빌리는 회원들의 끝번호는 11부터 12씩 커지고, 이러한 수 중 324를 넘지 않는 가장 큰 수는

11+12×26=323이므로 27일 동안 빌려 간다.

따라서 둘째 번까지 54일 동안 빌려 간다. 55째 날부터 빌리는 회원들의 끝번호는 12부터 12씩 커지는데

240=12+12×19이므로 240번 회원은

54+20=74(째) 날에 책을 빌릴 수 있다.

5 남학생은 11명이고, 매일 2명씩 당번이 되므로

(1, 2), (3, 4), …, (11, 1), (2, 3), …, (10, 11)

11×2=22, 22÷2=11, 즉 11일마다 똑같은 학생끼리 급식 당번이 된다.

여학생은 16명이고 매일 3명씩 당번이 되므로

(12, 13, 14), (15, 16, 17), …, (24, 25, 26), (27, 12, 13), …, (23, 24, 25), (26, 27, 12), …, (25, 26, 27)

16×3=48, 48÷3=16, 즉, 16일마다 똑같은 학생끼리 급식 당번이 된다.

1, 2번이 당번이 되는 날은 11로 나누어 나머지가 1인 날이고 12, 13, 14번이 당번이 되는 날은 16으로 나누어 나머지가 1인 날이다.

따라서 11과 16의 최소공배수인 176일로 나누어 나머지가 1인 날이 1, 2, 12, 13, 14번이 당번이 되는 날이다. 즉, 177째 날이다.

또, 10, 11번이 당번이 되는 날은 11의 배수인 날이고 12, 13, 27번이 당번이 되는 날은 16으로 나누어 나머지가 6인 날이다.

따라서 16으로 나누어 나머지가 6인 수는 6, 22, 38, 54, …이고, 이 중 11의 배수는 22이다. 즉, 10, 11, 12, 13, 27번이 당번이 되는 것은 22째 날이다.

6 정사각형들 전체의 한 변에 놓인 정사각형의 개수는 3, 5, 7, 9, …이므로 15째 번에는 $3+2\times14=31$(개)이다.

따라서 15째 번 그림의 정사각형 전체의 개수는 $31\times31=961$(개)이다.

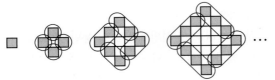

1    $1+1\times4=5$ $1+1\times4+2\times4=13$ $1+1\times4+2\times4+3\times4=25$ …

또, 색칠된 사각형만 따로 그리면 그 개수는 위와 같이 변하므로 15째 번에는
$1+(1+2+3+4+\cdots+14)\times4=421$(개)이다.

따라서 15째 번 그림에서 색칠하지 않은 사각형의 개수는 $961-421=540$(개)이다.

별해* 색칠하지 않은 작은 정사각형의 개수는 직접 구해도 된다.

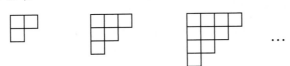

$(1+2)\times4-4$ $(1+2+3)\times4-4$ $(1+2+3+4)\times4-4$

따라서 15째 번에는 $(1+2+3+\cdots+16)\times4-4=540$(개)의 색칠하지 않은 작은 정사각형이 생긴다.

7

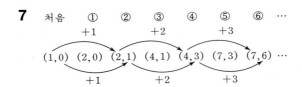

점들을 순서대로 적어 나가면 ②번 점은 처음에서 가로, 세로 모두 $2\div2=1$씩, ④번 점은 ②번에서 가로, 세로 모두 $4\div2=2$씩, ⑥번 점은 ④번 점에서 가로, 세로 모두 $6\div2=3$씩 늘어나는 것을 알 수 있다.

따라서 ㉞번 점은 처음 점에서 가로, 세로 모두 $1+2+3+4+\cdots+25=325$ 늘어난 점이다.

따라서 50회 이동한 (가로축의 수, 세로축의 수)는 $(1+325, 0+325)=(326, 325)$이다.

8 각 원의 가장 작은 수와 그 위치를 관찰해 보면 다음과 같다.

원 번호	1	2	3	4	5	…
가장 작은 수	②	⑭	㉖	㊳	㊿	…
위치	아래	오른쪽	위	왼쪽	아래	…

80째 번 원에 적힌 가장 작은 수는 $2+12\times79=950$이고, 80이 4의 배수이므로 왼쪽에 가장 작은 수가 적히게 된다.

따라서 왼쪽부터 시계 방향으로 수가 커지므로 950, 951, 952, 953에서 953이 아래쪽에 적히게 된다.

9 한 변의 길이가 15cm인 정육각형을 만들기 위해 사용한 정육각형과 정삼각형의 개수를 구하기 위해 다음 표와 같이 생각해 보자. 이 때, 정육각형의 수를 최대로 하여 생각한다.

한 변의 길이	1	3	5	7	…
정육각형의 수	1	$1+6=7$	$1+6+12=19$	$1+6+12+18=37$	…
정삼각형의 수	0	12	$12+24=36$	$12+24+36=72$	…

따라서 한 변의 길이가 15cm인 정육각형을 만들기 위해 사용된 작은 정육각형은
$1+6+12+18+24+30+36+42$
$=1+6\times(1+2+3+4+5+6+7)=169$(개),
정삼각형은
$12\times(1+2+3+4+5+6+7)$
$=12\times28=336$(개)이므로
총합은 $169+336=505$(개)이다.
한 개의 정육각형을 6개의 정삼각형으로 바꾸면, 사용된 작은 도형의 개수 총합은 5개가 늘어난다.

$565-505=60,\ 60\div5=12$

따라서 12개의 정육각형을 정삼각형으로 바꾼 것으로 정삼각형으로 바뀌지 않고 남아 있는 정육각형은 $169-12=157$(개)이다.

10 주어진 삼각형은 1회 자르면 처음의 삼각형 1개에 3개의 삼각형이 추가로 생긴 것으로 생각할 수 있다. 즉, 1회째에는 $1+3=4$(개)이다.

2회 잘랐을 때 새로 생겨난 3개의 삼각형에서 또 다시 3개씩 더 생겼으므로 $4+3\times3=13$(개)이다.

3회 잘랐을 때 새로 생겨난 3개의 삼각형에서 또 다시 3개가 생기고, 또 3개가 더 생겼으므로 $13+3\times3\times3=40$(개)이다.

이러한 규칙을 따라 세어 가면 표와 같다.

1회	$1+3$	$=4$
2회	$4+3\times3$	$=13$
3회	$13+3\times3\times3$	$=40$
4회	$40+3\times3\times3\times3$	$=121$
5회	$121+3\times3\times3\times3\times3$	$=364$
6회	$364+3\times3\times3\times3\times3\times3$	$=1093$
7회	$1093+3\times3\times3\times3\times3\times3\times3$	$=3280$
8회	$3280+3\times3\times3\times3\times3\times3\times3\times3$	$=9841$
⋮	⋮	

따라서 삼각형 모양의 조각이 5000개 이상 되는 때는 8회 잘랐을 때이다.

경우의 수의 계산 ② **14**

유제

1 270가지　　　　　**2** 2160가지
3 280가지, 1680가지　　**4** 35가지

특강탐구문제

1 120가지　**2** 38가지　**3** 210가지, 38가지
4 360가지　**5** 19가지　**6** 560가지, 1540가지
7 210가지　**8** 315가지　**9** 144가지　**10** 81가지

유제풀이

1 • 같은 색 구슬을 2개씩 2조 고르는 경우

검은 구슬 2개와 흰 구슬 2개만을 골라 한 줄로 늘어놓는 경우이다.

$$\frac{4\times3\times2\times1}{(2\times1)\times(2\times1)}=6(가지)$$

• 같은 색 구슬을 2개씩 1조 고르는 경우

같은 색 구슬을 1조 고르는 방법의 수는

$4\times3\times\dfrac{1}{2\times1}\times2=12$(가지)이고,

남은 4가지 색깔의 구슬 중에서 2개를 고르는 방법의 수는

$\dfrac{4\times3\times2\times1}{2\times1}=12$가지이므로 모두 $12\times12=144$(가지)이다.

• 모두 다른 색으로 고르는 경우

5가지 색 중 4가지를 골라 한 줄로 늘어놓는 경우의 수이므로 $5\times4\times3\times2=120$(가지)이다.

따라서 모든 경우의 수는 $6+144+120=270$(가지)이다.

2 필통에 넣는 순서대로 나열하면 다음과 같다.

9가지 경우에 대하여 연필 5자루를 배열하는 방법은

$(5\times4\times3\times2\times1)$가지이고, 지우개 2개를 배열하는 방법은 2×1가지이므로 구하는 경우는 모두

$9\times5\times4\times3\times2\times1\times2\times1=2160$(가지)이다.

별해 *필통에 넣는 순서대로 놓아 보자. 연필 5자루를 한 줄로 늘어놓고 그 사이에 지우개 2개를 놓을 때, ㉠에는 지우개를 놓을 수 없고, ㉡에는 지우개 하나를 놓을 수 있다.

> 연필 ㉠ 연필 ㉡ 연필 ㉢ 연필 ㉣ 연필 ㉤

연필을 놓는 방법은 $5\times4\times3\times2\times1=120$(가지)이고, 지우개를 놓는 방법은 ㉡, ㉢, ㉣, ㉤ 중 차례로 2개를 고르는 방법과 ㉢, ㉣, ㉤ 중 한 곳에 2개의 지우개를 놓는 방법이 있으므로 $4\times3+3\times2=18$(가지)이다.

따라서 $120\times18=2160$(가지)이다.

3 8권 중에서 3권의 책을 먼저 고른 뒤 남은 5권 중에서 3권을 골라내면 2권이 남게 된다.

$$\frac{8\times7\times6}{3\times2\times1}\times\frac{5\times4\times3}{3\times2\times1}=56\times10=560(가지)$$

또한 8권의 책에 ①부터 ⑧까지 번호를 붙였다고 생각할 때 (①, ②, ③), (④, ⑤, ⑥), (⑦, ⑧)과 (④, ⑤, ⑥), (①, ②, ③), (⑦, ⑧)은 같은 방법이 되므로 8권의 책을 3권, 3권, 2권으로 나누는 방법은 $560\div2=280$(가지)이다.

나누어진 이 책들을 A, B, C 세 책상 위에 올려놓는 방법은 나누어진 3묶음을 한 줄로 늘어놓는 방법과 같으므로 $280\times(3\times2\times1)=1680$(가지)이다.

4 × 가 정답인 문제는 6문제이고 ○가 정답인 4문제는 연이어 있지 않아야 하므로 표시 6개를 늘어놓고 그 사이와 앞, 뒤 7곳 중 4곳을 골라 ○표시를 넣으면 된다.

$$\_\times\_\times\_\times\_\times\_\times\_\times\_$$

즉, 7개 중 4개를 고르는 방법과 같으므로

$$7\times6\times5\times4\times\frac{1}{4\times3\times2\times1}=35(가지)이다.$$

특강탐구문제풀이

1 태은이는 서로 다른 2개의 숫자를 생각하였고 홍기는 태은이가 생각한 숫자와 상관없이 1개의 숫자를 생각하였으므로, 서로 다른 3개의 숫자로 세 자리 수를 만들거나 같은 숫자 2개와 다른 숫자 1개로 세 자리 수를 만들 수 있다.

• 태은이와 홍기가 서로 다른 3개의 숫자를 고른 경우
5개의 숫자 중 3개를 골라 늘어놓는 경우와 같으므로
$5 \times 4 \times 3 = 60$(가지)이다.

• 태은이와 홍기가 같은 숫자 2개와 다른 숫자 1개를 고른 경우
(5개의 숫자 중 서로 다른 2개의 숫자를 고르는 경우의 수)×(이미 고른 2개의 다른 숫자 중 하나를 선택하는 경우의 수)×(골라 놓은 2개의 같은 숫자와 하나의 다른 숫자를 늘어 놓는 경우의 수)이므로
$\left(\dfrac{5 \times 4}{2 \times 1} \right) \times 2 \times \left(\dfrac{3 \times 2 \times 1}{2 \times 1} \right) = 60$(가지)이다.

따라서 만들 수 있는 세 자리 수는 $60+60=120$(가지)이다.

별해 태은이는 서로 다른 2개의 숫자를 생각하였고 홍기는 태은이가 생각한 숫자와 중복되는 것에 상관없이 1개의 숫자를 생각하였으므로 세 자리 수는 각 자리의 숫자가 모두 서로 다를 수도 있고 각 자리의 숫자 중 두 개는 서로 같을 수도 있다. 따라서, 1, 2, 3, 4, 5의 다섯 개 숫자를 여러 번 사용하여 만들 수 있는 세 자리 수의 개수에서 각 자리의 숫자가 모두 같은 111, 222, 333, 444, 555 다섯 가지를 빼면 된다.
$5 \times 5 \times 5 - 5 = 125 - 5 = 120$(가지)이다.

2 3가지 종류의 숫자 카드를 이용하여 네 자리 수를 만들어야 하므로 각 자리 숫자 중 겹치는 것이 반드시 있다.

• 한 가지 종류의 카드가 3개 사용되는 경우
숫자 1이 적힌 3장의 카드에 2 또는 3이 적힌 카드 한 장을 포함하여 한 줄로 늘어놓는 경우이므로
$\left(\dfrac{4 \times 3 \times 2 \times 1}{3 \times 2 \times 1} \right) \times 2 = 8$(가지)이다.

• 한 가지 종류의 카드가 2개 사용되는 경우
1 또는 2가 적힌 카드 2장에 먼저 골라 놓은 숫자와 다른 숫자가 적힌 각각 다른 두 장의 카드를 추가하여 한 줄로 늘어놓는 경우이므로
$\left(\dfrac{4 \times 3 \times 2 \times 1}{2 \times 1} \right) \times 2 = 24$(가지)이다.

• 두 가지 종류의 카드가 2개씩 사용되는 경우
2개씩 사용할 수 있는 카드는 1 또는 2가 적힌 카드이므로 $\dfrac{4 \times 3 \times 2 \times 1}{(2 \times 1) \times (2 \times 1)} = 6$(가지)이다.

따라서 만들 수 있는 네 자리 수는
$8+24+6=38$(가지)이다.

3 공 7개의 색이 모두 다르다면 한 줄로 늘어놓을 때 만들 수 있는 색의 배열은 $(7 \times 6 \times 5 \times 4 \times 3 \times 2 \times 1)$(가지)이다.
하지만 빨간색이 3개, 파란색이 2개, 초록색이 2개이므로 색깔의 배열은 모두
$$\dfrac{7 \times 6 \times 5 \times 4 \times 3 \times 2 \times 1}{(3 \times 2 \times 1) \times (2 \times 1) \times (2 \times 1)} = 210$$(가지)이다.
또, 같은 색이 연속해서 놓이지 않게 배열할 때, 가장 많은 빨간색을 고정시키고 파란색과 초록색이 놓일 자리를 A, B, C, D로 표시하면 「A 빨강 B 빨강 C 빨강 D」이다.
빨간색이 연속하여 놓이면 안 되므로 B, C에는 반드시 1개 이상의 색이 들어가야 하고, 각 자리에 들어갈 수 있는 색의 개수를 숫자로 써서 생각해 보자.

① A, B, C, D에 모두 공이 놓이는 경우 : 각 1개씩 놓이므로 $\dfrac{4 \times 3 \times 2 \times 1}{(2 \times 1) \times (2 \times 1)} = 6$(가지)이다.

② A에 공이 놓이지 않는 경우 : B, C, D에 4개가 놓여야 하므로 한 곳에는 서로 다른 색 2개가 놓인다.
$3 \times (2 \times 1) \times (2 \times 1) = 12$(가지)이다.

③ D에 공이 놓이지 않는 경우 : A, B, C에 4개가 놓여야 하므로 ②와 같이 12가지이다.

④ A, D에 모두 공이 놓이지 않는 경우 : B, C에 4개가 놓여야 하므로
$\left.\begin{array}{l} 1, 3 \ - \ 2가지 \\ 2, 2 \ - \ (2 \times 1) \times (2 \times 1) = 4(가지) \\ 3, 1 \ - \ 2가지 \end{array}\right\}$ 8가지이다.

따라서 같은 색이 연속해서 놓이지 않는 색깔의 배열은 모두 $6+12+12+8=38$(가지)이다.

4 5개의 홀수 1, 1, 3, 3, 5를 홀수째 번에 먼저 늘어놓은 다음, 4개의 짝수 2, 2, 4, 6을 짝수째 번에 늘어놓는다.
① 1, 1, 3, 3, 5를 늘어놓는 방법
5개의 숫자를 모두 다른 숫자로 생각하여 늘어놓는 방법의 수를 구한 뒤 1, 3이 각각 2개씩 있으므로 2×1로 2번 나눈다.
$$\dfrac{5 \times 4 \times 3 \times 2 \times 1}{(2 \times 1) \times (2 \times 1)} = 30$$(가지)

② 2, 2, 4, 6을 늘어놓는 방법

4개의 숫자를 모두 다른 숫자로 생각하여 늘어놓는 방법의 수를 구한 뒤 2가 2개 있으므로 2×1로 나눈다.

$$\frac{4 \times 3 \times 2 \times 1}{2 \times 1} = 12 (가지)$$

따라서 홀수는 홀수째 번에만 올 수 있을 때 1, 1, 2, 2, 3, 3, 4, 5, 6을 늘어놓을 수 있는 방법은 모두

$30 \times 12 = 360 (가지)$이다.

5 A와 B는 같은 조에 있어야 하므로 A, B를 묶어 1명으로 생각하고 전체 인원을 5명으로 하여 3개 조로 나누어 보자.

각 조에는 적어도 한 명 이상의 학생이 있어야 하므로 (3명, 1명, 1명) 또는 (2명, 2명, 1명)으로 조를 나눌 수 있다.

① (3명, 1명, 1명)으로 나누는 경우

(AB E F, C, D), (AB D F, C, E), (AB D E, C, F), (D E F, C, AB), (ABC F, D, E), (AB C E, D, F), (C E F, D, AB) ⇒ 7가지

② (2명, 2명, 1명)으로 나누는 경우

C, D가 각각 2명인 조에 들어가는 경우에는 C, D를 제외한 3명을 먼저 각 조에 넣어 놓고, C, D가 각각 들어갈 2개 조를 고르면 되므로 $3 \times 2 = 6 (가지)$이다.

또, 1명인 조에 C나 D가 들어가고 나머지 4명이 2명씩 2조로 나뉘는 경우는 $\frac{4 \times 3}{2 \times 1} \times \frac{1}{2} \times 2 = 6 (가지)$이다.

따라서 조를 나누는 방법은 모두 $7 + 6 + 6 = 19 (가지)$이다.

6 ① 여학생 2명이 같은 조에 들어가기 위해서 여학생 2명 모두가 3명인 조에 있을 때와 4명인 조에 있을 때로 구분하여 생각해 보자.

• 여학생 2명이 3명인 조에 있을 때

여학생들과 같은 조에 있어야 할 남학생 1명을 선택하는 방법은 $10 - 2 = 8 (가지)$이고, 또다른 3명의 조에 들어갈 남학생 3명을 선택하면 나머지 4명의 학생이 남은 조에 들어가게 된다.

$$8 \times \frac{7 \times 6 \times 5}{3 \times 2 \times 1} = 280 (가지)$$

• 여학생 2명이 4명인 조에 있을 때

여학생들과 같은 조에 있어야 할 남학생 2명을 선택하는 방법은 $\frac{8 \times 7}{2 \times 1} = 28 (가지)$이고, 두 개의 3명인 조 중에서 한 곳에 들어갈 학생 3명만 결정하면 남은 조의 학생들도 결정된다. 이 때, 두 개의 3명인 조는 서로 구분이 없으므로 (ABC/DEF)와 (DEF/ABC)를 하나로 생각하기 위해 경우의 수를 2로 나눈다.

$$\left(\frac{8 \times 7}{2 \times 1}\right) \times \left(\frac{6 \times 5 \times 4}{3 \times 2 \times 1} \times \frac{1}{2}\right) = 28 \times 10 = 280 (가지)$$

따라서 여학생 2명이 같은 조에 들어가는 방법은

$280 + 280 = 560 (가지)$이다.

② 여학생 2명이 각각 다른 조에 들어가기 위해서 여학생 2명이 각각 3명인 조에 있을 때와 3명인 조와 4명인 조에 있을 때로 나누어 생각해 보자.

• 여학생 2명이 각각 3명인 조에 있을 때

남학생 8명을 2명, 2명, 4명으로 나눈 후 2명인 조에 여학생을 한 명씩 넣으면 된다.

$$\frac{8 \times 7}{2 \times 1} \times \frac{6 \times 5}{2 \times 1} \times \frac{1}{2} \times 2 = 420 (가지)$$

• 여학생 2명이 각각 3명인 조와 4명인 조에 있을 때

남학생 8명을 3명, 3명, 2명으로 나눈 후 2명인 조에 여학생 한 명을 넣고 3명인 2개 조 중의 한 조를 골라 남은 여학생 한 명을 넣으면 된다.

$$\frac{8 \times 7 \times 6}{3 \times 2 \times 1} \times \frac{5 \times 4 \times 3}{3 \times 2 \times 1} \times \frac{1}{2} \times 2 \times 2 = 1120 (가지)$$

따라서 여학생 2명이 각각 다른 조에 들어가는 방법은

$420 + 1120 = 1540 (가지)$이다.

별해 *2명의 여학생이 각각 다른 조에 들어가는 방법은 10명의 학생을 3명, 3명, 4명의 3조로 나누는 방법에서 여학생 2명이 같은 조에 들어가게 되는 방법의 수를 빼 주면 된다. 10명의 학생을 3명, 3명, 4명의 3조로 나누는 방법은 4명의 조에 들어갈 4명을 고른 후 남은 6명 중 3명의 조에 들어갈 3명을 고르면 되는데, 3명의 조의 구분이 없으므로 경우의 수를 2로 나눈다.

$$\left(\frac{10 \times 9 \times 8 \times 7}{4 \times 3 \times 2 \times 1}\right) \times \left(\frac{6 \times 5 \times 4}{3 \times 2 \times 1} \times \frac{1}{2}\right)$$
$$= 210 \times 10 = 2100 (가지)$$

따라서 여학생이 각각 다른 조에 들어가는 방법은

$2100 - 560 = 1540 (가지)$이다.

7 6개의 바구니 중에서 모자를 넣을 2개의 바구니를 고르는 방법은 $\dfrac{6 \times 5}{2 \times 1} = 15$(가지)이다.

① (1개, 3개)로 넣는 경우

4개의 모자 중 1개를 골라 한 바구니에 넣고 나머지 모자를 다른 바구니에 넣으면 된다.

$4 \times 2 = 8$(가지)

② (2개, 2개)로 넣는 경우

4개의 모자를 2개씩 나눈 후 바구니에 넣으면 된다.

$\dfrac{4 \times 3}{2 \times 1} \times \dfrac{1}{2} \times 2 = 6$(가지)

따라서 모자를 넣는 방법은 $8 + 6 = 14$(가지)이므로 바구니에 모자를 나눠 넣는 방법의 수는

$15 \times 14 = 210$(가지)이다.

8 8명을 2명씩 묶어 4개의 팀을 만드는 방법은

$\dfrac{8 \times 7}{2 \times 1} \times \dfrac{6 \times 5}{2 \times 1} \times \dfrac{4 \times 3}{2 \times 1} \times \dfrac{1}{4 \times 3 \times 2 \times 1} = 105$(가지)이다.

4팀을 2팀씩 다시 묶는 방법은

$\dfrac{4 \times 3}{2 \times 1} \times \dfrac{1}{2} = 3$(가지)이다.

따라서 구하는 방법의 수는 $105 \times 3 = 315$(가지)이다.

9 10개의 작은 칸에 ×표시를 연속해서 그려 넣을 수 없다면 ×표시가 5개를 넘을 수 없다.

• ×표시가 0개일 때, 모두 ○표시이므로 1가지이다.

• ×표시가 1개일 때, ○표시는 9개이다.

  9개의 ○표시 옆의 10군데에 ×표시 1개를 넣으면 되므로 10가지이다.

• ×표시가 2개일 때, ○표시는 8개이다.

  8개의 ○표시 옆의 9군데에 ×표시 2개를 넣으면 되므로 $9 \times 8 \times \dfrac{1}{2} = 36$(가지)이다.

• ×표시가 3개일 때, ○표시는 7개이다.

  7개의 ○표시 옆의 8군데에 ×표시 3개를 넣으면 되므로 $8 \times 7 \times 6 \times \dfrac{1}{3 \times 2 \times 1} = 56$(가지)이다.

• ×표시가 4개일 때, ○표시는 6개이다.

  6개의 ○표시 옆의 7군데에 ×표시 4개를 넣으면 되므로 7개 중 3개를 골라 버리는 방법을 구하면

  $7 \times 6 \times 5 \times \dfrac{1}{3 \times 2 \times 1} = 35$(가지)이다.

• ×표시가 5개일 때, ○표시는 5개이다.

  개의 ○표시 옆의 6군데에 ×표시 5개를 넣으면 되므로 6개 중 1개를 골라 버리는 방법을 구하면 6가지이다.

  따라서 $1 + 10 + 36 + 56 + 35 + 6 = 144$(가지)이다.

별해 *10개의 계단을 오를 때 ×표 친 계단은 밟지 않는다고 생각하면 ×표시가 연속해서 올 수 없으므로 계단을 한 번에 한 개씩 또는 두 개씩 올라가는 핵심 문제 **2** 와 같은 문제가 된다. 마지막 칸에 ×표시가 온다면 건너 뛰고 밟을 계단이 있어야 하므로 계단의 수는 11개로 생각해야 하고, 마지막 칸은 항상 ○표시를 해야 하므로 경우의 수에는 영향을 미치지 않는다.

따라서 ① ② ③ ④ ⑤ ⑥ ⑦ ⑧ ⑨ ⑩ ⑪

1 2 3 5 8 13 21 34 55 89 144

이 되어 144가지임을 구할 수 있다.

10 다음과 같이 생각해 보자.

①   ②

1   1   한 개 오르고 한 개 오르는 경우

     1   두 개 오르는 경우

따라서 계단이 2개일 때는 $1 + 1 = 2$(가지) 방법이 있다.

①   ②   ③

1   1   한 개 오르고 두 개 오르는 경우

     2   2   ②번 계단을 밟은 후 한 개 오르는 경우

          1   세 개 오르는 경우

따라서 계단이 3개일 때는 $1 + 2 + 1 = 4$(가지) 방법이 있다.

계단이 4개일 때는 한 번에 네 개 오를 수 없으므로 ①번 계단을 밟은 후 세 개 오르는 경우 1가지, ②번 계단을 밟은 후 두 개 오르는 경우 2가지, ③번 계단을 밟은 후 한 개 오르는 경우 4가지, 즉 $1 + 2 + 4 = 7$(가지) 방법이 있다.

마찬가지로 생각하면 계단이 8개일 때는 아래와 같이 생각하여 81가지 방법이 있다.

①	②	③	④	⑤
1	2	4	$1+2+4$ $=7$	$2+4+7$ $=13$

⑥	⑦	⑧
$4+7+13$ $=24$	$7+13+24$ $=44$	$13+24+44$ $=81$

규칙 찾기 ②

15

1 3876 **2** 46368
3 625 **4** 74

1 (1)93,142 (2)92,94 (3)44,81 **2** 30번

3 59번 **4** 10945 **5** 121392 **6** $\dfrac{233}{144}$

7 89가지 **8** 610가지 **9** 127부분

10 2^{49}, $\dfrac{2^{49}-2}{3}$

유제풀이

1 각 단계별로 검은 점, 흰 점, 회색 점으로 나누어 개수의 변화를 잘 관찰하자.

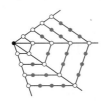

	검은 점	흰 점	회색 점
1단계	1	4	0
2단계	1	4×2	3×1
3단계	1	4×3	$3\times(1+2)$
4단계	1	4×4	$3\times(1+2+3)$
⋮	⋮	⋮	⋮
n단계	1	$4\times n$	$3\times\{1+2+\cdots+(n-1)\}$

따라서 50단계에는
$1+4\times50+3\times(1+2+3+\cdots+49)$
$=1+200+3\times1225=3876$(개)
의 점이 찍힌다.

2 첫째 번 수를 ①, 둘째 번 수를 ②, $\cdots$, n째 번 수를 ⓝ과 같이 표현하자.
피보나치 수열의 규칙에 따라 ②+③=④이다.

이 때 ①=②=1이므로 ①+③=④이다.
이제 ①+③+⑤=④+⑤=⑥임을 알 수 있다.
또 ①+③+⑤+⑦=④+⑤+⑦=⑥+⑦=⑧임을 알
⌄④⌄ ⌄⑥⌄

수 있다.
그러므로 홀수째 번 수들의 합은 마지막 홀수째 번 수의 바로 다음 짝수째 번 수와 같은 것을 알 수 있다.
$1+2+5+13+34+\cdots+10946+28657$은 홀수째 번 수들의 합이므로 28657 바로 다음 짝수째 번 수를 찾으면 된다.
10946과 28657 사이의 짝수째 번 수를 x라고 하면
$10946+x=28657$이므로 $x=17711$이고 28657 다음의 수는 $17711+28657=46368$이다.
따라서 구하는 합은 46368이다.

3 각 행 셋째 번 수를 찾아 순서대로 적어 보자.
× × 1 3 6 10 $\cdots$
⌣ ⌣ ⌣
+2 +3 +4
1행과 2행의 셋째 번 수가 없으므로 26행의 셋째 번 수는 위의 표에서 1부터 시작하여 24째 번 수이다.
3행의 1부터 시작하여 2, 3, 4, $\cdots$씩 커지므로
24째 번 수는
$1+2+3+\cdots+24=25\times24\times\dfrac{1}{2}=300$이다.
또, 27행의 셋째 번 수는
$1+2+3+\cdots+25=26\times25\times\dfrac{1}{2}=325$이다.
따라서 두 수의 합은 $300+325=625$이다.

4 다섯째 번 줄의 다섯 수를 a_1, a_2, a_3, a_4, a_5라고 하면 여섯째 번 줄은 다음과 같다.

a_1 a_2 a_3 a_4 a_5
(a_1+1) (a_1+a_2) (a_2+a_3) (a_3+a_4) (a_4+a_5) (a_5+1)
그러므로 여섯째 번 줄의 합은
$a_1+1+a_1+a_2+a_2+a_3+a_3+a_4+a_4+a_5+a_5+1$
$=(a_1+a_2+a_3+a_4+a_5)\times2+2$
이다.

즉, 각 줄의 수의 합은 그 윗 줄 수의 합의 2배에 2를 더한 것과 같다.

이 때 100으로 나눈 나머지를 구하므로 각 줄의 수들의 합에서 끝의 두 자리 수를 조사하여 보면 20개씩 같은 수가 반복됨을 알 수 있다.

0, 02, 06, 14, 30, 62, 26, 54, 10, 22, 46, 94, 90, 82, 66, 34, 70, 42, 86, 74, 50, 02, 06, 14, 30, …

따라서 100째 번 줄의 수들의 합을 100으로 나눈 나머지는 74이다.

특강탐구문제풀이

1 (1)

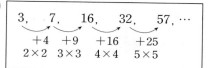

위와 같은 규칙이 있으므로 □ 안에는 차례로
$57+6 \times 6=93$, $93+7 \times 7=142$이다.

(2)

2, 4, 8, 10, 20, 22, 44, 46
+2 ×2 +2 ×2 +2 ×2 +2

위와 같은 규칙이 있으므로 □ 안에는 차례로
$46 \times 2=92$, $92+2=94$이다.

(3)

$$1+2+4 \quad 4+7+13$$
$$1, \ 1, \ 2, \ 4, \ 7, \ 13, \ 24, \ \cdots$$
$$1+1+2 \quad 2+4+7$$

위와 같이 앞의 세 수를 더해 나가는 규칙이 있으므로 □ 안에는 차례로
$7+13+24=44$, $13+24+44=81$이다.

2 원판이 2개일 때부터 차례로 구해 보자.

i) 원판이 2개일 때

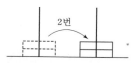

따라서 2번 이동해야 한다.

ii) 원판이 4개일 때

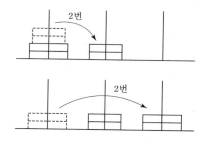

따라서 $2+2+2=6$(번) 이동해야 한다.

iii) 원판이 6개일 때

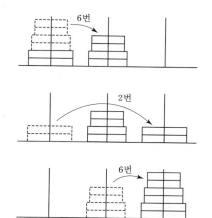

따라서 $6+2+6=14$(번) 이동해야 한다.

ⅰ), ⅱ), ⅲ)을 보고 규칙을 찾아 보면 2개가 늘어날 때마다

(전단계 이동 횟수)+2+(전단계 이동 횟수)만큼 이동하됨을 알 수 있다.

따라서 원판이 8개일 때는 $14+2+14=30$(번) 이동해야 한다.

참고 위와 같은 규칙에서 일반적으로 원판이 $2n$개일 때 옮기는 횟수는 $2 \times (2^n - 1)$이다.

3 원판이 2개일 때부터 차례로 구해 보자.

i) 원판이 2개일 때

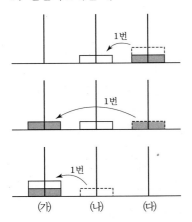

따라서 1+1+1=3(번) 옮겨야 한다.

ii) 원판이 4개일 때

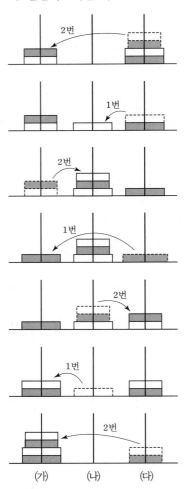

따라서 2+1+2+1+2+1+2=11(번) 옮겨야 한다.

iii) 원판이 6개일 때

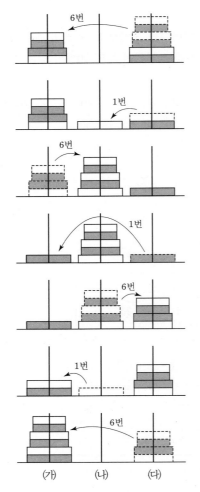

따라서 6+1+6+1+6+1+6=27(번) 옮겨야 한다.

ii)에서 4개의 판이 있을 경우 가장 아래 2개의 원판을
옮기기 위해서는 매번 그 위의 2개의 원판을 옮겨야 하
므로 1+1+1의 앞, 뒤로 2번씩 더해져서

2+1+2+1+2+1+2=11(번)임을 알 수 있다.

이 때 위의 두 원판은 2번씩 4번 즉 짝수 번 옮겨지므로
처음 상태가 된다.

같은 방법으로 iii)에서는 위의 4개의 원판이 6번에 옮겨
지므로 (문제 **3** 참고)

6+1+6+1+6+1+6=27(번) 옮기면 된다.

따라서 8개가 있을 때는 6개를 옮기는 횟수가 14번이므
로 (문제 **3** 참고) 14+1+14+1+14+1+14=59(번)
옮겨야 한다.

4 1+3+8+21+55+⋯+2584+6765는 피보나치
수열의 짝수째 번 수의 합이다.

n째 번 수를 ⑪이라고 표현하면 피보나치 수열의 규칙에 따라 ③+④=⑤이다.

이 때, ③=②+1이므로

②+1+④=⑤, ②+④=⑤−1이다.

②+④+⑥=⑤−1+⑥=⑦−1이고,

②+④+⑥+⑧=⑤−1+⑥+⑧=⑦−1+⑧=⑨−1

임을 알 수 있다.

즉 짝수째 번 수의 합은 마지막 짝수째 번 수 바로 다음의 홀수째 번 수에서 1을 뺀 것과 같다.

2584와 6765 사이의 홀수째 번 수을 x라고 하면

2584+x=6765이므로 x=4181이다.

따라서 6765 다음의 수는 4181+6765=10946이므로 구하는 합은 10946−1=10945이다.

5 유제**2**에서 피보나치 수열의 홀수째 번 수들의 합은 바로 다음 수와 같고, 문제 **3**에서 짝수째 수들의 합은 바로 다음 수에서 1을 뺀 것과 같다는 것을 알 수 있다.

28657이 홀수째 번 수라면 28657까지 홀수째 번 수의 합은 바로 다음 수인 46368이다.

이 때 46368은 짝수째 번 수이므로 46368까지 짝수째 번 수의 합은 바로 다음 수인 28657+46368=75025에서 1을 뺀 75024이다.

따라서 주어진 수들의 합은

46368+75024=121392이다.

반대로 28657이 짝수째 번 수라면 28657까지 짝수째 번 수의 합은 바로 다음 수에서 1을 뺀 46367이다. 이 때 46368은 홀수째 번 수이므로 46368까지 홀수째 번 수의 합은 바로 다음 수인 28657+46368=75025이다.

따라서 주어진 수들의 합은 46367+75025=121392이다.

6 주어진 수들을 번분수 계산을 이용하여 간단히 나타내 보자.

$$\frac{1}{\frac{b}{a}}=1\div\frac{b}{a}=\frac{a}{b}$$이다.

$1, 2, \dfrac{3}{2}, \dfrac{5}{3}, \dfrac{8}{5}, \cdots$에서 12째 번 수를 찾아 보자.

피보나치 수열 1, 1, 2, 3, 5, 8, 13, 21, 34, 55, 89, 144, 233, 377, $\cdots$에서

$\dfrac{1}{1}, \dfrac{2}{1}, \dfrac{3}{2}, \dfrac{5}{3}, \dfrac{8}{5}, \dfrac{13}{8}, \dfrac{21}{13}, \cdots$과 같이 되어

(12째 번 수)=$\dfrac{(13째 번 피보나치 수)}{(12째 번 피보나치 수)}=\dfrac{233}{144}$이다.

7 세로를 10cm로 고정하고 가로만 5cm씩 늘려 보자. 아래와 같이 가로가 5cm 늘어날 때마다 바로 앞에 붙였던 방법의 오른쪽에 ▯를 붙이고, 또 그 앞에 붙였던 방법의 오른쪽에 ▭를 붙여 나가는 방법으로 찾아보면 중복 없이 붙이는 방법의 수를 찾을 수 있다.

따라서 5cm에서 시작하여 5cm씩 가로가 늘어날 때마다 1가지, 2가지, 1+2=3(가지), 2+3=5(가지), 3+5=8(가지), 5+8=13(가지), $\cdots$이므로 50cm일 때는 11째 번 피보나치 수만큼 방법이 있다.

따라서 1, 1, 2, 3, 5, 8, 13, 21, 34, 55, 89, $\cdots$에서 89가지이다.

8 〈보기〉를 관찰하면 6을 홀수의 합으로 나타내는 방법은 다음과 같음을 알 수 있다.

4를 나타내는 방법 1+3, 3+1, 1+1+1+1의 첫 수에 2를 더하여 3+3, 5+1, 3+1+1+1을 만들고

5를 나타내는 방법 5, 1+1+3, 1+3+1, 3+1+1, 1+1+1+1+1에 1을 한 번 더 더해

1+5, 1+1+1+3, 1+1+3+1, 1+3+1+1, 1+1+1+1+1+1을 만든다.

따라서 6을 만드는 방법은 4를 만드는 방법 3가지와 5를

만드는 방법 5가지의 합인 8가지가 된다. 즉, 피보나치 수열을 이루게 된다.

1, 1, 2, 3, 5, 8, 13, 21, 34, 55, 89, 144, 233, 377, 610, …

따라서 15를 홀수의 합으로 나타내는 방법은 610가지이다.

9 한 꼭짓점에서 그리는 선분의 개수가 1개일 때부터 차례로 찾아본다.

ⅰ) 선분을 1개씩 그릴 때

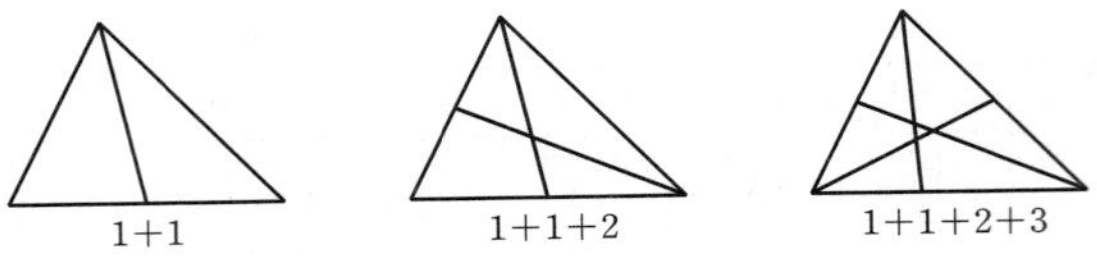

1+1   1+1+2   1+1+2+3

따라서 7부분으로 나뉜다.

ⅱ) 선분을 2개씩 그릴 때

7+3   7+3+4   7+3+4+5

따라서 19부분으로 나뉜다.

ⅲ) 선분을 3개씩 그릴 때

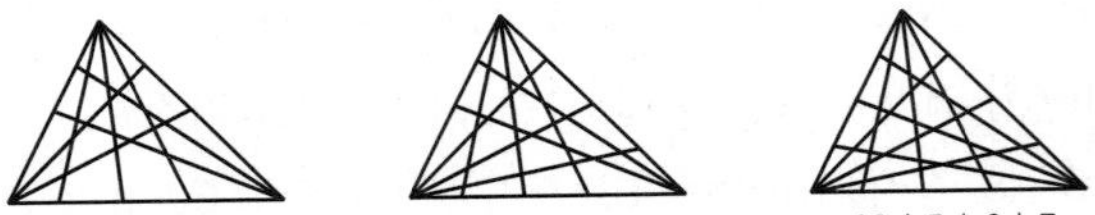

19+5   19+5+6   19+5+6+7

따라서 37부분으로 나뉜다.

ⅰ), ⅱ), ⅲ)에서 찾아낸 규칙으로 선분을 4개, 5개, 6개 그릴 때를 계산해 보면 다음 표와 같다.

4개	37＋7＋8＋9＝61(부분)
5개	61＋9＋10＋11＝91(부분)
6개	91＋11＋12＋13＝127(부분)
⋮	⋮

따라서 6개의 선분을 그을 때는 모두 127부분으로 나뉜다.

10 50째 번 줄의 합은 (50)으로 나타내고, 50째 번 줄 3째 번, 6째 번, 9째 번, … 수들의 합은 (50, 0),

1째 번, 4째 번, 7째 번, … 수들의 합은 (50, 1), 2째 번, 5째 번, 8째 번, … 수들의 합은 (50, 2)와 같은 방식으로 나타내자.

4째 번 줄의 네 수를 a_1, a_2, a_3, a_4라고 하면 5째 번 줄의 다섯 수는 다음과 같이 됨을 알 수 있다.

4째 번 줄 a_1 a_2 a_3 a_4

5째 번 줄 a_1 a_1+a_2 a_2+a_3 a_3+a_4 a_4

그러므로 5째 번 줄의 합은

$a_1+a_1+a_2+a_2+a_3+a_3+a_4+a_4$
$=(a_1+a_2+a_3+a_4)\times 2$

이다.

즉 어떤 줄의 합은 그 바로 윗줄의 수의 합의 2배가 된다.

따라서 $(50)=1\times\underbrace{2\times 2\times 2\times\cdots\times 2}_{49개}=2^{49}$이 된다.

〈그림 1〉

〈그림 1〉과 같이 되어

$(50, 0)=(48)+(48, 2)$

〈그림 2〉

〈그림 2〉와 같이 되어

$(48, 2)=(46)+(46, 1)$

〈그림 3〉

〈그림 3〉와 같이 되어

$(46, 1)=(44)+(44, 0)$

따라서

$(50, 0)=(48)+(46)+(44)+(44, 0)$
$=(48)+(46)+(44)+(42)+(42, 2)$
$=(48)+(46)+(44)+(42)+(40)+(40, 1)$
$=(48)+(46)+(44)+\cdots+(4)+(2)+(2, 0)$
$=2^{47}+2^{45}+2^{43}+\cdots+2^1$

이제, $2^{47}+2^{45}+\cdots+2^1=$A라 하여 A를 계산하면 된다.

양변에 2^2을 곱하면

$2^{49}+2^{47}+\cdots+2^3=2^2\times$A

두 식을 변끼리 빼면

$2^{49}-2=3\times$A, A$=\dfrac{2^{49}-2}{3}$이다.

따라서 구하는 수들의 합은 $(50, 0)=$A$=\dfrac{2^{49}-2}{3}$이다.

별해* 다음과 같이 풀 수도 있다.

50째 번 줄에서 3째 번, 6째 번, 9째 번, $\cdots$, 48째 번 수들의 합을 알아보기 위하여 6째 번 줄을 관찰해 보자.

①, ⑤, 10, 10, ⑤, 1 → 합 $2^5=32$

      11   10   11

7째 번 줄을 관찰해 보자.

①, 6, 15, 20, 15, 6, ① → 합 $2^6=64$

    22   21   21

8째 번 줄을 관찰해 보자.

①, 7, 21, 35, 35, 21, ⑦, ① → 합 $2^7=128$

    43   43   42

관찰에 의하여 50째 번 줄은 8째 번 줄과 같은 형태이므로 $\dfrac{2^{49}+1}{3}-1=\dfrac{2^{49}-2}{3}$가 된다.

논리 추리 ②

유제

1 풀이 참조 **2** 풀이 참조 **3** 병 **4** 3번

특강탐구문제

1 '사과와 배'라고 쓰여진 상자 **2** 11번 **3** 39분
4 오른쪽 사람 **5** A : 사람, B : 천사, C : 악마
6 A : 1개, B : 2개, C : 3개, D : 5개 **7** 일순이
8 3마리 **9** 붉은색 **10** 풀이 참조

유제풀이

1 500이라고 새겨진 동전을 뒤집었을 때, 학이 아닌 다른 것이 새겨져 있으면 참이 아니다.

 이 새겨진 동전을 뒤집었을 때 500이 새겨져 있거나, 이 새겨진 동전을 뒤집었을 때 500이 새겨져 있어도 참이 아니다.

따라서 뒤집어봐야 하는 동전은 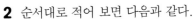 이다.

2 순서대로 적어 보면 다음과 같다.
① 호랑이 두 마리가 강을 건너고 한 마리만 돌아온다.
→ 황소×3＋호랑이×2：호랑이×1
② 다시 호랑이 두 마리가 강을 건너고 한 마리만 돌아온다. → 황소×3＋호랑이×1：호랑이×2
③ 이제 호랑이와 황소가 한 마리씩 건너가면 건너편에 이르러 황소가 호랑이 수보다 적어지므로 황소 두 마리가 같이 강을 건너야 한다.
→ 황소×1＋호랑이×1：황소×2＋호랑이×2
④ 돌아올 때 황소나 호랑이 한 마리가 온다면 둘 중 한 곳의 호랑이 수가 소보다 많아지게 되어 안된다. 따라서 황소와 호랑이가 한 마리씩 타고 돌아온다.
→ 황소×2＋호랑이×2：황소×1＋호랑이×1
⑤ 황소 두 마리가 강을 건넌다.
→ 호랑이×2：황소×3＋호랑이×1
⑥ 호랑이 한 마리가 돌아온다. → 호랑이×3：황소×3

⑦ 호랑이 두 마리가 강을 건너고 한 마리만 돌아온다.
→ 호랑이×2：황소×3＋호랑이×1
⑧ 호랑이 두 마리가 강을 건넌다.

3 만약 을이 거짓말족이라면 "지금 갑이 자기를 거짓말족이 아니라고 했어."라고 한 말이 거짓이므로 갑은 자신이 거짓말족이라고 말한 것이 된다. 또한 "갑과 나는 거짓말족이 아니야"라고 말한 것도 거짓이 되어 갑과 을이 둘다 거짓말족이거나 갑은 참말족, 을은 거짓말족이 된다. 갑이 거짓말족이면 거짓말족이라고 참말을 한 것이므로 모순이고 갑이 참말족이면 거짓말족이라고 거짓말을 한 것이므로 모순이다.

만약 을이 참말족이라면 "지금 갑이 자기를 거짓말족이 아니라고 했어."라는 말이 참이 되어 을이 다음에 한 말 "갑과 나는 거짓말족이 아니야."와 함께 생각하면 갑과 을 모두 참말족이 된다. 또한 병은 갑이 거짓말족이라 했으므로 자신이 거짓말을 한 것이 되어 거짓말족이다.

따라서 거짓말족은 병이다.

4 모두 8명이므로 악수를 가장 많이 한 사람은 자신과 자신의 배우자를 제외한 6명과 악수를 하게 되므로 6번 했다. 또한 A를 제외한 7명이 악수한 횟수가 모두 다르므로 가장 적게는 0번부터 최대 6번까지 7가지로 나눌 수 있다.

악수를 가장 많이 한 사람은 자신의 배우자를 제외한 6명의 사람들과 모두 한 번씩 악수를 하게 되므로 악수를 0번 한 사람은 가장 많이 한 사람의 배우자가 된다.

악수를 5번 한 사람은 자신의 배우자와 0번 한 사람을 제외한 나머지 사람들과 한 번씩 하게 되므로 그 나머지 사람들은 모두 2번 이상씩 한 셈이고 5번 한 사람의 배우자는 악수를 6번 한 사람과 한 번밖에는 할 수 없다. 즉 1번 한 사람은 5번 한 사람의 배우자이다.

마찬가지 방법으로 생각하면 4번 한 사람의 배우자는 2번 악수를 하게 되고, A를 제외한 7명의 악수한 횟수가 모두 달라야 하므로 A의 배우자는 3번 악수를 해야 한다.

따라서 A는 3번 악수했다.

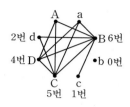

A a
2번 d • • B 6번
4번 D • • b 0번
C c
5번 1번

특강탐구문제풀이

1 '사과와 배'가 써진 상자에서 하나의 과일을 꺼내 보면 된다.

각 상자에는 상자 속에 들어 있는 과일과 맞지 않는 이름이 써 있으므로 '사과와 배'가 쓰여진 상자에서 사과가 나왔다면 '사과'가 쓰여진 상자에는 배가 들어 있을 것이고 '배'가 쓰여진 상자에는 사과와 배가 들어 있다는 것을 알 수 있다.

마찬가지로 '사과와 배'가 쓰여진 상자에서 배가 나왔다면 '사과'가 쓰여진 상자에는 사과와 배가 들어 있고 '배'가 쓰여진 상자에는 사과가 들어 있다는 것을 알 수 있다.

따라서 '사과와 배'가 쓰여진 상자에서 과일을 꺼내 봐야한다.

2 문제의 조건에 맞게 다음과 같이 순서를 정해 보자.

처음에는 동물의 종류와 상관없이 어미와 새끼가 함께 건넌다.

① 호랑이 어미와 새끼가 건넌다. → 사자어미와 새끼, 치타 어미와 새끼 : 호랑이 어미와 새끼

② 호랑이 어미가 되돌아온다. → 사자 어미와 새끼, 치타 어미와 새끼, 호랑이 어미 : 새끼 호랑이

③ 새끼 사자와 새끼 치타가 건넌다. → 사자 어미, 치타어미, 호랑이 어미 : 새끼 사자, 새끼 치타, 새끼 호랑이

④ 새끼 사자가 되돌아온다. → 사자 어미와 새끼, 치타 어미, 호랑이 어미 : 새끼 치타, 새끼 호랑이

⑤ 치타 어미와 호랑이 어미가 건넌다. → 사자 어미와 새끼 : 치타 어미와 새끼, 호랑이 어미와 새끼

⑥ 치타 어미와 새끼가 되돌아 온다. → 사자 어미와 새끼, 치타 어미와 새끼 : 호랑이 어미와 새끼

⑦ 어미 사자와 어미 치타가 건넌다. → 새끼 사자와 새끼

치타 : 호랑이 어미와 새끼, 사자 어미, 치타 어미

⑧ 새끼 호랑이가 되돌아온다. → 새끼 사자, 새끼 치타, 새끼 호랑이 : 어미 호랑이, 어미 사자, 어미 치타

⑨ 새끼 사자와 새끼 치타가 건넌다. → 새끼 호랑이 : 사자 어미와 새끼, 치타 어미와 새끼, 호랑이 어미

⑩ 호랑이 어미가 되돌아온다. → 호랑이 어미와 새끼 : 사자 어미와 새끼, 치타 어미와 새끼

⑪ 호랑이 어미와 새끼가 건넌다.

따라서 강을 모두 11번 건너야 한다.

3 ① 5분 걸리는 사람과 7분 걸리는 사람이 건넌다. → ⑪⑬ : ⑤⑦ → 7분 걸린다.

② 5분 걸리는 사람이 돌아온다. → ⑤⑪⑬ : ⑦ → 5분 걸린다.

③ 11분 걸리는 사람과 13분 걸리는 사람이 건넌다. → ⑤ : ⑦⑪⑬ → 13분 걸린다.

④ 7분 걸리는 사람이 돌아온다. → ⑤⑦ : ⑪⑬ → 7분 걸린다.

⑤ 5분 걸리는 사람과 7분 걸리는 사람이 건넌다. → 7분 걸린다.

따라서 최소한 7+5+13+7+7=39(분) 걸린다.

4 i) 오른쪽 사람이 참말족이라면 그 사람의 말에 따라 가운데 있는 사람이 거짓말족이 된다. 또 왼쪽에 있는 사람은 가운데 있는 사람이 참말족이라 했으므로 거짓말족이 된다.

ii) 오른쪽 사람이 거짓말족이라면 가운데 있는 사람이 거짓말족이라는 말이 거짓이므로 가운데 있는 사람은 참말족이 된다. 그런데 가운데 있는 사람은 나머지 사람들이 모두 참말족이라고 했지만 오른쪽 사람이 거짓말족이므로 거짓말을 한 것이 되어 모순이다.

따라서 참말족은 오른쪽 사람이다.

5 A는 "나는 천사가 아닙니다."라고 말했다. A가 천사라면 이 말을 거짓이므로 천사가 될 수 없고, 악마라면 참말을 하게 된 것이므로 악마도 될 수 없다. 즉, A는 사

람이어야 한다.

B는 "나는 사람이 아닙니다."라고 말했는데 B가 악마라면 참말을 하게 된 셈이므로 악마가 될 수 없고 천사이어야 한다.

남은 C는 악마밖에 될 수 없는데 "나는 악마가 아닙니다."라는 거짓말을 하게 되므로 악마가 맞다.

따라서 A는 사람, B는 천사, C는 악마이다.

6 A가 B에게 물었을 때 B가 만약 1개를 먹었더라면 B는 A가 먹은 개수에 비해 같거나 적을 수는 있지만 많이 먹었을리는 없으므로 아니라고 대답했을 것이다. 하지만 모르겠다고 대답한 것으로 보아 B는 적어도 2개 이상 먹었다는 것을 알 수 있다.

또, B가 C에게 물었고, B가 2개 이상 먹었다는 것을 알게된 C가 모르겠다고 대답한 것으로 보아 C는 적어도 3개 이상 먹었다는 것을 알 수 있다.

그러므로 D가 먹을 수 있는 사과의 양은 최대 11－(1＋2＋3)＝5(개)인데, D가 4개를 먹었다면 A, B, C가 남은 7개를 먹은 셈이므로 D는 A, B, C가 먹은 양을 정확히 알 수가 없다.

따라서 D가 나머지 사람들의 먹은 양을 정확히 알 수 있을 때는 각각 먹은 개수가 D가 5개, A가 1개, B가 2개, C가 3개일 때 뿐이다.

7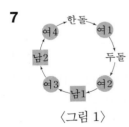
〈그림 1〉

한돌이가 좋아하는 여자는 두돌이를 좋아한다는 조건을 기준으로 하여 〈그림 1〉과 같이 남녀 8명 사이의 관계를 나타내 보자. 셋째 번 조건인 '세돌이가 좋아하는 여자는 삼순이를 좋아하는 남자를 좋아한다.' 에서 다음과 같은 1조를 만든다.

'세돌 → 여 → 남 → 삼순'

넷째 번 조건인 '네돌이가 좋아하는 여자는 이순이를 좋아하는 남자를 좋아한다.' 에서 다음과 같은 2조를 만든다.

'네돌 → 여 → 남 → 이순'

〈그림 1〉에서 남자의 자리는 두 자리뿐이므로 1조가 시

작될 수 있는 곳도 남1이나 남2 두 곳뿐이다.

둘로 나누어 생각해 보자.

① 1조가 남1에서부터 놓일 경우

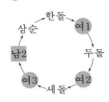

왼쪽 그림과 같이 생각할 수 있고 남은 하나의 남자 자리에는 네돌이가 들어가게 되므로 남2 자리에는 네돌이가, 여1 자리에는 이순이가 온다. 남은 여3, 여2 자리 중에, 일순이는 네돌이를 좋아하지 않으므로 여3 에 올 수 없고 사순이가 여3 자리에, 일순이가 여2 자리에 오게 된다. 이 때 모든 조건은 다 성립한다.

② 2조가 남1에서부터 놓일 경우

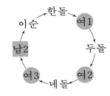

왼쪽 그림과 같이 생각할 수 있고 남은 하나의 남자 자리에는 세돌이가 들어가게 되므로 남2 자리에는 세돌이가, 여1 자리에는 삼순이가 온다. 남은 여2, 여3 자리 중에, 일순이는 네돌이를 좋아하지 않으므로 여2 에 올 수 없고 사순이가 여2 자리에, 일순이가 여3 자리에 오게 된다. 이 때 사순이가 좋아하는 네돌이가 일순이를 좋아하게 되어 다섯째 번 조건에 맞지 않는다.

따라서 ①에서 세돌이를 좋아하는 여자는 일순이다.

8 만약 전염병에 걸린 개가 한 마리였다면, 첫날 밤 그 개의 주인은 다른 집에서 전염병에 걸린 개를 한 마리도 볼 수 없었을 것이다. 그런데 전염병에 걸린 개는 반드시 있다고 했으므로 자신의 개가 전염병에 걸렸다고 확신하고 죽였어야 했는데 아무도 개를 죽이지 않았다. 즉, 전염병에 걸린 개는 한 마리가 아니다.

전염병에 걸린 개가 두 마리 이상이라는 것을 알고 난 둘째날 밤 그 개의 주인 두 명은 각각 한 마리씩의 전염병에 걸린 개를 보고선 자신의 개를 죽였어야 했지만 아무도 개를 죽이지 않았다. 따라서 셋째 날 밤에 개를 죽인 사람들은 마을에서 두 마리의 전염병에 걸린 개를 본 사람들이다. 전염병에 걸린 개가 두 마리를 넘는다는 것을 알고 있는데 밖에서 전염병에 걸린 개 두 마리를 보았으므로 자신의 개가 병들었다고 판단할 수 있기 때문이다.

즉, 죽은 개는 3마리이다.

9 붉은색을 R, 푸른색을 B, 노란색을 Y라고 하자. 각각의 개수는 R은 3개, B는 2개, Y는 1개이다.

막내가 볼 수 있는 세 형들의 모자의 색깔은 순서와 상관없이 (R,R,R), (R,R,B), (R,R,Y), (R,B,Y), (R,B,B), (B,B,Y)의 여섯 가지 경우가 있다. 만약 세 형들의 모자의 색이 (B,B,Y)였다면 막내는 자신의 모자의 색이 붉은색이라는 것을 알 수 있었을 테지만 모른다고 했으므로 앞의 3명의 모자색은 (B,B,Y)가 아니다.

셋째가 볼 수 있는 두 형들의 모자의 색은 순서와 상관없이 (R,R), (R,B), (R,Y), (B,B), (B,Y)의 다섯 가지 경우가 있다. 셋째는 이미 막내의 "모른다."는 대답을 들은 후 이므로 앞의 두 형들과 자신이 쓴 모자색 중에 반드시 붉은 색이 한 개 이상 있다는 것을 알고 있다. 셋째는 첫째와 둘째의 모자색이 (B,B), (B,Y)이면 자신이 붉은색이라는 것을 알 수 있는데 모른다고 했으므로 앞의 두 사람은 (R,R), (R,B), (R,Y) 중 하나이고, 둘째 역시 그 사실을 알 수 있다.

마지막으로 둘째는 큰 형이 B나 Y라면 자신이 R이라는 것을 알았겠지만 모르겠다고 했으므로 큰 아들의 모자색은 R이다. 즉, 빨간색이다.

10 보민이는 승민이가 자신이 쓰고 있는 모자의 색깔을 모른다고 대답했을 때, 주성이가 이렇게 생각하였을 거라고 생각하였다.

"만약 보민이와 내가 모두 빨간색 모자를 쓰고 있다면 승민이는 자신이 노란색 모자를 쓰고 있다고 생각했을 거야."

주성이와 내가 모두 빨간색 모자를 쓰고 있었다면 남은 빨간색 모자가 없으니 당연히 승민이는 노란색 모자를 쓰고 있는 것이 되고, 반대로 승민이와 내가 모두 빨간색 모자를 쓰고 있었다면 주성이는 자신이 노란색 모자를 쓰고 있다고 생각하게 된다.

보민이는 보민이 자신이 빨간색 모자를 쓰고 있었다면 주성이는 주성이 자신이 노란색 모자를 쓰고 있었다는 것을 알 수 있었을 텐데 주성이가 모른다고 대답하였으니 보민이는 자신이 빨간색 모자를 쓰고 있지 않다는 것을 알 수 있었다.

직각삼각형의 닮음

유제

1 12cm **2** 202.8cm² **3** 3cm **4** 5cm

특강탐구문제

1 3:5 **2** 15cm **3** (개): 16cm, (내): 15cm

4 $12\frac{3}{5}$cm, $3\frac{1}{5}$cm **5** 1:2 **6** $303\frac{3}{4}$cm²

7 175cm² **8** 4.2cm **9** $51\frac{21}{25}$cm²

10 1808.64cm²

유제풀이

1 두 직각삼각형 ㄱㄴㄹ과 ㄷㄴㅁ은 각 ㄱㄴㄷ을 공통으로 가지고 있으므로 닮음이다.
이 때 (선분 ㄱㅁ):(선분 ㅁㄴ)=1:2이므로
(선분 ㄴㅁ)=$24 \times \frac{2}{3}$=16(cm)이다.
따라서 (변 ㄱㄴ):(변 ㄷㄴ)=(변 ㄴㄹ):(변 ㄴㅁ)이므로
24:32=(변 ㄴㄹ):16,
 3:4=(변 ㄴㄹ):16,
(변 ㄴㄹ)×4=16×3,
(변 ㄴㄹ)=48÷4=12(cm)이다.

2 변 ㄴㄱ의 길이는 변 ㄴㅁ의 길이의 2배, 변 ㄴㄹ의 길이도 변 ㄴㅂ의 길이의 2배이며 각 ㄱㄴㄹ은 공통이므로 두 직각삼각형 ㄱㄴㄹ과 ㅁㄴㅂ은 닮음이다.
따라서 변 ㄱㄹ의 길이도 변 ㅁㅂ의 길이의 2배이다.
따라서 (변 ㄴㄹ)=2.5×2=5(cm),
(변 ㄱㄹ)=6×2=12(cm)이다.
한편 (각 ㄷㄱㄹ)+(각 ㄱㄴㄹ)=90°,
(각 ㄷㄱㄹ)+(각 ㄱㄷㄹ)=90°이므로
(각 ㄱㄴㄹ)=(각 ㄱㄷㄹ)이다.
따라서 두 직각삼각형 ㄱㄴㄹ과 ㄷㄱㄹ은 닮음이다.
따라서 (변 ㄴㄹ):(변 ㄱㄹ)=(변 ㄱㄹ):(변 ㄷㄹ),
5:12=12:(변 ㄷㄹ),
(변 ㄷㄹ)×5=12×12,
(변 ㄷㄹ)=144÷5=28.8(cm)이다.

따라서 삼각형 ㄱㄴㄷ의 넓이는
{(변 ㄴㄹ)+(변 ㄷㄹ)}×(변 ㄱㄹ)×$\frac{1}{2}$이므로
$(5+28.8) \times 12 \times \frac{1}{2}$=202.8(cm²)이다.

3 (각 EAG)=90°이므로
(각 BAE)+(각 CAG)=90°이다.
또 (각 BAE)+(각 BEA)=90°이므로
(각 CAG)=(각 BEA)이다.
따라서 삼각형 BEA와 삼각형 CAG는 닮음이다.
또 각 AGC와 각 FGD는 맞꼭지각으로 크기가 같기 때문에 삼각형 CAG와 삼각형 DFG도 닮음이다.
(변 AE)=24−9=15(cm)이고
(변 AE):(변 BE)=(변 GA):(변 AC)이므로
15:9=(변 GA):12
(변 GA)=12×15÷9=20(cm)이므로
(변 DG)=24−20=4(cm)이다.
따라서 (변 BE):(변 BA)=(변 DF):(변 DG)이므로
9:12=(변 DF):4,
(변 DF)=9×4÷12=3(cm)이다.

4

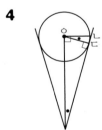

(각 ㄴㅇㄷ)+(각 ㄱㅇㄷ)=90°,
(각 ㅇㄱㄷ)+(각 ㄱㅇㄷ)=90°
따라서 (각 ㄴㅇㄷ)=(각 ㅇㄱㄷ)이고
두 직각삼각형 ㅇㄴㄷ과 ㄱㅇㄷ은 닮음이다.
따라서 (변 ㄱㄷ):(변 ㅇㄷ)=(변 ㅇㄷ):(변 ㄴㄷ)
이므로 $12:(변 ㅇㄷ)=(변 ㅇㄷ):2\frac{1}{12}$,
(변 ㅇㄷ)×(변 ㅇㄷ)=$12 \times 2\frac{1}{12}$=25=5×5이다.
따라서 변 ㅇㄷ, 즉 아이스크림의 반지름은 5cm이다.

특강탐구문제풀이

1 평행사변형에서 마주 보는 두 각의 크기는 서로 같으므로 두 직각삼각형 ㄷㅂㄹ과 ㄷㅁㄴ은 닮음이다.

이 때 (변 ㄷㅂ) : (변 ㄷㅁ)=6 : 10=3 : 5이므로

(변 ㄹㄷ) : (변 ㄴㄷ)=3 : 5이다.

따라서 평행사변형에서 마주 보는 두 변의 길이는 서로 같으므로 (변 ㄱㄴ) : (변 ㄴㄷ)=3 : 5이다.

2 (각 AEF)=(각 DEB)(맞꼭지각)이므로

두 직각삼각형 EAF와 EDB는 닮음이다.

따라서 (변 DE) : (변 EB)=(변 AE) : (변 EF)이므로

20 : 8=(변 AE) : 6,

(변 AE)=20×6÷8=15(cm)이다.

3

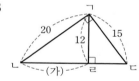

(각 ㄱㄷㄴ)+(각 ㄷㄱㄹ)=90°이고

(각 ㄱㄷㄴ)+(각 ㄷㄱㄹ)=90°이므로

(각 ㄷㄴㄱ)=(각 ㄷㄱㄹ)이다.

따라서 두 직각삼각형 ㄱㄴㄹ과 ㄷㄱㄹ은 닮음이므로

(변 ㄱㄴ) : (가)=(변 ㄷㄱ) : (변 ㄱㄹ)

20 : (가)=15 : 12

(가)=20×12÷15=16(cm)

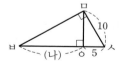

각 ㅁㅅㅂ이 공통이므로 두 직각삼각형 ㅁㅂㅅ과 ㅇㅁㅅ은 닮음이다.

(변 ㅁㅅ) : (변 ㅅㅇ)=(변 ㅂㅅ) : (변 ㅅㅁ)이므로

10 : 5=(변 ㅂㅅ) : 10

(변 ㅂㅅ)=10×10÷5=20(cm)이다.

따라서 (나)=20−5=15(cm)이다.

4

그림과 같이 변 CE와 변 ED에 각각 평행이고 점 D와 점 A를 각각 지나는 두 선을 그어 그 교점을 F라 하자.

이 때 사각형 CEDF는 직사각형이 된다.

삼각형 ABD에서 각 A가 직각이므로

(각 DAF)+(각 BAC)=90°이다.

또 (각 ABC)+(각 BAC)=90°이므로

(각 DAF)=(각 ABC)이다.

따라서 두 직각삼각형 ABC와 DAF는 닮음이다.

(변 AB) : (변 BC)=(변 DA) : (변 AF)이므로

5 : 4=12 : (변 AF),

(변 AF)=12×4÷5=$\frac{48}{5}$(cm)이다.

따라서 (선분 DE)=$\frac{48}{5}$+3=12$\frac{3}{5}$(cm)이다.

또, (변 AB) : (변 AC)=(변 DA) : (변 DF)이므로

5 : 3=12 : (변 DF),

(변 DF)=12×3÷5=$\frac{36}{5}$(cm)이다.

따라서 (선분 BE)=$\frac{36}{5}$−4=3$\frac{1}{5}$(cm)이다.

5 (각 ㄴㅂㅁ)=90°이므로

(각 ㄱㅂㄴ)+(각 ㄹㅂㅁ)=90°이다.

또 (각 ㄱㅂㄴ)+(각 ㄱㄴㅂ)=90°이므로

(각 ㄹㅂㅁ)=(각 ㄱㄴㅂ)이다.

그러므로 두 직각삼각형 ㄱㄴㅂ과 ㄹㅂㅁ은 닮음이다.

따라서 (변 ㄹㅁ) : (변 ㅁㅂ)=(변 ㄱㅂ) : (변 ㅂㄴ)이다. (변 ㄴㅂ)=(변 ㄴㄷ)이고 변 ㄴㄷ은 변 ㄱㅂ의 2배이므로

(변 ㄹㅁ) : (변 ㅁㅂ)=(변 ㄱㅂ) : (변 ㅂㄴ)=1 : 2이다.

(변 ㅁㅂ)=(변 ㅁㄷ)이므로

(변 ㄹㅁ) : (변 ㅁㄷ)=1 : 2이다.

6

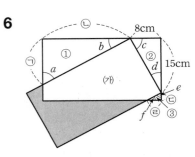

두 직사각형의 넓이가 같고 (개가 공통 부분이므로 색칠한 부분의 넓이는 직각삼각형 ①, ②, ③의 넓이의 합과 같다. 이 때 $a+b=90°$, $b+c=90°$이므로 $a=c$이다.

따라서 직각삼각형 ①, ②는 닮음이다.

또 $c+d=90°$, $d+e=90°$이므로 $c=e$이고 직각삼각형 ②, ③도 닮음이다.

따라서 ㉠ : ㉡ = ㉢ : ㉣ = 8 : 15이다.

㉡$=38-8=30$(cm)이므로 ㉠ : $30=8 : 15$,

㉠$=30\times8\div15=16$(cm)

㉢$=17-15=2$(cm)이므로 $2 : ㉣=8 : 15$,

㉣$=2\times15\div8=\dfrac{15}{4}$(cm)

①의 넓이는 $30\times16\times\dfrac{1}{2}=240$(cm²),

②의 넓이는 $8\times15\times\dfrac{1}{2}=60$(cm²),

③의 넓이는 $2\times\dfrac{15}{4}\times\dfrac{1}{2}=\dfrac{15}{4}$(cm²)이다.

따라서 색칠한 부분의 넓이는

$240+60+\dfrac{15}{4}=303\dfrac{3}{4}$(cm²)이다.

7

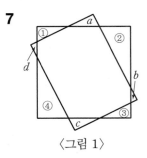

〈그림 1〉

직사각형의 넓이는 정사각형의 넓이에서 ①, ②, ③, ④를 빼고 a, b, c, d를 더한 것과 같다.

한편 ①, ②, ③, ④, a, b, c, d는 모두 직각삼각형이고 한 예각이 맞꼭지각이므로 서로 닮음이고, 세 변 중 빗변

이 아닌 두 변의 길이의 비는 ②에서 알 수 있듯이 2 : 1이다.

정사각형의 넓이는 $15\times15=225$(cm²)이다.

두 변의 비가 2 : 1이므로 〈그림 2〉에서 알 수 있듯이

①$+$③$=5\times2.5=12.5$(cm²),

②$+$④$=5\times10=50$(cm²)이다.

〈그림 2〉　　　〈그림 3〉　　　〈그림 4〉

한편 $a+c$는 〈그림 3〉과 같이 대각선이 5cm인 직사각형인데 두 변의 비가 2 : 1이므로 두 개의 정사각형을 붙여 놓은 형태이다.

이 때 〈그림 4〉와 같이 정사각형 5개의 넓이가

$5\times5=25$(cm²)이므로 $a+c=25\times\dfrac{2}{5}=10$(cm²)이다.

같은 방법으로 $b+d$는 대각선이 2.5cm인 직사각형이므로

$b+d=2.5\times2.5\times\dfrac{2}{5}=2.5$(cm²)이다.

따라서 구하는 넓이는

$225-12.5-50+10+2.5=175$(cm²)이다.

8 (각 ㄱ)$=90°$이므로 (각 ㄹㄱㅁ)$+$(각 ㄴㄱㅂ)$=90°$이다. 또 (각 ㄱㄴㅂ)$+$(각 ㄴㄱㅂ)$=90°$이므로

(각 ㄹㄱㅁ)$=$(각 ㄱㄴㅂ)이다.

따라서 두 직각삼각형 ㄱㄴㅂ과 ㄹㄱㅁ은 닮음이다.

(변 ㄹㅁ) : (변 ㄱㅁ)$=$(변 ㄱㅂ) : (변 ㄴㅂ)이고,

(변 ㄱㅂ)$=3+4=7$(cm)이므로

$5 : 3=7 : $(변 ㄴㅂ),

(변 ㄴㅂ)$=7\times3\div5=4.2$(cm)이다.

9

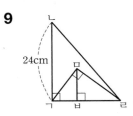

삼각형 ㄱㄴㄹ의 세 변의 비가 3 : 4 : 5이므로

(변 ㄱㄹ)$=24 \times \dfrac{3}{4}=18$(cm)이고,

(변 ㄹㄷ)$=30-18=12$(cm)이다.

한편, 삼각형 ㄱㅁㄹ도 세 변의 비가 3 : 4 : 5이므로

(변 ㄱㅁ) : (변 ㅁㄹ) : (변 ㄱㄹ)$=3 : 4 : 5$이고,

(변 ㄱㅁ)$=18 \times \dfrac{3}{5}=\dfrac{54}{5}$(cm),

(변 ㅁㄹ)$=18 \times \dfrac{4}{5}=\dfrac{72}{5}$(cm)이다.

삼각형 ㄱㅁㄹ에서 점 ㅁ에서 변 ㄱㄹ로 수선을 긋고 수선의 발을 ㅂ이라 하면 삼각형 ㄱㅁㅂ과 삼각형 ㄱㄹㅁ은 닮음이므로 (3번 참고)

(변 ㄱㅁ) : (변 ㅁㅂ)$=$(변 ㄱㄹ) : (변 ㄹㅁ),

$\dfrac{54}{5}$: (변 ㅁㅂ)$=18 : \dfrac{72}{5}$,

(변 ㅁㅂ)$=\dfrac{54}{5} \times \dfrac{72}{5} \div 18=\dfrac{216}{25}$(cm)

따라서 삼각형 ㅁㄹㄷ의 넓이는

$12 \times \dfrac{216}{25} \times \dfrac{1}{2}=\dfrac{1296}{25}=51\dfrac{21}{25}$(cm²)이다.

10 주어진 조건에 따라 옆에서 바라본 단면을 그리면 다음 그림과 같이 된다.

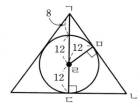

(변 ㄱㄹ) : (변 ㄹㅁ)$=(8+12) : 12=5 : 3$이므로

(변 ㄱㄹ) : (변 ㄹㅁ) : (변 ㅁㄱ)$=5 : 3 : 4$이다.

한편 각 ㅁㄱㄹ이 공통이므로 두 직각삼각형 ㄱㄹㅁ과 ㄱㄴㄷ은 닮음이다.

즉, 삼각형 ㄱㄴㄷ에서

(변 ㄱㄴ) : (변 ㄴㄷ) : (변 ㄷㄱ)$=5 : 3 : 4$이고

(변 ㄷㄱ)$=8+12+12=32$(cm)이므로

(변 ㄴㄷ)$=32 \times \dfrac{3}{4}=24$(cm)이다.

변 ㄴㄷ은 그림자의 반지름이므로 그림자의 넓이는

$24 \times 24 \times 3.14=1808.64$(cm²)이다.

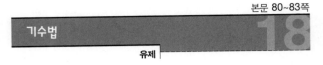

기수법

18

유제

1 27g **2** 274 **3** 5진법의 수 10
4 풀이 참조

특강탐구문제

1 25g짜리 **2** ■□□□ **3** 31개
4 63개 **5** 7진법의 수 2640
6 27, 39 **7** 111 **8** 8번
9 풀이 참조 **10** 280

유제풀이

1 어떤 물건의 무게를 양팔 저울로 측정하는 데 64g짜리 2개, 16g짜리 2개, 4g짜리 2개, 1g짜리 1개의 저울추가 사용되었으므로 이 물건의 무게는
$64 \times 2 + 16 \times 3 + 4 \times 2 + 1 \times 1 = 185(g)$이다.

1g, 3g, 9g, 27g, 81g의 저울추를 사용하여 이 물건의 무게를 측정하려면 다음과 같이 계산할 수 있다.
$185 = 81 \times 2 + 23$
$\quad = 81 \times 2 + 27 \times 0 + 23$
$\quad = 81 \times 2 + 27 \times 0 + 9 \times 2 + 5$
$\quad = 81 \times 2 + 27 \times 0 + 9 \times 2 + 3 \times 1 + 1 \times 2$

따라서 사용되지 않는 저울추는 27g짜리이다.

2 규칙을 관찰해 보면 가장 왼쪽 줄은 1, 2, 2×2가 되고, 가장 왼쪽에서 둘째 번 줄은 2×2×2, 2×2×2×2, 2×2×2×2×2가 된다.

규칙에서 각 칸이 나타내는 수는 다음과 같다.

1	8	64
2	16	128
4	32	256

따라서 ( ) 안에 들어갈 수는 $2 + 16 + 256 = 274$이다.

3 2진법의 수 ㄱㄴㄷ은 ㄱ×4+ㄴ×2+ㄷ이고, 이 수를 2배 하면 ㄱ×8+ㄴ×4+ㄷ×2이다.

또, 3진법의 수 ㄷㄴㄱ은 ㄷ×9+ㄴ×3+ㄱ이므로
ㄱ×8+ㄴ×4+ㄷ×2=ㄷ×9+ㄴ×3+ㄱ이고,
양쪽의 차를 살펴보면 ㄱ×7+ㄴ=ㄷ×7이다.
ㄱㄴㄷ이 2진법의 수이므로 ㄱ, ㄴ, ㄷ은 각각 0 또는 1 이외의 수가 될 수 없고, ㄱ×7+ㄴ=ㄷ×7을 만족하는 값은 ㄱ=ㄷ=1, ㄴ=0이다.

따라서 2진법의 수 ㄱㄴㄷ은 $1 \times 4 + 0 \times 2 + 1 = 5$이고,
$5 = 5 \times 1 + 0$이므로 5진법의 수로는 10이다.

4 $46 = 27 \times 1 + 9 \times 2 + 1$
$\quad = 27 \times 1 + (27 \times 1 - 9 \times 1) + 1$
$\quad = 27 \times 2 - 9 \times 1 + 1$
$\quad = (81 \times 1 - 27 \times 1) - 9 \times 1 + 1$
$\quad = 81 \times 1 + 1 - 27 \times 1 - 9 \times 1$

따라서 한쪽 접시에 81g, 1g짜리 추를 한 개씩 놓고 다른 쪽 접시에 27g, 9g짜리 추를 한 개씩 놓으면 46g의 무게를 잴 수 있다.

특강탐구문제풀이

1 $423 = 125 \times 3 + 48$
$\quad = 125 \times 3 + 25 \times 1 + 23$
$\quad = 125 \times 3 + 25 \times 1 + 5 \times 4 + 1 \times 3$

따라서 1개만 사용되는 저울추는 25g짜리이다.

2 '■□■□+□■■□−■□□□' 를 2진법의 수로 표현하면 '1010+110−1000' 이다.

```
  1010
+)  110
```

위의 식에서 오른쪽부터 둘째 자리는 $1+1=2$가 되므로 한 자리 위로 '1'을 받아올리고, 그 '1'은 다시 오른쪽부터 셋째 자리의 '1'과 합하여 2가 되므로 또 한 자리 위로 '1'을 받아올린다.

같은 방법으로 또 한 자리 위로 받아올림하면 $1010+110=10000$이 된다.

```
 10000
+) 1100
```

위의 식에서 '0'에서 '1'을 뺄 수 없으므로 오른쪽부터 다섯째 자리의 '1'을 한 자리 아래로 '2'를 받아내린다.

즉, $10000-1000=1000$이다.

따라서 계산 결과는 2진법의 수로 1000이므로 ■□□□와 같이 표시할 수 있다.

별해* 2진법의 수를 10진법의 수로 고쳐 계산한 후 다시 2진법의 수로 고쳐서 주어진 방법으로 표시할 수도 있다.

$1010+110-1000=(8+2)+(4+2)-(8)$
$\qquad\quad\text{8421}\quad\text{421}\quad\text{8421}$
$\qquad\qquad\qquad\qquad =8$
$\qquad\qquad\qquad\qquad =1000$

따라서 ■□□□이다.

3 각각의 전구는 꺼질 때와 켜질 때의 2가지만 표현할 수 있으므로 0과 1만을 사용하는 2진법의 수로 바꾸어 생각할 수 있다.

전구가 모두 5개 있으므로 가장 큰 자연수는 2진법의 수 11111, 즉 $1+2+4+8+16=31$이고, 가장 작은 자연수는 2진법의 수 00001, 즉 1이다.

따라서 나타낼 수 있는 자연수는 1부터 31까지 31개이다.

별해* 다음과 같이 생각할 수도 있다.

꼬마전구는 각각 켜진 때와 꺼진 때, 2가지로 표현되므로 $2\times2\times2\times2\times2=32$(가지)를 표현할 수 있다.

그런데 모두 꺼진 것은 0으로 자연수가 아니므로 1개를 빼준다.

따라서 $32-1=31$(개)의 자연수를 나타낼 수 있다.

4 세 자리의 8진법의 수 중 가장 큰 수는 8진법의 수 777, 즉 $64\times7+8\times7+7=448+56+7=511$이고, 가장 작은 수는 8진법의 수 100, 즉 $64\times1=64$이다.

511 미만의 7의 배수는 $511\div7=73$이므로 72개이고, 64 이하의 7의 배수는 $64\div7=9\cdots1$이므로 9개이다.

따라서 세 자리의 8진법의 수 중 가장 큰 수와 가장 작은 수 사이에 있는 7의 배수는 모두 $72-9=63$(개)이다.

5 주사위를 두 번 던져 7진법의 수를 만들면 다음과 같다.

```
11  21  31  41  51  61
12  22  32  42  52  62
13  23   ·   ·   ·   ·
14  24   ·   ·   ·   ·
15  25   ·   ·   ·   ·
16  26  36  46  56  66
```

즉, 7진법의 수 11부터 66까지 나오는데 그 중에서 7진법의 수 20, 30, 40, 50, 60은 제외된다.

7진법의 수 $11=8$, 7진법의 수 $66=48$,

7진법의 수 $20=14$, 7진법의 수 $30=21$,

7진법의 수 $40=28$, 7진법의 수 $50=35$,

7진법의 수 $60=42$이므로

나타낼 수 있는 수를 모두 더한 합은 다음과 같다.

7진법의 수 11+7진법의 수 12+⋯+7진법의 수 65
+7진법의 수 66−(7진법의 수 20+7진법의 수 30
+7진법의 수 40+7진법의 수 50+7진법의 수 60)
$=8+9+\cdots+47+48-(14+21+28+35+42)$
$=56\times(48-7)\div2-7\times(2+3+4+5+6)$
$=56\times41\div2-7\times20$
$=1148-140$
$=1008$
1008을 7진법의 수로 나타내면
$$1008=343\times2+322$$
$$=343\times2+49\times6+28$$
$$=343\times2+49\times6+7\times4$$
따라서 나타낼 수 있는 수의 합은 7진법의 수 2640으
로 나타낼 수 있다.

6 어떤 수를 43으로 표현한 진법을 a진법이라 하고, 또
다른 진법을 b진법이라 하면,
(a진법의 수 43)$=4\times a+3$,
(b진법의 수 21)$=2\times b+1$이다.
b진법의 수 21의 3배와 a진법의 수 43이 같으므로
$4\times a+3=(2\times b+1)\times3$,
$4\times a+3=6\times b+3$,
$4\times a=6\times b$,
$2\times a=3\times b$
따라서 a는 3의 배수, b는 2의 배수이다.
또, 어떤 수를 a진법의 수로 나타내었을 때 숫자 3과 4
가 쓰였으므로 a는 5 이상의 자연수이고, 50보다 작
은 두 자리의 자연수라 했으므로
$4\times a+3=4\times11+3=47$
에서 a는 11 이하의 자연수이다.
따라서 a는 5 이상 11 이하의 3의 배수이므로 6, 9가
되고, 어떤 수는 $4\times6+3=27$, $4\times9+3=39$이다.

7 $5\times a+b=3\times b+a$, $4\times a=2\times b$, $2\times a=b$이므로
b는 a의 2배이다.

a, b는 모두 3진법의 수로 사용되었으므로 0, 1, 2 중
하나이고, 위 조건을 만족하는 a, b는 $a=1$, $b=2$뿐
이다.
따라서 두 자리의 5진법의 수 ab는
(5진법의 수 12)$=5\times1+2=7$이고,
2진법의 수로 나타내면
$7=4\times1+3=4\times1+2\times1+1$,
즉 2진법의 수 111이다.

8 ㅂ$=15$이므로
(16진법의 수 ㅂㅂ)$=16\times15+15=240+15=255$
이다.
$255=256-1$이고
$256=2\times2\times2\times2\times2\times2\times2\times2$이므로 256은 2진법의
수로 100000000이고, 1 작은 수인 255는 2진법의 수
로 $100000000-1=11111111$이다.
따라서 1은 모두 8번 쓰인다.

9 295를 3진수로 나타내 보자.
$$295=243\times1+52$$
$$=243\times1+27\times1+25$$
$$=243\times1+27\times1+9\times2+7$$
$$=243\times1+27\times1+9\times2+3\times2+1$$
295g을 측정하려면 243g짜리 추 1개, 27g짜리 추 1개,
9g짜리 추 2개, 3g짜리 추 2개, 1g짜리 추 1개가 필요
하다.
그러나 추는 각각 한 개씩 있으므로
$$243\times1+27\times1+9\times2+3\times2+1$$
$$=243\times1+27\times1+9\times3-3\times1+1$$
$$=243\times1+27\times2-3\times1+1$$
$$=243\times1+27\times3-27\times1-3\times1+1$$
$$=243\times1+81\times1-27\times1-3\times1+1$$
따라서 한쪽 접시에 243g, 81g, 1g짜리 추를 놓고 다
른 접시에 27g, 3g짜리 추와 295g짜리 물건을 놓으면
된다.

10 늘어놓은 수 1, 3, 4, 9, 10, 12, 13, 27, …을
각각 3진법의 수로 고치면 다음과 같다.

1, 10, 11, 100, 101, 110, 111, 1000, …

3진법의 수로 고쳐진 수들을 2진법의 수라 생각하고
다시 10진법의 수로 고치면 다음과 같다.

1, 2, 3, 4, 5, 6, 7, 8, …

그러므로 45째 번의 수는 10진법의 수 45를 2진법의
수로 고친 다음, 그 수를 3진법의 수로 생각하고 10진
법의 수로 고치면 된다.

$$45 = 32 \times 1 + 13$$
$$= 32 \times 1 + 16 \times 0 + 13$$
$$= 32 \times 1 + 16 \times 0 + 8 \times 1 + 5$$
$$= 32 \times 1 + 16 \times 0 + 8 \times 1 + 4 \times 1 + 2 \times 0 + 1$$

따라서 45는 2진법의 수로 101101이고, 이를 3진법의
수로 생각하고 10진법의 수로 고치면

$243 \times 1 + 27 \times 1 + 9 \times 1 + 1 = 280$이다.

연립방정식

19

유제

1 A : 88권, C : 8권 **2** 1440개 **3** 37 **4** 50km

특강탐구문제

1 12번 **2** 4.5km **3** 5인용 : 38개, 2인용 : 37개
4 25000원 **5** 7시간 15분 **6** 4년 후 **7** 23.5kg
8 17개 **9** 122km, 시속 73.6km **10** 108.3km

유제풀이

1 A와 C가 가지고 있는 동화책 수를 각각 x, y라고 하자.

(A와 B의 평균)$=\dfrac{x+66}{2}$은

(A, B, C의 평균)$=\dfrac{x+66+y}{3}$보다 23권 더 많으므로

$$\dfrac{x+66}{2}=\dfrac{x+66+y}{3}+23 \qquad \cdots ①$$

또, (B와 C의 평균)$=\dfrac{66+y}{2}$인데 이것은 세 사람의 평균보다 17권 더 적으므로

$$\dfrac{66+y}{2}=\dfrac{x+66+y}{3}-17 \qquad \cdots ②$$

①과 ②의 양변에 각각 6을 곱하자.
$$3\times x+198=2\times x+132+2\times y+138 \qquad \cdots ①'$$
$$198+3\times y=2\times x+132+2\times y-102 \qquad \cdots ②'$$
①'의 양변에서 각각 $2\times x+198$을 빼면
$$x=2\times y+72 \qquad \cdots ①''$$
②'의 양변에서 각각 $2\times y+198$을 빼면
$$y=2\times x-168 \qquad \cdots ②''$$
①''의 y는 ②'의 $2\times x-168$과 같으므로
$x=2\times(2\times x-168)+72$, $x=4\times x-264$,
$3\times x=264$, $x=88$이다.
①''의 x에 88을 넣으면
$88=2\times y+72$, $2\times y=16$, $y=8$이다.
따라서 A는 88권, C는 8권을 가지고 있다.

2 판매한 과일 중 사과와 배의 개수의 비가 5 : 4이므로 판매한 과일 전체를 $9\times a$라고 생각하면, 사과는 $5\times a$, 배는 $4\times a$이다.

또 저장해 둔 과일 중 사과와 배의 비가 7 : 5이므로 저장한 과일 전체를 $12\times b$라고 생각하면, 사과는 $7\times b$, 배는 $5\times b$이다.
판매한 과일과 저장해 둔 과일의 비가 3 : 2이므로
$9\times a : 12\times b=3 : 2$, $36\times b=18\times a$
$$2\times b=a \qquad \cdots ①$$
한편, 사과가 배보다 320개 많으므로
$$5\times a+7\times b=4\times a+5\times b+320 \qquad \cdots ②$$
②의 양변에서 $4\times a$와 $5\times b$를 빼면
$$a+2\times b=320 \qquad \cdots ②'$$
①에서 $2\times b=a$이므로 ②'의 $2\times b$를 a로 바꾸면
$a+a=320$, $a=160$이다.
따라서 판매한 과일은 $9\times a=9\times 160=1440$(개)이다.

3 문제의 조건들을 식으로 나타내면
$$㉠\times 3=㉡\times 4+3 \qquad \cdots ①$$
$$㉡\times 2=㉢+5 \qquad \cdots ②$$
$$㉠+㉡+㉢=80 \qquad \cdots ③$$
①의 양변을 3으로 나누면
$$㉠=\dfrac{㉡\times 4+3}{3} \qquad \cdots ①'$$
②의 양변을 2로 나누면
$$㉡=\dfrac{㉢+5}{2} \qquad \cdots ②'$$
여기서 얻은 값들을 ③에 넣어 보면
$$\dfrac{㉢\times 4+3}{3}+\dfrac{㉢+5}{2}+㉢=80 \qquad \cdots ③'$$
③'의 양변에 6을 곱하면
$(㉢\times 4+3)\times 2+(㉢+5)\times 3+㉢\times 6=480$,
$㉢\times 8+6+㉢\times 3+15+㉢\times 6=480$,
$㉢\times 17=459$, $㉢=27$이다.
①'에서 $㉠=\dfrac{27\times 4+3}{3}=37$이다.

4 ㉮에서 A 정거장까지의 거리를 $a$km, A에서 B 정거장까지의 거리를 $b$km, B 정거장에서 ㉯까지의 거리를 $c$km라고 하자.

(시간)$=\dfrac{(거리)}{(속력)}$이므로 $\dfrac{a+b}{40}+\dfrac{c}{50}=3\dfrac{12}{60}$ $\cdots ①$

$$\dfrac{a}{40}+\dfrac{b+c}{50}=2\dfrac{57}{60} \qquad \cdots ②$$

①, ②를 각각 다시 쓰면

$$\frac{a}{40}+\frac{b}{40}+\frac{c}{50}=3\frac{12}{60} \qquad \cdots ①$$

$$\frac{a}{40}+\frac{b}{50}+\frac{c}{50}=2\frac{57}{60} \qquad \cdots ②$$

①과 ②의 양변을 각각 서로 빼 주면

$$\frac{b}{40}-\frac{b}{50}=3\frac{12}{60}-2\frac{57}{60},$$

$$\frac{1}{200}\times b=\frac{15}{60}=\frac{1}{4},$$

$$b=\frac{1}{4}\times200=50(\text{km})\text{이다}.$$

참고 *⑦에서 A까지의 거리와 B에서 ⑪까지의 거리를 구하려면 $a+b+c=140$임도 필요하다.

특강탐구문제풀이

1 쌀자루 전체의 크기를 1, 큰 그릇으로 한 번에 담는 양을 x, 작은 그릇으로 한 번에 담는 양을 y라고 하자.

$$5\times x+3\times y=\frac{7}{12} \qquad \cdots ①$$

남은 양은 $1-\frac{7}{12}=\frac{5}{12}$이므로

$$1\times x+6\times y=\frac{5}{12} \qquad \cdots ②$$

①의 양변에 각각 2를 곱하면

$$10\times x+6\times y=\frac{14}{12} \qquad \cdots ①'$$

①'의 양변에서 ②의 양변을 각각 빼 주면

$$9\times x=\frac{9}{12},\ x=\frac{1}{12}\text{이다}.$$

따라서 큰 그릇으로 $1\div\frac{1}{12}=12$(번) 부으면 가득 찬다.

2 올라간 거리를 $x$km, 내려온 거리를 $y$km라고 하자.
전체 12km를 걸었으므로

$$x+y=12 \qquad \cdots ①$$

$(\text{시간})=\dfrac{(\text{거리})}{(\text{속력})}$이므로

$$\frac{x}{3}+\frac{y}{5}=3 \qquad \cdots ②$$

①의 양변에 3을 곱하면

$$3\times x+3\times y=36 \qquad \cdots ①'$$

②의 양변에 15를 곱하면

$$5\times x+3\times y=45 \qquad \cdots ②'$$

②'의 양변에서 ①'의 양변을 각각 빼 주면

$$2\times x=9,\ x=4.5(\text{km})\text{이다}.$$

3 5인용 의자의 수를 x개, 2인용 의자의 수를 y개라고 하자.
모두 75개의 의자가 있으므로

$$x+y=75 \qquad \cdots ①$$

한편 마지막 5인용 의자에 1명만 앉았으므로

$$5-1=4(\text{명})\text{이 더 앉을 수 있다}.$$

즉, 모두 $260+4=264$(명)이 앉을 수 있으므로

$$5\times x+2\times y=264 \qquad \cdots ②$$

①의 양변에 2를 곱하면

$$2\times x+2\times y=150 \qquad \cdots ①'$$

①'과 ②의 양변을 각각 서로 빼 주면

$$3\times x=114,\ x=114\div3=38(\text{개})$$

따라서 5인용 의자는 38개이고, $x+y=75$이므로 2인용 의자는 $75-38=37$(개)이다.

4 작년의 국어 사전 가격을 x원, 작년의 영어 사전 가격을 y원이라고 하자. 작년에 두 권을 사는 데 53000원이 필요했으므로

$$x+y=53000 \qquad \cdots ①$$

한편 올해 국어 사전이 10% 올랐으므로 $(\frac{110}{100}\times x)$원, 영어 사전이 15% 올랐으므로 $(\frac{115}{100}\times y)$원이 되어 모두 59700원이므로

$$\frac{110}{100}\times x+\frac{115}{100}\times y=59700 \qquad \cdots ②$$

①의 양변에 115를 곱하면

$$115\times x+115\times y=6095000 \qquad \cdots ①'$$

②의 양변에 100을 곱하면

$$110\times x+115\times y=5970000 \qquad \cdots ②'$$

①'와 ②'를 각각 서로 빼 주면

$$5\times x=125000,\ x=25000(\text{원})$$

따라서 작년에 국어 사전의 값은 25000원이었다.

5 배가 1km를 내려가는 데 걸리는 시간을 x시간, 1km를 올라가는 데 걸리는 시간을 y시간이라고 하자.

$80 \times x + 91 \times y = 6$ … ①

$64 \times x + 52 \times y = 4$ … ②

①의 양변에 각각 4를 곱하면

$320 \times x + 364 \times y = 24$ … ①´

②의 양변에 각각 5를 곱하면

$320 \times x + 260 \times y = 20$ … ②´

①´와 ②´를 각각 서로 빼 주면

$104 \times y = 4$, $y = \dfrac{1}{26}$(시간)이다.

②´의 y대신 $\dfrac{1}{26}$을 넣으면

$320 \times x + 260 \times \dfrac{1}{26} = 20$,

$320 \times x = 20 - 10$, $x = \dfrac{1}{32}$(시간)이다.

따라서 104km를 왕복하는 데 걸리는 시간은

$104 \times \dfrac{1}{32} + 104 \times \dfrac{1}{26} = 3\dfrac{1}{4} + 4 = 7\dfrac{1}{4}$(시간)

즉, 7시간 15분 걸린다.

6 올해 아버지와 어머니의 나이의 합이 72세이므로 아버지의 나이가 x라면, 어머니의 나이는 $72-x$이다.

또, 나와 동생의 나이의 합이 18세이므로 나의 나이가 y라면 동생의 나이는 $18-y$이다.

2년 후, 아버지의 나이가 동생의 나이의 4배가 되므로

$x+2 = 4 \times (18-y+2)$,

$x+2 = 80 - 4 \times y$ … ①

또, 2년 후 어머니의 나이가 내 나이의 3배가 되므로

$72-x+2 = 3 \times (y+2)$,

$74-x = 3 \times y + 6$ … ②

①의 양변과 ②의 양변을 각각 서로 더하면

$74+2 = 80 - 1 \times y + 6$, $76 = 86 - y$, $y = 10$(세)이다.

①의 y 대신 10을 넣어 보면

$x+2 = 80 - 4 \times 10$, $x+2 = 40$, $x = 38$(세)이다.

올해 아버지의 나이는 38세, 나의 나이는 10세이므로 a년 지난 후 아버지의 나이가 내 나이의 3배라면

$38+a = 3 \times (10+a)$, $38+a = 30 + 3 \times a$, $8 = 2 \times a$, $a = 4$이다.

따라서 4년 후이다.

7 갑, 을, 병이 가진 밤을 각각 $x$kg, $y$kg, $z$kg이라고 하자.

갑은 을보다 1.5kg 더 가졌으므로

$x = y + 1.5$ … ①

을은 병의 $2\dfrac{3}{4}$배를 가졌으므로

$y = 2\dfrac{3}{4} \times z$ … ②

이 때, ①의 y를 크기가 같은 $2\dfrac{3}{4} \times z$로 바꾸면

$x = 2\dfrac{3}{4} \times z + 1.5$ … ①´

한편 밤이 모두 53.5kg이므로 $x+y+z = 53.5$인데 이 때 x와 y를 각각 $2\dfrac{3}{4} \times z + 1.5$, $2\dfrac{3}{4} \times z$로 바꾸면

$2\dfrac{3}{4} \times z + 1.5 + 2\dfrac{3}{4} \times z + z = 53.5$,

$6\dfrac{1}{2} \times z + 1.5 = 53.5$,

$6\dfrac{1}{2} \times z = 52$, $z = 8$(kg)

따라서 병은 8kg을 가졌고, 갑은

$2\dfrac{3}{4} \times 8 + 1.5 = 23.5$(kg)을 가졌다.

8 2인용, 3인용, 4인용 의자가 각각 x개, y개, z개 있다고 하자. 모두 합하여 50개가 있으므로

$x+y+z = 50$ … ①

또 모두 150명까지 앉을 수 있으므로

$2 \times x + 3 \times y + 4 \times z = 150$ … ②

한편 2인용이 모두 5인용으로 바뀌면 201명까지 앉을 수 있으므로

$5 \times x + 3 \times y + 4 \times z = 201$ … ③

③과 ②의 양변을 각각 서로 빼 주면

$3 \times x = 51$, $x = 17$이다.

또 ①의 x 대신 17을 넣으면

$17 + y + z = 50$, $y + z = 33$ … ④

②의 x대신 17을 넣으면

$2 \times 17 + 3 \times y + 4 \times z = 150$

$3 \times y + 4 \times z = 116$ ··· ⑤

④의 양변에 3을 곱하면

$3 \times y + 3 \times z = 99$ ··· ④´

⑤와 ④´의 양변을 각각 서로 빼 주면 $z = 17$

따라서 4인용 의자는 17개이다.

9 A 지점에서 B 지점까지의 거리를 $x$km라 하고 현기가 탄 자동차의 속력을 시속 $a$km라고 하자. 민기가 $(x-76)$km를 가는 데 걸린 시간은 현기가 $(x-76)$km를 가는 데 걸린 시간보다 20분$= \dfrac{1}{3}$시간 더 길다.

$$\dfrac{x-76}{48} = \dfrac{x-76}{a} + \dfrac{1}{3} \qquad ··· ①$$

또, 현기가 민기를 추월한 후 다시 만날 때까지 현기는 $76+16=92$(km), 민기는 $76-16=60$(km)를 갔으므로

$$\dfrac{60}{48} = \dfrac{92}{a}, \ \dfrac{5}{4} = \dfrac{92}{a}, \ 5 \times a = 368, \ a = 73.6$$

따라서 현기가 탄 자동차의 시속은 73.6km이다.

①의 a대신 73.6을 넣으면 $\dfrac{x-76}{48} = \dfrac{x-76}{73.6} + \dfrac{1}{3}$

양변에 48×73.6을 각각 곱하면

$73.6 \times x - 5593.6 = 48 \times x - 3648 + 1177.6,$

$25.6 \times x = 3123.2, \ x = 122$

따라서 A 지점에서 B 지점까지의 거리는 122km이다.

10 A 버스의 속력을 시속 $x$km, B 버스의 속력을 시속 $y$km라고 하자.

두 버스가 같은 노선으로 가는데

A 버스는 1시간 20분$= 1\dfrac{1}{3}$시간,

B버스는 1시간 50분$= 1\dfrac{5}{6}$시간이 걸렸으므로

$$1\dfrac{1}{3} \times x = 1\dfrac{5}{6} \times y \qquad ··· ①$$

한편, 두 마을의 거리를 $2 \times z$라고 하면 A, B 중 A 버스가 더 빠르고 두 버스가 중간 지점에서 11.4km 떨어진 지점에서 만났으므로 두 버스가 만날 때까지 간 거리는 A 버스가 $(z+11.4)$km, B 버스가 $(z-11.4)$km이다.

두 버스가 같은 시간을 달려 만났고 (시간)$= \dfrac{(거리)}{(속력)}$이

므로 $\dfrac{z+11.4}{x} = \dfrac{z-11.4}{y}$ ··· ②

①에서 $\dfrac{4}{3} \times x = \dfrac{11}{6} \times y$이므로 양변에 6을 곱하면

$8 \times x = 11 \times y$이고, $x : y = 11 : 8$이다.

$x = 11 \times a, \ y = 8 \times a$라 하면,

②에서 $\dfrac{z+11.4}{11 \times a} = \dfrac{z-11.4}{8 \times a}$

양변에 각각 $88 \times a$를 곱하면

$8 \times (z+11.4) = 11 \times (z-11.4),$

$8 \times z + 91.2 = 11 \times z - 125.4$

양변에서 각각 $8 \times z$를 빼고 125.4를 더하면

$91.2 + 125.4 = 3 \times z,$

$3 \times z = 216.6,$

$z = 72.2$(km)가 된다.

따라서 마을 ㉮, ㉯의 거리는 $72.2 \times 2 = 144.4$(km)이고 버스 A는 이 거리를 $1\dfrac{1}{3}$시간에 갔으므로 한 시간에

$144.4 \div \dfrac{4}{3} = 108.3$(km)를 갔다.

조건에 맞는 수 개수 구하기

유제

1 259개   **2** 4가지   **3** 10가지   **4** 70가지

특강탐구문제

1 70개   **2** 262가지   **3** 954가지   **4** 3개

5 800개   **6** 17가지   **7** 35개   **8** 11가지

9 8개   **10** 125개

유제풀이

1 (i) 세 자리 수일 때

• 11□의 경우 : □ 안에는 0부터 9까지의 숫자 중 0과 1을 제외한 8개의 숫자가 들어갈 수 있다.

• □11의 경우 : □ 안에는 2부터 9까지의 8개의 숫자가 들어갈 수 있다.

(ii) 네 자리 수일 때

• 11$\bigcirc\bigcirc$의 경우 : $\bigcirc$에는 0부터 9까지의 숫자 중에서 1을 제외한 9개의 숫자가 놓일 수 있고, $\bigcirc$에는 0부터 9까지의 10개의 숫자가 놓일 수 있다.

즉, $9 \times 10 = 90$(개)가 생긴다.

• $\bigcirc$11$\bigcirc$의 경우 : $\bigcirc$에는 2부터 9까지의 8개의 숫자가 놓일 수 있고, $\bigcirc$에는 0부터 9까지의 숫자 중 1을 제외한 9개의 숫자가 놓일 수 있다.

즉, $8 \times 9 = 72$(개)가 생긴다.

• $\bigcirc\bigcirc$11의 경우 : $\bigcirc$에는 1부터 9까지의 9개의 숫자가 놓일 수 있고, $\bigcirc$에는 0부터 9까지의 숫자 중 1을 제외한 9개의 숫자가 놓일 수 있다.

즉, $9 \times 9 = 81$(개)가 생긴다.

따라서 모두 $8 + 8 + 90 + 72 + 81 = 259$(개)이다.

2 1, 2, 3, …, 9 중 두 수를 골라 기약진분수를 만들면 다음과 같다.

$$\frac{1}{2}, \frac{1}{3}, \frac{2}{3}, \frac{1}{4}, \frac{3}{4}, \frac{1}{5}, \frac{2}{5}, \frac{3}{5}, \frac{4}{5}, \frac{1}{6}, \frac{5}{6}, \frac{1}{7}, \frac{2}{7}, \frac{3}{7},$$
$$\frac{4}{7}, \frac{5}{7}, \frac{6}{7}, \frac{1}{8}, \frac{3}{8}, \frac{5}{8}, \frac{7}{8}, \frac{1}{9}, \frac{2}{9}, \frac{4}{9}, \frac{5}{9}, \frac{7}{9}, \frac{8}{9}$$

늘어놓은 분수를 2개씩 곱할 때, $\frac{1}{2}$ 이하의 분수와 다른 분수와의 곱은 항상 $\frac{1}{2}$보다 작으므로 생각하지 않는다.

즉, 곱셈에 사용할 수 있는 분수는 $\frac{2}{3}, \frac{3}{4}, \frac{3}{5}, \frac{4}{5}, \frac{5}{6},$
$\frac{4}{7}, \frac{5}{7}, \frac{6}{7}, \frac{5}{8}, \frac{7}{8}, \frac{5}{9}, \frac{7}{9}, \frac{8}{9}$이다.

한 개의 분수를 선택했을 때, 선택한 분수와의 곱이 $\frac{1}{2}$이 될 수 있는 분수를 만드는 방법은 선택한 분수의 분자를 2배 하여 새로 만들어질 분수의 분모에 놓고, 선택한 분수의 분모를 그대로 새로 만들어질 분수의 분자에 놓으면 된다.

이러한 방법에 의해 골라진 분수의 쌍은

$\left(\frac{2}{3}, \frac{3}{4}\right), \left(\frac{3}{5}, \frac{5}{6}\right), \left(\frac{4}{5}, \frac{5}{8}\right), \left(\frac{4}{7}, \frac{7}{8}\right)$이다.

따라서 네 수를 고르는 방법은 $(2, 3, 3, 4), (3, 5, 5, 6),$ $(4, 5, 5, 8), (4, 7, 7, 8)$의 4가지이다.

3 2, 3, 9를 더하면 $2 + 3 + 9 = 14$가 되어 일의 자리 숫자가 0이 아니므로 다음의 3가지 경우로 나누어 생각해 보자.

$(2, \square, \square / 3, 9, \square), (3, \square, \square / 2, 9, \square),$
$(9, \square, \square / 2, 3, \square)$

• $2, \square, \square / 3, 9, \square$의 경우

왼쪽의 두 칸에 놓일 수 있는 수의 합은 8 또는 18이므로 $(1, 7), (2, 6), (3, 5), (4, 4), (9, 9)$의 5가지 경우가 있고, 오른쪽 한 칸에 놓일 수 있는 수는 8뿐이다.

즉, 5가지 방법이 있다.

• $3, \square, \square / 2, 9, \square$의 경우

왼쪽의 두 칸에 놓일 수 있는 수의 합은 7 또는 17이므로 $(1, 6), (2, 5), (3, 4), (8, 9)$의 4가지 경우가 있고, 오른쪽 한 칸에 놓일 수 있는 수는 9뿐이다.

이 중 $(3, 8, 9 / 2, 9, 9)$의 경우는 위와 중복이 되므로 3가지 방법이 있다.

• $9, \square, \square / 2, 3, \square$의 경우

왼쪽의 두 칸에 놓일 수 있는 수의 합은 11이므로 $(2, 9), (3, 8), (4, 7), (5, 6)$의 4가지 경우가 있고, 오른쪽 한 칸에 놓일 수 있는 수는 5뿐이다.

이 중 $(9, 2, 9 / 2, 3, 5)$와 $(9, 3, 8 / 2, 3, 5)$의 경우는 위와 중복이 되므로 2가지 방법이 있다.

따라서 모두 $5 + 3 + 2 = 10$(가지) 방법이 있다.

4 63년에서 6과 3이 쓰였고, 11월은 1이 2번 쓰였으므로 3, 6, 11월을 제외한 달에 관한 경우로 나누어 생각해

보자.

- 6301 ☐☐ : 24, 25, 27, 28, 29 → 5가지
- 6302 ☐☐ : 14, 15, 17, 18, 19 → 5가지
- 6304 ☐☐ : 12, 15, 17, 18, 19, 21, 25, 27, 28, 29 → 10가지
- 6305 ☐☐ : 12, 14, 17, 18, 19, 21, 24, 27, 28, 29 → 10가지
- 6307 ☐☐ : 12, 14, 15, 18, 19, 21, 24, 25, 28, 29 → 10가지
- 6308 ☐☐ : 12, 14, 15, 17, 19, 21, 24, 25, 27, 29 → 10가지
- 6309 ☐☐ : 12, 14, 15, 17, 18, 21, 24, 25, 27, 28 → 10가지
- 6310 ☐☐ : 24, 25, 27, 28, 29 → 5가지
- 6312 ☐☐ : 04, 05, 07, 08, 09 → 5가지

따라서 $5 \times 4 + 10 \times 5 = 70$(가지)가 있다.

특강탐구문제풀이

1 두 자리 수 중 대칭수는 77, 88, 99의 3가지이다.
세 자리 수 중 대칭수를 「㉠☐㉠」이라 하자.
㉠에 1부터 6까지의 숫자가 놓일 때 ☐ 안에는 0부터 9까지의 숫자가 놓일 수 있다.
또한 ㉠에 7이 놓일 때는 ☐ 안에는 0부터 6까지의 숫자가 놓일 수 있다.
따라서 77부터 770까지의 자연수 중에서 대칭수는 $3 + 6 \times 10 + 7 = 70$(개)이다.

2 (i) 두 자리 수의 경우 : 11부터 99까지 9가지
(ii) 세 자리 수의 경우
- 같은 수가 2번 쓰일 때
- ㉠㉠㉡의 경우 : ㉠에는 1~9까지의 숫자가 놓일 수 있고 ㉡에는 0~9까지의 숫자 중에서 ㉠에 놓인 숫자를 제외한 9가지의 숫자가 놓일 수 있다.
→ $9 \times 9 = 81$(가지)
- ㉠㉡㉠의 경우 : ㉠에는 1~9까지의 숫자가 놓일 수 있고 ㉡에는 0~9까지의 숫자 중에서 ㉠에 놓인 숫자를 제외한 9가지의 숫자가 놓일 수 있다.
→ $9 \times 9 = 81$가지
- ㉡㉠㉠의 경우 : ㉡에 1~9까지 숫자가 놓일

때에는 ㉠에는 0~9까지의 숫자 중에서 ㉡에 놓인 숫자를 제외한 9가지 숫자가 놓일 수 있다. → $9 \times 9 = 81$(가지)
- 같은 수가 3번 쓰일 때
㉠㉠㉠의 경우 : ㉠에는 1~9까지의 숫자가 놓일 수 있다. → 9가지
따라서 1000을 포함하여
$9 + (81 \times 3) + 9 + 1 = 262$(가지)이다.

별해 다음과 같이 생각할 수도 있다.
1부터 1000까지의 1000개의 수 중에서 모두 다른 숫자로 된 수의 개수를 구해 보자.
☐ : 1~9 → 9(개)
☐☐ : $9 \times 9 = 81$(개)
☐☐☐ : $9 \times 9 \times 8 = 648$(개)
즉, $9 + 81 + 648 = 738$(개)이다. 1000개의 수에서 모두 다른 숫자로 된 수의 개수를 빼면 같은 숫자가 2번 이상 사용된 수의 개수를 구할 수 있다.
따라서 $1000 - 738 = 262$(가지)이다.

3 4의 배수는 끝의 두 자리가 00 또는 4의 배수이다.
- 끝의 두 자리가 00, 01, 02, 03, …, 99의 100가지 중에서 4의 배수는 $100 \div 4 = 25$(개)이고, 그 중 04, 24, 44, 64, 84, 40, 48의 7가지는 이미 4가 1개 이상 포함되어 있다.
이미 4가 1개 이상 포함된 것에 대해서는 앞 두 자리가 무엇이든 상관없으므로 천의 자리에 놓일 수 있는 숫자 1~9, 백의 자리에 놓일 수 있는 숫자 0~9에서 $(9 \times 10) \times 7 = 630$(가지)가 있다.
- 끝의 두 자리에 4가 포함되지 않은 $25 - 7 = 18$(가지)에 대해서, 천의 자리에 4가 놓일 경우 백의 자리에 0~9 중에서 4를 제외한 9가지가 있고, 백의 자리에 4가 놓일 경우 천의 자리에 1~9 중에서 4를 제외한 8가지, 그리고 천, 백의 자리에 모두 4가 놓인 1가지가 있어 모두 $9 + 8 + 1 = 18$(가지)씩 있다.
즉, $18 \times 18 = 324$(가지)가 있다.
따라서 $630 + 324 = 954$(가지)가 있다.

4 처음의 세 자리 수와 숫자의 위치를 적당히 바꾸어 만든 세 자리 수의 합이 1000이 되기 위해서는 두 수의 백의 자리 숫자와 십의 자리 숫자의 합이 각각 9이어야 하

고, 일의 자리 숫자의 합은 10이어야 한다.
두 자연수를 더해서 9가 되는 경우는 (8, 1), (7, 2),
(6, 3), (5, 4)이므로 다음의 4가지 경우에 대해 생각해
보자.

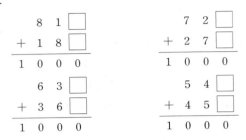

처음 세 자리 수와 나중 세 자리 수에 쓰인 숫자들이 같
으려면 □ 안에는 5만 들어갈 수 있다.
따라서 815, 725, 635의 3개가 있다.

5 100부터 999까지 900개의 자연수 중에서 각 자리 숫
자가 모두 짝수인 경우를 빼 주면 된다.
세 자리가 모두 짝수인 경우는 백의 자리에는 2, 4, 6, 8
의 4가지 숫자가 놓일 수 있고, 십의 자리와 일의 자리에
는 0, 2, 4, 6, 8의 5가지 숫자가 놓일 수 있다. 즉,
$4 \times 5 \times 5 = 100$(개)이다.
따라서 100부터 999까지의 자연수 중에서 각 자리의 숫
자 중 짝수가 2개 이하인 수는 $900 - 100 = 800$(개)이다.

6 • 나누는 수가 2일 때
나누어지는 두 자리 수가 짝수이어야 하므로 34, 54, 64,
36, 46, 56의 6가지 경우가 있다.
 • 나누는 수가 3일 때
나누어지는 두 자리 수의 각 자리 숫자의 합이 3의 배수
이어야 하므로 24, 42, 45, 54의 4가지 경우가 있다.
 • 나누는 수가 4일 때
4로 나누어떨어지는 수는 32, 36, 52, 56의 4가지 경우
가 있다.
 • 나누는 수가 5일 때
나누어지는 수의 일의 자리 숫자가 0 또는 5이어야 하는
데 0의 카드는 없고 5는 이미 쓰였으므로 나누어떨어지
는 수는 없다.
 • 나누는 수가 6일 때
$6 = 2 \times 3$이므로 나누어지는 두 자리 수의 각 자리 숫자의
합이 3의 배수이면서 짝수이어야 하므로 24, 42, 54의 3

가지 경우가 있다.
따라서 모두 $6 + 4 + 4 + 3 = 17$(가지) 경우가 있다.

7 일의 자리에 0을 적고 십, 백, 천의 자리에 2씩 커지도
록 숫자를 적어 보면 6420이다. 즉, 6420보다 작은 수는
문제의 조건을 만족할 수 없다.
 • 천의 자리의 숫자가 7일 때
천의 자리의 숫자가 6일 때 쓰인 420 이외에
531
530 의 3가지가 더 쓰일 수 있다.
520 즉, 4개이다.
 • 천의 자리의 숫자가 8일 때
천의 자리의 숫자가 7일 때 쓰인 4개 이외에
642, 641
640, 631 의 6개가 더 쓰일 수 있다.
630, 620 즉, 10개이다.
 • 천의 자리의 숫자가 9일 때
천의 자리의 숫자가 8일 때 쓰인 10개 이외에
753, 742, 731
752, 741, 730 의 10가지가 더 쓰일 수 있다.
751, 740, 720 즉, 20개이다.
750
따라서 문제의 조건에 맞는 수는 모두
$1 + 4 + 10 + 20 = 35$(개)이다.

8 0, 0, 1, 2, 3의 카드 중 3장을 고르면 그 합은 6, 5,
4, 3, 2, 1이 될 수 있다. 각 자리 숫자의 합에 따라 나누
어 생각해 보자.
 • 각 자리 숫자의 합이 6인 경우
$1 + 2 + 3 = 6$이므로 1, 2, 3의 카드로 세 자리 수를 만들
어 6의 배수가 되어야 한다. $6 = 2 \times 3$, 즉 2의 배수이고
3의 배수인데 각 자리 숫자의 합이 6이므로 일의 자리는
2가 되어야 한다. □□2에서 □□ 안에 1, 3을 넣는 방
법은 13, 31의 2가지이다.
 • 각 자리 숫자의 합이 5인 경우
$0 + 2 + 3 = 5$이므로 0, 2, 3의 카드로 세 자리 수를 만들
어 5의 배수가 되어야 한다. 일의 자리는 0이 되어야하고
□□0에서 □□ 안에 2, 3을 넣는 방법은 23, 32의 2가
지이다.

• 각 자리 숫자의 합이 4인 경우

0+1+3=4이므로 0, 1, 3의 카드로 세 자리 수를 만들어 4의 배수가 되어야 한다. 0, 1, 3의 카드로는 끝 두 자리를 4의 배수로 만들 수 없으므로 0가지이다.

• 각 자리 숫자의 합이 3인 경우

0+1+2=3이므로 0, 1, 2의 카드로 세 자리 수를 만들면 $2 \times 2 \times 1 = 4$(가지)이다.

0+0+3=3이므로 0, 0, 3의 카드로 세 자리 수를 만들면 300의 1가지뿐이다.

• 각 자리 숫자의 합이 2인 경우 : 200의 1가지뿐이다.

• 각 자리 숫자의 합이 1인 경우 : 100의 1가지뿐이다.

따라서 문제의 조건을 만족하는 수는

2+2+4+1+1+1=11(가지)이다.

9 $\frac{1}{2}$보다 작고 분모가 11보다 작은 기약분수는 다음과 같다.

$\frac{1}{3}, \frac{1}{4}, \frac{1}{5}, \frac{2}{5}, \frac{1}{6}, \frac{1}{7}, \frac{2}{7}, \frac{3}{7}, \frac{1}{8}, \frac{3}{8}, \frac{1}{9}, \frac{2}{9}, \frac{4}{9},$

$\frac{1}{10}, \frac{3}{10}$

문제의 조건에 따라 식을 세워 보면 $\frac{B}{A} + \frac{B+C}{A+C} = 1$인데, 처음 분수와 나중 분수의 「(분모)−(분자)」값은 항상 일정하다.

$\frac{1}{3} + \frac{2}{3} = 1 \rightarrow \frac{2 \times 2}{3 \times 2} = \frac{4}{6}$

$\frac{1}{4} + \frac{3}{4} = 1 \rightarrow \frac{3 \times 3}{4 \times 3} = \frac{9}{12}$

$\frac{1}{5} + \frac{4}{5} = 1 \rightarrow \frac{4 \times 4}{5 \times 4} = \frac{16}{20}$

$\frac{2}{5} + \frac{3}{5} = 1 \rightarrow \frac{3}{5}$의 분모, 분자의 차는 2인데, 처음 분수의 분모, 분자의 차인 3을 만들기 위해 소수를 곱해야 하므로 만족하는 분수를 찾을 수 없다.

$\frac{1}{6} + \frac{5}{6} = 1 \rightarrow \frac{5 \times 5}{6 \times 5} = \frac{25}{30}$

$\frac{1}{7} + \frac{6}{7} = 1 \rightarrow \frac{6 \times 6}{7 \times 6} = \frac{36}{42}$

$\frac{2}{7} + \frac{5}{7} = 1, \frac{3}{7} + \frac{4}{7} = 1 \rightarrow$ 분모, 분자에 소수를 곱해야 하므로 만족하는 분수를 찾을 수 없다.

$\frac{1}{8} + \frac{7}{8} = 1 \rightarrow \frac{7 \times 7}{8 \times 7} = \frac{49}{56}$

$\frac{3}{8} + \frac{5}{8} = 1 \rightarrow$ 만족하는 분수를 찾을 수 없다.

$\frac{1}{9} + \frac{8}{9} = 1 \rightarrow \frac{8 \times 8}{9 \times 8} = \frac{64}{72}$

$\frac{2}{9} + \frac{7}{9} = 1, \frac{4}{9} + \frac{5}{9} = 1 \rightarrow$ 만족하는 분수를 찾을 수 없다.

$\frac{1}{10} + \frac{9}{10} = 1 \rightarrow \frac{9 \times 9}{10 \times 9} = \frac{81}{90}$

$\frac{3}{10} + \frac{7}{10} = 1 \rightarrow$ 만족하는 분수를 찾을 수 없다.

따라서 조건에 맞는 분수는 모두 8개이다.

10 1, 2, 3은 합해서 많아야 세 번 사용되므로 네 자리 자연수에는 반드시 숫자 4가 한 개 이상 필요하다.

조건에 맞는 네 자리 수를 4가 쓰이는 횟수에 따라 분류하자.

• 4가 네 번 쓰일 때 : 4444 → 1개

• 4가 세 번 쓰일 때 : □444, 4□44, 44□4, 444□에서 □ 안에 1, 2, 3 중 하나가 들어갈 수 있으므로 $4 \times 3 = 12$(개)

• 4가 두 번 쓰일 때 : 44□□, 4□4□, 4□□4, □44□, □4□4, □□44에서 두 개의 □ 안에 차례대로 12, 21, 22, 13, 31, 23, 32, 33 중 하나가 들어갈 수 있으므로 $6 \times 8 = 48$(개)

• 4가 한 번 쓰일 때 : 4□□□, □4□□, □□4□, □□□4에서 세 개의 □ 안에 차례로 들어갈 숫자를 3이 쓰이는 횟수에 따라 분류하자.

— 3이 세 번 쓰일 때 : 333 → 1개

— 3이 두 번 쓰일 때 : □33, 3□3, 33□에서 □ 안에 1 또는 2가 들어갈 수 있으므로 $3 \times 2 = 6$(개)

— 3이 한 번 쓰일 때 : □□3, □3□, 3□□에서 두 개의 □ 안에 차례대로 12, 21, 22가 들어갈 수 있으므로 $3 \times 3 = 9$(개)

— 3이 안 쓰일 때 : 1, 2는 합해서 두 번까지 사용할 수 있으므로 3이 안 쓰이는 경우는 없다.

즉, 4가 한 번 쓰일 때는

$4 \times (1+6+9) = 4 \times 16 = 64$(개)

따라서 조건에 맞는 네 자리 수는 모두

1+12+48+64=125(개)이다.

양팔 저울 문제 ②

21

유제

1 풀이 참조   **2** 풀이 참조   **3** 풀이 참조
4 풀이 참조

특강탐구문제

1 5번   **2** 풀이 참조   **3** 풀이 참조
4 풀이 참조   **5** 6개   **6** 풀이 참조
7 풀이 참조   **8** 풀이 참조   **9** 풀이 참조
10 풀이 참조

유제풀이

1 390g의 밀가루와 4g짜리 추를 합하여 수평이 되도록 나누어 달면 $(390+4) \div 2 = 197$(g)이므로 한쪽 접시에는 밀가루만 197g, 다른 한쪽 접시에는 밀가루 193g과 추가 놓이게 된다.
다시 비워진 양쪽 접시에 밀가루 193g을 적당히 나눠 놓고 양쪽 접시에 각각 4g, 11g짜리 추를 올려 놓으면 $(193+4+11) \div 2 = 104$(g)이므로 한쪽 접시에 4g짜리 추와 밀가루 100g이 놓이게 된다.

2 68개의 구슬을 두 개씩 짝지어 $68 \div 2 = 34$(번) 양팔 저울에 달아 보고 둘 중 무거운 구슬과 가벼운 구슬을 구분하여 모아 두자.
34개의 무거운 구슬을 모아 둔 모둠에서 아무거나 2개를 먼저 양팔 저울에 달아 가벼운 쪽을 내려놓은 뒤 다른 구슬을 다시 올리고 역시 가벼운 쪽을 내린다. 같은 방법으로 계속해서 34개의 구슬을 모두 비교하면 양팔 저울을 33번 사용하여 가장 무거운 구슬을 찾을 수 있다.
가벼운 구슬을 모아 둔 모둠 역시 마찬가지로 34개를 번갈아 접시에 올리면서 무거운 쪽을 내려놓는 방법으로 33번 사용하면 가장 가벼운 구슬을 찾을 수 있다.
따라서 $34+33+33 = 100$(번) 사용하여 가장 무거운 구슬과 가장 가벼운 구슬을 찾을 수 있다.

3 5개의 상자에 ①~⑤번까지 번호를 붙여 보자.
가짜 금화만 들어 있는 상자가 몇 개인지 모르므로 ①번

상자에서 1개, ②번 상자에서 2개, ③번 상자에서 4개, ④번 상자에서 8개를 꺼내어 양팔 저울의 왼쪽 접시에 두고 ⑤번 상자에서는 15개를 꺼내어 오른쪽 접시에 놓은 후 1g짜리 추를 사용하여 수평을 만들어 본다.
만약 모든 상자에 다 진짜 금화가 들어 있다면 $1+2+4+8 = 15$(개)이므로 1g짜리 추가 필요 없이 수평이 되겠지만 가짜 금화가 들어 있는 상자가 있으므로 양쪽의 무게 차이가 생긴다.

추가 놓이는 방향	필요한 추의 개수	가짜 금화 상자	추가 놓이는 방향	필요한 추의 개수	가짜 금화 상자
왼쪽	1개	①	오른쪽	1개	②③④⑤
	2개	②		2개	①③④⑤
	3개	①②		3개	③④⑤
	4개	③		4개	①②④⑤
	5개	①③		5개	②④⑤
	6개	②③		6개	①④⑤
	7개	①②③		7개	④⑤
	8개	④		8개	①②③⑤
	9개	①④		9개	②③⑤
	10개	②④		10개	①③⑤
	11개	①②④		11개	③⑤
	12개	③④		12개	①②⑤
	13개	①③④		13개	②⑤
	14개	②③④		14개	①⑤
	15개	①②③④		15개	⑤

4 같은 색 주사위의 구분을 위해 빨①, 빨②와 같이 번호를 붙여 사용하고 두 가지 무게 중 무거운 것을 '무', 가벼운 것을 '가'로 표현하자.
양팔 저울의 왼쪽 접시에 빨①과 노①을 놓고 오른쪽 접시에 빨②와 파①을 놓으면 다음과 같이 구분할 수 있다.
(ⅰ) 양쪽이 수평일 때

	빨①	빨②	노①	노②	파①	파②
Ⅰ	무	가	가	무	무	가
Ⅱ	가	무	무	가	가	무

빨①과 빨②는 한쪽이 '무'이면 다른 한쪽이 반드시 '가'이므로 양쪽 접시에 놓인 무게는 '무+가'이다.
표와 같은 두 가지의 경우에서 다시 빨①과 빨②를 양팔

저울로 달아 빨①이 무겁다면 I의 경우이고 빨②가 무겁다면 Ⅱ의 경우가 된다.

(ii) 왼쪽이 무거울 때

왼쪽이 '무＋무'라면 오른쪽은 '가＋무' 또는 '가＋가'가 될 수 있고, 왼쪽이 '무＋가'라면 오른쪽은 '가＋가'이다.

표와 같은 세 가지의 경우에서 다시 노①과 파②를 양팔 저울로 달아 노①이 무거우면 Ⅲ, 파②가 무거우면 Ⅴ, 같으면 Ⅳ의 경우가 된다.

	빨①	빨②	노①	노②	파①	파②
Ⅲ	무	가	무	가	무	가
Ⅳ	무	갸	무	가	가	무
Ⅴ	무	가	가	무	가	무

(iii) 오른쪽이 무거울 때

(ii)와 반대되는 경우이다.

표와 같은 세 가지의 경우에서 다시 노①과 파②를 양팔 저울로 달아 노①이 무거우면 Ⅵ, 파②가 무거우면 Ⅷ, 같으면 Ⅶ의 경우가 된다.

	빨①	빨②	노①	노②	파①	파②
Ⅵ	가	무	무	가	무	가
Ⅶ	가	무	가	무	무	가
Ⅷ	가	무	가	무	가	무

특강탐구문제풀이

1 양팔 저울은 무게를 이등분할 수 있으므로 다음과 같이 나눈다.

$$160 \Big\langle \begin{matrix} 80 \\ 80 \end{matrix} \Big\langle \begin{matrix} 20 \\ 40 \end{matrix} \Big\langle \begin{matrix} 20 \\ 40 \end{matrix} \Big\langle \begin{matrix} 10 \\ 10 \end{matrix} \Big\langle \begin{matrix} 5 \\ 5 \end{matrix}$$

따라서 40＋20＋5＝65(g)이므로 5번 사용하면 된다.

2 양팔 저울의 한쪽 접시에 15g짜리 추 한 개를 올려놓고 약품 227g을 양쪽에 적당히 나누어 수평을 맞추면 한쪽은 약품만 (227＋15)÷2＝121(g) 있고 다른 한쪽은 15g짜리 추와 약품 121－15＝106(g)이 있게 된다.

다시 양팔 저울의 한쪽 접시에 6g짜리 추 한 개를 올려놓고 약품 106g을 양쪽에 적당히 나누어 수평을 맞추면 한쪽은 약품만 (106＋6)÷2＝56(g)있고 다른 한쪽은 6g

짜리 추와 약품 56－6＝50(g)이 있게 된다.

3 먼저 가장 무거운 돌을 찾을 때는 50개의 돌을 2개씩 짝지어 비교해서 둘 중 무거운 것만 남기는 방법을 사용하는데, 남은 돌이 홀수 개일 때는 나머지 하나를 비교하지 않고 그냥 남겨두기로 하자.

```
50개
 ↓  → 25회 ─ ①
25개
 ↓  → 12회 ─ ②
13개
 ↓  →  6회 ─ ③
7개
 ↓  →  3회 ─ ④
4개
 ↓  →  2회 ─ ⑤
2개
  \  → 1회
가장   ⓐ
무거운
돌
```

둘째 번으로 무거운 돌을 찾는 방법은 다음과 같다.

돌 ⓐ와 ①, ②, ③, ④, ⑤에서 가장 무거운 돌과 비교했던 5개의 돌을 합하여 6개의 돌을 모은다.

가장 무거운 돌을 찾을 때와 같은 방법으로 양팔 저울을 5회 사용하면 둘째 번으로 무거운 돌을 찾을 수 있다.

```
6개
 ↓  → 3회
3개
 ↓  → 1회
2개
 ↓  → 1회
1개
```

따라서 25＋12＋6＋3＋2＋1＋3＋1＋1＝54(번) 달아서 찾을 수 있다.

4 6개의 동전에 ①～⑥까지 번호를 써 넣은 뒤 ①, ②, ③ 동전은 양팔 저울의 왼쪽에 올려 놓고, ④, ⑤, ⑥ 동전은 양팔 저울의 오른쪽에 올려 놓자.

(i) 양쪽이 수평일 때

①, ②를 양팔 저울에 달아 수평이면 ③이 가짜 동전이고 한쪽이 올라간다면 올라간 쪽이 가짜 동전이다.

④, ⑤를 따로 달아 수평이면 ⑥이 가짜 동전이고 한쪽이 올라간다면 올라간 쪽이 가짜 동전이다.

(ii) 한쪽으로 기울 때

만약 ①, ②, ③이 가볍다면 다시 ①, ②를 양팔 저울에 달아 수평이면 둘 다 가짜 동전이고 한 쪽이 올라간다면 올라간 쪽과 ③번이 가짜 동전이다.

또, ④, ⑤, ⑥이 가벼울 때도 같은 방법으로 찾아낸다.

5 우선 15개의 상자에 ①～⑮의 번호를 붙이자.

양팔 저울의 왼쪽 접시에는 ①에서 1개, ②에서 2개, ③에서 3개, ④에서 4개, ⑤에서 5개, ⑥에서 6개, ⑦에서 7

개를 꺼내서 올려놓고, 오른쪽 접시에는 ⑧에서 1개, ⑨에서 2개, ⑩에서 3개, ⑪에서 4개, ⑫에서 5개, ⑬에서 6개, ⑭에서 7개를 꺼내서 올려놓는다.

초콜릿은 단 한 상자만 불량품이므로 양팔 저울이 수평이면 ⑮ 상자가 불량품이다.

또, 한쪽으로 기울어진다면 수평이 되도록 1g짜리 추를 올려놓는데, 이 때 올려진 추의 개수에 따라 불량품 상자의 번호를 알 수 있다.

따라서 양팔 저울이 한쪽으로 기울 때는 최대 7g까지 가벼운 쪽이 생길 수 있다. 1g짜리 추를 6개 올려놓아도 수평이 안되면 ⑦ 또는 ⑭ 상자가 불량품이다. ⑦, ⑭ 상자 중 가벼운 쪽에 놓인 상자가 불량품이다.

따라서 필요한 추의 개수는 최소 6개이다.

6 81개 중에 80개의 동전을 40개씩 양팔 저울에 달아 보자.

• 양쪽이 수평이라면

달지 않은 1개의 동전이 가짜 동전이고, 그 동전과 다른 진짜 동전 한 개를 양팔 저울에 달면 무거운지 또는 가벼운지를 알 수 있다.

• 한쪽으로 기울어진다면

가벼운 쪽의 40개 동전을 다시 20개씩 양쪽에 나누어 달아 보자. 이 때 수평이라면 이 40개는 모두 진짜 동전이므로 가짜 동전은 진짜 동전보다 무겁다는 것을 알 수 있고, 한쪽으로 기울어진다면 가짜 동전은 진짜 동전보다 가볍다는 것을 알 수 있다.

7 구슬에 ①~⑤의 번호를 붙이고 양팔 저울에 ①, ②를 달아 보자.

(i) 수평이면

①, ②는 무게가 같은 구슬이다. 다시 ③, ④를 양팔저울에 달면 무게가 같은 구슬은 3개뿐이므로 한쪽으로 기울게 된다. 마지막으로 ①, ⑤를 양팔 저울에 달았을 때 수평이라면 ⑤는 무게가 같은 구슬이고 ③, ④ 중에 무거운 쪽이 다른 것보다 무거운 구슬, 가벼운 쪽이 가벼운 구슬이 되지만 ⑤가 가볍다면 ③, ④ 중에 무거운 쪽이 다른 것보다 무거운 구슬이고 가벼운 쪽이 무게가 같은 구슬이 된다. 또 ⑤가 무겁다면 ③, ④ 중에 무거운 쪽이 무게가 같은 구슬이고 가벼운 쪽이 다른 것보다 가벼운 구슬이 된다.

(ii) 한 쪽으로 기울면

③, ④를 양팔 저울로 달아 보자.

• 수평이면

③, ④가 무게가 같은 구슬이 되므로 위의 방법에서 ①, ②를 ③, ④를 바꾸고 ③, ④를 ①, ②로 바꾸어 생각하면 가벼운 구슬과 무거운 구슬을 찾을 수 있다.

• 한쪽으로 기울면

①, ②와 ③, ④가 둘다 수평이 아니므로 ⑤는 무게가 같은 구슬이다.

마지막으로 ①, ⑤를 양팔 저울에 달아 수평이면 ①도 무게가 같은 구슬이므로 ②가 ①보다 무겁다면 ②는 다른 것보다 무거운 구슬이고 ③, ④ 중 가벼운 것이 다른 것보다 가벼운 구슬이다. 한편 ②가 ①보다 가볍다면 ②는 다른 것보다 가벼운 구슬이고 ③, ④ 중 무거운 것이 다른 것보다 무거운 구슬이다.

①, ⑤가 수평이 아닐 때 ①이 ⑤보다 무거우면 ①은 다른 것보다 무거운 구슬이고 ③, ④ 중 가벼운 것이 다른 것보다 가벼운 구슬이다. 또, ①이 ⑤보다 가벼우면 ①은 다른 것보다 가벼운 구슬이고, ③, ④ 중 무거운 것이 다른 것보다 무거운 구슬이 된다.

8 여섯 개의 주화에 ①~⑥의 번호를 붙이고 ①, ②를 양팔 저울에 달아 보자.

(i) ①이 ②보다 무거울 때

③, ④를 양팔 저울에 달아 보자.

• ③, ④가 수평이 아니면

①, ②와 ③, ④가 둘다 수평이 아니므로 ⑤, ⑥을 달아도 수평이 아니고, 세 번 달았을 때의 가벼웠던 것들이 모두 모조품이다.

• ③, ④가 수평이면

④와 ⑤를 양팔 저울에 달아 수평이면 ③, ④, ⑤가 서로 무게가 같고 ①, ②, ⑥도 서로 무게가 같아지므로 ①이 ②보다 무겁다는 것에 맞지 않으므로 조건에 맞지 않는다.

④, ⑤를 양팔 저울에 달아 ⑤가 무겁다면 ③, ④는 ②와 함께 모조품인 것을 알 수 있고, ④가 무겁다면 ⑤는 ②, ⑥과 함께 모조품인 것을 알 수 있다.

(ii) ①이 ②보다 가벼울 때도 위와 같은 방법으로 찾는다.

(iii) ①과 ②가 수평일 때

②, ③을 양팔 저울에 달아 보자.

• ②, ③이 수평이 아니면

④와 ⑤를 양팔 저울에 달아 수평이라면 ③, ④, ⑤는 무

게가 같다고 할 수 있는데 ③이 ②보다 가볍다면 ③, ④, ⑤가 모조품, ③이 ②보다 무겁다면 ①, ②, ⑥이 모조품이다.

④와 ⑤가 수평이 아니면 ②와 ③을 달았던 결과에 따라 달라진다. ②가 ③보다 무겁다면 ④, ⑤ 중 무거운 것과 ①, ②가 진품, 나머지가 모조품이 되고 ②가 ③보다 가볍다면 ④, ⑤ 중 가벼운 것과 ①, ②가 모조품이다.

• ②, ③이 수평이면
①, ②, ③이 모두 무게가 같으므로 ③과 ④를 비교해서 ③이 무거우면 ④, ⑤, ⑥이 모조품, ③이 가벼우면 ①, ②, ③이 모조품이다.

9 구슬을 구분하기 위해 빨간 구슬을 ①, ②, 파란 구슬을 ❶, ❷, 노란 구슬을 ◯와 같이 나타내자.
먼저 저울의 왼쪽에 ①, ❶을, 오른쪽에 ②, ◯를 올려놓고 비교하자. (첫째 번 저울 사용)

(i) 수평을 이루는 경우
①과 ②의 무게가 서로 다르므로 ❶과 ◯의 무게도 서로 달라야 한다.
이제 ❶과 ◯의 무게를 비교한다. (둘째 번 저울 사용)
• ❶이 ◯보다 무겁다면 ❶은 5g, ◯은 3g이고, ❷는 3g, ①은 3g, ②는 5g이 된다.
• ◯이 ❶보다 무겁다면 ◯은 5g, ❶은 3g이고, ❷는 5g, ①은 5g, ②는 3g이 된다.

(ii) ①+❶쪽이 무거운 경우
무게는 모두 3g, 5g 둘 중 하나이므로 두 개의 구슬로 나올 수 있는 무게는 3+3=6(g), 3+5=8(g), 5+5=10(g) 중 하나이다.
왼쪽이 더 무거웠으므로 (왼쪽, 오른쪽)은 (10g, 8g), (10g, 6g), (8g, 6g)의 세 가지 중 하나가 된다.
만약, ①이 3g이라면 오른쪽의 ②는 반드시 5g이다.
하지만 ①이 3g이라면 왼쪽 저울이 10g이 될 수 없으므로 첫째 번과 둘째 번은 될 수 없고 마지막 경우도 ②가 5g으로 오른쪽이 6g이 될 수 없으므로 반드시 ①은 5g, ②는 3g이어야 한다.
이제 ❶, ❷는 서로 무게가 다른 것을 알고 있으므로 ◯와 ❷를 비교한다. (둘째 번 저울 사용)
• 수평을 이룬다면 ◯와 ❶의 무게는 서로 다르고, ❶이 3g, ◯가 5g일 경우 처음에 저울이 수평이어야 했으므로 ❶은 5g, ◯는 3g이고 ❷는 3g이다.

• ◯가 무겁다면 ◯는 5g, ❷는 3g, ❶은 5g이고, ❷가 무겁다면 ❷는 5g, ◯는 3g, ❶은 3g이 된다.

(iii) ②+◯쪽이 무거운 경우
앞과 같은 방법으로 ①은 3g, ②는 5g임을 알 수 있다.
이제 ◯과 ❷를 비교한다.(둘째 번 저울 사용)
수평을 이룬다면 앞과 같은 방법으로 ◯는 5g, ❶은 3g, ❷는 5g이고, ◯이 무겁다면 ◯이 5g, ❷가 3g, ❶은 5g이고, ❷가 무겁다면 ❷가 5g, ◯는 3g, ❶은 3g임을 알 수 있다.

10 16개의 금화에 ①~⑯의 번호를 붙이자.
양팔 저울의 왼쪽에 ①~⑤, 오른쪽에 ⑥~⑩을 올려 놓고 달아보자.

(i) 양쪽이 수평인 경우
①~⑩의 무게가 모두 같다는 것을 알았으므로 다시 왼쪽에 ⑪, ⑫, 오른쪽에 ⑬, ⑭를 놓고 달아 보자.
• 양쪽이 수평이면 ①~⑭의 무게가 모두 같으므로 ⑮와 ⑯을 달아 무거운 것을 다시 ①과 달았을 때 ①과 무게가 같다면 ⑮, ⑯ 중 가벼운 것이 가벼운 가짜 금화이고 ①보다 무겁다면 ⑮, ⑯ 중 무거운 것이 무거운 가짜 금화이다.
• 왼쪽이 무거우면 ⑪, ⑫ 중 하나가 무거운 가짜이거나 ⑬, ⑭ 중 하나가 가벼운 가짜이므로 ⑪과 ⑫를 달아서 한쪽이 무거우면 그것이 무거운 가짜 금화이고, 수평이라면 ⑬과 ⑭를 달아서 가벼운 쪽이 가벼운 가짜 금화이다.
• 오른쪽이 무거울 때도 왼쪽이 무거울 때와 같은 방법으로 찾을 수 있다.

(ii) 왼쪽이 무거운 경우
①~⑩ 중에 무게가 다른 것이 있다는 것이므로 다시 양팔 저울의 왼쪽에 ①, ②, ⑧을 놓고 오른쪽에 ③, ⑥, ⑦을 놓고 달아 보자.
• 양쪽이 수평이면 ④, ⑤ 중 하나가 무거운 가짜이거나 ⑨, ⑩ 중 하나가 가벼운 가짜이므로 ④와 ⑤를 달아서 한쪽이 무거우면 그것이 무거운 가짜 금화이고, 수평이면 ⑨와 ⑩을 달아서 가벼운 쪽이 다른 것보다 가벼운 가짜 금화이다.
• 왼쪽이 무거우면 ①, ② 중 하나가 무거운 가짜이거나 ⑥, ⑦ 중 하나가 가벼운 가짜이고 찾는 방법은 위와 같다.
• 오른쪽이 무거우면 ③이 무거운 가짜이거나 ⑧이 가벼운 가짜이므로 ③과 ⑧을 달아 보면 찾을 수 있다.

(iii) 오른쪽이 무거운 경우도 왼쪽이 무거운 경우와 같은 방법으로 알아낸다.

복면산 ②   **22**

유제

1
$$\begin{array}{r} 1\ 7 \\ \times\ \ 4 \\ \hline 6\ 8 \\ +2\ 5 \\ \hline 9\ 3 \end{array}$$

2 625 또는 376

3 112

4 385586

특강탐구문제

1 1686250 또는 1686750

2
$$\begin{array}{r} 1\ 7\ 7\ 5 \\ \times\ \ 2\ 7\ 1 \\ \hline 1\ 7\ 7\ 5 \\ 1\ 2\ 4\ 2\ 5 \\ 3\ 5\ 5\ 0 \\ \hline 4\ 8\ 1\ 0\ 2\ 5 \end{array}$$

3
$$\begin{array}{r} 9\ 5\ 2\ 3\ 8 \\ \times\ \ \ \ \ \ \ 7 \\ \hline 6\ 6\ 6\ 6\ 6\ 6 \end{array}$$

4 12

5 9376

6 풀이 참조

7 풀이 참조

8 97809

9
$$\begin{array}{r} 2\ 8\ 5 \\ \times\ \ 3\ 9 \\ \hline 2\ 5\ 6\ 5 \\ 8\ 5\ 5 \\ \hline 1\ 1\ 1\ 1\ 5 \end{array}$$

10
$$\begin{array}{r} 2\ 0\ 4\ 7 \\ \times\ \ 4\ 3\ 2 \\ \hline 4\ 0\ 9\ 4 \\ 6\ 1\ 4\ 1 \\ 8\ 1\ 8\ 8 \\ \hline 8\ 8\ 4\ 3\ 0\ 4 \end{array}$$

유제풀이

1
$$\begin{array}{r} ㉠\ ㉡ \\ \times\ \ \ \ ㉢ \\ \hline ㉣\ ㉤ \\ +\ ㉥\ ㉦ \\ \hline ㉧\ ㉨ \end{array}$$

㉠㉡×㉢에서 ㉢=1이면 ㉠㉡=㉣㉤이 되므로 안 되고, ㉢=5이면 ㉤이 0 또는 5가 되므로 안 된다. ㉢=6이면 ㉠㉡에 올 수 있는 가장 작은 수는 12인데 12×6=72이므로 ㉣㉤은 72이고 ㉥㉦에 넣을 수 있는 가장 작은 수 34를 더하면 세 자리 수가 되어 조건에 맞지 않는다. ㉢에 7, 8, 9가 와도 같은 이유로 안 된다.

즉, ㉢에는 2, 3, 4만 쓸 수 있다.

ⅰ) ㉢=2인 경우

㉣㉤이 두 자리 수이므로 ㉠에 5 이상의 수는 놓일 수 없다. 즉 ㉠에는 1, 3, 4만 쓸 수 있다.

(1) ㉠=1일 때, ㉡이 5 미만이면 ㉤이 2가 되어 안 되고, ㉡이 5, 6이면 ㉤이 0, 2가 되어 안 되므로 ㉡에는 7, 8, 9만 쓸 수 있다.

$$\begin{array}{cc} \begin{array}{r} 1\ 7 \\ \times\ \ 2 \\ \hline 3\ 4 \end{array} & \begin{array}{r} 1\ 8 \\ \times\ \ 2 \\ \hline 3\ 6 \end{array} & \begin{array}{r} 1\ 9 \\ \times\ \ 2 \\ \hline 3\ 8 \end{array} \end{array}$$

34, 36, 38에 더할 ㉥㉦을 남은 숫자 중에서 골라 합이 조건에 맞는 수가 되도록 할 수는 없다.

(2) ㉠=3일 때, ㉡이 1, 5, 6이면 ㉤이 2, 0, 2가 되어 안 되고, ㉡이 7이면 ㉤이 7이 되어 안 되므로 ㉡에는 4, 8, 9만 쓸 수 있다.

$$\begin{array}{cc} \begin{array}{r} 3\ 4 \\ \times\ \ 2 \\ \hline 6\ 8 \end{array} & \begin{array}{r} 3\ 8 \\ \times\ \ 2 \\ \hline 7\ 6 \end{array} & \begin{array}{r} 3\ 9 \\ \times\ \ 2 \\ \hline 7\ 8 \end{array} \end{array}$$

68, 76, 78에 더할 ㉥㉦을 남은 숫자 중에서 골라 합이 조건에 맞는 수가 되도록 할 수는 없다.

(3) ㉠=4일 때, ㉡이 1, 5, 6, 7이면 ㉤이 2, 0, 2, 4가 되어 안 되므로 ㉡에는 3, 8, 9만 쓸 수 있다.

$$\begin{array}{cc} \begin{array}{r} 4\ 3 \\ \times\ \ 2 \\ \hline 8\ 6 \end{array} & \begin{array}{r} 4\ 8 \\ \times\ \ 2 \\ \hline 9\ 6 \end{array} & \begin{array}{r} 4\ 9 \\ \times\ \ 2 \\ \hline 9\ 8 \end{array} \end{array}$$

86, 96, 98에 남은 숫자로 가장 작은 두 자리 수를 만들어 더해도 세 자리 수가 되므로 조건에 맞지 않는다.

ⅱ) ㉢=3인 경우

㉣㉤이 두 자리 수이므로 ㉠에는 1, 2만 쓸 수 있다.

(1) ㉠=1일 때, ㉡이 5, 7이면 ㉤이 5, 1이 되어 안 되고, ㉡이 2, 4이면 ㉤이 3, 4가 되어 안 되므로 ㉡에는 6, 8, 9만 쓸 수 있다.

$$\begin{array}{cc} \begin{array}{r} 1\ 6 \\ \times\ \ 3 \\ \hline 4\ 8 \end{array} & \begin{array}{r} 1\ 8 \\ \times\ \ 3 \\ \hline 5\ 4 \end{array} & \begin{array}{r} 1\ 9 \\ \times\ \ 3 \\ \hline 5\ 7 \end{array} \end{array}$$

48, 54, 57에 더할 ㉥㉦을 남은 숫자 중에서 골라 합이 조건에 맞는 수가 되도록 할 수는 없다.

(2) ㉠=2일 때, ㉡이 1, 4, 5이면 ㉤이 3, 2, 5가 되어 안 되고, ㉡이 8이면 ㉤이 8이 되어 안 되므로 ㉡에는 6, 7, 9만 쓸 수 있다.

$$\begin{array}{cc} \begin{array}{r} 2\ 6 \\ \times\ \ 3 \\ \hline 7\ 8 \end{array} & \begin{array}{r} 2\ 7 \\ \times\ \ 3 \\ \hline 8\ 1 \end{array} & \begin{array}{r} 2\ 9 \\ \times\ \ 3 \\ \hline 8\ 7 \end{array} \end{array}$$

78, 81, 87에 더할 ㉥㉦을 남은 숫자 중에서 골라 합이 조건에 맞는 수가 되도록 할 수는 없다.

ⅲ) ㉢=4인 경우

㉣㉤이 두 자리 수이므로 ㉠에는 1, 2만 쓸 수 있다.

(1) ㉠=1일 때, ㉡이 2이면 ㉤이 4가 되어 안 되고, ㉡이 5, 6이면 ㉤이 0, 4가 되어 안 되므로 ㉡에는 3, 7, 8, 9만 쓸 수 있다.

$$\begin{array}{ccc} \begin{array}{r} 1\ 3 \\ \times\ \ 4 \\ \hline 5\ 2 \end{array} & \begin{array}{r} 1\ 7 \\ \times\ \ 4 \\ \hline 6\ 8 \end{array} & \begin{array}{r} 1\ 7 \\ \times\ \ 4 \\ \hline 6\ 8 \end{array} & \begin{array}{r} 1\ 9 \\ \times\ \ 4 \\ \hline 7\ 6 \end{array} \end{array}$$

52, 68, 72, 76에 더할 ㉯㉰을 남은 숫자 중에서 골라 만들어 보자.

① 52에는 남은 숫자인 6, 7, 8, 9로 두 자리 수를 만들어 더하면 두 자리 수가 될 수 없다.

② 68에는 남은 숫자인 2, 3, 5, 9로 두 자리 수를 만들어 더할 때 23, 25, 29만 가능하다.

68+23=91, 68+25=93, 68+29=97 중에서

<u>68+25=93은 조건에 맞다.</u>

③ 72와 76은 조건에 맞는 것이 없다.

(2) ㉠=2일 때, ㉡이 1, 3, 5, 6이면 ㉭이 4, 2, 0, 4가 되어 안 되고, ㉡이 7, 8, 9이면 ㉠㉡×4는 세 자리 수가 되어 안 되므로 조건에 맞는 것이 없다.

따라서 각 자리에 알맞은 수는 ㉠=1, ㉡=7, ㉢=4, ㉣=6, ㉤=8, ㉯=2, ㉰=5, ㉱=9, ㉲=3이다.

2

$$\begin{array}{r} a\ b\ c \\ \times\ a\ b\ c \\ \hline \square\ ㉠\ ㉡\ c \\ \square\ ㉢\ ㉣ \\ \square\ ㉤ \\ \hline \square\ \square\ \square\ a\ b\ c \end{array}$$

$c \times c$의 일의 자리 숫자가 c가 되어야 하므로 만족하는 수는 1, 5, 6이다.

c=1인 경우는 $abc \times 1 = abc$로 네 자리 수가 될 수 없으므로 c가 5, 6인 경우만 생각해 보자.

ⅰ) c=5인 경우

$$\begin{array}{r} a\ b\ 5 \\ \times\ a\ b\ 5 \\ \hline \square\ ㉠\ ㉡\ 5 \\ \square\ ㉢\ ㉣ \\ \square\ ㉤ \\ \hline \square\ \square\ \square\ a\ b\ 5 \end{array}$$

㉡에는 5×5=25에서 십의 자리 숫자 2와 b×5의 일의 자리 숫자와의 합이 놓인다. ㉣에는 5×b의 일의 자리 숫자가 놓인다.

㉡+㉣의 일의 자리 숫자가 b이므로 {2+(b×5의 일의 자리 숫자)×2}의 일의 자리 숫자는 b인데, (b×5의 일의 자리 숫자)×2의 일의 자리 숫자는 항상 0이므로 b=2이다.

$$\begin{array}{r} a\ 2\ 5 \\ \times\ a\ 2\ 5 \\ \hline \square\ ㉠\ 2\ 5 \\ \square\ 5\ 0 \\ \square\ ㉤ \\ \hline \square\ \square\ \square\ a\ 2\ 5 \end{array}$$

㉠에는 2×5=10에서 십의 자리 숫자 1과 a×5의 일의 자리 숫자와의 합이 놓인다. ㉤에는 5×a의 일의 자리 숫자가 놓인다.

㉠+5+㉤의 일의 자리 숫자가 a이므로 {6+(a×5의 일의 자리 숫자)×2}의 일의 자리 숫자는 a인데, (a×5의 일의 자리 숫자)×2의 일의 자리 숫자는 항상 0이므로 a=6이다.

따라서 abc는 625이다.

ⅱ) c=6인 경우

$$\begin{array}{r} a\ b\ 6 \\ \times\ a\ b\ 6 \\ \hline \square\ ㉠\ ㉡\ 6 \\ \square\ ㉢\ ㉣ \\ \square\ ㉤ \\ \hline \square\ \square\ \square\ a\ b\ 6 \end{array}$$

㉡에는 6×6=36에서 십의 자리 숫자 3과 b×6의 일의 자리 숫자와의 합이 놓인다. ㉣에는 6×b의 일의 자리 숫자가 놓인다.

㉡+㉣의 일의 자리 숫자가 b이므로 {3+(b×6의 일의 자리 숫자)×2}의 일의 자리 숫자는 b인데, 1부터 9까지의 숫자를 b에 넣어 보면 만족하는 수는 7뿐이다.

$$\begin{array}{r} a\ 7\ 6 \\ \times\ a\ 7\ 6 \\ \hline \square\ ㉠\ 5\ 6 \\ \square\ 3\ 2 \\ \square\ ㉤ \\ \hline \square\ \square\ \square\ a\ 7\ 6 \end{array}$$

㉠에는 7×6=42에서 십의 자리 숫자 4와 a×6의 일의 자리 숫자와의 합이 놓인다. ㉤에는 6×a의 일의 자리 숫자가 놓인다.

㉠+3+㉤의 일의 자리 숫자가 a이므로 {7+(a×6의 일의 자리 숫자)×2}의 일의 자리 숫자는 a인데, 1부터 9까지의 숫자를 a에 넣어 보면 만족하는 수는 3뿐이다.

따라서 abc=376이다.

3

ABC×8=QRS이고, QRS가 세 자리 수인데 8×124=992, 8×125=1000이므로 ABC는 최대 124까지 될 수 있다.

ABC×x=JKLM이고, JKLM이 네 자리 수이므로 x=9이다.

또, ABC×9가 네 자리 수가 되려면 111×9=999, 112×9=1008이므로 ABC는 112 이상 124 이하이다.

마찬가지로 ABC×y=TUVW인 네 자리 수가 되려면 y=9이다.

그러므로 몫은 989이다.

그런데 나누는 수가 113 이상일 때 DEFGHI는 111757 이상, JKLM은 1017 이상이므로 (DEFG−JKLM)은 100 이상임을 알 수 있다.

따라서 나누는 수 ABC는 112이다.

4

```
      ㉠ ㉡ ㉢ 7
   ×      ㉣ 7 ㉤
   ─────────────
   □ □ □ □ □
   □ 7 □ □
   □ 7 7 □
   □ □ □ □ □ □
```

㉠㉡㉢7×7이 □7□□인 네 자리 수이고 □ 안에는 7이 쓰일 수 없으므로 ㉠㉡은 12 또는 13 이다.

```
      1 2 ㉢ 7              1 3 ㉢ 7
   ×         7          ×         7
   ─────────          ─────────
      8 7 □ 9              9 7 □ 9

㉢에 4 또는 5가 들어      ㉢에 8 또는 9가 들어
가면 조건에 맞는다.       가면 조건에 맞는다.
```

```
      1 ㉡ ㉢ 7
   ×          ㉣
   ─────────
      □ 7 7 □
```

7×㉣의 십의 자리 숫자와 ㉢×㉣의 일의 자리 숫자의 합이 7이 되는 경우를 각각 ㉡㉢ 값에 따라 구하여 보자.

1 2 4 7	1 2 5 7	1 3 8 7	1 3 9 7
× 8	× 3	× 2	× 7
9 9 7 6	3 7 7 1	2 7 7 4	9 7 7 9
(×)	(○)	(○)	(×)

또한 ㉠㉡㉢7×㉤은 다섯 자리 수이고 1257×8=10056, 1387×8=11096이므로 ㉤=8 또는 9이다.

1 2 5 7	1 2 5 7	1 3 8 7	1 3 8 7
× 3 7 8	× 3 7 9	× 2 7 8	× 2 7 9
4 7 5 1 4 6	4 7 6 4 0 3	3 8 5 5 8 6	3 8 6 9 7 3
(×)	(×)	(○)	(×)

따라서 구하는 곱은 1387×278=385586이 된다.

특강탐구문제풀이

1 일의 자리 계산을 보면 한 자리 수를 세 번 더한 값의 일의 자리 숫자가 처음 수와 같아지는 것은 0과 5뿐이므로 Y는 0 또는 5이다.

Y=5인 경우 십의 자리 계산을 보면 T+T+T+1의 일의 자리 숫자는 T이므로 T+T+1의 일의 자리 숫자는 0인데 T+T+1은 홀수이므로 일의 자리 숫자가 0이 될 수 없다. 따라서 Y=0이므로 T=5이고, S=1이다.

백의 자리 계산을 보면 십의 자리에서 1을 올려받아 1+N+N+R의 일의 자리 숫자는 N이다.

1+2+2+7=12에서 N=2, R=7,
1+3+3+6=13에서 N=3, R=6,
1+6+6+3=16에서 N=6, R=3,

1+7+7+2=17에서 N=7, R=2

네 가지 방법 모두 십의 자리 숫자가 1이 되므로 백의 자리 계산도 1+E+E+I의 일의 자리 숫자가 E가 되어 위에서 구한 수들을 사용할 수 있다.

십만의 자리 계산에서 (T+T+T의 일의 자리 숫자)+(W+W+H의 십의 자리 숫자)=E이므로 E는 6, 7 중 하나이다.

지금까지 구한 것들을 세로셈으로 써 보면 다음과 같다.

```
   5 W 6 N 5 0          5 W 7 N 5 0
   5 W 6 N 5 0          5 W 7 N 5 0
 + 5 H 3 R 5 0        + 5 H 2 R 5 0
 ─────────────        ─────────────
 1 6 V 6 N 5 0        1 7 V 7 N 5 0
    〈식 1〉               〈식 2〉
```

〈식 1〉과 같이 E=6인 경우 N과 R에 쓰일 수 있는 수는 N=2, R=7 또는 N=7, R=2뿐이다.

이 때 W, H, V에 쓰일 수 있는 수는 4, 8, 9인데 1+4+4+9=18이므로 W=4, H=9, V=8이다.

〈식 2〉와 같이 E=7인 경우 N과 R에 쓰일 수 있는 수는 N=3, R=6 또는 N=6, R=3뿐이다.

이 때 W, H, V에 쓰일 수 있는 수는 4, 8, 9인데 1+W+W+H가 2Ⅴ가 되는 수가 없다.

따라서 SEVENTY에 해당하는 일곱 자리 수는 1686250 또는 1686750이다.

```
   5 4 6 2 5 0          5 4 6 7 5 0
   5 4 6 2 5 0          5 4 6 7 5 0
 + 5 9 3 7 5 0        + 5 9 3 2 5 0
 ─────────────        ─────────────
 1 6 8 6 2 5 0        1 6 8 6 7 5 0
```

2

```
         ㉠ ㉡ 7 ㉢
   ×        ㉣ 7 ㉤
   ─────────────
      ⓐ ⓑ ⓒ ⓓ
   ⓑ ⓢ ⓞ 2 ⓩ
   ⓩ ⓚ 5 ㉦
   4 □ □ 0 □ □
```

```
      ㉠ ㉡ 7 ㉢
   ×          7
   ─────────
   ⓑ ⓢ ⓞ 2 ⓩ
```

7×7=49의 일의 자리 숫자 9와 ㉢×7의 십의 자리 숫자의 합의 일의 자리 숫자가 2이므로 ㉢=5, ⓩ=5이다.

```
      ㉠ ㉡ 7 5
   ×          ㉣
   ─────────
   ⓩ ⓚ 5 ㉦
```

75×㉣의 십의 자리 숫자가 5가 되는 경우는 75×2=150, 75×6=450의 두 가지인데 ㉣=6이면 십만의 자리 숫자가 4보다 커져서 안 되므로 ㉣=2이다. 이 때 십만 자리의 숫자인 ⓩ이 4보다 작아야 하므로 ㉠=1이다.

```
        1 ㉡ 7 5
    ×     2 7 ㉤
    ㉮ ㉯ ㉰ ㉱ ㉲
    1 ㉷ ㉸ 2 5
    ㉹ ㉺ 5 0
  4 □ □ 0 □ □
```

왼쪽 식에서 ⓑ+2+0 또는 1+ⓑ+2+0의 일의 자리의 숫자가 0이 되어야 한다. 그러므로 ⓑ는 7 또는 8이다. 만족하는 순서쌍 (㉤, ㉡)을 찾아보면 (1, 7), (2, 3), (2, 8), (3, 2)가 있는데 (㉤, ㉡)이 (1, 7)인 경우는 1775×271=481025로 조건에 맞고 나머지 (2, 3), (2, 8), (3, 2)인 경우는 374000, 510000, 348075가 되어 조건에 맞지 않는다.

3 GGGGGG=G×111111이다.

111111=3×7×11×13×37이므로 약수 중 한 자리 수는 3과 7뿐이다. 그러므로 F는 3과 7 중 하나이다.

ⅰ) F=3일 때, 111111÷3=37037에서 37037에 어떤 한 자리 수를 곱해도 각 자리 수가 서로 다른 다섯 자리 수를 만들 수 없다.

ⅱ) F=7일 때, 111111÷7=15873에서 15873에 6을 곱하면 95238이 되므로 알맞다.

따라서 만족하는 수는 95238×7=666666이다.

4 두 자리 수인 나누는 수를 AB라 하면, AB×8은 두 자리 수이므로 AB는 10, 11, 12 중 하나이다. 이 중에서 한 자리 수와 곱해서 세 자리 수가 될 수 있는 수는 12뿐이다.

5
```
        A B C D
    ×   A B C D
    □ ㉠ ㉡ ㉢ □
    □ ㉣ ㉤ ㉥ □
    □ □ ㉦ ㉧ □
    □ □ □ ㉨ □
  □ □ □ A B C D
```

D×D의 일의 자리 숫자가 D가 되어야 하므로 만족하는 수는 1, 5, 6이다. D=1인 경우는 ABCD×1=ABCD로 다섯 자리 수가 될 수 없으므로 D가 5, 6인 경우만 생각해 보자.

ⅰ) D=5인 경우

(1) ㉢에는 5×5=25의 십의 자리 숫자 2와 C×5의 일의 자리 숫자와의 합이 놓이고, ㉧에는 5×C의 일의 자리 숫자가 놓인다.

㉢+㉧의 일의 자리 숫자가 C이므로 2+(C×5의 일의 자리 숫자)×2의 일의 자리 숫자는 C이다. (C×5의 일의 자리 숫자)×2의 일의 자리 숫자는 항상 0

이므로 C=2이다.

(2) ㉡에는 C×D=2×5=10의 십의 자리 숫자 1과 B×5의 일의 자리 숫자와의 합이 놓이고,

㉦에는 D×C=5×2=10의 십의 자리 숫자 1과 C×C=2×2=4의 일의 자리 숫자 4의 합 5가 놓인다.

㉧에는 5×B의 일의 자리 숫자가 쓰인다.

㉡+㉦+㉧의 일의 자리 숫자가 B이므로 1+(B×5의 일의 자리 숫자)×2+5의 일의 자리 숫자는 B이다. (B×5의 일의 자리 숫자)×2의 일의 자리 숫자는 항상 0이므로 B=6이다.

(3) ㉠에는 B×D=6×5=30의 십의 자리 숫자 3과 A×5의 일의 자리 숫자와의 합이 놓이고,

㉤에는 C×C=2×2=4가 한 자리 수이므로 B×C=6×2=12의 일의 자리 숫자인 2가 놓인다.

㉨에는 D×B=5×6=30의 십의 자리 숫자 3과 C×B=2×6=12의 일의 자리 숫자가 2의 합 5가 놓이고, ㉧에는 5×A의 일의 자리 숫자가 놓인다.

㉠+㉤+㉨+㉧의 일의 자리 숫자가 A이므로 3+(A×5의 일의 자리 숫자)×2+2+5의 일의 자리 숫자가 A이다. (A×5의 일의 자리 숫자)×2의 일의 자리 숫자는 항상 0이므로 A는 0이 되는데 ABCD가 네 자리 수라는 조건에 맞지 않는다.

ⅱ) D=6인 경우

(1) ㉢에는 6×6=36의 십의 자리 숫자 3과 C×6의 일의 자리 숫자와의 합이 놓이고, ㉧에는 6×C의 일의 자리 숫자가 쓰여진다.

㉢+㉧의 일의 자리 숫자가 C이므로 3+(C×6의 일의 자리 숫자)×2의 일의 자리 숫자는 C이다. C에 한 자리 수를 차례로 넣어 만족하는 수를 찾으면 C=7이다.

(2) ㉡에는 C×D=7×6=42의 십의 자리 숫자 4와 B×6의 일의 자리 숫자와의 합이 쓰여지고,

㉦에는 D×C=6×7=42의 십의 자리 숫자 4와 C×C=7×7=49의 일의 자리 숫자 9의 합 13에서 ㉡쪽으로 1을 올려 주고 3이 놓인다.

㉧에는 6×B의 일의 자리 숫자가 놓인다.

㉡+㉦+㉧의 일의 자리 숫자가 B이므로 4+(B×6의 일의 자리 숫자)×2+3의 일의 자리 숫자는 B이다. B에 한 자리 수를 차례로 넣어 만족하는 수를

찾으면 B=3이다.

(3) ㉠에는 B×D=3×6=18에서 십의 자리 숫자 1과 ㉡에서 올려진 숫자 1, 그리고 A×6의 일의 자리 숫자의 합 (2+A×6의 일의 자리 숫자)의 일의 자리 숫자가 놓인다.

㉢에는 C×C=7×7=49에서 십의 자리 숫자 4, ㉣에서 올려진 숫자 1, B×C=3×7=21의 일의 자리 숫자 1의 합 4+1+1=6이 놓인다.

㉤에는 D×B=6×3=18의 십의 자리 숫자 1과 C×B=7×3=21의 일의 자리 숫자 1의 합 2가 놓인다.

㉥에는 6×A의 일의 자리 숫자가 놓인다.

㉠+㉢+㉤+㉥+(백의 자리에서 받아올림한 1)의 일의 자리 숫자는 A이므로

2+(A×6의 일의 자리 숫자)×2+6+2+1의 일의 자리 숫자는 A이다. A에 한 자리 수를 차례로 넣어 만족하는 수를 찾으면 A=9이다.

따라서 ABCD는 9376이다.

6

```
        2 ㉠ ㉡
     ×     ㉢ ㉣
     2 ㉤ ㉥ 2
   1 1 ㉦ ㉧
   1 ㉨ ㉩ 1 2
```

2㉠㉡×㉣이 천의 자리 숫자가 2인 네 자리 수가 되기 위해서는 299×6=1794, 299×7=2093이므로 ㉣은 7 이상의 수가 되어야 한다.

㉡×㉣의 일의 자리 숫자가 2가 되려면 ㉣=7일 때 ㉡=6, ㉣=8일 때 ㉡=4 또는 9, ㉣=9일 때 ㉡=8이 되어야 한다.

또한 2㉠㉡×㉢이 천의 자리 숫자와 백의 자리 숫자가 각각 1인 네 자리 수가 되기 위해서는 299×3=897, 299×4=1196이므로 ㉢은 4 이상이어야 하고 200×6=1200이므로 ㉢은 6 미만이어야 한다.

즉 ㉢은 4 또는 5이다.

ⅰ) ㉣=7일 때

㉡=6이고, 2×㉣=2×7=14이므로 천의 자리 숫자가 2가 되려면 ㉠×㉣=㉠×7의 십의 자리 수가 5 이상이어야 한다. 즉 ㉠은 8 또는 9이다.

286×7=2002, 296×7=2072

이 때 ㉧은 ㉡×㉢=6×㉢의 일의 자리 숫자가 되고, ㉢은 4 또는 5이므로 ㉥+㉧의 일의 자리 숫자가 1이 되려면 ㉥=0일 때는 만족하는 ㉢이 없고 ㉥=7일 때는 ㉢=4이다.

따라서 296×47=13912이다.

ⅱ) ㉣=8일 때

(1) ㉡=4인 경우 2×㉣=2×8=16이므로 천의 자리 숫자가 2가 되려면 ㉠×㉣=㉠×8의 십의 자리 숫자가 4 이상이어야 한다. 즉 ㉠은 5 이상이다.

254×8=2032, 264×8=2112, 274×8=2192, 284×8=2272, 294×8=2352

이 때 ㉧은 ㉡×㉢=4×㉢의 일의 자리 숫자가 되고, ㉢이 4 또는 5이므로 ㉥+㉧의 일의 자리 숫자가 1이 되려면 ㉥=1일 때 ㉢=5, ㉥=5일 때 ㉢=4이다.

즉 264×58과 294×48인데 이 중 264×5=1320이므로 조건에 맞지 않는다.

따라서 294×48=14112이다.

(2) ㉡=9인 경우 위와 마찬가지로 ㉠은 5 이상이다.

259×8=2072, 269×8=2152, 279×8=2232, 289×8=2312, 299×8=2392

이 때 ㉧은 ㉡×㉢=9×㉢의 일의 자리 숫자가 되고 ㉢은 4 또는 5이므로 ㉥+㉧의 일의 자리 숫자가 1이 되려면 ㉥=5일 때 ㉢=4이다.

즉 269×48인데 269×4=1076이므로 조건에 맞지 않는다.

ⅲ) ㉣=9일 때

㉡=8이고, 2×㉣=2×9=18이므로 천의 자리 숫자가 2가 되려면 ㉠×㉣=㉠×9의 십의 자리 숫자가 1 이상이어야 한다. 즉 ㉠은 2 이상이다.

228×9=2052, 238×9=2142, 248×9=2232, 258×9=2322, 268×9=2412, 278×9=2502, 288×9=2592, 298×9=2682

이 때 ㉧은 ㉡×㉢=8×㉢의 일의 자리 숫자가 되고, ㉢은 4 또는 5이므로 ㉥+㉧의 일의 자리 숫자가 1이 되려면 ㉥=1일 때 ㉢=5, ㉥=9일 때 ㉢=4이다.

즉 268×59와 288×49인데 268×5=1340이므로 조건에 맞지 않는다.

따라서 288×49=14112이다.

따라서 조건에 맞는 것은 다음의 세 가지 경우이다.

```
    2 9 6        2 9 4        2 8 8
  ×   4 7      ×   4 8      ×   4 9
    2 0 7 2      2 3 5 2      2 5 9 2
  1 1 8 4      1 1 7 6      1 1 5 2
  1 3 9 1 2    1 4 1 1 2    1 4 1 1 2
```

7

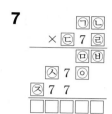

㉠㉡×㉢=㉣77에서 ㉡×㉢의 일의 자리 숫자가 7이므로
$1×7, 3×9, 7×1, 9×3$의 4가지이다.
㉢=1인 경우는 ㉠㉡×㉢이 세 자리 수가 될 수 없으므로 제외한다.

• ㉡=1, ㉢=7인 경우

㉠×7=□7을 만족하는 ㉠은 없다.

• ㉡=3, ㉢=9인 경우

㉠×9=□5를 만족하는 ㉠=5이다.

• ㉡=9, ㉢=3인 경우

㉠×3=□5를 만족하는 ㉠=5이다.

즉, 위의 조건을 만족하는 것은 53×97㉣과 59×37㉣이 있는데, 53×㉣ 또는 59×㉣이 두 자리 수가 되려면 ㉣=1이다. 또한 59×7=413이므로 가운데 숫자가 7이라는 조건에 맞지 않는다.

따라서 완성한 곱셈식은 오른쪽과 같다.

```
      5 3
  ×  9 7 1
      5 3
    3 7 1
  4 7 7
  5 1 4 6 3
```

8

```
            ㉠ 7 ㉡ 0 ㉢
A B C ) D E F G H I J K
        L M N P
        Q R H
        S T U
        1 V W I
        X Y Z
          a b J K
          a b J K
              0
```

ABC<abJ이므로 몫의 십의 자리 숫자는 0이다.
ABC×7은 세 자리 수 STU이고 ABC×㉡은 STU보다 큰 세 자리 수 XYZ이므로 ㉡은 7보다 크다.
또한, ABC×㉠과 ABC×㉢은 네 자리 수이므로 ㉠과 ㉢은 ㉡보다 크다.
7보다 큰 한 자리 숫자는 8과 9뿐이므로 ㉡=8이어야 하고 ㉠=㉢=9이어야 한다.
따라서 몫은 97809이다.

9

```
        ㉠ ㉡ △ … ①
    ×    △ △ … ②
    ㅂ △ ○ △ … ③
    ㅊ △ △ … ④
  △ △ △ △ △ △
```

□ : 0 또는 짝수
△ : 홀수

④가 세 자리 수이므로 ㉠=2, △=3뿐이다.
2㉡△×3=ㅊ△△에서 ㉡×3이 짝수인데 △이 홀수이므로 1이 받아올려진 것이므로 △=5이다.
③이 짝홀짝홀이 되려면 △=9이고, ㉡=6 또는 8이다.
265×39=10335, 285×39=11115
이므로 완성된 복면산은 오른쪽과 같다.

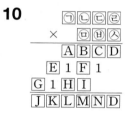

```
      2 8 5
  ×    3 9
    2 5 6 5
    8 5 5
  1 1 1 1 5
```

10

```
    ㉠ ㉡ ㉢ ㉣
  ×    ㉤ ㉥ ㉦
    A B C D
    E 1 F 1
  G 1 H I
  J K L M N D
```

㉠㉡㉢㉣×㉥=E1F1이므로 ㉣×㉥의 일의 자리 숫자가 1이 되는 수를 찾아보자.

숫자 1은 사용할 수 없으므로 $3×7=21, 7×3=21, 9×9=81$을 사용할 수 있다. ㉥에 7 또는 9가 쓰이는 경우 ㉠㉡㉢㉣×㉥이 네 자리 수가 되기 위해서는 ㉠이 1이 되어야 하므로 조건에 어긋난다. 즉 ㉣=7, ㉥=3이고, ㉠은 2 또는 3이다.

```
    ㉠ ㉡ ㉢ 7
  ×        3
    E 1 F 1
```

왼쪽 식에서 ㉠에 3이 쓰이면
$3047×3=9141, 3057×3=9171$이 가능하다.

㉠에 2가 쓰이면 $2047×3=6141, 2057×3=6171,$
$2377×3=7131, 2387×3=7161, 2397×3=7191,$
$2707×3=8121, 2727×3=8181$이 가능하다.
㉠㉡㉢㉣×㉤=G1HI에서 $2047×4=8188$만 알맞다.

```
      2 0 4 7
  ×    4 3 ㉦
  A B C D
  6 1 4 1
  8 1 8 8
```

$2047×㉦$이 네 자리 수이고, 1이 쓰이면 안 되므로 ㉦=2이다.
즉, $2047×2=4094$로 ABCD는 4094이다.

따라서 완성한 식은 오른쪽과 같다.

```
      2 0 4 7
  ×    4 3 2
      4 0 9 4
    6 1 4 1
  8 1 8 8
  8 8 4 3 0 4
```

입체도형의 부피·겉넓이 구하기 ②

유제

1 $191\dfrac{22}{25}$cm² **2** 282.6cm² **3** 1808.64cm³

4 170.4cm²

특강탐구문제

1 1507.2cm² **2** 211.95cm³ **3** $6698\dfrac{2}{3}$cm³

4 146.88cm² **5** 62800cm³ **6** 942cm²

7 4069.44cm² **8** 5 : 2 **9** 678.62cm²

10 270.04cm³

유제풀이

1 주어진 도형은 두 개의 직각삼각형과 펼쳤을 때 부채꼴이 되는 옆면, 또 부채꼴인 밑면이 모여 만들어진 도형이다. 직각삼각형을 360° 회전했을 때 옆면의 중심각은 $360° \times \dfrac{5}{13}$이다. 그러나 360° 중 168°만 회전했으므로 옆면을 이루는 부채꼴의 중심각은

$360° \times \dfrac{5}{13} \times \dfrac{168°}{360°} = \dfrac{840°}{13}$이다.

옆면인 부채꼴의 반지름은 모선의 길이이므로 넓이는

$13 \times 13 \times 3.14 \times \dfrac{\frac{840}{13}}{360}$

$= 13 \times 13 \times 3.14 \times \dfrac{840}{13 \times 360}$

$= \dfrac{285.74}{3} = 95\dfrac{74}{300} = 95\dfrac{37}{150}$(cm²)이다.

밑면인 부채꼴의 넓이는

$5 \times 5 \times 3.14 \times \dfrac{168}{360} = 36\dfrac{57}{90} = 36\dfrac{19}{30}$(cm²)이다.

두 직각삼각형의 넓이의 합은 $5 \times 12 \times \dfrac{1}{2} \times 2 = 60$(cm²)이다.

따라서 구하는 겉넓이는

$95\dfrac{37}{150} + 36\dfrac{19}{30} + 60 = 191\dfrac{132}{150} = 191\dfrac{22}{25}$(cm²)이다.

2 원뿔의 옆면인 부채꼴의 중심각은

$360° \times \dfrac{3}{10} = 108°$이다.

따라서 옆면의 넓이는 $10 \times 10 \times 3.14 \times \dfrac{108}{360} = 94.2$(cm²)이다. 3바퀴를 굴리면 옆면의 넓이의 3배만큼 가므로 3바퀴 굴렸을 때 움직인 부분의 넓이는

$94.2 \times 3 = 282.6$(cm²)이다.

3

〈그림 1〉 〈그림 2〉 〈그림 3〉

구하는 회전체는 〈그림 1〉과 같다. 이 중 위쪽의 색칠된 부분을 잘라내어 뒤집어서 아래로 끼워 넣으면 〈그림 2〉와 같은 도형이 된다. 이것은 〈그림 3〉에서 알 수 있듯이 밑면의 반지름이 12cm, 높이가 16cm인 원뿔에서 밑면의 반지름이 6cm, 높이가 8cm인 원뿔 2개를 빼낸 것과 같다.

따라서 구하는 부피는

$12 \times 12 \times 3.14 \times 16 \times \dfrac{1}{3} - 6 \times 6 \times 3.14 \times 8 \times \dfrac{1}{3} \times 2$

$= 1808.64$(cm³)이다.

4

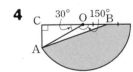

원뿔의 옆면은 중심각이 $360° \times \dfrac{5}{12} = 150°$인 부채꼴이다. 이 중 점 A, B를 잇는 길이가 가장 짧은 선은 선분 AB이다. 따라서 구하는 부분의 넓이는 부채꼴에서 삼각형 ABO의 넓이를 뺀 것이다. 이 때 선분 OB의 연장선과 점 A에서 내린 수선이 만나는 점을 점 C라고 하면 삼각형 ABO는 선분 OB를 밑변, 선분 AC를 높이로 하는 삼각형이 된다. 삼각형 ACO는 정삼각형의 반쪽이 되므로 선분 AC의 길이는 선분 AO의 길이의 $\dfrac{1}{2}$, 즉 6cm이다.

또 선분 OB의 길이도 모선의 길이의 $\dfrac{1}{2}$이므로 6cm이다.

따라서 구하는 넓이는

$12 \times 12 \times 3.14 \times \dfrac{150}{360} - 6 \times 6 \times \dfrac{1}{2} = 170.4$(cm²)이다.

특강탐구문제풀이

1

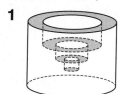

파낸 도형에서 그림과 같이 색칠된 부분의 넓이를 모두 더하면 처음 도형의 밑면의 넓이와 같다. 따라서 이 도형의 겉넓이는 파내기 전의 원기둥의 겉넓이에 파낸 원기둥들의 옆면의 넓이를 모두 더한 것과 같다.

처음 원기둥의 겉넓이는

$10 \times 10 \times 3.14 \times 2 + 20 \times 3.14 \times 10 = 1256 (cm^2)$이다. 첫째 번 파낸 원기둥은 반지름 8cm, 높이 3cm이므로 옆면의 넓이는 $16 \times 3.14 \times 3 = 150.72 (cm^2)$이다. 둘째 번 파낸 원기둥은 반지름이 6cm, 높이가 2cm이므로 옆 넓이는 $12 \times 3.14 \times 2 = 75.36 (cm^2)$이다.

셋째 번 파낸 원기둥은 반지름이 4cm, 높이가 1cm이므로 옆면의 넓이는 $8 \times 3.14 \times 1 = 25.12 (cm^2)$이다.

따라서 구하는 겉넓이는

$1256 + 150.72 + 75.36 + 25.12 = 1507.2 (cm^2)$이다.

2 주어진 도형에서 안쪽 작은 원들의 중심을 이은 도형은 다음 그림과 같이 정육각형이 된다.

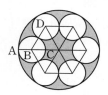

따라서 삼각형 DBC는 정삼각형이다.

이 때, 이 정삼각형의 한 변의 길이는 작은 원의 지름의 길이와 같다.

따라서 작은 원의 반지름인 선분 AB는 큰 원의 반지름인 선분 AC의 길이의 $\frac{1}{3}$이 된다.

즉, $4.5 \times \frac{1}{3} = 1.5 (cm)$이다.

밑면의 넓이가

$4.5 \times 4.5 \times 3.14 - 1.5 \times 1.5 \times 3.14 \times 6 = 21.195 (cm^2)$이므로 이 도형의 부피는 $21.195 \times 10 = 211.95 (cm^3)$이다.

3 주어진 도형을 회전축을 품은 평면으로 자르면 다음 그림과 같다.

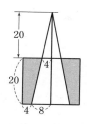

또 원뿔대에 해당하는 부분을 보면 위쪽 반지름이 4cm, 아래쪽 반지름이 8cm이므로 주어진 원뿔대는 밑면의 반지름이 8cm, 높이가 40cm인 원뿔에서 밑면의 반지름이 4cm, 높이가 20cm인 원뿔을 잘라낸 도형이다.

따라서 이 도형의 부피는

$12 \times 12 \times 3.14 \times 20$

$- (8 \times 8 \times 3.14 \times 40 \times \frac{1}{3} - 4 \times 4 \times 3.14 \times 20 \times \frac{1}{3})$

$= 2880 \times 3.14 - \frac{2560}{3} \times 3.14 + \frac{320}{3} \times 3.14$

$= (2880 - \frac{2560}{3} + \frac{320}{3}) \times 3.14 = \frac{6400}{3} \times 3.14$

$= 6698\frac{2}{3} (cm^3)$이다.

4 구하는 넓이는 종이 전체의 넓이에서 부채꼴을 뺀 값이다.

〈그림 2〉에서 밑면의 반지름은 6cm, 모선의 길이는 18cm이므로 부채꼴의 중심각의 크기는

$360° \times \frac{6}{18} = 120°$이다.

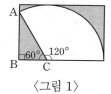

〈그림 1〉

이 때 〈그림 1〉에서 각 ACB의 크기는 60°가 되므로 삼각형 ABC는 정삼각형의 반쪽이 된다. 주어진 종이의 세로는 부채꼴의 반지름의 길이와 같으므로 18cm이고, 가로는 반지름의 길이와 선분 BC의 길이의 합인데 선분 BC의 길이는 반지름의 길이의 $\frac{1}{2}$이므로 $18 + 9 = 27 (cm)$이다.

따라서 종이 전체의 넓이는 $27 \times 18 = 486 (cm^2)$이고, 부채꼴의 넓이는 $18 \times 18 \times 3.14 \times \frac{120}{360} = 339.12 (cm^2)$이므로 구하는 부분의 넓이는 $486 - 339.12 = 146.88 (cm^2)$이다.

5 양쪽을 똑같이 비스듬히 잘랐으므로 주어진 도형을 정확히 반으로 잘라 비스듬한 면끼리 마주 보도록 붙이면 다음 그림과 같은 도형이 된다.

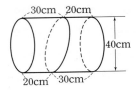

따라서 이것은 밑면의 반지름이 20cm, 높이가 50cm인 원기둥이므로 부피는

$20 \times 20 \times 3.14 \times 50 = 62800 (\text{cm}^3)$이다.

6 문제의 뜻에 따라 얻어지는 회전체는 다음 그림과 같다.

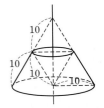

이 때 속으로 들어간 부분을 위쪽으로 나오도록 만들면 구하는 도형의 겉넓이는 밑면의 반지름이 10cm, 모선의 길이가 20cm인 원뿔의 겉넓이와 같음을 알 수 있다.

옆면인 부채꼴의 중심각은 $360° \times \dfrac{10}{20} = 180°$이므로

옆면의 넓이는 $20 \times 20 \times 3.14 \times \dfrac{180}{360} = 628 (\text{cm}^2)$이고,

밑면의 넓이는 $10 \times 10 \times 3.14 = 314 (\text{cm}^2)$이다.

따라서 겉넓이는 $628 + 314 = 942 (\text{cm}^2)$이다.

7

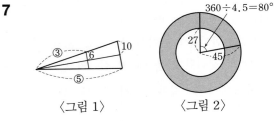

〈그림 1〉　　　〈그림 2〉

주어진 원뿔대를 옆에서 관찰해 보자.

원뿔대의 잘려나간 부분을 이어 그리면 〈그림 1〉과 같이 잘려나간 원뿔 부분의 모선과 전체 원뿔의 모선의 길이의 비가 $6 : 10 = 3 : 5$임을 알 수 있다. 한편 이 원뿔대가 4.5바퀴만에 처음의 자리에 왔으므로, 1바퀴 돌았을 때

에는 $360° \div 4.5 = 80°$만큼 돌았다.

따라서 전체 원뿔의 옆면을 이루는 부채꼴의 중심각도 $80°$이다.

이 원뿔은 밑면의 반지름이 10cm이고

$360° \times \dfrac{10}{(\text{전체 모선의 길이})} = 80°$이므로 전체 모선의 길이는 45cm이다.

따라서 〈그림 2〉의 큰 원 의 반지름은 45cm, 작은 원의 반지름은 $45 \times \dfrac{3}{5} = 27 (\text{cm})$이다.

구하는 넓이는 〈그림 2〉의 색칠한 부분이므로

$45 \times 45 \times 3.14 - 27 \times 27 \times 3.14$
$= 3.14 \times (45 \times 45 - 27 \times 27) = 4069.44 (\text{cm}^2)$이다.

8

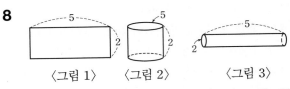

〈그림 1〉　　〈그림 2〉　　　〈그림 3〉

〈그림 1〉과 같이 주어진 종이 한 장의 가로를 5, 세로를 2로 정하자.

〈그림 2〉와 같이 원기둥을 만들었을 경우 밑면의 둘레의 길이가 5이므로 반지름은 $5 \div 3.14 \div 2 = \dfrac{5}{6.28}$이고,

부피는 $\dfrac{5}{6.28} \times \dfrac{5}{6.28} \times 3.14 \times 2 = \dfrac{25}{6.28}$이다.

〈그림 3〉과 같이 원기둥을 만들었을 경우 밑면의 둘레의 길이가 2이므로 반지름은 $2 \div 3.14 \div 2 = \dfrac{1}{3.14}$이고,

부피는 $\dfrac{1}{3.14} \times \dfrac{1}{3.14} \times 3.14 \times 5 = \dfrac{5}{3.14}$이다.

따라서 부피의 비는 $\dfrac{25}{6.28} : \dfrac{5}{3.14} = 25 : 10 = 5 : 2$이다.

별해* 두 원기둥의 밑면의 닮음비는 $5 : 2$ 이므로 넓이의 비는 $5 \times 5 : 2 \times 2 = 25 : 4$이다.

또, 높이의 비는 $2 : 5$ 이므로 부피의 비는

$25 \times 2 : 4 \times 5 = 5 : 2$이다.

9 주어진 도형을 $270°$ 회전 시켜 얻은 입체도형은 다음 그림과 같이 큰 원기둥에서 작은 원기둥을 파낸 모양이다.

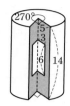

이 때 겉넓이는 안쪽 원기둥의 겉넓이의 $\dfrac{270}{360}=\dfrac{3}{4}$(배)와

바깥쪽 원기둥의 겉넓이의 $\dfrac{3}{4}$배를 더하고 색칠한 부분의

넓이를 합한 것이다.

바깥쪽 원기둥의 밑면은 $5\times5\times3.14\times\dfrac{3}{4}=58.875(\mathrm{cm}^2)$

이므로 두 밑면의 합은 $58.875\times2=117.75(\mathrm{cm}^2)$이다.

옆면은 $10\times3.14\times14\times\dfrac{3}{4}=329.7(\mathrm{cm}^2)$이다.

안쪽 원기둥의 밑면은 $3\times3\times3.14\times\dfrac{3}{4}=21.195(\mathrm{cm}^2)$

이므로 두 밑면의 합은 $21.195\times2=42.39(\mathrm{cm}^2)$이다.

또 옆면은 $6\times3.14\times6\times\dfrac{3}{4}=84.78(\mathrm{cm}^2)$이다.

색칠된 부분 중 한 개는 넓이가 $5\times14-3\times6=52(\mathrm{cm}^2)$

이므로 합은 $52\times2=104(\mathrm{cm}^2)$이다.

따라서 구하는 겉넓이는

$117.75+329.7+42.39+84.78+104$

$=678.62(\mathrm{cm}^2)$이다.

10 먼저 ㉮를 축으로 하여 1회전 시킨 입체도형은 〈그림 1〉과 같다.

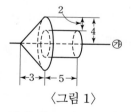

〈그림 1〉

이것은 밑면의 반지름이 4cm, 높이가 3cm인 원뿔과 반지름이 2cm, 높이가 5cm인 원기둥의 부피의 합과 같으므로

$4\times4\times3.14\times3\times\dfrac{1}{3}+2\times2\times3.14\times5=50.24+62.8$

$=113.04(\mathrm{cm}^3)$이다.

㉯를 축으로 하여 1 회전시킨 입체도형은 〈그림 2〉와 같다.

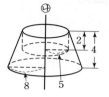

〈그림 2〉

이것은 원뿔대에서 밑면의 반지름이 5cm, 높이가 2cm인 원기둥을 빼낸 것과 같다. 이 원뿔대의 옆면을 연장하여 원뿔을 만든 뒤 회전축을 품은 단면으로 자르면 〈그림 3〉과 같은 삼각형이 된다.

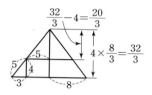

〈그림 3〉

이 때 전체 삼각형의 높이는 $4\times\dfrac{8}{3}=\dfrac{32}{3}(\mathrm{cm})$이고 잘라라내는 삼각형의 높이는 $\dfrac{32}{3}-4=\dfrac{20}{3}(\mathrm{cm})$이다.

즉 원뿔대의 부피는 밑면의 반지름이 8cm, 높이가 $\dfrac{32}{3}$ cm인 원뿔에서 반지름이 5cm, 높이가 $\dfrac{20}{3}$cm인 원뿔을 뺀 부피와 같다.

따라서 구하는 부피는

$8\times8\times3.14\times\dfrac{32}{3}\times\dfrac{1}{3}-5\times5\times3.14\times\dfrac{20}{3}\times\dfrac{1}{3}$

$-5\times5\times3.14\times2=(\dfrac{2048}{9}-\dfrac{500}{9}-50)\times3.14$

$=\dfrac{1098}{9}\times3.14=383.08(\mathrm{cm}^3)$이다.

따라서 부피의 차는 $383.08-113.04=270.04(\mathrm{cm}^3)$이다.

그래프를 이용한 속력 문제 24

유제

1 시속 7.02km

2 ㉮ : 24 ㉯ : $146\frac{2}{3}$

3 시속 $50\frac{317}{500}$ km 이상 $76\frac{2}{13}$ km 이하

4 초속 0.4cm, 67.2cm²

특강탐구문제

1 500m

2 $13\frac{11}{13}$ km

3 36분 54초

4 20km, 3시 24분

5 1260m

6 $44\frac{4}{9}$ m

7 36분

8 32초, 18.5cm²

9 10°, 8초

10 ㉠=84, ㉡=9, ㉢=15, ㉣=17

유제풀이

1 집을 나선 보선이는 5분 동안 360m 갔으므로 1분에 360÷5=72(m)씩 걷는다. 또한 어머니는 자전거를 타고 출발한지 13－5=8(분)만에 보선이를 따라잡았으므로 1분에 360÷8=45(m)씩 보선이보다 빨리 갔다.
따라서 어머니의 속력은 분속 72＋45=117(m)이고 시속은 117×60=7020(m)＝7.02(km)이다.

2 배가 처음 강물을 거슬러 8km가는 데 20분이 걸렸으므로 거슬러 올라가는 속력은 분속 400m이다.
따라서 배가 잠시 떠내려 갔다가 다시 정상적으로 운행한 지점부터 B마을까지의 거리 34－7.6=26.4(km)＝26400(m)를 가는 데는 26400÷400=66(분)이 걸리므로 ㉮에 알맞은 수는 90－66=24이다.
또한 배가 고장이 나서 8－7.6=0.4(km)＝400(m)를 떠내려가는 데 걸린 시간이 24－20=4(분)이므로 강물의 속력은 분속 400÷4=100(m)이고 흐르지 않는 물에서 배의 속력은 분속 400＋100=500(m)이다.
배가 강물과 같은 방향으로 갈 때의 속력은 분속 500＋100=600(m)이다.
따라서 배가 B마을에서 A마을로 돌아오는 데 걸리는 시간은 34000÷600=$56\frac{2}{3}$(분)이고 ㉯에 알맞은 수는 90＋$56\frac{2}{3}$=$146\frac{2}{3}$이다.

3 집에서 540m 떨어진 정류장까지 10분만에 걸어 갔으므로 웅식이의 걷는 속력은 분속 540÷10=54(m)이다.
버스에서 내린 웅식이는 60－46=14(분)동안 걸어서 할머니댁에 도착하므로 집에서부터 할머니댁까지의 거리는 33000＋54×14=33000＋756=33756(m)이다.
아버지가 가장 빨리 달릴 때는 웅식이가 버스에서 내릴 때 웅식이를 만나는 것이므로 46－20=26(분) 동안 33000m를 가게 되고 이 때 속력은 분속 33000÷26=$\frac{33000}{26}$(m),
시속 $\frac{33000}{26}$×60=$\frac{990000}{13}$(m)=$\frac{990}{13}$(km)=$76\frac{2}{13}$(km)이다. 아버지가 가장 천천히 달릴 때는 웅식이와 아버지가 동시에 할머니댁에 도착하는 것이므로 60－20=40분 동안 33756m를 가게 되고, 이 때 속력은 분속 33756÷40=843.9(m),
시속 843.9×60×$\frac{1}{1000}$=$50\frac{317}{500}$(km)이다.

4 삼각형 PEF는 점 P가 A와 D 사이에 있을 때 높이가 가장 크므로 최대의 넓이가 되고, 점 P가 A에서 D까지 갈 때 33－19=14(초)가 걸린다.
변 BC의 길이는 변 AD의 길이의 3배이므로 만약 점 P가 B에서 곧장 C까지 움직인다면 14×3=42(초)가 걸리게 된다.
즉 점 P가 사다리꼴 ABCD의 둘레를 한 바퀴 도는 데 61＋42=103(초)가 걸리고, 둘레의 길이가 41.2cm이므로 점 P의 속력은 초속 41.2÷103=0.4(cm)이다.
또, 변 AD의 길이는 0.4×14=5.6(cm), 변 BC의 길이는 5.6×3=16.8(cm), 사다리꼴 ABCD의 높이는 16.8×2÷5.6=6(cm)이므로 사다리꼴 ABCD의 넓이는 (5.6＋16.8)×6÷2=67.2(cm²)이다.

특강탐구문제풀이

1 그래프에서 철교 위에 있는 기차의 길이가 가장 길 때의 길이가 160m이므로 기차의 길이가 160m임을 알 수 있다.
또한 기차가 철교에 들어서면서부터 완전히 철교위에 다 올라올 때까지 기차가 이동한 거리는 기차의 길이만큼인 160m이고 8초가 걸렸으므로 기차의 속력은 초속 160÷8=20(m)이다.

또, 기차가 철교에 들어서는 순간부터 완전히 빠져나갈 때까지 걸린 시간은 33초이고 그 거리는 $20 \times 33 = 660$(m) 인데, 이것은 (철교의 길이)+(기차의 길이)이므로 철교의 길이는 $660 - 160 = 500$(m)이다.

2 A, B 사이의 같은 거리를 가는 데 걸린 시간의 비가 $25:40=5:8$이므로 두 자동차의 속력의 비는 $8:5$, 같은 시간 동안에 간 거리의 비도 $8:5$이다. 두 자동차가 마주 보고 달려서 만날 때까지 걸린 시간은 서로 같고, A 에서 출발한 차가 더 느리므로 만난 지점은 A지점으로부터 $36 \times \dfrac{5}{8+5} = \dfrac{180}{13} = 13\dfrac{11}{13}$(km) 떨어진 지점이다.

별해* 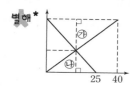 두 삼각형 ㉮와 ㉯의 닮음비가 $40:25=8:5$이므로 높이의 비도 $8:5$이다.
따라서 삼각형 ㉯의 높이는

$36 \times \dfrac{5}{13} = \dfrac{180}{13} = 13\dfrac{11}{13}$(km)이다.

3 용진이는 (개) 지점에서 (내) 지점까지 3.6km의 거리를 시속 4.8km의 속력으로 걸었으므로 $\dfrac{3.6}{4.8} = \dfrac{3}{4}$(시간) $=45$(분)이 걸려 (내) 지점에 도착하였다. 용진이가 (대) 지점까지 가는 데 걸린 시간이 81분이므로 (내) 지점에서 (대) 지점까지는 $81-45=36$(분)$=\dfrac{36}{60}$(시간)$=0.6$(시간)이 걸렸고 시속 54km인 버스를 탔으므로 $54 \times 0.6 = 32.4$(km)를 버스로 이동한 것이다. 즉, (개) 지점부터 (대) 지점까지의 거리는 $3.6+32.4=36$(km)이다.
용현이의 속력은 시속 $36 \div \dfrac{81}{60} = 36 \times \dfrac{60}{81} = \dfrac{80}{3}$(km)이다.
따라서 (개) 지점으로부터 3.6km 떨어진 (내) 지점에 용현이가 도착한 시각은 출발한지 $3.6 \div \dfrac{80}{3} = \dfrac{36}{10} \times \dfrac{3}{80} = \dfrac{27}{200}$시간$=\dfrac{27}{200} \times 60$분 $=\dfrac{81}{10} \times 60$초$=486$초$=8$분 6초 후이므로 용현이는 용진이보다 45분-8분 6초$=36$분 54초 빨리 지나갔다.

4 A 지점과 C 지점 사이를 갈 때와 올 때의 속력의 비가 $3:2$이므로 걸린 시간의 비는 $2:3$이다. B 지점에서 C 지점으로, 다시 C 지점에서 B 지점으로 돌아온 2시 50분

부터 4시 15분 사이의 시간을 $2:3$으로 나누면 B 지점에서 C 지점으로 가는데 걸린 시간은 $85 \times \dfrac{2}{5} = 34$(분), C 지점에서 B 지점으로 돌아오는데 걸린 시간은 $85-34=51$(분)이다. 즉 A 지점에서 C 지점까지 갈 때 걸린 시간은 50분+34분=1시간 24분이고 돌아올 때 걸린 시간은 $\left(1시간 24분\right) \times \dfrac{3}{2} = \left(84 \times \dfrac{3}{2}\right)$분$=126$분 $=2$시간 6분이므로 도착한 시각은
2시+1시간 24분+2시간 6분=5시 30분이다.
돌아오던 민성이는 4시 45분에 A 지점에서 12km 떨어진 지점을 지났으므로 5시 30분－4시 45분=45분 동안 12km를 걸은 셈이고 그 속력은 시속
$12 \div \dfrac{45}{60} = 12 \times \dfrac{60}{45} = 16$(km)이다.
따라서 갈 때의 속력은 시속 $16 \times \dfrac{3}{2} = 24$(km)이므로
A 지점에서 B 지점까지의 거리는 $24 \times \dfrac{50}{60} = 20$(km),
C 지점에 도착했을 때의 시각은
2시+1시간 24분=3시 24분이다.

5 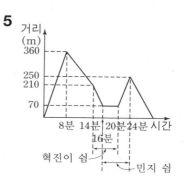 먼저 출발한 혁진이가 8분만에 360m를 갔으므로 혁진의 속력은 분속 $360 \div 8 = 45$(m)이다.
8분 후 민지가 출발하여 8분에서 14분까지 6분 동안 $360-210=150$(m)를 따라잡았으므로 민지의 속력은 혁진의 속력보다 $150 \div 6 = 25$(m) 더 빨라 분속 $45+25=70$(m)이다.
14분에서 16분까지 민지는 1분에 $(210-70) \div 2 = 70$(m)씩 혁진이와 가까워지므로 14분부터 혁진이가 쉬고 있다는 것을 알 수 있고 16분부터 20분까지는 둘 사이의 거리가 일정하므로 둘 다 쉬고 있는 것이다.
20분부터 24분까지는 다시 둘 사이의 거리가 1분에 $(250-70) \div (24-20) = 45$(m)씩 멀어지므로 혁진이가 다시 출발했고 민지는 여전히 쉬고 있다는 것을 알 수 있다.
24분 이후는 둘 사이의 거리가 다시 가까워지므로 쉬고

있던 민지도 출발했다는 것을 알 수 있다.

따라서 민지와 혁진이가 쉰 시간은 위의 그림과 같이 표시할 수 있고 24분 이후에 둘이 만나기 위해서는 $250 \div 25 = 10$(분)이 더 걸리므로 혁진이가 출발해서 공원에 도착할 때까지 걸린 시간은 쉬는 시간을 제외하고 $(24+10)-6=28$(분)이다.

즉, 공원은 집에서 $45 \times 28 = 1260$m 떨어져있다.

6 두 사람이 서로 수영장의 반대편에 동시에 도착한 그래프의 끝의 시간을 1이라 하면 그 시간 동안 갑은 $50 \times 5 = 250$(m), 을은 $50 \times 4 = 200$(m)를 갔다. 두 사람이 처음 만날 때까지 이동한 거리의 합은 $50 \times 2 = 100$(m)인데 두 사람이 1이라는 시간 동안 움직이는 거리의 합이 $250+200=450$(m)이므로 처음 만날 때까지 걸리는 시간은 $\dfrac{100}{450}=\dfrac{2}{9}$이다.

따라서 처음 만난 곳은 출발 지점에서 $200 \times \dfrac{2}{9} = \dfrac{400}{9} = 44\dfrac{4}{9}$(m) 떨어진 곳이다.

별해* 같은 시간 동안 갑은 250m, 을은 200m를 갔으므로 속력의 비는 5 : 4이다. 또, 같은 시간 동안 간 거리의 비도 5 : 4이다. 처음 만날 때까지 두 사람이 움직인 거리의 합은 100m이므로 갑과 을이 마주 보고 온 것으로 생각하면 두 사람이 처음 만난 지점은 출발 지점에서 $100 \times \dfrac{4}{9} = \dfrac{400}{9} = 44\dfrac{4}{9}$(m) 떨어진 곳이다.

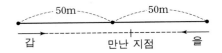

7 한솔이가 20분 늦게 출발했을 때 두 사람이 만난 지점에서 B 지점까지의 거리가 A 지점까지의 거리의 2배가 되었으므로 삼각형 ㉠과 ㉡의 닮음비는 1 : 2가 된다.

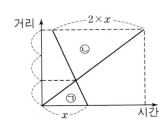

따라서 10시부터 한솔이가 A 지점에 도착한 시각까지 x분 지났다고 하면 현정이는 한솔이가 출발한 뒤 $(2 \times x)$분 후에 B 지점에 도착하게 된다.

즉, 현정이는 A 지점에서 B 지점까지 가는 데 $(2 \times x + 20)$분이 걸리고 한솔이는 B 지점에서 A 지점까지 가는 데 $(x-20)$분이 걸리는 것이다.

다음 날, 동시에 출발했을 때 두 사람의 도착 시간이 1시간 52분-8분$=112$분-8분$=104$(분) 차이가 나므로

$2 \times x + 20 - (x-20) = 104$
$2 \times x + 20 - x + 20 = 104$
$x + 40 = 104$
$x = 64$(분)

현정이는 $2 \times 64 + 20 = 148$(분) 걸렸고
한솔이는 $64 - 20 = 44$(분) 걸렸다.

따라서 두 사람이 만날 때까지는 $148 - 112 = 44 - 8 = 36$(분) 걸리므로 만난 시각은 10시 36분이다.

8

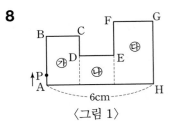

〈그림 1〉

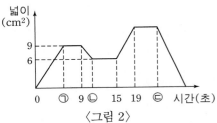

〈그림 2〉

• 점 P가 점 A에서 출발해서 점 B까지 갈 때는 삼각형 APH의 넓이가 넓어지다가 점 B에서 점 C로 갈 때는 높이가 일정하므로 같은 넓이를 유지한다. 즉, 점 P가 변 BC 위에 있을 때 삼각형 APH의 넓이는 〈그림 2〉에서 9cm^2임을 알 수 있고 그 때 삼각형의 높이는 변 AB의 길이와 같으므로 변 AB의 길이는 $9 \times 2 \div 6 = 3$(cm)이고, ㉠은 $3 \times 2 = 6$이다.

또, 변 BC의 길이는 $(9-6) \times 0.5 = 1.5$(cm)이다.

• 점 P가 점 C에서 점 D까지 가는 동안 삼각형 APH의 높이가 작아지므로 넓이는 일정하게 줄어들다가 ㉡초가 되었을 때 6cm^2가 된다. 즉, 삼각형 DAH의 높이는 $6 \times 2 \div 6 = 2$(cm)이고 변 CD의 길이는 $3-2=1$(cm), ㉡은 $9 + (1 \times 2$초$) = 11$초이다.

또, 변 DE의 길이는 $(15-11) \times 0.5 = 2$(cm)이다.

- (변 BC의 길이)＋(변 DE의 길이)＋(변 FG의 길이)＝(변 AH의 길이)＝6cm이므로 변 FG의 길이는 6－(1.5＋2)＝2.5(cm)이고 ㉢은 19＋(2.5×2)＝19＋5＝24(초)이다. 또, 변 EF의 길이는 (19－15)×0.5＝2(cm)이다.

- (변 GH의 길이)＝(변 AB의 길이)－(변 CD의 길이)＋(변 EF의 길이)＝4(cm)이므로 ㉣은 24＋(4×2)＝24＋8＝32(초)이다.

따라서 점 P가 점 H에 도착할 때까지 걸린 시간은 32초이고, 〈그림 1〉에서 ㉮의 넓이는 1.5×3＝4.5(cm²), ㉯의 넓이는 2×2＝4(cm²), ㉰의 넓이는 2.5×4＝10(cm²)이므로 도형 ABCDEFGH의 넓이는 4.5＋4＋10＝18.5(cm²)이다.

9 그래프에서 두 도형은 ㉠초일 때 처음 만나서 12초일 때 완전히 분리되게 된다. 두 도형이 만났다가 다시 완전히 분리되는 때는 정사각형의 변 CO와 부채꼴의 변 DO가 만나는 때이다. 변 CO와 변 DO가 회전한 각의 합이 360°일 때 서로 만났다가 분리되는데 정사각형이 부채꼴 속력의 2배로 움직이므로 12초 동안 변 DO가 회전한 각도는 360°×$\frac{1}{3}$＝120°만큼이 되어 부채꼴이 1초에 움직인 각도는 120°÷12초＝10°이다.

두 도형이 처음 만날 때는 변 AO와 변 EO가 회전한 각의 합이 360°－(90°＋30°)＝240°일 때이므로 변 EO가 움직인 각도는 240°×$\frac{1}{3}$＝80°가 되고 80° 움직이는 데 걸린 시간, 즉 ㉠은 80°÷10°＝8(초)이다.

10

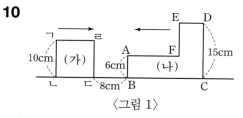

〈그림 1〉

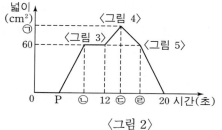

〈그림 2〉

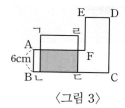

〈그림 3〉

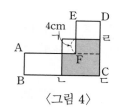

〈그림 4〉

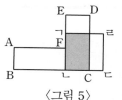

〈그림 5〉

㈎, ㈏ 두 도형은 매초 1cm씩 가까워지므로 ㈏ 도형은 멈추어 있고 ㈎ 도형이 ㈏ 도형 쪽으로 매초 2cm씩 움직인다고 생각하자.

- P초에 겹쳐지기 시작한 두 도형은 ㉡초에 완전히 겹쳐지게 된다. 〈그림 3〉에서 겹쳐진 넓이가 60cm²이므로 ㈎ 도형의 가로의 길이는 60÷6＝10(cm)이다.

- 두 도형이 움직이기 시작하여 겹쳐지기 시작할 때까지는 8cm를 움직여야 하므로 8÷2＝4(초)가 걸린다. 즉, P＝4(초)이다.

- 두 도형이 겹쳐지기 시작한 때부터 완전히 겹쳐진 ㉡초까지는 ㈎ 도형의 가로의 길이인 10cm만큼 움직여야 하므로 10÷2＝5(초)가 걸린다. 즉, ㉡＝4＋5＝9(초)이다.

- 12초에는 ㈎ 도형의 선분 ㄷㄹ과 ㈏ 도형의 선분 EF가 만나고 20초에는 ㈎ 도형이 ㈏ 도형을 완전히 빠져나간다.

즉, 20－12＝8(초) 동안 ㈎ 도형이 움직인 8×2＝16(cm)는 ㈎ 도형의 가로의 길이 10cm와 ㈏ 도형의 선분 DE의 길이의 합이므로 선분 DE의 길이는 6cm이다.

- ㉢초에는 〈그림 4〉와 같은 모양이 되고 그 때의 넓이는 60＋4×6＝84(cm²)이다. 즉, ㉠＝84(cm²)이다. 또한 12초에서 ㉢초 사이에 ㈎ 도형은 선분 DE의 길이만큼 움직였으므로 6÷2＝3(초)가 걸렸다.

즉, ㉢＝12＋3＝15(초)이다.

- ㉢초에서 ㉣초 사이에 ㈎ 도형은 〈그림 4〉에서 〈그림 5〉로 변하므로 선분 ㄱㄹ과 선분 DE의 차인 10－6＝4(cm)만큼 움직였고 4÷2＝2(초)가 걸렸다. 즉, ㉣＝15＋2＝17(초)이다.

따라서 ㉠＝84, ㉡＝9, ㉢＝15, ㉣＝17이다.

수 알아맞히기

유제

1 5월 24일 　**2** 6 　**3** 풀이 참조 　**4** 26세

특강탐구문제

1 3을 더한 후 3으로 나눈다. 또는 3으로 나눈 후 1을 더한다. 　**2** 1500을 뺀 후 2로 나눈다. 　**3** 3과 5
4 250 　**5** 상혁 : 49, 환진 : 67 　**6** 594
7 풀이 참조 　**8** 풀이 참조 　**9** 풀이 참조 　**10** 29세

유제풀이

1 태어난 달을 a, 태어난 날을 b라 하자.
주어진 조건에 따라 계산하면 다음과 같다.
$(a \times 4 + 9) \times 25 + b = a \times 100 + 225 + b$
따라서 규승이가 불러준 수에서 225를 뺀다면
$a \times 100 + 225 + b - 225 = a \times 100 + b$가 되어 뒤의 두 자리는 태어난 날이 되고 앞의 수는 태어난 달이 된다.
$749 - 225 = 524$가 되어 규승이의 생일이 5월 24일임을 알 수 있다.

2 두 자리 수를 ㉮㉯라고 하자.
주어진 조건에 따라 두 자리 수에서 각 자리 숫자의 합을 빼면 $10 \times ㉮ + ㉯ - (㉮ + ㉯) = 9 \times ㉮$가 된다.
즉 계산 결과는 항상 9의 배수이다.
9의 배수인 두 자리 수의 각 자리 수의 합은 9의 배수이므로 십의 자리 숫자가 3이라면 일의 자리 숫자는 6이 된다.

3 네 자리 수를 $abcd$라고 하자.
$abcd \times 73 \times 137 = abcd \times 10001 = abcdabcd$가 되어 끝의 네 자리 수가 처음 네 자리 수와 같아진다.
이 때, 73을 곱한 수의 끝의 네 자리 수에만 137을 곱하여도 결과는 마찬가지이다.
$abcd \times 73 = A \times 10000 + B$라 하면
$(A \times 10000 + B) \times 137 = A \times 137 \times 10000 + B \times 137$
$= abcd \times 10000 + abcd$
따라서 $B \times 137$의 끝의 네 자리 수도 $abcd$이다.

4 선생님의 나이를 A라고 하자.
조건 ①에 따라 계산하면
$(A+1) \times (A+1) = (A+1) \times A + (A+1) \times 1$
$= A \times A + 1 \times A + A \times 1 + 1 \times 1 = A \times A + 2 \times A + 1$
이 된다.
조건 ②에 따라 계산하면 $A \times A$이다.
조건 ③에 따라 계산하면
$A \times A + 2 \times A + 1 - A \times A = 2 \times A + 1$이 된다.
그 결과가 53이므로 $2 \times A + 1 = 53$, $2 \times A = 52$, $A = 26$이 되어 선생님의 나이는 26세이다.

특강탐구문제풀이

1 처음 생각한 자연수를 A라고 하자.
조건에 따라 순서대로 계산하면 다음과 같다.
$(A-1) \times 2 - 1 + A$
$= A \times 2 - 3 + A$
$= A \times 3 - 3$
$= (A-1) \times 3$
따라서 결과에 3을 더한 후 3으로 나누거나, 결과를 3으로 나눈 후 1을 더하면 처음의 자연수를 알 수 있다.

2 친구의 집 전화번호를 ABCD−EFGH라고 하자.
$(ABCD \times 80 + 6) \times 250 = ABCD \times 20000 + 1500$
$ABCD \times 20000 + 1500 + EFGH + EFGH$
$= ABCD \times 10000 \times 2 + EFGH \times 2 + 1500$
$= (ABCDEFGH) \times 2 + 1500$
따라서 1500을 뺀 후 2로 나누면 알 수 있다.

3 한 주사위의 눈을 A, 다른 주사위의 눈은 B라고 하자.
$(A \times 5 + 8) \times 4 = A \times 20 + 32$
$A \times 20 + 32 + B = 97$
$A \times 20 + B = 65$
이 때 $A \times 20$은 일의 자리 숫자가 0인 수이고 B는 1에서 6사이의 자연수이므로 $B = 5$, $A \times 20 = 60$, $A = 3$임을 알 수 있다.

4 유현이, 하빈이, 소현이가 생각한 한 자리 수를 각각 ㉳, ㉵, ㉼라 하자.

$(\text{유} \times 2 + 5) \times 5 = \text{유} \times 10 + 25$

$(\text{유} \times 10 + 25 + \text{하}) \times 10 = \text{유} \times 100 + 250 + \text{하} \times 10$

$\text{유} \times 100 + 250 + \text{하} \times 10 + \text{소}$

이 때, 유, 하, 소는 모두 한 자리 자연수이므로 계산 결과에서 250을 뺀 유$\times 100+$하$\times 10+$소는 유 하 소라는 세 자리 수가 된다.

5 상혁이가 생각한 두 자리 수를 ab, 환진이가 생각한 두 자리 수를 cd라고 하자.

$(ab \times 2 + 1) \times 50 = ab \times 100 + 50$

$ab \times 100 + 50 + cd = abcd + 50$

계산 결과가 5017이었으므로 $5017 - 50 = 4967$에서 상혁이가 생각한 수는 49, 환진이가 생각한 수는 67이다.

6 $a > c$라고 생각해도 괜찮다.

$abc = 100 \times a + 10 \times b + c$, $cba = 100 \times c + 10 \times b + a$ 이므로 그 차는

$100 \times a + 10 \times b + c - 100 \times c - 10 \times b - a$

$= 99 \times a - 99 \times c = 99 \times (a - c)$이다.

이 때 계산 결과는 99의 배수이고 $a - c$는 한 자리 자연수가 된다. 99에 한 자리 자연수를 곱하여 일의 자리 수가 4가 되는 경우는 $a - c$가 6인 경우 뿐이다.

따라서 차는 $99 \times 6 = 594$이다.

7 $a > b > c > d$인 네 개의 한 자리 숫자로 $abcd$를 만든 후 순서를 바꾸어 $dabc$를 만든 경우를 생각해 보자.

$abcd > dabc$이며 $abcd = 1000 \times a + 100 \times b + 10 \times c + d$ 이고 $dabc = 1000 \times d + 100 \times a + 10 \times b + c$이므로

두 수의 차는 $900 \times a + 90 \times b + 9 \times c - 999 \times d$이고 이 것은 모두 9의 배수의 합 또는 차이므로 두 수의 차가 9의 배수가 되는 것을 알 수 있다.

한편 $1000 - 100 = 900$, $1000 - 10 = 990$, $1000 - 1 = 999$, $100 - 10 = 90$, $100 - 1 = 99$, $10 - 1 = 9$와 같이 10을 거듭제곱한 두 수의 차는 항상 9의 배수이거나 0이 되므로 네 자리 수에서 숫자의 순서를 어떻게 바꾸든 그 차는 항상 위의 결과와 같이 9의 배수임을 알 수 있다.

9의 배수의 각 자리 숫자의 합은 항상 9의 배수이므로 준영이가 부른 숫자와 더하여 9의 배수를 만들 수 있는 한 자리 수를 찾으면 그것이 나머지 한 숫자가 된다.

8 종호가 생각한 두 자리 수를 ab라고 하자.

99를 $100 - 1$로 생각하면 계산 결과는 다음과 같다.

$(ab + 11) \times (100 - 1)$

$= ab \times 100 + 1100 - ab - 11$

$= \underbrace{ab \times 100 + 1000}_{①} + \underbrace{100 - (ab + 11)}_{②}$

위의 계산 결과에서 ②에 해당하는 $100 - (ab + 11)$ 중 ab는 처음부터 90보다 작은 두 자리 수로 정하였으므로 $ab + 11$은 100 이하의 수이다.

따라서 $100 - (ab + 11)$을 계산할 때 백의 자리에서 받아내림을 할 필요가 없다. 따라서 ①의 $ab00 + 1000$의 결과 중 앞의 두 자리만을 계산하면 $ab + 10$이 되므로 계산 결과의 앞의 두 자리 수에서 10을 뺀다면 처음 두 자리 수가 됨을 알 수 있다.

9 ㉠㉡㉡㉠ $\div 11 =$ ㉮㉯㉰라면 ㉠㉡㉡㉠ $=$ ㉮㉯㉰ $\times 11$ 이 된다.

$$\begin{array}{r} ㉮㉯㉰ \\ \times \quad 1\,1 \\ \hline ㉮㉯㉰ \\ ㉮㉯㉰ \\ \hline ㉠㉡㉡㉠ \end{array}$$

즉 네 자리 수 ㉠㉡㉡㉠이 ㉮㉯㉰ $\times 10 +$ ㉮㉯㉰가 되므로 일의 자리 숫자 ㉠은 ㉰와 같고 십의 자리 숫자 ㉡은 ㉯ $+$ ㉰의 일의 자리 숫자가 됨을 알 수 있다.

10 11로 나눈 나머지를 A, 9로 나눈 나머지를 B라고 한다면 계산 결과는 $45 \times A + 55 \times B = 425$가 되고, 식의 양변을 5로 나누면 $9 \times A + 11 \times B = 85$가 된다.

A는 $0, 1, 2, \cdots, 10$만 될 수 있고 B는 $0, 1, 2, \cdots, 8$만 될 수 있으므로

$9 \times A = 0, 9, 18, 27, 36, 45, 54, \textcircled{63}, 72, 81, 90$

$11 \times B = 0, 11, \textcircled{22}, 33, 44, 55, 66, 77, 88$에서

$A = 7$, $B = 2$이다.

한편 11로 나누어 7 남는 수 $7, 18, 29, 40, 51, 62, \cdots$에서 9로 나누어 2 남는 수는 29임을 알 수 있다.

따라서 한지철 선생님의 나이는 29세이다.

입체도형에서 길찾기

유제

1 152가지   **2** 8가지   **3** 56가지   **4** 25가지

특강탐구문제

1 90가지   **2** 256가지   **3** 42가지   **4** 15가지
5 61가지   **6** 148가지   **7** 30가지   **8** 14가지
9 10가지   **10** 40

유제풀이

1 그림과 같이 각 점에 이르는 길의 가짓수를 적어 보면 구할 수 있다.

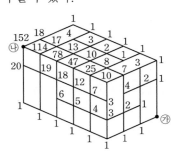

따라서 ㉮에서 ㉯까지 가는 길은 모두 152가지이다.

2 한 번 지난 점을 다시 지나지 않고 네 개의 점을 지나 다시 ㄴ으로 돌아와야 하므로 지나는 점을 차례로 적어 가짓수를 세어 본다.

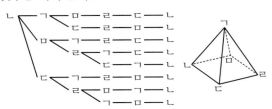

따라서 서로 다른 길은 8가지이다.

3 한 꼭짓점을 여러 번 지나도 되므로 다음 그림과 같이 순서에 따라 각 점까지 갈 수 있는 방법의 가짓수를 적어 본다.

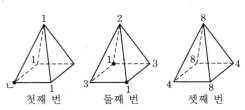

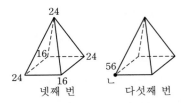

따라서 모서리를 따라 꼭짓점을 네 번 지나 다섯째 번에 점 ㄴ에 돌아올 수 있는 방법은 56가지이다.

4

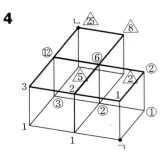

그림에 그려진 모든 선분을 통해 갈 수 있으므로 각 점에 이르는 길의 가짓수를 적어 보면 25가지이다.

별해*

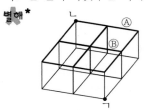

ㄱ에서 ㄴ으로 가려면 오른쪽으로 두 칸, 위로 한 칸, 왼쪽으로 두 칸을 가야 한다. 즉, (오, 오, 위, 왼, 왼)을 일렬로 세우는 방법만큼 길이 있다.

$5 \times 4 \times 3 \times 2 \times 1 \times \dfrac{1}{2 \times 1} \times \dfrac{1}{2 \times 1} = 30$(가지)이다.

이 중 ⒜를 지나가는 길이 3가지이고 ⒝를 지나가는 길이 2가지이므로 5가지를 빼 주면 된다.
따라서 $30-5=25$(가지)이다.

특강탐구문제풀이

1

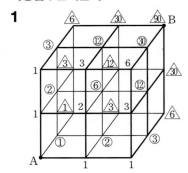

그림과 같이 각 점에 이르는 길의 가짓수를 적어 보면 90 가지이다.

(숫자의 △ 표시는 가장 뒷줄, ○ 표시는 가운데 줄, 표시가 없는 숫자는 가장 앞줄이다.)

별해 A에서 B로 가려면 오른쪽으로 두 칸, 뒤로 두 칸, 위로 두 칸을 가야 한다. 즉 (오, 오, 뒤, 뒤, 위, 위)를 일렬로 세우는 방법만큼 길이 있다.

$$6 \times 5 \times 4 \times 3 \times 2 \times 1 \times \frac{1}{2 \times 1} \times \frac{1}{2 \times 1} \times \frac{1}{2 \times 1} = 90 (가지)$$

이다.

2

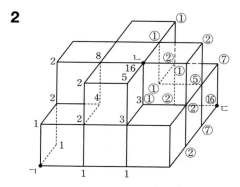

겉에서 보이는 모서리를 따라 움직이므로 그림의 선분을 따라서만 갈 수 있다. 그림에서 각 점에 이르는 길의 가짓수를 적어 보면 점 ㄱ에서 점 ㄴ까지는 16가지, 점 ㄴ에서 점 ㄷ까지는 16가지이다.

따라서 점 ㄱ에서 점 ㄴ을 거쳐 점 ㄷ까지 가장 짧은 길로 가는 방법은 16×16=256(가지)이다.

3

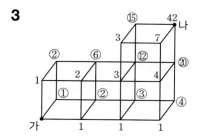

그림과 같이 각 점에 이르는 길의 가짓수를 적어 보면 42가지이다.

4 지나는 점을 차례로 적어 가짓수를 세어 본다.

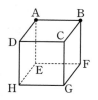

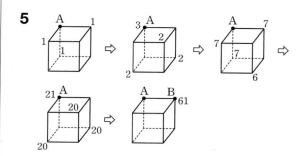

따라서 점 A에서 점 B까지 가는 길은 모두 15가지이다.

5

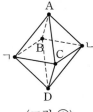

한 꼭짓점을 여러 번 지나도 되므로 위 그림과 같이 순서에 따라 각 점까지 갈 수 있는 방법의 가짓수를 적어 구할 수 있다. 따라서 61가지 방법이 있다.

6 그림 ①과 같이 각 꼭짓점에 기호를 써 넣어 보자.

〈그림 ①〉

꼭짓점 ㄱ에서 ㄴ까지 모서리를 따라 이동할 때 같은 모서리를 두 번 지날 수는 없으나 같은 꼭짓점을 여러 번 지날 수 있다.

여러 가지 길을 거쳐 최종적으로 점 ㄴ에 도착하기 위해 모서리 Aㄴ 또는 Bㄴ 또는 Cㄴ 또는 Dㄴ을 반드시 마지막으로 지나야 하므로 점 ㄱ에서 꼭짓점 A, B, C, D에 도달하는 방법의 수를 각각 구해 본다.

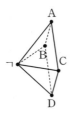

〈그림 ②〉

가장 마지막에 지나야 할 모서리 Aㄴ, Bㄴ, Cㄴ, Dㄴ이 지워진 그림 ②에서 점 ㄱ에서 출발하여 꼭짓점 A, B, C, D에 가는 방법의 수를 구해 보자.

• 점 ㄱ에서 점 A로 가는 방법

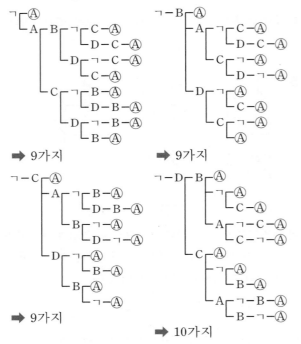

➡ 9가지   ➡ 9가지

➡ 9가지   ➡ 10가지

점 ㄱ에서 점 A, B, C, D까지 가는 방법의 수도 각각 같다.

따라서 꼭짓점 ㄱ에서 ㄴ까지 같은 모서리를 두 번 가지 않고 갈 수 있는 방법의 수는 $37 \times 4 = 148$(가지)이다.

7

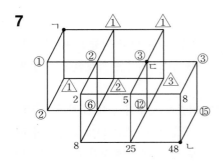

ㄱ지점에서 ㄴ지점까지 최단 거리로 가는 방법의 수에서

ㄱ지점에서 ㄷ지점을 거쳐 ㄴ지점까지 최단 거리로 가는 방법의 수를 빼면 된다.

ㄱ지점에서 ㄴ지점까지 최단 거리로 가는 방법의 수는 위의 그림과 같이 각 점에 이르는 길의 가짓수를 적어 보면 48가지이다.

또한 ㄱ지점에서 ㄷ지점으로 가는 최단 거리의 수와 ㄷ지점에서 ㄴ지점으로 가는 최단 거리의 수는 다음과 같이 각각 3가지, 6가지이다.

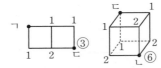

따라서 ㄷ지점을 거치지 않고 ㄱ지점에서 ㄴ지점까지 최단 거리로 가는 방법의 수는 $48 - 3 \times 6 = 30$(가지)이다.

8

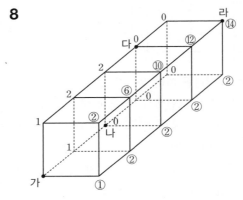

나, 다 지점을 지나지 않으면서 각 점에 이르는 길의 가짓수를 적어 보면 14가지이다.

별해* 가에서 라로 가는 가장 짧은 길의 가짓수에서 나를 지나는 길의 가짓수와 다를 지나는 길의 가짓수를 뺀 후 나, 다를 모두 지나는 길의 가짓수를 더해도 구할 수 있다.

가에서 라로 가는 가장 짧은 길은 오른쪽으로 한 칸, 뒤로 네 칸, 위로 한 칸을 가는 것이다. 즉, (오, 뒤, 뒤, 뒤, 뒤, 위)를 일렬로 세우는 방법 만큼 길이 있다.

$$6 \times 5 \times 4 \times 3 \times 2 \times 1 \times \frac{1}{4 \times 3 \times 2 \times 1} = 30$$(가지)

나를 거쳐 가려면 가에서 나로 간 후 오른쪽으로 한 칸, 뒤로 두 칸, 위로 한 칸을 가는 것이다. 즉, (오, 뒤, 뒤, 위)를 일렬로 세우는 방법 만큼 길이 있다.

$$4 \times 3 \times 2 \times 1 \times \frac{1}{2 \times 1} = 12$$(가지)

또, **가**에서 **다**로 가려면 4가지 방법, **다**에서 **라**로 가려면 2가지 방법이 있으므로 **가**에서 **다**를 거쳐 가는 길은 모두 $4 \times 2 = 8$(가지)이다.

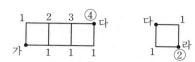

가에서 **나**, **다**를 모두 거쳐 가는 방법은 **가**에서 **나**로 한 가지, **나**에서 **다**로 두 가지, **다**에서 **라**로 두 가지 방법이 있으므로 $1 \times 2 \times 2 = 4$(가지)이다.

따라서 $30 - 12 - 8 + 4 = 14$(가지)이다.

9

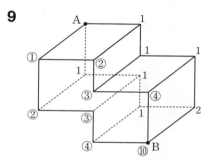

24개의 모서리를 그림에 표시해 보면 위와 같다. 그림과 같이 각 점에 이르는 길의 가짓수를 적어 보면 구할 수 있다. 따라서 그림에서와 같이 10가지이다.

10 [가]　　　[나]

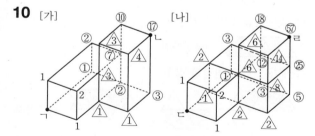

입체도형 [가]와 [나]는 위의 그림에 그려진 선을 따라서만 움직일 수 있다.

그림과 같이 각 점에 이르는 길의 가짓수를 적어 보면 구할 수 있다.

[가] 입체도형 : 17가지, [나] 입체도형 : 57가지

따라서 두 입체도형 [가], [나]에서의 가장 짧은 길의 수의 차는 $57 - 17 = 40$이다.

도형 배열의 가짓수 구하기 **27**

유제

1 14가지 **2** 5가지 **3** 12가지 **4** 12가지

특강탐구문제

1 5가지 **2** 5가지 **3** 12가지 **4** 16가지
5 17가지 **6** 10가지 **7** 8가지 **8** 11가지
9 13가지 **10** 17가지

유제풀이

1 세 개의 직각이등변삼각형을 변끼리 붙여서 만들 수 있는 도형을 그려 본 다음 그 도형에 다시 직각이등변삼각형 한 개를 붙여 만들 수 있는 모든 모양을 찾는다.
이 때, 서로 합동인 모양은 한 가지로 센다는 것에 주의하자.

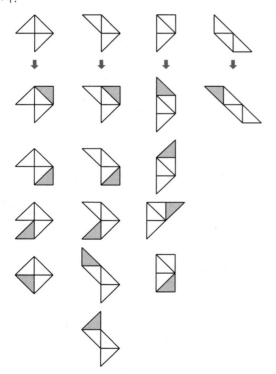

따라서 모두 4+5+4+1=14(가지)이다.

2 칠교판의 조각에서 모든 예각의 크기는 45°이므로 만들 수 있는 삼각형은 직각이등변삼각형뿐이다. 칠교판은 정사각형이므로 한 변의 길이를 4라고 하고 넓이를 16으로 나타내자.

조각 ①의 넓이는 4, 조각 ②의 넓이는 1이며, 조각 ③, ④, ⑤의 넓이는 모두 2가 된다. 두 조각 이상을 사용해서 삼각형을 만들어야 하므로 만들 수 있는 삼각형을 크기별로 한 가지씩 예를 들어 나타내면 다음과 같다.

넓이 2인 삼각형 | 넓이 4인 삼각형 | 넓이 8인 삼각형

넓이 9인 삼각형 | 넓이 16인 삼각형

 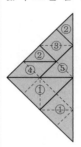

따라서 만들 수 있는 삼각형은 모두 5가지 크기이다.

3 다음과 같이 정삼각형이 일렬로 연결된 개수에 따라 나누어 생각해 보자.

• 6개가 일렬로 연결된 경우

 ➡ 1가지

• 5개가 일렬로 연결된 경우

  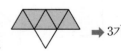 ➡ 3가지

• 4개가 일렬로 연결된 경우

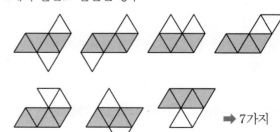 ➡ 7가지

• 3개가 일렬로 연결된 경우

 ➡ 1가지

따라서 1+3+7+1=12(가지)이다.

4 다음과 같이 두 가지 경우를 생각할 수 있다.

• 좌우가 선대칭인 경우

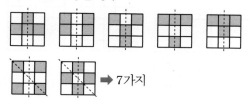 ➡ 7가지

• 대각선에 의해 선대칭인 경우

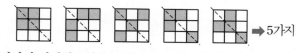 ➡ 5가지

따라서 선대칭도형은 모두 7+2=12(가지) 만들 수 있다.

특강탐구문제풀이

1

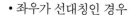

따라서 그림과 같이 모두 5가지이다.

2 다음과 같이 가로로 놓여 있는 정사각형의 개수에 따라 나누어 찾아보자.

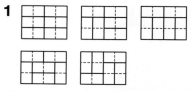

• 4개 : ➡ 1가지
• 3개 : ➡ 2가지
• 2개 : ➡ 2가지

따라서 모두 5가지이다.

3 다음과 같이 가로로 놓여 있는 정사각형의 개수에 따라 나누어 찾아보자.

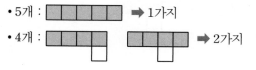

• 5개 : ➡ 1가지
• 4개 : ➡ 2가지

• 3개 :

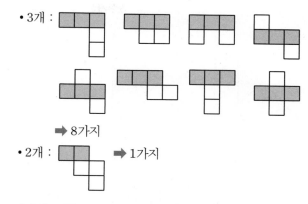

➡ 8가지

• 2개 : ➡ 1가지

따라서 모두 1+2+8+1=12(가지)이다.

4 칠교판은 정사각형이므로 한 변의 길이를 4라고 하고 넓이를 16으로 나타내자.

넓이 1인 이등변삼각형 : (⑤)

넓이 2인 이등변삼각형 : (④), (⑤, ⑤)

넓이 4인 이등변삼각형 : (①), (②, ⑤, ⑤), (③, ⑤, ⑤), (④, ⑤, ⑤)

넓이 8인 이등변삼각형 : (①, ①), (①, ②, ⑤, ⑤), (①, ③, ⑤, ⑤), (①, ④, ⑤, ⑤), (②, ③, ④, ⑤, ⑤)

넓이 9인 이등변삼각형 : (①, ②, ③, ⑤), (①, ②, ④, ⑤), (①, ③, ④, ⑤)

넓이 16인 이등변삼각형 : (①, ①, ②, ③, ④, ⑤, ⑤)

따라서 모두 16가지이다.

참고＊ 사용되는 번호가 같더라도 배열 방법이 다른 것을 구분한다면 가짓수는 많아진다. 이때, 돌리거나 뒤집어서 같은 것은 같은 방법으로 본다.

(①, ②, ⑤, ⑤) 2가지

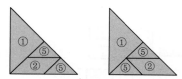

(①, ④, ⑤, ⑤) 2가지

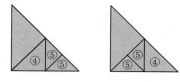

(①, ②, ④, ⑤) 2가지

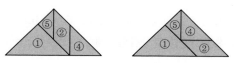

(①, ①, ②, ③, ④, ⑤, ⑤) 5가지

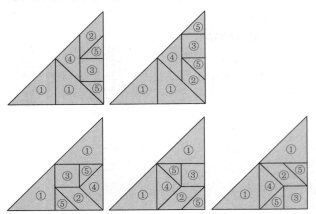

5 〈그림 3〉의 모양을 한 번 사용할 때와 두 번 사용할 때로 나누어 생각해 보자.

• 〈그림 3〉을 한 번 사용할 경우

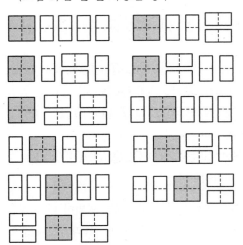

➡ 11가지

• 〈그림 3〉을 두 번 사용할 경우

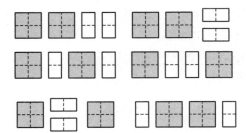

➡ 6가지

따라서 모두 11+6=17(가지) 방법이 있다.

6 한 변이 5cm인 정사각형의 넓이는 $5 \times 5 = 25(cm^2)$이므로 $3 \times 3 = 9(cm^2)$인 정사각형 1개, $2 \times 2 = 4(cm^2)$

인 정사각형 2개, $1 \times 1 = 1(cm^2)$인 정사각형 8개를 사용해야 세 가지 크기의 정사각형 11개로 덮을 수 있다. $9cm^2$짜리 정사각형과 $4cm^2$짜리 정사각형의 위치에 따라 다음과 같이 생각해 보자.

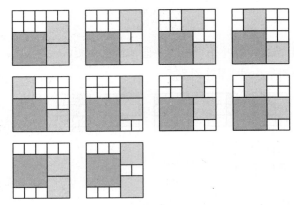

따라서 모두 10가지 방법이 있다.

7 A 모양이 세로로 놓일 때와 가로로 놓일 때를 구분하여 생각해 보자.

• A 모양이 세로로 놓일 때

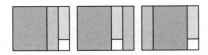

• A 모양이 가로로 놓일 때

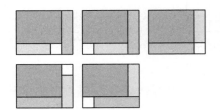

따라서 모두 8가지 방법이 있다.

8 가로에 놓인 개수에 따라 다음과 같이 생각할 수 있다.

• 가로로 4장이 놓일 때

• 가로로 3장이 놓일 때

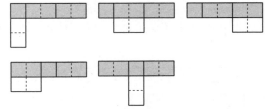

• 가로로 2장이 놓일 때

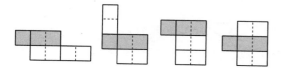

따라서 11가지 모양을 만들 수 있다.

9 가로에 3칸 색칠한 부분을 생각해 보면 아래와 같은 4가지가 있고, 각각의 경우에서 세로에 3칸 색칠한 부분을 찾아 더 이상 색칠하지 못하는 부분에 ′×′표를 해 보자.

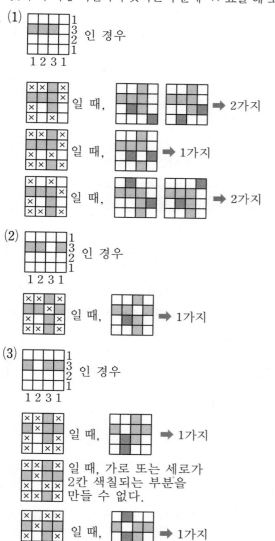

10 그림과 같이 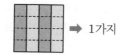 모양의 막대가 4개 쓰일 때부터 차례로 줄여가며 생각해 보자.

• 막대가 4개 쓰일 때

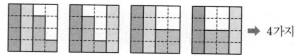

• 막대가 2개 쓰일 때

• 막대가 1개 쓰일 때

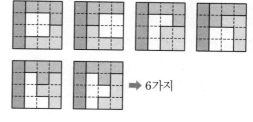

• 막대가 안 쓰일 때

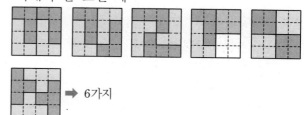

따라서 서로 다른 방법은 모두 17가지이다.

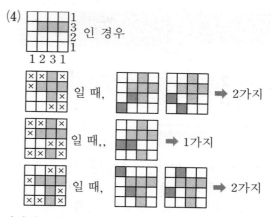

따라서 모두 13가지 방법이 있다.

유제

1 풀이 참조   **2** 풀이 참조   **3** 풀이 참조
4 78 또는 143

특강탐구문제

1 84   **2** (A, B, C, D, F)=(13, 12, 11, 1, 2, 3)
=(10, 9, 8, 4, 5, 6)=(6, 4, 3, 8, 10, 11)
3 풀이 참조   **4** 3 또는 8   **5** 8가지   **6** 풀이 참조
7 풀이 참조   **8** 풀이 참조   **9** 풀이 참조   **10** 풀이 참조

유제풀이

1 각각의 수들은 모두 2개의 원에 포함되어 있으므로
4개의 원 각각에 적힌 6개의 합은
(1+2+3+…+12)×2÷4=39이다.
한 원에서 다른 3개의 원과 교점이 2개씩 3쌍(6개)이 생
기므로 어떤 두 원의 교점인 두 수의 합은 39÷3=13이
되도록 한다.
1부터 12까지의 수 중 2개의 합이 13이 되는 경우는
1+12, 2+11, 3+10, 4+9, 5+8, 6+7이므로 아래와
같이 적당히 배치하면 된다. (여러 가지 경우가 있다.)

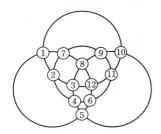

2

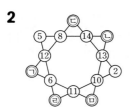

8+12+㉠=14+13+2이므로 ㉠=9이고,
9+6+11=10+13+㉡이므로 ㉡=3이다.
따라서 한 줄에 놓인 숫자의 합은 5+8+14+3=30이
다. ㉢=1, ㉣=7, ㉤=4

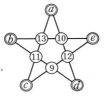

13+11+ⓒ=10+12+ⓓ이므로 2+ⓒ=ⓓ이고,
11+9+ⓓ=13+10+ⓔ이므로 ⓓ=3+ⓔ이다.
2+ⓒ=3+ⓔ, ⓒ=1+ⓔ   … ①
ⓒ+21+ⓔ=30, ⓒ+ⓔ=9   … ②
①, ②에 의해 ⓔ=4, ⓒ=5이다.
따라서 ⓓ=7, ⓐ=1, ⓑ=3이다.

3

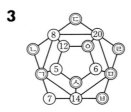

㉠+5+㉦+14+7=65, ㉠+㉦=39
8+㉢+20+◎+12=65, ㉢+◎=25
12+◎+6+㉦+5=65, ◎+㉦=42
임을 동시에 생각해 보자.
㉢+◎=25로 합이 가장 작다.
㉢=1, ◎=24인 경우부터 ㉢=24, ◎=1인 경우까지
15개 자연수가 모두 다르다는 것을 생각하여 알맞은 수
를 찾으면 ㉢=1, ◎=24, ㉦=18, ㉠=21인 경우와
㉢=21, ◎=4, ㉦=38, ㉠=1인 경우뿐이다.

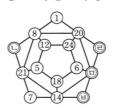   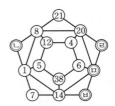

㉡=19, ㉤=2,   ㉡=39, ㉤=22, ㉣=13,
㉣=13, ㉥=25   ㉥=알맞은 수가 없다.

따라서 빈 동그라미에 알맞은 수를 써 넣으면 다음과 같
다.

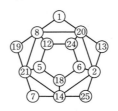

4

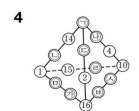

정사면체의 6개의 모서리에 있는 수의 합은

$(\text{㉠}+1+16+10)\times2+(1+2+\cdots+16)=\text{㉠}\times2+190$

이 되고, 이 수는 6으로 나누어떨어져야 한다.

따라서 1부터 16까지 수 중에서 이미 쓰인 수를 제외하고 ㉠에 들어갈 수 있는 수는 7과 13뿐이다.

㉠=13이면 한 모서리의 수의 합은

$(13\times2+190)\div6=36$인데 이 때, ㉣=10이므로 불가능하다.

㉠=7이면 한 모서리의 수의 합은 $(7\times2+190)\div6=34$

이므로 ㉡=12, ㉢=9, ㉣=8, ㉺=13이다.

남은 수는 3, 5, 6, 11뿐이고, ㉤과 ㉮에 6과 11이, ㉯과 ㉳에 3과 5가 순서에 상관없이 들어갈 수 있다.

따라서 ㉮는 6 또는 11이므로 ㉮, ㉯의 곱은 $6\times13=78$ 또는 $11\times13=143$이다.

특강탐구문제풀이

1 4개의 삼각형 위에 있는 수를 모두 더하면 4부터 15까지의 수가 각각 두 번씩 더해지므로 한 삼각형 위에 있는 수들의 합은 $(4+15)\times12\div2\times2\div4=57$이다.

또, 각 변에 있는 두 수의 합이 모두 같으므로 각 변에 있는 두 수의 합은 $57\div3=19$가 되면 된다.

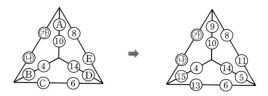

A=9, B=15, C=13, D=5, E=11

따라서 ㉮, ㉯에는 7, 12가 들어가야 하므로 ㉮, ㉯의 곱은 $7\times12=84$이다.

참고* 6개의 변 위에 있는 수의 합이 모두 같지 않아도 4개의 삼각형의 세 변 위에 있는 여섯 수의 합은 같을 수 있다. 각 변의 수의 합이 27 또는 15가 된다.

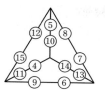

2 다음 그림과 같이 빈 칸에 A～F까지 써 넣고 각 원 위에 있는 네 개의 수를 더해 보자.

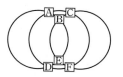

$A+B+E+D=28$ ······ ①

$B+C+E+F=28$ ······ ②

$A+C+D+F=28$ ······ ③

①과 ②의 차에서 $A+D=C+F$,

②와 ③의 차에서 $B+E=A+D$이므로

$A+D=B+E=C+F=28\div2=14$이다.

따라서 A～F에 알맞은 수를 정하는 방법은 다음과 같다.

A	D	B	E	C	F
13	1	12	2	11	3
10	4	9	5	8	6
6	8	3	11	4	10
⋮	⋮	⋮	⋮	⋮	⋮

(다른 경우도 많다.)

3 한 방향의 5줄의 합을 모두 더하면 벌집의 각 칸은 한 번씩 더해지게 되므로 한 줄에 놓인 수를 더하면

$(1+2+3+\cdots+19)\div5=(1+19)\times19\div2\div5=38$이다.

㉠=13, ㉡=12, ㉢=3,

㉣=19, ㉤=4, ㉥=7

남은 수는 1, 5, 8, 9, 11, 14이다.

$3+7+ⓐ+ⓑ+15=38$이므로

$ⓐ+ⓑ=13$이다.

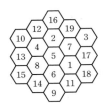

$10+4+ⓐ+ⓒ+18=38$이므로

$ⓐ+ⓒ=6$이다.

$ⓐ=5$, $ⓑ=8$, $ⓒ=1$. $ⓓ=9$,

$ⓔ=14$, $ⓕ=11$

4 가운데 있는 오각형 2개를 제외하면 6개의 오각형에는 각 수가 두 번씩 쓰인다.

$(1+2+3+\cdots+15)\times2\div6=40$이므로 각 오각형의 수의 합은 40이다.

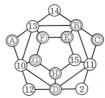

$13+10+ⓓ+11+ⓑ=40$이므로 $ⓓ+ⓑ=6$

$ⓓ+2+11+15+ⓗ=40$이므로 $ⓓ+ⓗ=12$

$ⓓ+ⓑ=6$, $ⓓ+ⓗ=12$

$ⓓ=1$일 때, $ⓑ=5$, $ⓗ=11$ → 불가능하다.

$ⓓ=5$일 때, $ⓑ=1$, $ⓗ=7$ → $ⓖ=6$

이 때, 남은 수는 3, 4, 8, 9뿐이다.

$ⓐ+ⓕ=11$, $ⓕ+ⓔ=12$, $ⓔ+ⓒ=13$이므로

$ⓐ=3$, $ⓕ=8$, $ⓔ=4$, $ⓒ=9$ 또는

$ⓐ=8$, $ⓕ=3$, $ⓔ=9$, $ⓒ=4$이다.

따라서 ⓐ에 알맞은 수는 3 또는 8이다.

5

㉠, ㉡, 2는 3개의 정삼각형에 각각 두 번씩 쓰인다.

3개의 정삼각형에 쓰인 수의 합이 17이므로

$17\times3-(1+2+3+\cdots+9)=51-45=6$

㉠$+$㉡$+2=6$, ㉠$=1$, ㉡$=3$ 또는 ㉠$=3$, ㉡$=1$

ⅰ) ㉠$=1$, ㉡$=3$일 때

$c=6$,

$a+b=14$, $d+e=12$를 모두 만족하려면

$a=5$, $b=9$, $d=4$, $e=8$ 또는

$a=5$, $b=9$, $d=8$, $e=4$ 또는

$a=9$, $b=5$, $d=4$, $e=8$ 또는

$a=9$, $b=5$, $d=8$, $e=4$로 4가지이다.

ⅱ) ㉠$=3$, ㉡$=1$일 때

$c=6$,

$a+b=12$, $d+e=14$를 모두 만족하려면

$a=4$, $b=8$, $d=5$, $e=9$ 또는

$a=4$, $b=8$, $d=9$, $e=5$ 또는

$a=8$, $b=4$, $d=5$, $e=9$ 또는

$a=8$, $b=4$, $d=9$, $e=45$로 4가지이다.

따라서 알맞은 수를 정하는 방법은 8가지이다.

6

16	㉠	㉡	13
	10	11	
9	㉢	㉣	
㉤	15	14	㉥

㉠$+$㉡$=5$, ㉠$+$㉢$=9$, ㉡$+$㉣$=9$, ㉢$+$㉤$=10$,

㉤$+$㉥$=5$

• ㉠$=1$일 때

㉡$=4$, ㉢$=8$, ㉣$=5$, ㉤$=2$, ㉥$=3$에서 ㉣$+$㉥$=8$이므로 남은 칸 3개에 6, 7, 12를 알맞게 넣으면 다음과 같다.

16	1	4	13
7	10	11	6
9	8	5	12
2	15	14	3

• ㉠=2일 때

㉡=3, ㉢=7, ㉣=6, ㉤=3, ㉥=2이므로 불가능하다.

• ㉠=3일 때

㉡=2, ㉢=6, ㉣=7, ㉤=4, ㉥=1에서 ㉣+㉥=8이
므로 남은 칸 3개에 5, 8, 12를 알맞게 넣으면 다음과 같
다.

16	3	2	13
5	10	11	8
9	6	7	12
4	15	14	1

• ㉠=4일 때

㉡=1, ㉢=5, ㉣=8, ㉤=5이므로 불가능하다.

7 〈그림 2〉에서 빈 칸에 ㉠~㉤의 기호를 넣고, 합이 모
두 같도록 ㉠을 사용하여 정리해 보자.

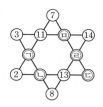

7+11+㉠+2=20+㉠이므로 각 줄의 네 수의 합을
20+㉠으로 맞추어 본다.

3+㉠+㉡+8=20+㉠에서 ㉡=9

2+㉡+13+㉢=20+㉠에서 2+9+13+㉢=20+㉠
이므로 ㉢=㉠-4,

14+㉣+13+8=20+㉠에서 ㉣=㉠-15,

3+11+㉤+14=20+㉠에서 ㉤=㉠-8이다.

7+㉤+㉣+㉢=20+㉠에 지금까지 구한 값들을 바꿔
넣어 보면

7+(㉠-8)+(㉠-15)+(㉠-4)=20+㉠,

㉠×3-20=20+㉠, ㉠=20이다.

따라서 한 줄에 있는 네 수의 합은 20+㉠=20+20=40
이고, 그림은 다음과 같다.

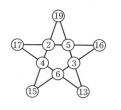

8 ⅰ) 세 수의 합이 24가 되는 경우

이미 써 있는 수를 이용하여 세 수의 합이 24가 되도록
만들어 보면 다음 그림과 같다.

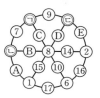

세 수씩 12줄을 모두 더하면 중앙에 있는 8은 6번 더해지
고 ㉠, ㉡, ㉢, 1, 6, 2는 3번, 나머지는 한 번씩만 더해진
다.

즉, 24×12=(1+2+3+…+19)+8×5+(1+2+6)
×2+(㉠+㉡+㉢)×2이고,

288=190+40+18+(㉠+㉡+㉢)×2,

㉠+㉡+㉢=(288-248)÷2=20이다.

㉠+㉡+7=24이므로 ㉠+㉡=24-7=17,

따라서 ㉢=20-17=3이다.

㉢+E+2=24에서 E=24-2-3=19,

㉢+D+8=24에서 D=24-8-3=13,

㉠+9+㉢=24에서 ㉠=24-9-3=12이므로

㉡=17-12=5,

㉠+C+8=24에서 C=24-8-12=4,

㉡+A+1=24에서 A=24-1-5=18,

㉡+B+8=24에서 B=24-8-5=11이다.

ⅱ) 세 수의 합이 26이 되는 경우

세 수의 합이 24가 되는 경우와 같은 방법으로 생각한다.

26×12=(1+2+3+…+19)+8×5+(1+2+6)×2
+(㉠+㉡+㉢)×2,

312=190+40+18+(㉠+㉡+㉢)×2,

㉠+㉡+㉢=(312-248)÷2=32이다.

㉠+㉡+7=26이므로 ㉠+㉡=26-7=19이고

㉢=32-19=13이다.

㉢+E+2=26에서 E=26-2-13=11,

㉢+D+8=26에서 D=26-8-13=5,

㉠+9+㉢=26에서 ㉠=26-9-13=4

©=19-4=15,

㉠+C+8=26에서 C=26-8-4=14,

©+A+1=26에서 A=26-1-15=10,

©+B+8=26에서 B=26-8-15=3이다.

두 경우에 대한 그림은 다음과 같다.

• 세 수의 합 24가 되는 경우

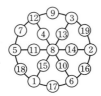

• 세 수의 합 26이 되는 경우

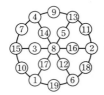

9

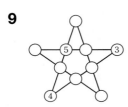

각 수는 모두 두 개의 직선에 포함되어 있다. 5개의 직선에 놓인 수를 모두 더하면

1+2+3+4+5+6+7+3+4+5=40, 40×2=80이 된다. 각 줄에 놓인 네 수의 합은 80÷5=16이다.

1, 2, 3, 4, 5, 6, 7, 3, 4, 5 중 네 수를 더하여 16이 되는 조를 찾아보자.

(1, 2, 6, 7) … ①

(1, 3, 5, 7) … ②

(1, 4, 4, 7) … ③

(1, 4, 5, 6) … ④

(2, 3, 4, 7) … ⑤

(2, 3, 5, 6) … ⑥

(2, 4, 4, 6) … ⑦

(2, 4, 5, 5) … ⑧

(3, 3, 4, 6) … ⑨

(3, 3, 5, 5) … ⑩

(3, 4, 4, 5) … ⑪

1, 2, 6, 7은 두 번, 3, 4, 5는 네 번 들어가도록 다섯 개의 조를 골라야 하므로 1과 7이 모두 들어 있는 ①, ②, ③ 중 하나와 ④가 들어가야 한다.

ⅰ) ①, ④가 들어가는 경우

7이 한 번뿐이므로 ⑤가 들어가야 하는데 ①, ⑤에 모두 2와 7이 들어 있어 불가능하다.

ⅱ) ②, ④가 들어가는 경우

7이 한 번 뿐이므로 ⑤가 들어가야 한다. 2를 포함하는 조는 ⑥, ⑦, ⑧이 더 있으므로 ②, ④, ⑤, ⑥과 ②, ④, ⑤, ⑦은 횟수에 맞게 나머지 한 조를 고르는 것이 불가능하고, ②, ④, ⑤, ⑧, ⑨는 가능하다.

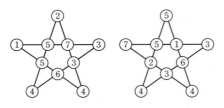

ⅲ) ③, ④가 들어가는 경우

7이 한 번뿐이므로 ⑤가 들어가야 한다. 2를 포함하는 조는 ⑥, ⑦, ⑧이 더 있으므로 ③, ④, ⑤, ⑦과 ③, ④, ⑤, ⑧은 이미 4가 다섯 번 들어가므로 불가능하다.

③, ④, ⑤, ⑥, ⑩의 경우 2, 4, 7이 한 직선 위에 있는데 1, 4, 4, 7이 또 한 직선 위에 있어야 하므로 불가능하다.

10 정육면체의 겉으로 드러난 부분을 다음 그림과 같이 바꾸어 생각해 보자.

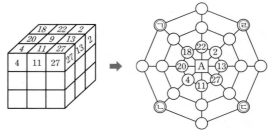

그림에서 A는 정육면체 중 겉으로 드러나지 않은 중심에 써 있는 수를 의미하고, 중심을 지나는 큰 정육면체의 긴 대각선 위에 있는 세 수의 합이 42가 되어야 하므로 27+A+㉠, 18+A+㉢, 4+A+㉣, 2+A+㉡은 모두 42이다.

큰 정육면체의 가장 아래층 정가운데에 놓이는 수를 B라 하면 9+A+B=42이므로 A+B=33이고, 이미 쓰여진 수를 제외한 두 수의 합이 33인 경우는 (26, 7), (25, 8), (23, 10), (21, 12), (19, 14), (17, 16)이다. 그 중 27+A+㉠=42에서 A에 들어갈 수 있는 수는 7, 8, 10, 12, 14이고 다시 이 중에서 2+A+㉡=42를 만족시킬 수 있는 A는 ㉡이 26 이하이므로 14뿐이다.

따라서 A=14일 때의 그림을 생각해 보자.

A=14일 때, B=33−14=19이고,

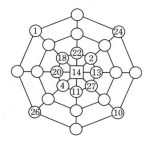

27+A+㉠=42에서 ㉠=42−27−14=1,

18+A+㉢=42에서 ㉢=42−18−14=10,

4+A+㉣=42에서 ㉣=42−4−14=24,

2+A+㉡=42에서 ㉡=42−2−14=26이다.

또, 큰 정육면체의 모서리와 평행한 세 수의 합은 모두 42이므로

㉠과 ㉣ 사이에는 42−1−24=17,

17과 22 사이에는 42−17−22=3,

㉠과 ㉡ 사이에는 42−1−26=15,

15와 20 사이에는 42−15−20=7,

㉡과 ㉢ 사이에는 42−26−10=6,

6과 11사이에는 42−6−11=25,

㉢과 ㉣ 사이에는 42−10−24=8,

8과 13 사이에는 42−8−13=21,

1과 18 사이에는 42−1−18=23,

26과 4 사이에는 42−26−4=12,

27과 10 사이에는 42−27−10=5,

2와 24 사이에는 42−2−24=16이다.

완성된 그림을 층별로 나누어 그려 보면 다음과 같다.

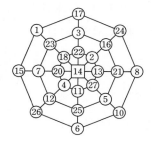 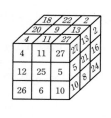

18	22	2
20	9	13
4	11	27

3층

23	3	16
7	14	21
12	25	5

2층

1	17	24
15	19	8
26	6	10

1층

식을 이용한 넓이 구하기

유제

1 9.9cm^2 **2** ㉮, 17.515cm^2 **3** $13\frac{1}{3}\text{cm}^2$

4 40cm^2

특강탐구문제

1 $\frac{1}{6}$배   **2** $69\frac{7}{9}\text{cm}^2$ **3** 28.26cm^2

4 99cm^2 **5** 17.75cm^2 **6** $14.2\text{cm}, 15.8\text{cm}$

7 4.665cm^2 **8** 0.71 **9** 362cm^2 **10** 54

유제풀이

1 색칠한 부분을 A, 정사각형의 한 변의 길이를 $a \times 2$ 라 하자.

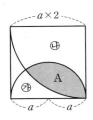

㉮+A인 반원의 넓이는

$a \times a \times 3.14 \times \dfrac{1}{2} = \dfrac{3.14}{2} \times a \times a$가 된다.

㉯+A인 $\dfrac{1}{4}$원의 넓이는

$a \times 2 \times a \times 2 \times 3.14 \times \dfrac{1}{4} = 3.14 \times a \times a$가 된다.

㉯+A가 ㉮+A의 2배이므로

$2 \times (㉮+A) = ㉯+A$이다.

㉮$=5.8\text{cm}^2$, ㉯$=21.5\text{cm}^2$이므로

$2 \times (5.8+A) = 21.5+A$, $11.6+2 \times A = 21.5+A$

양변에서 각각 A를 빼 주고 11.6을 빼 주면 $A=9.9\text{cm}^2$ 이다.

2 직각이등변삼각형의 넓이는 부채꼴 두 개의 넓이를 더한 후 겹쳐진 ㉯를 빼고 ㉮를 더한 것이다.

이것을 식으로 쓰면

(직각이등변삼각형의 넓이)

$=$(부채꼴의 넓이)$\times 2+㉮-㉯$이다.

(직각이등변삼각형의 넓이)$=15 \times 15 \times \dfrac{1}{2}=112.5(\text{cm}^2)$

이고 (부채꼴의 넓이)$\times 2=11 \times 11 \times 3.14 \times \dfrac{45}{360} \times 2$

$=94.985(\text{cm}^2)$이므로 $112.5=94.985+㉮-㉯$이고 양변에서 94.985를 빼면 $17.515=㉮-㉯$이다.

따라서 ㉮가 ㉯보다 17.515cm^2만큼 더 넓다.

3

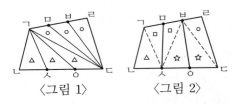

〈그림 1〉   〈그림 2〉

〈그림 1〉과 같이 선분 ㄱㄷ으로 사각형을 두 부분으로 나누면 삼각형 ㄱㄴㅅ과 삼각형 ㅂㄹㄷ이 각각 삼각형 ㄱ ㄴㄷ과 삼각형 ㄱㄹㄷ의 $\dfrac{1}{3}$이 되어

(삼각형 ㄱㄴㅅ의 넓이)$+$(삼각형 ㅂㄹㄷ의 넓이)

$=$(사각형 ㄱㄴㄷㄹ의 넓이)$\times \dfrac{1}{3}$임을 알 수 있다.

따라서 〈그림 2〉의 사각형 ㄱㅂㄷㅅ은 사각형 ㄱㄴㄷㄹ의 $\dfrac{2}{3}$이므로 $40 \times \dfrac{2}{3}=\dfrac{80}{3}(\text{cm}^2)$이다.

또 (삼각형 ㄱㅁㅅ의 넓이)$=$(삼각형 ㅁㅂㅅ의 넓이), (삼각형 ㅂㅅㅇ의 넓이)$=$(삼각형 ㅂㅇㄷ의 넓이)이므로 사각형 ㅁㅂㅇㅅ의 넓이는 사각형 ㄱㅂㄷㅅ의 넓이의 $\dfrac{1}{2}$ 이다.

따라서 구하는 넓이는 $\dfrac{80}{3} \times \dfrac{1}{2}=\dfrac{40}{3}=13\dfrac{1}{3}(\text{cm}^2)$이다.

4

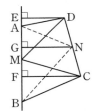

그림과 같이 선분 AB와 그 연장선에 세 점 D, C, N에서 각각 수선을 긋고 그 수선의 발을 E, F, G라 하자.

(삼각형 ADM의 넓이)$+$(삼각형 BCM의 넓이)

$=$(선분 AM)$\times$(선분 ED)$\times \dfrac{1}{2}$

      $+$(선분 BM)$\times$(선분 FC)$\times \dfrac{1}{2}$

$=$(선분 AM)$\times \dfrac{1}{2} \times \{$(선분 ED)$+$(선분 FC)$\}$

그런데 (선분 ED)+(선분 FC)=(선분 GN)×2이므로
(삼각형 ADM의 넓이)+(삼각형 BCM의 넓이)

$$=(선분 AM)×\frac{1}{2}×(선분 GN)×2$$

$$=2×(선분 AM)×\frac{1}{2}×(선분 GN)$$

$$=(선분 AB)×\frac{1}{2}×(선분 GN)$$

$$=(삼각형 ABN의 넓이)$$

따라서 삼각형 ABN의 넓이는 14+26=40(cm²)이다.

특강탐구문제풀이

1

〈그림 1〉　　　〈그림 2〉　　　〈그림 3〉

먼저 〈그림 1〉과 같이 세 부분에 번호를 붙이자.
색칠한 삼각형의 넓이의 차는 ①+③의 삼각형과 ②+③
의 삼각형의 넓이의 차로 생각할 수 있다.
평행사변형 전체의 넓이를 1이라고 하면 〈그림 2〉에서
①+③은 $1×\frac{1}{2}=\frac{1}{2}$이다.

또, 〈그림 3〉에서 ②+③은 $1×\frac{2}{3}×\frac{1}{2}=\frac{1}{3}$이다.

따라서 두 삼각형의 넓이의 차는 평행사변형의 넓이의
$\frac{1}{2}-\frac{1}{3}=\frac{1}{6}$(배)이다.

2
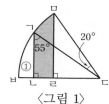　　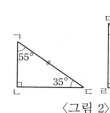

〈그림 1〉　　　　　　　〈그림 2〉

색칠한 부분의 넓이는 〈그림 1〉의 부채꼴 ㅁㅂㄷ의 넓이에
서 삼각형 ㄷㄹㅁ의 넓이와 ① 부분의 넓이를 뺀 것이다.
이 때 (각 ㄱㄷㄹ)=90°−55°=35°이고, (각 ㄹㄷ
ㅁ)=35°+20°=55°이다. 또 선분 ㄱㄷ과 선분 ㄷㅁ은
부채꼴의 반지름으로 서로 길이가 같다.
이것을 표시해 보면 〈그림 2〉와 같이 삼각형 ㄱㄴㄷ과 삼
각형 ㄷㄹㅁ이 서로 합동임을 알 수 있다.

따라서 빼야 할 부분의 넓이는 ①+(삼각형 ㄱㄴㄷ)이고
이것은 부채꼴 ㄱㅂㄷ의 넓이와 같다.
(부채꼴 ㅁㅂㄷ)−(부채꼴 ㄱㅂㄷ)=(부채꼴 ㅁㄱㄷ)이
므로 색칠한 부분의 넓이는

$$20×20×3.14×\frac{20}{360}=1256×\frac{1}{18}=69\frac{7}{9}(cm²)이다.$$

3 주어진 도형에서 원의 넓이는 부채꼴의 넓이에서 ㉠,
㉡, ㉣을 더하고 ㉢을 뺀 것과 같다. 즉 (원의 넓이)=(부
채꼴의 넓이)+㉠+㉡+㉣−㉢이다.
㉠+㉡−㉢+㉣=(원의 넓이)−(부채꼴의 넓이)이므로
구하는 넓이는

$$5×5×3.14−8×8×3.14×\frac{1}{4}=78.5−50.24$$
$$=28.26(cm²)이다.$$

4
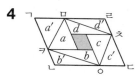

문제에서 변 ㄱㄴ, 변 ㅁㅂ, 변 ㅅㅇ, 변 ㄹㄷ이 모두 평
행이고 변 ㄱㄹ, 변 ㅈㅊ, 변 ㅋㅌ, 변 ㄴㄷ이 모두 평행
이므로 $a+a'$, $b+b'$, $c+c'$, $d+d'$의 네 개의 사각형
은 각각 모두 평행사변형이다. 따라서 대각선으로 나뉘
어진 a와 a', b와 b', c와 c', d와 d'는 모두 서로 합동
이다.
$a'+b'+c'+d'=a+b+c+d=$(사각형 ㅁㅋㅇㅊ의
넓이)−㉮$=53\frac{1}{4}-7\frac{1}{2}=45\frac{3}{4}(cm²)이다.$

평행사변형 ㄱㄴㄷㄹ의 넓이는
(사각형 ㅁㅋㅇㅊ의 넓이)+$a'+b'+c'+d'$
$$=53\frac{1}{4}+45\frac{3}{4}=99(cm²)이다.$$

5 점 O와 점 A에서 각각 바닥에 수선을 그은 후 수선의
발을 C, B라 하자.

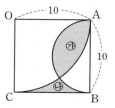

이 때 만들어지는 사각형 ABCO는 한 변의 길이가 10cm인 정사각형이므로 넓이는 $10 \times 10 = 100(\text{cm}^2)$이다.

또, 이것은 변 OC를 반지름으로 하는 $\frac{1}{4}$원과 변 AB를 지름으로 하는 반원의 넓이의 합에서 ㉮ 부분을 빼고 ㉯ 부분을 더한 것과 같다. 즉

$10 \times 10 \times 3.14 \times \frac{1}{4} + 5 \times 5 \times 3.14 \times \frac{1}{2} - ㉮ + ㉯ = 100$

이다.

$78.5 + 39.25 - ㉮ + ㉯ = 100$, $117.75 - ㉮ + ㉯ = 100$

인데 이것은 ㉮가 ㉯보다 $117.75 - 100 = 17.75(\text{cm}^2)$ 만큼 넓다는 것이다.

따라서 ㉮와 ㉯ 부분의 넓이의 차는

㉮ − ㉯ = $17.75(\text{cm}^2)$이다.

6

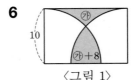 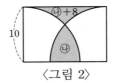

〈그림 1〉　　　〈그림 2〉

㉮ 부분과 ㉯ 부분의 넓이의 차가 8cm²인 경우는 〈그림 1〉과 같이 ㉯가 ㉮보다 8cm² 더 넓은 경우와 〈그림 2〉와 같이 ㉮가 ㉯보다 8cm² 더 넓은 두 가지 경우이다.
〈그림 1〉의 경우 직사각형의 넓이는 반지름이 10cm인 두 $\frac{1}{4}$원의 넓이의 합에서 ㉮+8을 빼고 ㉮를 더한 값이다.

즉 $10 \times 10 \times 3 \times \frac{1}{4} \times 2 - (㉮+8) + ㉮$

$= 150 - ㉮ - 8 + ㉮ = 142(\text{cm}^2)$이다.

따라서 가로의 길이는 $142 \div 10 = 14.2(\text{cm})$이다.
〈그림 2〉도 같은 방법으로 직사각형의 넓이를 구하면

$10 \times 10 \times 3 \times \frac{1}{4} \times 2 - ㉯ + ㉯ + 8 = 150 + 8 = 158(\text{cm}^2)$

이다. 따라서 가로의 길이는 $158 \div 10 = 15.8(\text{cm})$이다.

7 ㉯ 부분을 선분 ㄴㄹ을 중심으로 선대칭 이동시키면 다음 그림과 같이 된다.

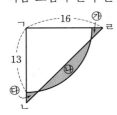

이 때 반지름이 13cm인 $\frac{1}{4}$원의 넓이는 직각 이등변삼각형 ㄱㄴㄹ의 넓이에서 ㉯를 더하고 ㉮와 ㉰를 뺀 값과 같다.

즉, $16 \times 16 \times \frac{1}{2} + ㉯ - ㉮ - ㉰$

$= 13 \times 13 \times 3.14 \times \frac{1}{4}$이다.

$128 + ㉯ - ㉮ - ㉰ = 132.665$이므로

$㉯ - ㉮ - ㉰ = 132.665 - 128 = 4.665(\text{cm}^2)$이다.

8

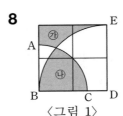

〈그림 1〉

한 변의 길이가 1인 정사각형 4개가 모였으므로 주어진 정사각형 전체의 넓이는 4이다.
한편 이것은 〈그림 1〉의 $\frac{1}{4}$원 BAC와 $\frac{1}{4}$원 DBE의 넓이의 합에서 ㉮를 더하고 ㉯를 뺀 것과 같다.

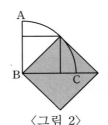

〈그림 2〉

먼저 $\frac{1}{4}$원 BAC에서 반지름은 〈그림 2〉와 같이 단위정사각형의 대각선의 길이와 같으므로 (반지름) × (반지름)은 단위정사각형 넓이의 2배, 즉, 2이다.
따라서 $\frac{1}{4}$원 BAC의 넓이는

$2 \times 3.14 \times \frac{1}{4} = 1.57$이다.

또 부채꼴 DBE의 넓이는 $2 \times 2 \times 3.14 \times \frac{1}{4} = 3.14$이다.

$1.57 + 3.14 + ㉮ - ㉯ = 4$, $4.71 + ㉮ - ㉯ = 4$이므로 ㉯의 넓이가 ㉮의 넓이보다 $4.71 - 4 = 0.71$만큼 넓다.
따라서 ㉮와 ㉯ 부분의 넓이의 차는 0.71이다.

9

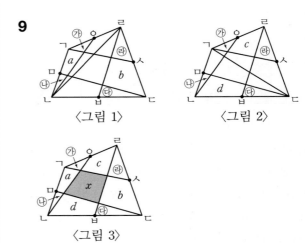

〈그림 1〉　　　〈그림 2〉

〈그림 3〉

〈그림 1〉에서 점 ㅇ과 점 ㅂ은 각각 변 ㄱㄹ과 변 ㄴㄷ의 중점이므로 삼각형 ㄱㄴㅇ과 삼각형 ㅇㄴㄹ, 삼각형 ㄴ

ㄹㅂ과 삼각형 ㅂㄹㄷ은 각각 서로 넓이가 같다.

따라서 (㉮+a+㉯)+(㉰+b+㉱)는 사각형 전체 넓이의 $\frac{1}{2}$이다.

〈그림 2〉도 같은 방법으로 (㉮+c+㉱)+(㉯+d+㉰)는 사각형 전체 넓이의 $\frac{1}{2}$이다.

(㉮+a+㉯)+(㉰+b+㉱)+(㉮+c+㉱)+(㉯+d+㉰)=2×(㉮+㉯+㉰+㉱)+(a+b+c+d)는 사각형 전체의 넓이와 같다.

한편 〈그림 3〉에서 ㉮+㉯+㉰+㉱=x임을 알 수 있다.

따라서 색칠한 부분의 넓이는

62+58+95+147=362(cm²)이다.

10 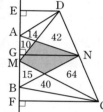 선분 AB의 연장선을 긋고 꼭짓점 D, C, N에서 각각 그 연장선에 내린 수선의 발을 각각 E, F, G라고 하자.

(삼각형 ADM의 넓이)+(삼각형 BCM의 넓이)

=(선분 AM)×(선분 ED)×$\frac{1}{2}$+(선분 BM)

　×(선분 FC)×$\frac{1}{2}$

=(선분 AM)×$\frac{1}{2}$×{(선분 ED)+(선분 FC)}

그런데 (선분 ED)+(선분 FC)=(선분 GN)×2이므로

(삼각형 ADM의 넓이)+(삼각형 BCM의 넓이)

=(선분 AM)×$\frac{1}{2}$×(선분 GN)×2

=2×(선분 AM)×(선분 GN)×$\frac{1}{2}$

=(선분 AB)×(선분 GN)×$\frac{1}{2}$

=(삼각형 ABN의 넓이)

따라서 (색칠한 부분의 넓이)

=(삼각형 ABN의 넓이)-(10+15)

=(삼각형 ADM의 넓이)+(삼각형 BCM의 넓이)

　-(10+15)

=(14+10)+(40+15)-(10+15)

=54

오르고 내려가는 속력 문제

30

유제

1 24km **2** 5km, 2km, 3km **3** 9km, 5km

4 $\frac{5}{7}$배

특강탐구문제

1 1080m, 510m **2** 15km **3** $11\frac{5}{8}$km

4 1.4km, 0.4km **5** 3km **6** 4시간 12분

7 3km/시, 5.2km/시 **8** 4.8km/시

9 5km, 4km, 5km **10** $2\frac{21}{32}$km

유제풀이

1

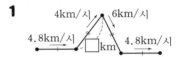

경사진 길의 거리를 $x$km라 하면 올라갈 때와 내려올 때의 평균 속력은 $\frac{(거리)}{(시간)}$이므로

$$\frac{2 \times x}{\frac{x}{4} + \frac{x}{6}} = (2 \times x) \div \left(\frac{5 \times x}{12}\right) = (2 \times x) \times \left(\frac{12}{5 \times x}\right)$$

$$= \frac{24}{5} = 4.8(km/시)이다.$$

즉 공원을 떠나 돌아올 때까지의 평균 속력은 4.8km/시이며 걸린 시간은 5시간이다.

따라서 태영이가 걸은 거리는 모두 $4.8 \times 5 = 24$(km)이다.

2   ㉠으로 올라가 ㉡으로 내려올 때가 ㉡으로 올라가 ㉠으로 내려올 때보다 15분 더 걸리므로 ㉠이 ㉡보다 길다.

1km 올라가는 데는 $\frac{1}{3}$시간=20분 걸리고,

1km 내려가는 데는 $\frac{1}{4}$시간=15분 걸리므로 1km를 올라가는 것과 내려가는 것의 시간의 차는 5분이다. 즉, ㉠이 ㉡보다 $15 \div 5 = 3$(km) 더 길다.

또 ㉡으로 올라가 ㉢으로 내려오는 데 걸리는 시간은 ㉢으로 올라가 ㉡으로 내려오는 데 걸리는 시간보다 5분 적

게 걸리므로 ㉢이 ㉡보다 길고, 5분 차이가 나므로 ㉢이 ㉡보다 1km 더 길다.

㉠+㉡+㉢=10에서 (㉡+3)+㉡+(㉡+1)=10

$3 \times ㉡ + 4 = 10$, $3 \times ㉡ = 6$, $㉡ = 2$

따라서 ㉠은 5km, ㉡은 2km, ㉢은 3km이다.

3

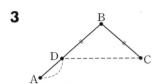

쉬는 시간을 제외한 두 사람이 걸은 시간은 각각

동훈 : 3시간 45분－10분×3=3시간 15분

주성 : 3시간 15분－12분=3시간 3분이다.

동훈이가 주성이보다 시간이 더 걸렸으므로 A에서 B까지의 거리가 B에서 C까지의 거리보다 길다.

즉, 두 사람이 이동하는 데 걸린 시간의 차 12분은 A, B 사이의 거리와 B, C 사이의 거리의 차를 시속 4km로 올라가는 것과 시속 5km로 내려오는 것의 시간 차이다.

1km를 올라갈 때 $\frac{1}{4}$시간 걸리고, 1km를 내려갈 때

$\frac{1}{5}$시간 걸리므로 1km를 올라갈 때와 내려갈 때는

$\frac{1}{4} - \frac{1}{5} = \frac{1}{20}$(시간)=3(분)의 시간 차가 생긴다.

모두 12분 차이가 나므로 거리의 차는 $12 \div 3 = 4$(km)이다.

이 4km가 없다고 생각하면 걸린 시간은 2시간 15분이고 올라갈 때와 내려올 때 같은 거리를 간 것이 된다.

올라갈 때와 내려올 때의 속력의 비가 4 : 5, 걸리는 시간의 비는 5 : 4이므로

(2시간 15분)$\times \frac{4}{9} = 135$분$\times \frac{4}{9} = 60$분=1시간

따라서 B에서 C까지의 거리는 5km/시×1시간=5km, A에서 B까지의 거리는 5＋4=9(km)이다.

4

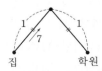

평평한 길의 길이를 2, 오르막길의 길이를 1, 내리막길의 길이를 1이라 하자.

또한 평지를 걸을 때는 오르막길을 걸을 때의 $\frac{9}{7}$배의 속력으로 가므로 평지를 걸을 때의 속력을 9, 오르막길을

걸을 때의 속력을 7이라 하자.

두 가지 길 중 어느 길로 가도 걸리는 시간이 같으므로

내리막길을 가는 데 걸리는 시간은 $\dfrac{2}{9}-\dfrac{1}{7}=\dfrac{5}{63}$이다.

따라서 내리막길을 걸을 때의 속력이 $1\div\dfrac{5}{63}=\dfrac{63}{5}$이므로

평지를 걸을 때의 속력은 내리막 길을 걸을 때 속력의

$9\div\dfrac{63}{5}=9\times\dfrac{5}{63}=\dfrac{5}{7}$(배)이다.

특강탐구문제풀이

1 평지에서 걷는 속력은 3.6km/시=60m/분, 오르막
길에서 걷는 속력은 평지보다 15% 감소하므로 60×0.85
$=51$(m/분), 내리막길에서 걷는 속력은 평지보다 20%
증가하므로 $60\times1.2=72$(m/분)이다.

평지를 45분 동안 걸었으므로 $60\times45=2700$(m)를 걸
었고 나머지 $4290-2700=1590$(m)가 오르막길과 내
리막길이며 1시간 10분−45분=25분만에 가야 한다.
25분 동안 내리막길로만 간다고 우기면 72m/분×25
$=1800$m를 가게 되는데 실제로 간 거리는 1590m이므
로 210m의 차이가 난다. 내리막길과 오르막길에서 1분
동안 갈 수 있는 거리의 차는 $72-51=21$(m)이므로
210m의 차이를 줄이기 위해서는 $210\div21=10$(분)을
오르막길로 걷고 나머지 15분을 내리막길로 걸으면 된다.
따라서 내리막길은 $15\times72=1080$(m), 오르막은 10×51
$=510$m이다.

2

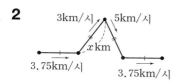

경사진 오르막길의 거리를 $x$km라 하면 올라갈 때와 내려
올 때의 평균 속력은 $\dfrac{(거리)}{(시간)}$이므로

$$\dfrac{2\times x}{\dfrac{x}{3}+\dfrac{x}{5}}=(2\times x)\div\dfrac{8\times x}{15}=2\times x\times\dfrac{15}{8\times x}=\dfrac{15}{4}$$

$$=3.75(\text{km/시})이다.$$

즉, 언덕 위에 올라갔다가 돌아올 때까지의 평균 속력은
3.75km/시이며 걸린 시간은 4시간이다.

따라서 걸은 거리는 모두 3.75km/시×4=15km이다.

3 평지에서 선재의 속력을 1이라 하면, 평지에서 선주의
속력은 $\dfrac{3}{2}$, 오르막길에서 선재의 속력은 $\dfrac{3}{4}$, 오르막 길
에서 선주의 속력은 $\dfrac{3}{2}\times\dfrac{3}{4}=\dfrac{9}{8}$이다.

각각의 속력들의 연비를 가장 간단한 자연수로 나타내면

선재(평지) : 선재(오르막) : 선주(평지) : 선주(오르막)

$=1:\dfrac{3}{4}:\dfrac{3}{2}:\dfrac{9}{8}=8:6:12:9$이다.

선주는 ㉮ → ㉯ → ㉰의 길로, 선재는 ㉮ → ㉯ → ㉰의
길로 산 정상에 오르는 데 같은 시간이 걸렸으므로

$\dfrac{5}{8}+\dfrac{6}{6}=\dfrac{13}{8}$, $\dfrac{13}{8}-\dfrac{4}{12}=\dfrac{31}{24}$, $\dfrac{31}{24}\times9=11\dfrac{5}{8}$

따라서 ㉯ 지점과 ㉰ 지점 사이의 거리는 $11\dfrac{5}{8}$km이다.

4

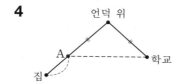

집에서 학교까지는 34분, 학교에서 집까지는 29분 걸리
므로 집에서 언덕 위까지의 거리가 언덕 위에서 학교까
지의 거리보다 길다.

즉, 집에서 학교로 갈 때와 학교에서 집으로 올 때 걸리
는 시간의 차이 5분은 그림에서 집부터 A 지점까지 올라
갈 때와 내려갈 때의 차이다.

언덕을 올라갈 때의 속력은 3km/시, 내려갈 때의 속력
은 4km/시이므로 1km 올라갈 때는 20분, 1km 내려갈
때는 15분 걸린다. 차이가 5분이므로 집에서 A 지점까
지의 거리는 1km이다.

집에서 학교로 갈 때는 집부터 A 지점까지 걸리는 $\dfrac{1}{3}$시간
$=20$분을 제외하고, $34-20=14$(분)만에 A 지점부터
학교까지 갈 수 있다. A 지점부터 학교까지는 오르막길
과 내리막길의 길이가 서로 같고, 속력의 비가 3 : 4이므
로 걸리는 시간의 비는 4 : 3이다.

그러므로 A 지점부터 언덕 위까지 오르는 데 걸리는 시간은

14분$\times\dfrac{4}{7}=8$분이고, 그 거리는 3km/시$\times\dfrac{8}{60}$시간$=0.4$km
이다.

따라서 집에서 언덕 위까지의 거리 $1+0.4=1.4$(km),
언덕 위에서 학교까지의 거리는 0.4km이다.

5

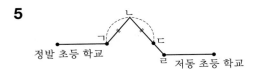

정발 초등 학교   ㄹ 저동 초등 학교

ㄴ에서 ㄹ까지의 거리가 ㄱ에서 ㄴ까지의 거리보다 길다.

1km를 올라갈 때 $\dfrac{1km}{2km/시}=\dfrac{1}{2}$시간=30분,

1km를 내려갈 때 $\dfrac{1km}{3km/시}=\dfrac{1}{3}$시간=20분이 걸리므로

1km를 올라갈 때와 내려갈 때 30−20=10(분)의 차이가 생긴다.

정발 초등 학교에서 저동 초등 학교로 갈 때와 그 반대 방향으로 갈 때 걸리는 시간의 차이가 10분이므로 ㄷ부터 ㄹ까지의 거리는 10÷10=1(km)이다.

ㄷ~ㄹ이 1km가 없다고 생각하면 정발 초등 학교에서 저동 초등 학교까지 가는 데 걸리는 시간은

2시간 20분−$\dfrac{1km}{3km/시}$=2시간이고, 전체 거리는 6km이다.

ㄱ에서 ㄴ을 지나 ㄷ까지 가는 데 평균 속력은

$\dfrac{(거리)}{(시간)}=\dfrac{2}{\dfrac{1}{2}+\dfrac{1}{3}}=\dfrac{12}{5}$(km/시)이다.

만약 2시간 동안 모두 $\dfrac{12}{5}$km/시의 속력으로 간다면 거리는 $2\times\dfrac{12}{5}=\dfrac{24}{5}$(km)이고, 실제 거리 6km와는 $\dfrac{6}{5}$km의 차이가 생기는데 이것은 4km/시의 속력으로 가는 때도 있기 때문이다.

따라서 평지를 지나는 데 걸리는 시간은

$\dfrac{6}{5}\div(4-\dfrac{12}{5})=\dfrac{6}{5}\times\dfrac{5}{8}=\dfrac{3}{4}$(시간)이고, 그 거리는

$\dfrac{3}{4}\times4=3$(km)이다.

6

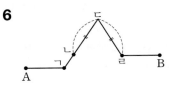

A에서 B로 가는 데 시간이 더 걸리므로 ㄱ에서 ㄷ까지의 거리가 ㄷ에서 ㄹ까지의 거리보다 멀다.

1km를 올라갈 때 $\dfrac{1km}{4km/시}=\dfrac{1}{4}$시간=15분,

1km를 내려갈 때 $\dfrac{1km}{6km/시}=\dfrac{1}{6}$시간=10분이 걸리므로

1km를 올라갈 때와 내려갈 때 15−10=5(분)의 차이가 생긴다. A에서 B로 갈 때와 B에서 A로 갈 때 걸리는 시간의 차가 10분이므로 ㄱ에서 ㄴ까지의 거리는 10÷5=2(km)이다. 이 2km를 제외하면 ㄴ에서 ㄷ까지와 ㄷ에서 ㄹ까지의 거리가 같으므로 전체 거리 20km 중에서 평지는 6km, 내리막길은 (20−6−2)÷2=6(km), 오르막길은 6+2=8(km)이다.

따라서 A에서 B로 갈 때 걸린 시간은

$\dfrac{6}{5}+\dfrac{6}{6}+\dfrac{8}{4}=4\dfrac{1}{5}$(시간), 즉 4시간 12분이다.

7 오르막길을 올라갈 때 속력의 비는 6 : 5이므로 걸리는 시간의 비는 5 : 6, 내리막 길을 내려갈 때 속력의 비는 12 : 13이므로 걸리는 시간의 비는 13 : 12이다. 두 비의 기준량이 다르므로 차를 이용하여 생각해 보자.

	올라갈 때 걸리는 시간의 비	내려갈 때 걸리는 시간의 비	걸리는 시간
지난 주	● 5개	▲ 13개	4시간 10분
이번 주	● 6개	▲ 12개	4시간 24분

⇓ (지난 주)×6배
⇓ (이번 주)×5배

	올라갈 때 걸리는 시간의 비	내려갈 때 걸리는 시간의 비	걸리는 시간
지난 주	● 30개	▲ 78개	25시간
이번 주	● 30개	▲ 60개	22시간

▲ 18개가 3시간 차이이므로 ▲ 1개는

3×60÷18=10(분)이다.

즉, 이번 주 내려갈 때 걸린 시간은 10분×12=2시간이고,

올라갈 때 걸린 시간은 4시간 24분−2시간=$\dfrac{12}{5}$시간이다.

따라서 이번 주 올라갈 때의 속력은

$7.2\div\dfrac{12}{5}=\dfrac{72}{10}\times\dfrac{5}{12}=3$(km/시), 내려갈 때의 속력은

10.4÷2=5.2(km/시)이다.

8 갑과 을이 산을 올라가는 속력의 비는 4 : 3이고 올라가는 거리는 각각 10.8km, 7.2km이므로 올라가는 데 걸리는 시간의 비는 $\dfrac{10.8}{4}:\dfrac{7.2}{3}=\dfrac{32.4}{12}:\dfrac{28.8}{12}=9:8$이다.

또 갑과 을이 산을 내려가는 속력의 비는 8 : 5이고, 내려가는 거리는 각각 7.2km, 10.8km이므로, 내려가는 데

걸리는 시간의 비는

$$\frac{7.2}{8} : \frac{10.8}{5} = \frac{36}{40} : \frac{86.4}{40} = 5 : 12$$이다.

두 비의 기준량이 다르므로 차를 이용하여 생각해 보자.

	올라가는 데 걸리는 시간의 비	내려가는 데 걸리는 시간의 비	걸린 시간
갑	● 9개	▲ 5개	4시간 52분 30초
을	● 8개	▲ 12개	6시간 36분

$$\Downarrow \begin{array}{l}갑 \times 8배 \\ 을 \times 9배\end{array}$$

	올라가는 데 걸리는 시간의 비	내려가는 데 걸리는 시간의 비	걸린시간
갑	● 72개	▲ 40개	39시간
을	● 72개	▲ 108개	$\frac{297}{5}$시간

▲ 68개가 $\frac{297}{5} - 39 = \frac{102}{5}$(시간) 차이가 나므로

▲ 1개는 $\frac{102}{5} \times \frac{1}{68} = \frac{3}{10}$(시간)이다.

따라서 갑이 내려갈 때의 속력은

$$7.2 \div \left(\frac{3}{10} \times 5\right) = 7.2 \times \frac{2}{3} = 4.8(\text{km/시})$$이다.

9 올라갈 때와 내려올 때의 속력의 비가 4 : 6이므로 같은 거리를 올라갈 때와 내려올 때 걸리는 시간의 비는 6 : 4 = 3 : 2이다. 즉, C 등산로로 올라갈 때와 내려올 때 걸리는 시간은 각각 2시간 5분 $\times \frac{3}{5} = \frac{5}{4}$시간,

2시간 5분 $\times \frac{2}{5} = \frac{5}{6}$시간이고, C 등산로의 거리는

$\frac{5}{6}$시간 $\times$ 6km/시 = 5km이다.

1km의 거리를 올라갈 때와 내려갈 때의 시간 차이는 $\frac{1}{4} - \frac{1}{6} = \frac{1}{12}$(시간) = 5(분)이다.

A 등산로로 올라갔다 B 등산로로 내려올 때가 B로 올라갔다 A 등산로로 내려올 때 걸리는 시간보다 5분 길므로 A 등산로의 거리가 B 등산로보다 1km 길다.

똑같이 A 등산로로 올랐다가 B 등산로로 내려올 때와 C 등산로로 내려올 때의 시간 차이가 10분이므로 B 등산로가 C 등산로보다 6km/시 $\times$ 10분 = 6km/시 $\times \frac{1}{6}$시간 = 1km 짧다. 따라서 A 등산로는 C 등산로와 길이가 같은 5km이고, B 등산로는 5 - 1 = 4(km)이다.

10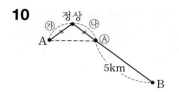

A에서 B까지 가는 데 걸린 시간은

2시간 24분 - 20분 = 2시간 4분, B에서 A까지 가는 데 걸린 시간은 2시간 59분 - 15분 = 2시간 44분이다.

1km를 올라갈 때와 내려올 때 걸리는 시간의 차는

$\frac{1}{3} - \frac{1}{5} = \frac{2}{15}$(시간)이므로 정상부터 B까지의 거리가 정상부터 A까지의 거리보다

(2시간 44분 - 2시간 4분) $\div \frac{2}{15}$시간 = 5km 더 길다.

A에서 출발하여 ㉴까지 간다고 생각하면 걸리는 시간은

2시간 4분 - $\frac{5}{5}$시간 = $\frac{16}{15}$시간이고, 같은 거리를 올라갈 때와 내려올 때 걸리는 시간의 비는 5 : 3이므로 A에서 정상으로 올라갈 때 걸린 시간은

$\frac{16}{15} \times \frac{5}{8} = \frac{2}{3}$(시간), 거리는 $3 \times \frac{2}{3} = 2$(km)이다.

즉, B부터 정상까지의 거리는 2 + 5 = 7(km)이다.

5, 6학년 학생들이 각각 A와 B 지점에서 출발하여 5학년이 산 정상에 도착할 때까지 6학년 학생들은 B에서부터 $3 \times \frac{2}{3} = 2$(km)를 올라갔고, 5학년이 산 정상에서 쉬는

20분 동안 $3 \times \frac{20}{60}$시간 = 1(km)를 더 간다.

5학년이 정상에서 B를 향해 출발할 때 6학년은 B에서부터 3km 떨어진 지점에 있고, 정상과 B의 중간 지점에 6학년이 도착해서 5분 쉬는 동안의 시간은

$\left(\frac{0.5}{3} + \frac{5}{60}\right)$시간이므로 이 때, 5학년은

$5 \times \left(\frac{0.5}{3} + \frac{5}{60}\right) = 5 \times \frac{15}{60}$시간 = $\frac{5}{4}$(km)를 B 쪽으로 내려와 있다.

따라서 B와 정상 사이에서 6학년이 5분 동안 휴식을 끝냈을 때 5학년과 6학년 사이의 거리는

$\frac{7}{2} - \frac{5}{4} = \frac{9}{4}$(km)이고, 같은 시간에 가는 거리의 비가 5 : 3이므로 산 정상으로부터 두 학년이 만나는 지점까지의 거리는 $\frac{5}{4} + \left(\frac{9}{4} \times \frac{5}{8}\right) = \frac{85}{32}$(km) = $2\frac{21}{32}$(km)이다.

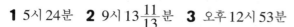
유제

1 5시 24분 **2** 9시 $13\frac{11}{13}$ 분 **3** 오후 12시 53분

4 $55\frac{5}{13}$ 분

특강탐구문제

1 9시 28분 **2** 4시 40분 **3** 6시 40분

4 2시 6분, 2시 $21\frac{3}{7}$ 분 **5** 4시 48분

6 2시간 $46\frac{2}{13}$ 분 **7** 7시 20분, 7시 $42\frac{6}{7}$ 분

8 1시간 30분 **9** 3시 $41\frac{7}{13}$ 분 **10** $36\frac{12}{13}$ 분

유제풀이

1 12분 전 시침은 $0.5° \times 12 = 6°$ 만큼 뒤에 있고, 2분 후 분침은 $6° \times 2 = 12°$ 만큼 앞에 있는데 이 두 지점이 같으므로 현재는 분침이 시침보다 $6° + 12° = 18°$ 만큼 뒤쳐져 있는 것이다.

5시 정각에 분침이 시침보다 $30° \times 5 = 150°$ 뒤쳐져 있다.

분침은 1분에 $5.5°$ 씩 $150° - 18° = 132°$ 를 따라 잡아야 하므로 $132 \div 5.5 = 24$ (분) 걸린다.

따라서 구하는 시각은 5시 24분이다.

2 구하는 시각을 9시 x 분이라고 하자.

9시 x 분에 시침과 눈금 12가 이루는 각도는

$360° - (270° + 0.5° \times x) = 90° - 0.5° \times x$ 이다.

또 분침은 9시 정각에 시계 원판의 중심과 12를 잇는 선분 위에 있다가 1분에 $6°$ 씩 멀어지므로

x 분 후에는 $6° \times x$ 가 된다.

중심과 12를 잇는 선분이 시침과 분침 사이를 이등분 하므로 $90 - 0.5 \times x = 6 \times x$ 이다.

양변에 $0.5 \times x$ 를 더해 주면 $90 = 6.5 \times x$ 이므로

$x = 90 \div 6.5 = 90 \times \frac{10}{65} = \frac{180}{13} = 13\frac{11}{13}$ (분)이다.

따라서 구하는 시각은 9시 $13\frac{11}{13}$ 분이다.

3 현승이가 집을 나선 것이 오전 7시와 8시 사이이고, 도착했을 때의 분침이 눈금 9를 중심으로 대칭이며 자연

수를 가리키고 있으므로 51, 52, 53, 54분 중 하나이다.

시침이 시계의 작은 눈금 하나를 갈 때마다 $60 \div 5 = 12$ (분)씩 걸리므로 돌아온 시각이 51분일 때는 출발한 시각은 7시 48분, 52분일 때는 7시 36분, 53분일 때는 7시 24분, 54분일 때는 7시 12분이다. 이 중에서 분의 차가 20여분이 나는 것은 53분일 때와 7시 24분일 때이다. 따라서 출발한 시각은 오전 7시 24분, 도착한 시각은 오후 12시 53분이다.

4 산책 시간이 1시간이 못 되므로 분침은 $6° \times 60 = 360°$ 를 채 돌지 못한다. 그러므로 그림과 같이 분침이 시침보다 앞서 있는 상태에서 산책을 시작했다고 할 수 있다.

산책에 걸리는 시간을 a 분이라고 하면 a 분 동안 시침은 $0.5° \times a$, 분침은 $6° \times a$ 움직인다.

그런데 시침과 분침의 위치가 바뀌므로

$0.5° \times a + 6° \times a = 360°$ 이다.

$6.5 \times a = 360$, $a = 360 \div 6.5 = 360 \times \frac{2}{13} = 55\frac{5}{13}$ (분)

따라서 산책하는 데 걸린 시간은 $55\frac{5}{13}$ 분이다.

특강탐구문제풀이

1 8분 후의 시침은 $0.5° \times 8 = 4°$ 만큼 앞서 있고 10분 전의 분침은 $6° \times 10 = 60°$ 만큼 뒤쳐져 있다.

이 두 가지가 $180°$ 를 이루므로 현재 분침이 시침보다

$4° + 180° + 60° = 244°$ 앞서 있다.

9시 정각에 분침이 시침보다 $90°$ 앞서 있으므로

$244° - 90° = 154°$ 앞서면 된다. 분침이 시침을 1분에 $5.5°$ 앞서 가므로 $154°$ 를 앞서는 데는

$154 \div 5.5 = 28$ (분) 걸린다.

따라서 구하는 시각은 9시 28분이다.

별해 조건을 만족하는 시각을 9시 x 분이라고 하자.

9시 정각에 시침은 눈금 12를 기준으로 $270°$ 이므로

9시 x 분에서 8분이 지나면 다음과 같다.

$270° + 0.5° × (x+8) = 274° + 0.5° × x$ ··· ①

또 분침은 10분 전에 $6° × (x-10) = 6° × x - 60°$ ··· ②

①과 ②는 $180°$ 차이이므로

$6 × x - 60 + 180 = 274 + 0.5 × x$

$6 × x + 120 = 274 + 0.5 × x$

$5.5 × x = 154,\ x = 154 ÷ 5.5 = 28(분)$

따라서 구하는 시각은 9시 28분이다.

2 16분 전 분침의 위치는 $6° × 16 = 96°$만큼 뒤쳐져 있다.

또, 8분 후 시침의 위치는 $0.5° × 8 = 4°$만큼 앞서 있다.

이 두 가지가 겹쳐지므로 지금 분침은 시침보다

$96° + 4° = 100°$만큼 앞서 있다. 4시 정각에 시침이 분침보다 $120°$ 앞서 있었으므로

분침은 시침을 $120° + 100° = 220°$를 따라 잡으면 된다.

$220 ÷ 5.5 = 40(분)$이므로 지금 시각은 4시 40분이다.

별해* 지금 시각을 4시 x분이라고 하자.

눈금 12를 기준으로 16분 전 분침의 위치는

$6° × (x-16) = 6° × x - 96°$이다.

또 8분 후 시침의 위치는

$120° + 0.5° × (x+8) = 124° + 0.5° × x$이다.

이 두 가지가 같으므로 $6 × x - 96 = 124 + 0.5 × x$,

양변에 각각 96을 더하고 $0.5 × x$를 빼면

$5.5 × x = 220,\ x = 220 ÷ 5.5 = 40(분)$

따라서 지금 시각은 4시 40분이다.

3 구하는 시각을 6시 x분이라고 하자.

21분 전의 분침의 위치는

$6° × (x-21) = 6° × x - 126°$ ··· ①

또, 6시 정각에 시침은 분침보다 $180°$ 앞서 있으므로 8분 후의 시침의 위치는

$180° + 0.5° × (x+8) = 184° + 0.5° × x$ ··· ②

①과 ②가 $90°$를 이루므로

$6 × x - 126 + 90 = 184 + 0.5 × x$

$6 × x - 36 = 184 + 0.5 × x$

양변에 각각 36을 더하고 $0.5 × x$를 빼면

$5.5 × x = 220,\ x = 220 ÷ 5.5 = 40(분)$

따라서 구하는 시각은 6시 40분이다.

4 구하는 시각을 2시 x분이라고 하자.

시침과 눈금 3이 이루는 각도는

$90° - (60° + 0.5° × x) = 30° - 0.5° × x$ ··· ①

한편, 분침은 눈금 3을 넘어가기 전에 이루는 각도는

$(90 - 6 × x)°$ ··· ②

넘어간 후에 이루는 각도는 $6° × x - 90°$ ··· ③

②, ③이 각각 2배인 시각을 구하면 된다.

①×2=②인 때는 $(30 - 0.5 × x) × 2 = 90 - 6 × x$,

$60 - x = 90 - 6 × x$이므로 양변에 각각 $6 × x$를 더하고 60을 빼면 $5 × x = 30,\ x = 6(분)$이므로 지금 시각은 2시 6분이다.

①×2=③인 때는 $(30 - 0.5 × x) × 2 = 6 × x - 90$,

$60 - x = 6 × x - 90$

양변에 각각 x를 더하고 90을 더하면

$150 = 7 × x,\ x = 150 ÷ 7 = 21\dfrac{3}{7}$분

따라서 지금 시각은 2시 $21\dfrac{3}{7}$분이다.

5 구하는 시각을 4시 x분이라고 하자.

시침이 눈금 12와 분침이 이루는 각을 2등분 한다는 것은 눈금 12와 분침이 이루는 각도가 눈금 12와 시침이 이루는 각도의 2배라는 뜻이다.

이 때, 눈금 12와 분침이 이루는 각도는

$6° × x$ ··· ①

또 눈금 12와 시침이 이루는 각도는

$120° + 0.5° × x$ ··· ②

②×2=①이므로 $(120 + 0.5 × x) × 2 = 6 × x$,

$240 + x = 6 × x$

양변에서 각각 x를 빼면

$240 = 5 × x,\ x = 240 ÷ 5 = 48(분)$

따라서 구하는 시각은 4시 48분이다.

6 구하는 시각을 각각 5시 x분과 7시 y분이라고 하자.

5시부터 6시 사이에 시침과 분침이 이루는 작은 쪽의 각이 눈금 9에 의해 이등분 되는 시각은 없으므로 큰 쪽의 각을 생각해 보자.

5시 x분에 분침이 눈금 9와 이루는 각은

$90° + 6° \times x$ … ①

또 시침이 눈금 9와 이루는 각은

$120° - 0.5° \times x$ … ②

문제의 뜻에 따라 ①=②이므로

$90 + 6 \times x = 120 - 0.5 \times x$

양변에 각각 $0.5 \times x$를 더하고 90을 빼면

$6.5 \times x = 30,\ x = 30 \div 6.5 = \dfrac{60}{13} = 4\dfrac{8}{13}$ (분)이다.

그러므로 구하는 시각은 5시 $4\dfrac{8}{13}$ 분이다.

또, 7시부터 8시 사이에는 작은 쪽의 각이 눈금 9에 의해 이등분된다.

7시 y분에 분침이 눈금 9와 이루는 각은

$6° \times y - 270°$ … ③

또 시침이 눈금 9와 이루는 각은

$60° - 0.5° \times y$ … ④

③=④이므로 $6 \times y - 270 = 60 - 0.5 \times y$이다.

양변에 각각 $0.5 \times y$를 더하고 270을 더하면

$6.5 \times y = 330,\ y = 330 \div 6.5 = \dfrac{660}{13} = 50\dfrac{10}{13}$ 분이다.

그러므로 구하는 시각은 7시 $50\dfrac{10}{13}$ 분이다.

따라서 구한 두 시각 사이의 시간은

7시 $50\dfrac{10}{13}$ 분 $-$ 5시 $4\dfrac{8}{13}$ 분 $=$ 2시간 $46\dfrac{2}{13}$ 분

7 7시 30분 전과 후의 두 가지 경우가 있다.

①

7시 x분이라고 하면 시침에서 눈금 6까지의 각은 $30° + 0.5° \times x$이고, 분침에서 눈금 6까지의 각은

$180° - 6° \times x$이다.

$(30 + 0.5 \times x) : (180 - 6 \times x) = 2 : 3$

$360 - 12 \times x = 90 + 1.5 \times x$

양변에 $12 \times x$를 더하면

$360 - 90 = 13.5 \times x$

$13.5 \times x = 270,\ x = 270 \div 13.5 = 20$

따라서 7시 20분이다.

②

7시 x분이라고 하면 시침에서 눈금 6까지의 각은 $30° + 0.5° \times x$이고, 분침에서 눈금 6까지의 각은 $6° \times x - 180°$이다.

$(30 + 0.5 \times x) : (6 \times x - 180) = 2 : 3$

$12 \times x - 360 = 90 + 1.5 \times x$

$10.5 \times x = 450$

$x = 450 \div 10.5 = 450 \times \dfrac{2}{21} = 42\dfrac{6}{7}$

따라서 7시 $42\dfrac{6}{7}$ 분이다.

8 8시 x분에 시침과 분침이 이루는 각이 눈금 10과 중심을 이은 선분에 의해 1 : 4로 나뉘었다면

$\{300° - (240° + 0.5° \times x)\} \times 4 = 60° + 6° \times x$가 성립한다.

$(300 - 240 - 0.5 \times x) \times 4 = 60 + 6 \times x$

$(60 - 0.5 \times x) \times 4 = 60 + 6 \times x$

$240 - 2 \times x = 60 + 6 \times x$

양변에 $2 \times x$를 더하면

$240 = 60 + 8 \times x,\ 8 \times x = 180,\ x = 22\dfrac{1}{2}$ (분)

그러므로 구하는 시각은 8시 $22\dfrac{1}{2}$ 분이다.

또, 9시 y분에도 마찬가지이므로

$\{300° - (270° + 0.5° \times x)\} \times 4 = 6° \times x - 300°$가 성립한다.

$(300 - 270 - 0.5 \times x) \times 4 = 6 \times x - 300$

$(30 - 0.5 \times x) \times 4 = 6 \times x - 300$

$120 - 2 \times x = 6 \times x - 300$

양변에 $2 \times x$를 더하면

$120 = 8 \times x - 300,\ 8 \times x = 420,\ x = 52\dfrac{1}{2}$ (분)

그러므로 구하는 시각은 9시 $52\dfrac{1}{2}$ 분이다.

따라서 9시 $52\dfrac{1}{2}$ 분 $-$ 8시 $22\dfrac{1}{2}$ 분 $=$ 1시간 30분이 지났다.

9 선주가 출발하는 시각을 오전 8시 x분이라고 하자.

또 선주가 도착하는 시각은 출발하여 7시간 몇 분 후이므로 $8+7=15$, 오후 3시 y분이라고 하자.

8시 x분의 시침의 위치는 $240°+0.5°\times x$ … ①

3시 y분의 분침의 위치는 $6°\times y$ … ②

또, 8시 x분의 분침의 위치는 $6°\times x$ … ③

3시 y분의 시침의 위치는 $90°+0.5°\times y$ … ④

①과 ②, ③과 ④가 각각 같으므로

$240+0.5\times x=6\times y$ … ⑤

$6\times x=90+0.5\times y$ … ⑥

⑤를 12배 하면 $2880+6\times x=72\times y$ … ⑦

⑦의 $6\times x$ 대신 ⑥의 $90+0.5\times y$를 바꾸어 넣으면

$71.5\times y=2970, y=2970\times\dfrac{2}{143}=41\dfrac{77}{143}$

따라서 선주가 집에 돌아온 시각은 3시 $41\dfrac{7}{13}$분이다.

10 태현이가 할머니 댁에 다녀오는 데 걸린 시간을 4시간 a분이라고 하자.

4시간이 흐른 뒤 분침은 처음의 분침의 위치에 오고 시침은 처음의 위치보다 $120°$ 앞으로 갔다.

이제 a분이 남았는데 남은 시간은 1시간이 되지 않고 시침과 분침의 위치가 바뀌어야 하므로 분침은 시침의 앞에 있어야 한다.

나머지 a분 동안 시침은 $0.5°\times a$만큼 움직여서 처음의 분침의 위치로 가고 분침은 $6°\times a$도 만큼 움직여 처음의 시침의 위치로 가므로

$0.5\times a+6\times a=360-120$,

$6.5\times a=240$,

$a=240\div 6.5=36\dfrac{12}{13}$ (분)이다.

따라서 구하는 시간은 4시간 $36\dfrac{12}{13}$ 분이다.

확률의 계산 **32**

유제

1 $\dfrac{23}{45}$ **2** $\dfrac{1}{3}$ **3** $\dfrac{7}{10}$ **4** $\dfrac{347}{576}$

특강탐구문제

1 $\dfrac{3}{10}$ **2** $\dfrac{3}{8}, \dfrac{8}{27}$ **3** $\dfrac{11}{18}$ **4** $\dfrac{45}{56}$

5 모두 같다. 풀이 참조 **6** $\dfrac{11}{30}$ **7** $\dfrac{26}{81}$

8 19375원 **9** $\dfrac{5}{6}$ **10** $\dfrac{69}{200}$

유제풀이

1 A, B, C 세 개의 통에서 각각 흰 돌을 꺼낼 수 있는 확률을 구해 보자.

A 통에는 흰 돌이 2개, 검은 돌이 3개 들어 있으므로 A 통에서 흰 돌을 꺼낼 수 있는 확률은 $\dfrac{2}{2+3} = \dfrac{2}{5}$이다.

B 통에는 흰 돌이 1개, 검은 돌이 2개 들어 있으므로 B 통에서 흰 돌을 꺼낼 수 있는 확률은 $\dfrac{1}{1+2} = \dfrac{1}{3}$이다.

C 통에는 흰 돌이 4개, 검은 돌이 1개 들어 있으므로 C 통에서 흰 돌을 꺼낼 수 있는 확률은 $\dfrac{4}{4+1} = \dfrac{4}{5}$이다.

A 또는 B 또는 C에서 꺼낼 수 있고, A, B, C 세 개의 통 중 한 개의 통을 선택할 때의 확률은 각각 $\dfrac{1}{3}$씩이다.

따라서 한 개의 통을 택하여 바둑돌 1개를 꺼낼 때, 흰 돌일 확률은

$\dfrac{1}{3} \times \dfrac{2}{5} + \dfrac{1}{3} \times \dfrac{1}{3} + \dfrac{1}{3} \times \dfrac{4}{5} = \dfrac{2}{15} + \dfrac{1}{9} + \dfrac{4}{15} = \dfrac{23}{45}$이다.

2 셋째 번 발견한 쥐가 잡히지 않은 경우는 다음이 4가지가 있고, 각 경우와의 확률은 다음과 같다. (○ : 잡히는 경우, × : 잡히지 않는 경우)

첫째 번	둘째 번	셋째 번	확률
○	○	×	$\dfrac{2}{3} \times \dfrac{2}{3} \times \dfrac{1}{3} = \dfrac{4}{27}$
○	×	×	$\dfrac{2}{3} \times \dfrac{1}{3} \times \dfrac{1}{3} = \dfrac{2}{27}$
×	○	×	$\dfrac{1}{3} \times \dfrac{2}{3} \times \dfrac{1}{3} = \dfrac{2}{27}$
×	×	×	$\dfrac{1}{3} \times \dfrac{1}{3} \times \dfrac{1}{3} = \dfrac{1}{27}$

따라서 고양이가 셋째 번으로 발견한 쥐가 잡히지 않을 확률은

$\dfrac{4}{27} + \dfrac{2}{27} + \dfrac{2}{27} + \dfrac{1}{27} = \dfrac{9}{27} = \dfrac{1}{3}$이다.

3 적어도 한 명이 합격한다는 것은 합격하는 인원 수가 1명 또는 2명 또는 3명 모두가 될 수 있다는 것이므로 모든 확률의 합 1에서 한 명도 합격하지 못할 확률을 빼서 구할 수 있다.

갑, 을, 병 세 학생이 각각 합격하지 못할 확률은 다음과 같다.

갑이 합격하지 못할 확률 : $1 - \dfrac{1}{4} = \dfrac{3}{4}$

을이 합격하지 못할 확률 : $1 - \dfrac{2}{5} = \dfrac{3}{5}$

병이 합격하지 못할 확률 : $1 - \dfrac{1}{3} = \dfrac{2}{3}$

그러므로 갑, 을, 병 세 학생 모두 합격하지 못할 확률은 $\dfrac{3}{4} \times \dfrac{3}{5} \times \dfrac{2}{3} = \dfrac{3}{10}$이다.

따라서 세 학생 중 적어도 한 명이 합격할 확률은

$1 - \dfrac{3}{10} = \dfrac{7}{10}$이다.

4 암탉은 알을 낳거나 낳지 않는 것 둘 중 하나만 할 수 있으므로 알을 낳은 다음 날 알을 낳지 않을 확률은 $1 - \dfrac{3}{4} = \dfrac{1}{4}$이고, 알을 낳지 않은 다음 날 알을 낳지 않을 확률은 $1 - \dfrac{1}{3} = \dfrac{2}{3}$이다.

어느 날 부터 3일 뒤에 암탉이 알을 낳을 경우와 확률은 다음과 같다.

어느날	1일 뒤	2일 뒤	3일 뒤	확률
○	○	○	○	$\dfrac{3}{4} \times \dfrac{3}{4} \times \dfrac{3}{4} = \dfrac{27}{64}$
○	○	×	○	$\dfrac{3}{4} \times \dfrac{1}{4} \times \dfrac{1}{3} = \dfrac{1}{16}$
○	×	○	○	$\dfrac{1}{4} \times \dfrac{1}{3} \times \dfrac{3}{4} = \dfrac{1}{16}$
○	×	×	○	$\dfrac{1}{4} \times \dfrac{2}{3} \times \dfrac{1}{3} = \dfrac{1}{18}$

따라서 알을 낳은 암탉이 3일 뒤에 또 알을 낳을 확률은

$\dfrac{27}{64} + \dfrac{1}{16} + \dfrac{1}{16} + \dfrac{1}{18} = \dfrac{347}{576}$이다.

특강탐구문제풀이

1 5개의 나무막대 중에서 3개를 고르는 모든 경우의 수는
$\dfrac{5\times4\times3}{3\times2\times1}=10$(가지)이다.

3개의 나무막대를 골라 삼각형을 만들려면 가장 긴 막대의 길이가 나머지 2개의 막대 길이의 합보다 짧아야 하므로 다음과 같은 3가지가 될 수 있다.

$(5, 4, 2), (5, 4, 3), (4, 3, 2)$

따라서 삼각형이 될 확률은 $\dfrac{3}{10}$이다.

2 • 등이 나올 확률과 배가 나올 확률이 같을 때
'개'가 나오려면 배가 2개, 등이 2개가 나와야 하고 등과 배가 나오는 순서의 가짓수는 $\dfrac{4\times3\times2\times1}{(2\times1)\times(2\times1)}=6$(가지)
이므로 확률은 $\dfrac{1}{2}\times\dfrac{1}{2}\times\dfrac{1}{2}\times\dfrac{1}{2}\times6=\dfrac{3}{8}$이다.

• 등이 나올 확률이 $\dfrac{2}{3}$일 때
배가 나올 확률은 $1-\dfrac{2}{3}=\dfrac{1}{3}$이다.
'개'가 나오려면 배가 2개, 등이 2개가 나와야 하고 등과 배가 나오는 순서의 가짓수는 6가지이므로 확률은
$\dfrac{2}{3}\times\dfrac{2}{3}\times\dfrac{1}{3}\times\dfrac{1}{3}\times6=\dfrac{8}{27}$이다.

3 두 개의 주사위를 동시에 던져 나오는 눈의 가짓수는 $6\times6=36$(가지)이다.
주사위의 눈의 수인 1, 2, 3, 4, 5, 6의 약수를 각각 구하면 다음과 같다.

1의 약수 : 1 → 1개
2의 약수 : 1, 2 → 2개
3의 약수 : 1, 3 → 2개
4의 약수 : 1, 2, 4 → 3개
5의 약수 : 1, 5 → 2개
6의 약수 : 1, 2, 3, 6 → 4개

그러므로 가가 나의 배수일 경우는
$4+2+3+2+2+1=14$(가지)가 있고, 나가 가의 배수일 경우도 마찬가지로 14가지가 있다.
여기서 두 개의 주사위에서 같은 수가 나오는 경우는 중복해서 계산한 것이므로 모두 $14\times2-6=22$(가지)의

경우가 있다.
따라서 구하고자 하는 확률은 $\dfrac{22}{36}=\dfrac{11}{18}$이다.

4 전체 확률 1에서 3명의 대표에 모두 남자만 뽑히는 경우와 모두 여자만 뽑히는 경우의 확률을 빼서 구할 수 있다.
남자만 뽑히는 경우의 확률은 $\dfrac{5}{8}\times\dfrac{4}{7}\times\dfrac{3}{6}=\dfrac{5}{28}$,
여자만 뽑히는 경우의 확률은 $\dfrac{3}{8}\times\dfrac{2}{7}\times\dfrac{1}{6}=\dfrac{1}{56}$이다.
따라서 대표 3명에 남녀가 모두 뽑힐 확률은
$1-\dfrac{5}{28}-\dfrac{1}{56}=\dfrac{45}{56}$이다.

5 i) 처음 뽑는 사람이 당첨제비를 뽑을 확률 : $\dfrac{3}{10}$
ii) 둘째 번으로 뽑는 사람이 당첨제비를 뽑을 확률
다음의 2가지 경우로 나눌 수 있다.
• 당첨제비를 첫째 번 사람이 뽑고, 둘째 번 사람이 뽑는 경우 : $\dfrac{3}{10}\times\dfrac{2}{9}=\dfrac{1}{15}$
• 당첨제비를 첫째 번 사람이 뽑지 못하고, 둘째 번 사람이 뽑는 경우 : $\dfrac{7}{10}\times\dfrac{3}{9}=\dfrac{7}{30}$
그러므로 확률은 $\dfrac{1}{15}+\dfrac{7}{30}=\dfrac{9}{30}=\dfrac{3}{10}$이다.
iii) 셋째 번으로 뽑는 사람이 당첨제비를 뽑을 확률
다음의 4가지 경우로 나눌 수 있다.
• 당첨제비를 첫째 번 사람만 뽑지 못하고, 나머지 두 사람은 뽑은 경우 : $\dfrac{7}{10}\times\dfrac{3}{9}\times\dfrac{2}{8}=\dfrac{7}{120}$
• 당첨제비를 둘째 번 사람만 뽑지 못하고, 나머지 두 사람은 뽑은 경우 : $\dfrac{3}{10}\times\dfrac{7}{9}\times\dfrac{2}{8}=\dfrac{7}{120}$
• 당첨제비를 세 사람 모두 뽑은 경우 :
$\dfrac{3}{10}\times\dfrac{2}{9}\times\dfrac{1}{8}=\dfrac{1}{120}$
• 당첨제비를 셋째 번 사람만 뽑은 경우 :
$\dfrac{7}{10}\times\dfrac{6}{9}\times\dfrac{3}{8}=\dfrac{7}{40}$
그러므로 확률은
$\dfrac{7}{120}+\dfrac{7}{120}+\dfrac{1}{120}+\dfrac{7}{40}=\dfrac{36}{120}=\dfrac{3}{10}$이다.
따라서 순서에 상관없이 당첨제비를 뽑을 확률은 $\dfrac{3}{10}$으로 모두 같다.

6 ㉮에서 ㉯로 흰 공을 옮긴 후에 ㉯에서 흰 공을 꺼내거나 또는 ㉮에서 ㉯로 검은 공을 옮긴 후에 ㉯에서 흰 공을 꺼내는 경우가 있다.

• ㉮에서 ㉯로 옮길 흰 공을 꺼내는 확률은 $\frac{1}{5}$이고, ㉯에 들어 있는 흰 공 3개, 검은 공 3개 중에서 흰 공을 꺼낼 확률은 $\frac{3}{6}=\frac{1}{2}$이므로 $\frac{1}{5}\times\frac{1}{2}=\frac{1}{10}$이다.

• ㉮에서 ㉯로 옮길 검은 공을 꺼내는 확률은 $\frac{4}{5}$이고, ㉯에 들어 있는 흰 공 2개, 검은 공 4개 중에서 흰 공을 꺼낼 확률은 $\frac{2}{6}=\frac{1}{3}$이므로 $\frac{4}{5}\times\frac{1}{3}=\frac{4}{15}$이다.

따라서 구하고자 하는 확률은 $\frac{1}{10}+\frac{4}{15}=\frac{11}{30}$이다.

7 을이 4회 이내에 이기는 경우는 다음과 같은 두 가지뿐이다. (○는 3의 배수의 눈, ×는 3의 배수가 아닌 눈)

1회(갑)	2회(을)	3회(갑)	4회(을)
×	○		
×	×	×	○

1부터 6까지의 주사위 눈 중에서 3의 배수는 3, 6뿐이므로 주사위를 던져 3의 배수의 눈이 나올 확률은 $\frac{2}{6}=\frac{1}{3}$이고, 3의 배수가 아닌 수가 나올 확률은 $1-\frac{1}{3}=\frac{2}{3}$이다.

따라서 4회 이내에 을이 이길 확률은
$\frac{2}{3}\times\frac{1}{3}+\frac{2}{3}\times\frac{2}{3}\times\frac{2}{3}\times\frac{1}{3}=\frac{26}{81}$이다.

8 A팀과 B팀의 이길 확률의 비가 3 : 1이므로 A팀이 이길 확률은 $\frac{3}{4}$, B팀이 이길 확률은 $\frac{1}{4}$이다.

셋째 번 경기부터 일어날 수 있는 경기 결과와 그 확률은 다음 표와 같다.

경기	4째 번	5째 번	확률
이긴 팀	A		$\frac{3}{4}$
	B	A	$\frac{1}{4}\times\frac{3}{4}=\frac{3}{16}$
	B	B	$\frac{1}{4}\times\frac{1}{4}=\frac{1}{16}$

즉 A가 이길 확률은 $\frac{3}{4}+\frac{3}{16}=\frac{15}{16}$이고,

질 확률은 $1-\frac{15}{16}=\frac{1}{16}$,

B가 이길 확률은 $1-\frac{1}{16}=\frac{1}{16}$이고,

질 확률은 $1-\frac{1}{16}=\frac{15}{16}$이다.

또 이긴 팀의 상금은 $30000\times\frac{2}{3}=20000$(원),

진 팀의 상금은 $30000-20000=10000$(원)이다.

따라서 A팀은 $20000\times\frac{15}{16}+10000\times\frac{1}{16}=19375$(원)을 받게 된다.

9 전체 경우의 수에서 가장 큰 수와 가장 작은 수의 차가 1이거나 0인 경우를 빼면 조건에 맞는 경우의 수를 구할 수 있다.

세 주사위에서 나타나는 모든 경우의 수는
$6\times6\times6=216$(가지)이다.

세 주사위에서 나타나는 수가 1과 2뿐일 때는
$(1, 1, 2)$일 때 3가지,
$(2, 2, 1)$일 때 3가지
이므로 6가지이고,

나타나는 수가 $(2, 3)$, $(3, 4)$, $(4, 5)$, $(5, 6)$인 경우가 더 있으므로 모두 $6\times5=30$(가지)이다.

또, 세 주사위에서 나타나는 수가 모두 같은 경우는 6가지이다.

따라서 조건에 맞는 확률은 $\frac{216-36}{216}=\frac{5}{6}$이다.

10 1반에게 이길 확률 : $\frac{2}{5}$

1반에게 질 확률 : $1-\frac{2}{5}=\frac{3}{5}$

2반에게 이길 확률 : $\frac{7}{10}$

2반에게 질 확률 : $1-\frac{7}{10}=\frac{3}{10}$

3반에게 이길 확률 : $\frac{1}{4}$

3반에게 질 확률 : $1-\frac{1}{4}=\frac{3}{4}$

우리 반이 2번 이기는 경우는 다음 3가지이다.

1, 2반에게 이기고 3반에게 지는 경우 :

$$\frac{2}{5} \times \frac{7}{10} \times \frac{3}{4} = \frac{21}{100}$$

1, 3반에게 이기고 2반에게 지는 경우 :

$$\frac{2}{5} \times \frac{1}{4} \times \frac{3}{10} = \frac{3}{100}$$

2, 3반에게 이기고 1반에게 지는 경우 :

$$\frac{7}{10} \times \frac{1}{4} \times \frac{3}{5} = \frac{21}{200}$$

따라서 우리 반이 2번 이길 확률은

$$\frac{21}{100} + \frac{3}{100} + \frac{21}{200} = \frac{69}{200}$$ 이다.

입체도형 관찰 ②

33

유제

1 18개 **2** 12개, 24개

3 24조각 **4** 30개, 60개

특강탐구문제

1 정팔면체, 정육면체 **2** 30° **3** 12개 **4** 정사각형, 정사각형이 아닌 마름모, 오각형, 정육각형, 정육각형이 아닌 육각형 **5** 6개, 2개, 2개, 1개 **6** 5개 **7** 20개 **8** 12개 **9** 18개, 27개, 11개 **10** 60개, 120개

유제풀이

1 정이십면체는 20개의 정삼각형으로 이루어졌고, 한 꼭짓점에 5개의 면이 모이는 입체도형이다.

삼각형 20개의 꼭짓점의 개수는 모두 $3 \times 20 = 60$(개)인데 한 점에 5개가 모이므로, 정이십면체의 꼭짓점의 수는 모두 $60 \div 5 = 12$(개)이다.

또, 삼각형 20개의 변은 $3 \times 20 = 60$(개)인데, 두 변이 만나 한 모서리가 되므로, 정이십면체의 모서리의 수는 모두 $60 \div 2 = 30$(개)이다.

꼭짓점은 모서리 하나씩과 짝을 지을 수 있으므로 이 때, 지나간 모서리의 수는 꼭짓점의 수와 같은 12개이고, 전체 모서리는 30개이므로 지나가지 않은 모서리는 $30 - 12 = 18$(개)이다.

2 다음 그림과 같이 정육면체의 보이는 면을 점선으로 그린 뒤 잘려나간 후의 도형을 실선으로 그려 보자.

처음의 꼭짓점은 모두 없어지고, 꼭짓점마다 새로 3개의 꼭짓점이 생기는 것을 알 수 있다. 즉 $8 \times 3 = 24$(개)의

꼭짓점이 새로 생겨났다. 하지만 새로 생긴 꼭짓점은 모두 한 점에서 2개씩 만나므로 꼭짓점의 수는 $24 \div 2 = 12$(개)이다.

한편 처음의 모서리는 모두 없어지고 처음 정육면체의 꼭짓점마다 삼각형이 생겨났으므로 모서리의 수는 $8 \times 3 = 24$(개)이다.

별해* 완성된 입체도형은 8개의 정삼각형과 6개의 정사각형으로 이루어진 도형이다. 정삼각형과 정사각형의 변의 수의 총합은 $3 \times 8 + 4 \times 6 = 48$(개)이고, 두 변이 한 모서리를 이루므로 입체도형의 모서리는 $48 \div 2 = 24$(개)이다. 또 꼭짓점의 수의 총합은 $3 \times 8 + 4 \times 6 = 48$(개)인데 입체도형의 모든 꼭짓점에 4개의 꼭짓점이 모이므로 입체도형의 꼭짓점의 수는 $48 \div 4 = 12$(개)이다.

참고* 〈그림〉과 같은 입체도형은 준정다면체의 일종으로 육팔면체라고 부른다.

3

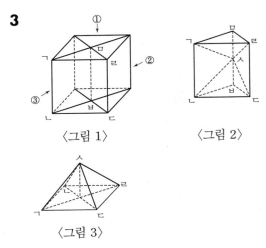

〈그림 1〉 〈그림 2〉

〈그림 3〉

주어진 정육면체에서 ①의 방향으로 자르고 나면 〈그림 2〉와 같은 삼각기둥 4개로 나뉜다. 한편 주어진 삼각기둥을 ②의 방향에서 자른 다음, 선분 ㄱㅅ, 선분 ㄹㅅ, 선분 ㄴㅅ, 선분 ㄷㅅ을 따라 삼각뿔 ㅅ-ㄴㅁㄹ과 삼각뿔 ㅅ-ㄴㄷㅂ, 사각뿔 ㅅ-ㄱㄴㄷㄹ의 세 개로 나뉜다.

다시 〈그림 1〉의 ③의 방향에서 자른다면 삼각뿔 ㅅ-ㄴㅁㄹ, 삼각뿔 ㅅ-ㄴㄷㅂ은 잘리지 않고 사각뿔 ㅅ-ㄱㄴㄷㄹ만 〈그림 3〉과 같이 4조각으로 잘린다.

즉 ①, ②, ③의 세 방향으로 모두 자르고 나면 〈그림 2〉의 삼각기둥은 6조각으로 나뉘고, 나머지 삼각기둥도 같으므로 정육면체는 모두 $6 \times 4 = 24$(조각)으로 나뉜다.

4 정삼각형 20개는 20×3＝60(개)의 꼭짓점과 변을 갖는다. 또 정오각형 12개는 5×12＝60(개)의 꼭짓점과 변을 갖는다. 이 때 입체도형을 완성하면 입체도형의 한 꼭짓점에 꼭짓점 4개씩이 모이므로 전체 60＋60＝120 (개)의 꼭짓점을 4로 나누면, 입체도형의 꼭짓점의 개수는 120÷4＝30(개)임을 알 수 있다.

같은 방법으로 평면도형의 변 2개가 모여 입체도형의 한 모서리가 되므로 (60＋60)÷2＝60(개)의 모서리가 생긴다.

참고＊ 주어진 입체는 준정다면체의 일종으로 십이이십면체이다. 정이십면체 또는 정십이면체의 변의 중점을 연결하여 만들 수 있다.

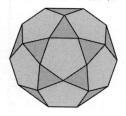

특강탐구문제풀이

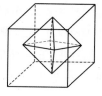

〈그림 1〉　　　　　　〈그림 2〉

각 면의 중심을 이은 선분이므로 꼭짓점의 개수가 정육면체의 면의 개수와 같은 6개이다. 꼭짓점이 6개인 정다면체는 정팔면체 뿐이므로 〈그림 1〉과 같이 정팔면체이다. 또, 같은 방법으로 꼭짓점이 8개인 정다면체는 정육면체 뿐이므로 둘째 번 도형은 〈그림 2〉와 같이 정육면체임을 알 수 있다.

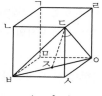

〈그림 1〉　　　　　　〈그림 2〉

먼저 정육면체에서 선분 ㄷㅂ, 선분 ㅂㅇ, 선분 ㅇㄷ을 지나는 평면으로 잘라낸 삼각형을 생각해 보자. 세 선분은 모두 합동인 정사각형의 대각선이므로 길이가 같다. 따라서 잘라낸 삼각형 ㄷㅂㅇ은 〈그림 2〉와 같이 정삼각형이다. 삼각형 ㅇㄷㅈ은 정삼각형의 반쪽이므로 각 ㅇㄷㅈ은 30°이다.

3

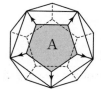

정십이면체에서 5개의 꼭짓점을 지나도록 자를 수 있는 경우는 그림과 같은 경우 뿐이다. 그림에서 알 수 있듯이 A라는 한 개의 면에서 한 개의 단면을 생각할 수 있으므로 모두 12개의 단면을 찾을 수 있음을 알 수 있다.

4

그림과 같이 정사각형, 정사각형이 아닌 마름모, 오각형, 정육각형, 정육각형이 아닌 육각형을 그릴 수 있다.

5

〈그림 1〉　　　　　　〈그림 2〉

〈그림 3〉　　　　　　〈그림 4〉

단면의 변의 개수는 입체에서 단면이 지나는 면의 개수와 같다. 먼저 〈그림 1〉에서 3개의 삼각형을 찾을 수 있다. 〈그림 2〉에서 1개의 사각형, 〈그림 3〉에서 1개의 오각형, 〈그림 4〉에서 1개의 육각형을 찾을 수 있다.
〈그림 4〉에서 그 다음은 〈그림 1〉에서 〈그림 3〉의 반복임을 알 수 있다.
따라서 삼각형은 $3\times2=6$(개), 사각형은 $1\times2=2$(개), 오각형은 $1\times2=2$(개), 육각형은 1(개)임을 알 수 있다.

6

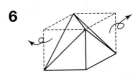

〈그림 1〉　　　　〈그림 2〉

〈그림 1〉과 같이 삼각뿔 2개를 잘라내고 남은 부분에서 〈그림 2〉와 같이 한 조각을 잘라낸 후 뒤로 돌려도 같은 방향으로 또 한 조각을 잘라내면 모두 4개의 삼각뿔이 잘려 나가고 가운데 삼각뿔이 남는다. 최소 5개의 삼각뿔이 생긴다.

7

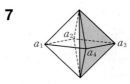

〈그림 1〉　　　　〈그림 2〉

대각선 3개 또는 2개를 사용하여 만들 수 있는 삼각형은 없다.
대각선 1개를 사용하여 만들 수 있는 삼각형은 〈그림 1〉과 같다. 〈그림 1〉의 대각선에서 꼭짓점 $a_1\sim a_4$까지 4개를 그릴 수 있고, 정팔면체의 대각선은 모두 3개이므로 $4\times3=12$(개)의 삼각형을 만들 수 있다.
또 대각선을 사용하지 않는 경우는 〈그림 2〉와 같은 경우이므로 모두 8개의 삼각형을 만들 수 있다.
따라서 만들 수 있는 삼각형은 $12+8=20$(개)이다.

8

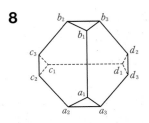

입체도형의 내부에 대각선을 그으려면 입체도형의 두 꼭짓점이 한 평면 위에 있으면 안된다.

그림에서 a_1에서 대각선을 그어 보면 a_1, a_3, d_3, d_2, b_3, b_1이 한 평면, a_1, a_2, c_2, c_3, b_2, b_1이 한 평면 위에 있으므로 c_1, d_1의 두 점에 그을 때만 도형의 내부에 대각선을 그을 수 있다.
이 입체도형의 꼭짓점은 $3\times4=12$(개)이고 모두 a_1과 같이 2개씩 도형의 내부에 꼭짓점을 그을 수 있으므로 $12\times2=24$(개)의 내부의 대각선을 그을 수 있다. a_1에서 c_1으로 그은 것과 c_1에서 a_1으로 그은 경우처럼 각각 중복되어 2번씩 세었으므로 도형 내부의 대각선의 총수는 $24\div2=12$(개)이다.

9

처음의 입체도형인 삼각기둥에서 꼭짓점은 6개, 모서리 9개, 면은 5개이다. 6개의 각 꼭짓점에서 삼각뿔을 잘라내면 처음의 6개의 꼭짓점은 모두 없어지고, 각 꼭짓점에서 3개의 새로운 꼭짓점이 생겨난다.
즉, 꼭짓점의 수는 $3\times6=18$(개)이다.
한편, 삼각기둥의 모서리 9개는 없어지지 않고, 6개의 꼭짓점에서 3개씩 $3\times6=18$(개)의 모서리가 새로 생겨나므로 모서리의 수는 $9+18=27$(개)이다. 또 삼각기둥의 5개의 면도 없어지지 않고, 6개의 면이 생겨나므로 면의 수는 $5+6=11$(개)이다.

10 먼저 주어진 평면도형들을 이용하여 입체를 만들기 전의 꼭짓점과 변의 개수를 알아보자.
정오각형은 $12\times5=60$(개)의 꼭짓점과 모서리, 정사각형은 $30\times4=120$(개)의 꼭짓점과 모서리, 정삼각형은 $3\times20=60$(개)의 꼭짓점과 모서리가 있다.
즉, 평면도형일 때 꼭짓점과 모서리는 각각 $60+120+60=240$(개)씩이다.
한편 입체를 관찰하면 입체도형의 한 꼭짓점에 평면도형의 4개의 꼭짓점이 모이므로 입체도형의 꼭짓점의 수는 $240\div4=60$(개)이다.
또 평면도형의 변 2개가 만나 입체도형의 한 모서리가 되므로 $240\div2=120$(개)의 모서리가 있음을 알 수 있다.

참고* 주어진 입체도형은 준정다면체의 일종인 부풀린 십이이십면체이다. 정십이면체 또는 정이십면체의 모서리 사이에 정사각형들을 채워 넣고, 정삼각형 또는 정오각형으로 빈틈을 메꾸어 만들 수 있다.

⟨정다면체가 5개뿐인 이유⟩

- 한 꼭짓점에 다각형이 2개 모일 때 : 입체도형이 만들어질 수 없다.
- 한 꼭짓점에 다각형이 3개 모일 때 : 육각형이 3개 모이면 $120° \times 3 = 360°$가 되어 불가능하다. 육각형 이상은 모두 불가능하다. 삼각형, 사각형, 오각형이 각각 한 꼭짓점에 3개씩 모일 때 입체도형이 만들어진다.
- 한 꼭짓점에 다각형이 4개 모일 때 : 사각형이 4개 모이면 $90° \times 4 = 360°$가 되어 불가능하다. 사각형 이상은 모두 불가능하다. 삼각형이 한 꼭짓점에 4개씩 모일 때 입체도형이 만들어진다.
- 한 꼭짓점에 다각형이 5개 모일 때 : 사각형이 5개 모이면 $90° \times 5 = 450°$가 되어 불가능하다. 사각형 이상은 모두 불가능하다. 삼각형이 한 꼭짓점에 5개씩 모일 때 입체도형이 만들어진다.
- 한 꼭짓점에 다각형이 6개 모일 때 : $60° \times 6 = 360°$가 되어 삼각형이 6개가 모이면 삼각형으로도 입체도형을 만들 수 없다.

염색 문제

34

유제

1 옮겨 앉을 수 없다. **2** 가능하다. 풀이 참조
3 없다. **4** 가능하다. 풀이 참조

특강탐구문제

1 불가능하다. **2** 덮을 수 없다. **3** 없다. 풀이 참조
4 3개 **5** 완전히 덮을 수 없다. **6** 덮을 수 없다.(이유
는 풀이 참조) **7** 만들 수 없다. **8** 풀이 참조
9 풀이 참조 **10** 풀이 참조

유제풀이

1 책상의 위치를 다음 그림과 같이 직사각형으로 그려
보고 각 칸에 흰색과 검은색이 엇갈리게 칠해 보자.

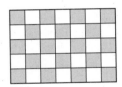

옮겨 앉는 자리의 짝은 흰색 한 칸과 검은색 한 칸이므로
개수가 똑같아야 모두 자리를 옮겨 앉을 수 있다. 하지만
그림과 같이 검은색이 18칸, 흰색이 17칸이므로 불가능
하다.
따라서 35명의 학생이 모두 옮겨 앉을 수 없다.

2 다음 그림과 같이 장기판의 각 점을 흰색과 검은색이
엇갈리게 칠해 놓으면 흰색이 45개, 검은색이 45개로 서
로 같다.

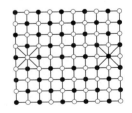

즉, 흰색과 검은색은 짝이 맞는데, 마(馬)는 자신의 위치
와 색이 다른 쪽으로만 움직이므로 각 점을 모두 지나 처
음의 출발점으로 돌아올 수 있다.

3 그림과 같이 한 변의 길이가 160cm인 정사각형 모양

에서 왼쪽 맨 위와 오른쪽 맨 아래 한 변의 길이가 20cm
인 정사각형을 뺀 모양을 그려 보자.

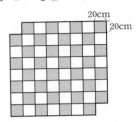

이 도형을 한 변의 길이가 20cm인 정사각형으로 쪼갠
후 각 칸에 흰색과 검은색이 엇갈리도록 칠하면 흰색은
30개, 검은색은 32개이다.
바닥에 놓여질 타일은 가로, 세로가 각각 20cm, 40cm인
□□ 모양으로 전체 바닥에 꼭맞게 붙일 수 있으려면 흰색
과 검은색의 개수가 같아야 한다. 따라서 검은색 부분 2
곳은 타일을 자르지 않고서는 붙일 수 없다.

4

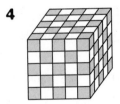

그림과 같이 125개의 작은 정육면체에 흰색과 검은색이
엇갈리도록 칠하면 검은색은 63개, 흰색은 62개로 검은
색이 한 개 더 많다. 이 때, 딱정벌레는 중심에 있는 작은
정육면체로부터 출발하고, 그 정육면체는 검은색이다.
검은 색에서 출발한 딱정벌레가 검은색 → 흰색 → 검은
색 → 흰색 → … 의 순서로 엇갈려가며 움직인다면 '검
은색 → 흰색'의 쌍을 62쌍 움직이고, 하나 남은 작은 정
육면체는 검은색이므로 가장 마지막에 '흰색 → 검은색'
으로 끝날 수 있다.
따라서 이 딱정벌레는 모든 작은 정육면체를 지날 수 있다.

특강탐구문제풀이

1

그림과 같이 9개의 방에 흰색과 검은색으로 엇갈리도록 색칠해 보면 검은색이 5개, 흰색이 4개로 검은색 방이 하나 더 많다. 이동할 수 있는 방은 자신이 있는 방과 다른 색의 방이므로 흰색과 검은색을 짝을 지어 생각하면 검은색 방 한 곳은 지날 수 없게 된다.
따라서 9개의 방을 다 지나서 나오는 일은 불가능하다.

2 주어진 그림에 다음과 같이 흰색과 검은색이 엇갈리도록 칠하면 흰색은 16개, 검은색은 18개로 검은색이 2개 더 많다.

엇갈려 놓여진 흰색과 검은색 1개씩을 한 쌍으로 하면 덮어야 하는 직사각형과 같은 크기가 되고 개수는 16개가 된다.
따라서 직사각형 17장 중에서 16장을 사용하여 흰색과 검은색 16쌍을 덮을 수 있고, 남은 부분인 검은색 두 부분은 서로 떨어져 있으므로 덮을 수 없다.

3 마(馬)는 한 번 뛰면 자신이 원래 있던 점과는 다른 색의 점으로 이동하게 되고, 다시 한 번 뛰면 다시 자신이 처음에 있던 점과 같은 색의 점 위에 놓이게 된다.
따라서 마가 처음 놓여 있던 위치와는 상관없이 홀수 번을 뛰게 되면 원래 자리의 색과 다른 색의 점에 놓이게 되므로 돌아오는 것은 불가능하다.

4 장기판의 세로줄과 가로줄이 만나는 90개의 점에 각각 흰색과 검은색을 엇갈리게 칠하면 다음 그림과 같다.

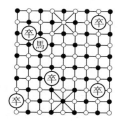

그림의 마(馬)는 한 번 뛰면 자신이 원래 있던 흰색 점이

아닌 검은색 점 위로 이동하고, 다시 한 번 뛰면 흰색 점 위에 있게 된다. 즉, 홀수 번 뛰면 검은색 점 위로, 짝수 번 뛰면 흰색 점 위로 움직이는 것이다.
따라서 마(馬)가 홀수 번 이동하여 잡을 수 있는 졸은 검은색 점 위에 있는 것이므로 3개이다.

5 다음 그림과 같이 64개의 정사각형에 a, b, c, d를 번갈아 써 넣자.

a	b	c	d	a	b	c	d
b	c	d	a	b	c	d	a
c	d	a	b	c	d	a	b
d	a	b	c	d	a	b	c
a	b	c	d	a	b	c	d
b	c	d	a	b	c	d	a
c	d	a	b	c	d	a	b
d	a	b	c	d	a	b	c

a, b, c, d는 각각 16개씩 생긴다. 〈그림 1〉과 같은 종이를 한 장 덮으면 a, b, c, d가 각각 1개씩 가려지는 데, 15장 있으므로 a, b, c, d는 각각 1개씩 남는다. 그러나 〈그림 2〉와 같은 종이 1장으로는 a, b, c, d는 동시에 가릴 수는 없다.
따라서 완전히 덮을 수 없다.

6 작은 정사각형 4개로 이루어진 모양의 종이 25장으로 정사각형 모양의 종이를 겹치지 않게 완전히 덮었다고 생각하고 덮은 모양에 다음과 같이 흰색과 검은색을 번갈아 색칠해 보자.

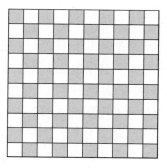

그렇다면 (가)와 같이 가운데 칸이 검은 색인 종이 a장과 (나)와 같이 가운데 칸이 흰 색인 종이 b장이 사용되었을 것이다. a와 b의 합은 25이고 검은 색 칸은 50칸이므로

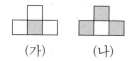

(가)   (나)

$a+b=25$, $a+3\times b=50$

두 식의 차를 생각해 보면 $2\times b=25$이고 $b=12.5$가 되어 알맞지 않다. 따라서 덮을 수 없다.

7 〈그림 1〉과 같이 가로, 세로, 높이가 모두 3cm인 정육면체를 가로, 세로, 높이가 1cm인 정육면체로 나누어 흰색과 검은색을 엇갈리게 칠해 보자.

〈그림 1〉 〈그림 2〉

한가운데의 공간은 비워 놓아야 하므로 검은색은 14개, 흰색은 12개가 되어 검은색이 두 개 더 많다. 가로, 세로가 1cm이고, 높이가 2cm인 직육면체를 가로, 세로, 높이가 1cm인 정육면체 두 개로 나누어 흰색과 검은색을 칠하면 〈그림 2〉와 같은데, 직육면체가 13개 있으므로 검은색 부분과 흰색 부분이 각각 13개씩 있어야 만들 수 있다.

따라서 〈그림 1〉의 정육면체는 검은색이 흰색보다 2개 더 많으므로 〈그림 2〉로 정육면체를 만들 수 없다.

8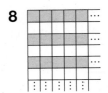

정사각형 네 개로 이루어진 종이를 몇 장 이용하여 직사각형을 만든다면 그 직사각형 안의 작은 정사각형의 개수는 $4\times\square$가 되어 항상 짝수이다.

그림과 같이 작은 정사각형 짝수 개로 이루어진 직사각형에 한 줄씩 엇갈리게 검은색을 칠하여, 검은 정사각형 수와 흰 정사각형 수가 서로 같다.

주어진 모양( )의 종이로 이런 직사각형을 덮는다면 덮은 종이와 겹쳐지는 색은 검은색 3개, 흰색 1개(A형)이거나 검은색 1개, 흰색 3개(B형)가 되는데, 검은색과 흰색의 정사각형 수가 같아지기 위해서는 A, B형의 종이 개수가 서로 같아야 한다.

따라서 주어진 모양( )의 종이는 반드시 쌍으로 있어야 직사각형 모양을 이룰 수 있고, 한 종이에 있는 정사각형은 4개이므로 쌍이 있게 되면 $4\times2=8$(개)씩 늘어난다.

따라서 직사각형은 덮고 있는 종이의 정사각형 수는 8의 배수이다.

9 6명의 학생들을 점으로 나타내고 그 사이를 서로 알고 있으면 실선(-)으로, 서로 모르고 있으면 점선(…)으로 나타내자.

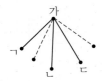

한 점을 가라고 하면 이 점과 다른 다섯 개의 점을 연결하는 다섯 개의 선은 두 가지 뿐이므로 적어도 세 선은 같은 선이 된다. (그림에는 실선으로 나타내자.) 점 가와 같은 선으로 연결된 세 점을 ㄱ, ㄴ, ㄷ이라고 하자.

두 점 ㄱ, ㄴ 사이 또는 점 ㄴ, ㄷ 사이, 두 점 ㄱ, ㄷ 사이에 점 가와 연결된 선과 같은 선이 있다면 점 가와 그 두 점이 둘씩 서로 알고 있는 3명이 된다.

세 점 ㄱ, ㄴ, ㄷ 사이에 점 가와 연결된 선과 같은 선이 없다면 세 점 ㄱ, ㄴ, ㄷ이 점 가와 연결된 선과 다른 선으로 연결되어 있으므로 세 점 ㄱ, ㄴ, ㄷ이 둘씩 서로 모르고 있는 3명이 된다.

따라서 6명의 학생이 있다면 이 중에 둘씩 서로 알고 있는 3명 또는 둘씩 서로 모르고 있는 3명을 반드시 찾을 수 있다.

10

어떤 한 학생을 기준으로 했을 때, 이 학생은 다른 16명의 학생과 각각 토론을 해야 하는데, 주제는 A, B, C 3가지 중에서 한 가지를 선택할 수 있으므로

16÷3＝5…1, 즉 한 학생과 같은 주제로 각각 토론한 6
명의 학생이 반드시 있다. 이 주제를 A라 하자.

그림과 같이 어떤 '가'라는 학생과 A 주제로 토론한 학
생(6명)을 연결시켜 놓았을 때, '가'를 제외한 어떤 두
명의 학생이라도 A주제로 토론을 하였다면 '가'를 포함
한 그 세 학생이 서로 같은 주제에 대해 토론한 세 학생
이 된다.

만약 A주제로 '가'와 토론한 6명의 학생들 사이에서 어
떤 두 명도 A주제로 토론한 적이 없다면 6명의 학생이
두 명씩 B나 C 주제로만 토론한 것이 된다.

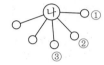

위와 같은 방식으로 6명 중 한 명을 기준으로 할 때, 그
학생은 나머지 5명의 학생과 각각 토론을 해야 하는데
두 가지의 주제만 있으므로 같은 주제로 각각 토론한 세
명의 학생이 반드시 있다.

기준이 된 학생을 '나'라 하고 3명이 토론한 주제를 B라
하면 위와 같은 그림을 그릴 수 있다. '나'와 B 주제로
토론한 학생을 ①, ②, ③이라 하면 ①, ②, ③ 사이에 B
주제로 토론한 한 쌍이 있으면 같은 주제로 토론한 세 학
생을 찾게 되고, B 주제로 토론한 학생들이 한 쌍도 없다
면 ①, ②, ③은 모두 C 주제로 토론한 것이 되어 이 역시
같은 주제로 토론한 세 학생을 찾을 수 있게 된다.

따라서 같은 주제로 토론한 세 학생을 반드시 찾을 수 있
다.

도형을 이용한 도형 문제 ④

35

유제

1 $\frac{2}{5}$배   **2** $\frac{2000}{9}$ cm²   **3** 7 : 2, 4 : 3

4 5 : 3 : 2

특강탐구문제

1 6cm   **2** $\frac{1}{4}$배   **3** 2 : 1   **4** 30cm

5 150cm²   **6** 15cm²   **7** 2cm²

8 $\frac{29}{50}$배   **9** 15 : 20 : 28 : 42

10 (1) 12 : 5 (2) 17 : 8 (3) 8 : 5 (4) 13 : 12

유제풀이

1 점 ㄹ을 지나며 선분 ㄱㄷ에 평
행인 선을 긋고, 이 선이 선분 ㄴㅂ
과 만나는 점을 ㅅ이라 하자.
(각 ㅁㄱㅂ)=(각 ㅁㄹㅅ) : 엇
각, (각 ㄱㅁㅂ)=(각 ㄹㅁㅅ) : 맞꼭지각, (선분 ㄱㅁ)
=(선분 ㅁㄹ)이므로 삼각형 ㄱㅁㅂ과 ㄹㅁㅅ은 합동이
고, (선분 ㄱㅂ)=(선분 ㅅㄹ)이다.

한편 (선분 ㅅㄹ) : (선분 ㅂㄷ)=2 : 3이므로
(선분 ㄱㅂ) : (선분 ㅂㄷ)=2 : 3이다.
따라서 선분 ㄱㅂ의 길이는 선분 ㄱㄷ의 길이의 $\frac{2}{5}$배이다.

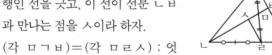

2 점 ㅁ을 지나고, 선분 ㄴㄹ에 평
행인 선을 그어 선분 ㄱㄹ과 만나는
점을 ㅅ이라 하자.
(선분 ㄱㅁ)=(선분 ㅁㄴ)=
3 : 2이므로 (선분 ㄱㅅ) : (선분 ㅅㄹ)=3 : 2이다.
따라서 (선분 ㅂㄹ)=(선분 ㅁㅅ)×$\frac{3}{5}$이다.
한편 (선분 ㄴㄴ) : (선분 ㄱㅁ)=5 : 3이므로
(선분 ㄴㄹ)=(선분 ㅁㅅ)×$\frac{5}{3}$이다.
(선분 ㄴㄹ) : (선분 ㅂㄹ)=$\frac{5}{3}$: $\frac{3}{5}$=25 : 9이므로
(삼각형 ㄹㄴㄷ)=(삼각형 ㄹㅂㄷ)×$\frac{25}{9}$=$\frac{250}{3}$(cm²)
(삼각형 ㄱㄴㄷ)=(삼각형 ㄹㄴㄷ)×$\frac{8}{3}$=$\frac{2000}{9}$(cm²)

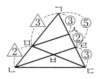

별해* 점 ㅁ을 지나고, 선분 ㄱㄷ
에 평행인 선을 그어 선분 ㄴㄹ
과 만나는 점을 ㅅ이라 하자.
(선분 ㄹㄷ)=(선분 ㄱㄹ)×$\frac{3}{5}$
이다.

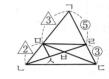

한편, (선분 ㄱㄴ) : (선분 ㅁㄴ)=5 : 2이므로
(선분 ㅁㅅ)=(선분 ㄱㄹ)×$\frac{2}{5}$이다.
따라서 (선분 ㄹㄷ) : (선분 ㅁㅅ)=$\frac{3}{5}$: $\frac{2}{5}$=3 : 2이고,
(선분 ㄷㅂ) : (선분 ㅂㅁ)=3 : 2이다.
(삼각형 ㄹㅁㄷ)=(삼각형 ㄹㅂㄷ)×$\frac{5}{3}$=50(cm²)
(삼각형 ㄱㅁㄷ)=(삼각형 ㄹㅁㄷ)×$\frac{8}{3}$=$\frac{400}{3}$(cm²)
(삼각형 ㄱㄴㄷ)=(삼각형 ㄱㅁㄷ)×$\frac{5}{3}$=$\frac{2000}{9}$(cm²)

3 점 ㄹ을 지나며 선분 ㄱㄴ에 평행
인 선을 그어 선분 ㄷㅂ과 만나는 점
을 ㅅ이라 하자.
(선분 ㄴㄷ) : (선분 ㄹㄷ)=3 : 1
이므로 (선분 ㄱㄴ)=(선분 ㅅㄹ)×3
(선분 ㅂㅁ) : (선분 ㅂㄹ)=2 : 3이므로
(선분 ㄱㅁ)=(선분 ㅅㄹ)×$\frac{2}{3}$
따라서 (선분 ㄱㄴ) : (선분 ㄱㅁ)=3 : $\frac{2}{3}$=9 : 2이고,
(선분 ㄴㅁ) : (선분 ㅁㄱ)=7 : 2이다.
점 ㄹ을 지나며 선분 ㄷㅂ에 평행인
선을 긋고, 이 선이 선분 ㄱㄴ과 만
나는 점을 ㅇ이라 하자.
(선분 ㅂㅁ) : (선분 ㅁㄹ)=2 : 1
(선분 ㅂㄱ)=(선분 ㅇㄹ)×2
(선분 ㄴㄷ) : (선분 ㄴㄹ)=3 : 2이므로
(선분 ㄱㄷ)=(선분 ㅇㄹ)×$\frac{3}{2}$
따라서 (선분 ㅂㄱ) : (선분 ㄱㄷ)=2 : $\frac{3}{2}$=4 : 3이다.

4 (선분 BM)=x, (선분 MN)
=y, (선분 NF)=z라 하자.
또 F를 지나며 변 BC에 평행
인 선을 그어 선분 AE, 변 AD
와 만나는 점을 각각 G, H라

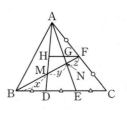

하자.

(선분 AC) : (선분 AF)=2 : 1이므로

(선분 GF)=(선분 EC)$\times\frac{1}{2}$,

(선분 BE)=(선분 EC)$\times$2이다.

따라서 (선분 BE) : (선분 GF)=2 : $\frac{1}{2}$=4 : 1이고,

$(x+y)$: z=4 : 1이다.

또, (선분 AC) : (선분 AF)=2 : 1이므로

(선분 HF)=(선분 DC)$\times\frac{1}{2}$,

(선분 BD)=(선분 DC)$\times\frac{1}{2}$이므로

(선분 HF) : (선분 BD)=$\frac{1}{2}$: $\frac{1}{2}$=1 : 1이고,

x : $(y+z)$=1 : 1이다.

$(x+y)$: z=4 : 1=8 : 2, x : $(y+z)$=1 : 1=5 : 5이

므로 x : y : z=5 : 3 : 2이다.

특강탐구문제풀이

1 점 ㄷ을 지나고, 선분 ㄱㄴ에 평행
인 선을 그어 선분 ㄹㅂ과 만나는 점
을 ㅅ이라 하자.

(선분 ㄱㅁ)=(선분 ㅁㄷ)이므로

(선분 ㄱㄹ)=(선분 ㅅㄷ),

(선분 ㄴㅂ) : (선분 ㄴㄷ)=2 : 1이므로

(선분 ㄹㄴ)=(선분 ㅅㄷ)$\times$2이다.

따라서 (선분 ㄱㄹ) : (선분 ㄹㄴ)=1 : 2이므로

(선분 ㄱㄹ)=(선분 ㄹㄴ)$\times\frac{1}{2}$=12$\times\frac{1}{2}$=6(cm)이다.

2

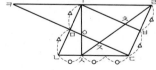

선분 ㄱㄹ과 선분 ㅁㄷ을 연장하였을 때 만나는 점을 ㅋ
이라 하자.

(선분 ㄹㄷ) : (선분 ㄱㅁ)=2 : 1이므로

(선분 ㅋㄹ)=(선분 ㄱㄹ)$\times$2

또, (선분 ㅅㄷ)=(선분 ㄱㄹ)$\times\frac{2}{3}$이다.

따라서 (선분 ㅋㄹ) : (선분 ㅅㄷ)=2 : $\frac{2}{3}$=3 : 1이고,

(선분 ㄹㅈ) : (선분 ㅈㅅ)=3 : 1이다.

따라서 선분 ㅅㅈ은 선분 ㅅㄹ의 $\frac{1}{4}$배이다.

별해* 점 ㅅ을 지나고, 선분 ㄱㄴ
에 평행인 선을 그어 선분 ㄷㅁ과
만나는 점을 ㅊ이라 하자.

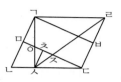

(선분 ㅅㅊ)=(선분 ㄴㅁ)$\times\frac{2}{3}$,

(선분 ㄷㄹ)=(선분 ㄴㅁ)$\times$2

따라서 (선분 ㅅㅊ) : (선분 ㄷㄹ)=$\frac{2}{3}$: 2=1 : 3이고

(선분 ㅅㅈ) : (선분 ㅈㄹ)=1 : 3이다.

따라서 선분 ㅅㅈ은 선분 ㅅㄹ의 $\frac{1}{4}$배이다.

3 점 C를 지나고, 선분 AB에 평
행인 선을 그어 선분 ED와 만나는
점을 G라 하자.

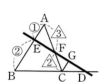

(선분 AF) : (선분 FC)=3 : 2

(선분 CG)=(선분 AE)$\times\frac{2}{3}$이다.

(선분 AE) : (선분 EB)=1 : 2이므로

(선분 EB)=(선분 AE)$\times$2이다.

(선분 EB) : (선분 CG)=2 : $\frac{2}{3}$=3 : 1이다.

따라서 (선분 BD) : (선분 CD)=3 : 1이고

(선분 BC) : (선분 CD)=2 : 1이다.

4 점 D를 지나고, 선분 AB에 평
행인 선을 그어 선분 CE와 만나
는 점을 G라 하자.

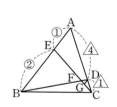

(선분 AC) : (선분 DC)=5 : 1
이므로

(선분 DG)=(선분 AE)$\times\frac{1}{5}$이다.

(선분 AE) : (선분 EB)=1 : 2이므로

(선분 EB)=(선분 AE)$\times$2이다.

(선분 EB) : (선분 DG)=2 : $\frac{1}{5}$=10 : 1이다.

따라서 (선분 BF) : (선분 FD)=10 : 1이므로

(선분 BF)=(선분 BD)$\times\frac{10}{11}$=33$\times\frac{10}{11}$=30(cm)이다.

5 점 E를 지나고 선분 AC에 평행 인 선을 그어 선분 BD와 만나는 점을 G라 하자.

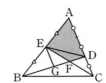

(선분 BE) : (선분 BA)＝1 : 2

이므로 (선분 EG)＝(선분 AD)×$\frac{1}{2}$이다.

(선분 AD)＝(선분 DC)×2이므로

(선분 DC)＝(선분 AD)×$\frac{1}{2}$이다.

즉, (선분 EG)＝(선분 DC)이므로

(선분 EF)＝(선분 FC)이다.

따라서 (삼각형 EFD)＝(삼각형 DFC)＝30cm²이다.

한편 (선분 AD)＝(선분 DC)×2이므로

(삼각형 EAD)＝(삼각형 DEC)×2이고

(삼각형 DEC)＝(삼각형 EFD)＋(삼각형 DFC)

＝30＋30＝60(cm²)이므로

(삼각형 EAD)＝60×2＝120(cm²)이다.

(사각형 AEFD)＝(삼각형 EFD)＋(삼각형 EAD)

＝30＋120＝150(cm²)이다.

6 점 ㅂ과 점 ㅁ을 잇는 선을 긋 자.

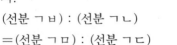
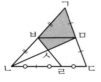

(선분 ㄱㅂ) : (선분 ㄱㄴ)

＝(선분 ㄱㅁ) : (선분 ㄱㄷ)

＝1 : 2이고,

선분 ㅂㅁ과 선분 ㄴㄷ이 평행이므로

(선분 ㅂㅁ)＝(선분 ㄴㄷ)×$\frac{1}{2}$이다.

또, (선분 ㄴㄹ)＝(선분 ㄴㄷ)×$\frac{2}{3}$이므로

(선분 ㅂㅁ) : (선분 ㄴㄹ)＝$\frac{1}{2}$: $\frac{2}{3}$＝3 : 4이고,

(삼각형 ㅂㅅㅁ)＝(삼각형 ㅂㄴㅅ)×$\frac{3}{4}$＝$\frac{9}{2}$(cm²)

한편, (선분 ㄱㅂ)＝(선분 ㅂㄴ)이므로

(삼각형 ㄱㅂㅁ)＝(삼각형 ㅂㄴㅁ)이고,

(삼각형 ㅂㄴㅁ)＝(삼각형 ㅂㅅㅁ)＋(삼각형 ㅂㄴㅅ)

＝$\frac{9}{2}$＋6＝$\frac{21}{2}$(cm²)이다.

따라서 (사각형 ㄱㅂㅅㅁ)

＝(삼각형 ㅂㅅㅁ)＋(삼각형 ㄱㅂㅁ)

＝$\frac{9}{2}$＋$\frac{21}{2}$＝15(cm²)이다.

7

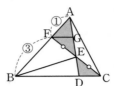

(선분 AF) : (선분 FB)＝1 : 3이고,

(선분 FE) : (선분 EC)＝1 : 1이므로

(삼각형 AFE)＝(삼각형 AFC)×$\frac{1}{2}$

＝(삼각형 ABC)×$\frac{1}{4}$×$\frac{1}{2}$＝$\frac{5}{4}$(cm²)

(삼각형 FBC)＝(삼각형 ABC)×$\frac{3}{4}$,

(삼각형 EBC)＝(삼각형 FBC)×$\frac{1}{2}$

＝(삼각형 ABC)×$\frac{3}{8}$이다.

이제 점 F를 지나고, 선분 BC에 평행인 선을 그어 선분 AD와 만나는 점을 G라고 하자.

(선분 AF) : (선분 AB)＝1 : 4이므로

(선분 BD)＝(선분 FG)×4이다.

(선분 FE) : (선분 EC)＝1 : 1이므로

(선분 DC)＝(선분 FG)이다.

따라서 (선분 BD) : (선분 DC)＝4 : 1이다.

즉, (삼각형 EDC)＝(삼각형 EBC)×$\frac{1}{5}$

＝(삼각형 ABC)×$\frac{3}{40}$＝$\frac{3}{4}$(cm²)

따라서 색칠한 부분의 넓이는 $\frac{5}{4}$＋$\frac{3}{4}$＝2(cm²)이다.

8 점 ㅂ을 지나고, 선분 ㄱㄹ 과 선분 ㄴㄷ에 평행인 선을 그어 선분 ㄷㅅ과 만나는 점 을 ㅈ이라 하자.

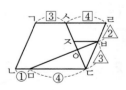

(선분 ㄱㄹ)＝(선분 ㄴㄷ)이고,

(선분 ㄴㅁ) : (선분 ㅁㄷ)＝1 : 4이므로

(선분 ㅁㄷ)＝(선분 ㄱㄹ)×$\frac{4}{5}$이다.

(선분 ㄱㅅ) : (선분 ㅅㄹ)＝3 : 4이므로

(선분 ㅅㄹ)＝(선분 ㄱㄹ)×$\frac{4}{7}$이고

(선분 ㄷㅂ) : (선분 ㄷㄹ)＝3 : 5이므로

(선분 ㅈㅂ)＝(선분 ㅅㄹ)×$\frac{3}{5}$＝(선분 ㄱㄹ)×$\frac{12}{35}$이다.

따라서 (선분 ㅈㅂ) : (선분 ㅁㄷ) $=\dfrac{12}{35} : \dfrac{4}{5}=3 : 7$

즉, (선분 ㅇㄷ)=(선분 ㅈㄷ)$\times \dfrac{7}{10}$이다.

한편 (선분 ㄷㅂ) : (선분 ㄷㄹ)=3 : 5이므로

(선분 ㅈㄷ)=(선분 ㅅㄷ)$\times \dfrac{3}{5}$이다.

그러므로 (선분 ㅇㄷ)=(선분 ㅅㄷ)$\times \dfrac{3}{5}\times \dfrac{7}{10}$

$=$(선분 ㅅㄷ)$\times \dfrac{21}{50}$이고,

선분 ㅅㅇ은 선분 ㅅㄷ의 $1-\dfrac{21}{50}=\dfrac{29}{50}$배이다.

9 점 ㅅ을 지나면서 선분 ㄴㄷ
에 평행인 선을 그어 선분 ㄱㄹ,
ㄱㅁ, ㄱㅂ과 만나는 점을 각각
ㅋ, ㅌ, ㅍ이라 하자.

또 (선분 ㅅㅇ)$=a$, (선분 ㅇㅈ)$=b$, (선분 ㅈㅊ)$=c$,
(선분 ㅊㄷ)$=d$라고 하자.

(선분 ㅅㅋ)=(선분 ㄴㄹ)$\times \dfrac{1}{2}$,

(선분 ㄹㄷ)=(선분 ㄴㄹ)$\times 3$이므로

(선분 ㅅㅋ) : (선분 ㄹㄷ)$=\dfrac{1}{2} : 3=1 : 6$이다.

따라서 $a : (b+c+d)=1 : 6$이다.

(선분 ㅅㅌ)=(선분 ㄴㅁ)$\times \dfrac{1}{2}$,

(선분 ㅁㄷ)=(선분 ㄴㅁ)이므로

(선분 ㅅㅌ) : (선분 ㅁㄷ)$=\dfrac{1}{2} : 1=1 : 2$이다.

따라서 $(a+b) : (c+d)=1 : 2$이다.

(선분 ㅅㅍ)=(선분 ㄴㅂ)$\times \dfrac{1}{2}$,

(선분 ㅂㄷ)=(선분 ㄴㅂ)$\times \dfrac{1}{3}$이므로

(선분 ㅅㅍ) : (선분 ㅂㄷ)$=\dfrac{1}{2} : \dfrac{1}{3}=3 : 2$이다.

따라서 $(a+b+c) : d=3 : 2$이다.

$a : (b+c+d)=1 : 6$, $(a+b) : (c+d)=1 : 2$,
$(a+b+c) : d=3 : 2$이므로 $a+b+c+d$를 7, 3, 5의
최소공배수인 105라고 하자.

$a : (b+c+d)=1 : 6=15 : 90$

$(a+b) : (c+d)=1 : 2=35 : 70$

$(a+b+c) : d=3 : 2=63 : 42$

따라서 $a : b : c : d=15 : 20 : 28 : 42$이다.

10 (1) 점 D를 지나며 선분 AC에
평행인 선을 그어 선분 BE와 만나
는 점을 G라 하자.

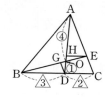

(선분 AO) : (선분 OD)$=4 : 1$
이므로

(선분 AE)=(선분 DG)$\times 4$이고,

(선분 BD) : (선분 BC)$=3 : 5$이므로

(선분 EC)=(선분 DG)$\times \dfrac{5}{3}$이다.

따라서 (선분 AE) : (선분 EC)$=4 : \dfrac{5}{3}=12 : 5$이다.

(2) 점 E를 지나며 선분 BC에 평행인 선을 그어 선분
AD와 만나는 점을 H라 하자.

(선분 BD) : (선분 DC)$=3 : 2$이므로

(선분 BD)=(선분 DC)$\times \dfrac{3}{2}$이고,

(선분 AE) : (선분 AC)$=12 : 17$이므로

(선분 HE)=(선분 DC)$\times \dfrac{12}{17}$가 되어

(선분 BD) : (선분 HE)$=\dfrac{3}{2} : \dfrac{12}{17}=17 : 8$

따라서 (선분 BO)=(선분 OE)$=17 : 8$이다.

(3) 점 D를 지나며 선분 AB에 평
행인 선을 그어 선분 CF와 만나는
점을 I라 하자.

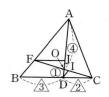

(선분 AO) : (선분 OD)$=4 : 1$
이므로

(선분 AF)=(선분 DI)$\times 4$이고,

(선분 CD) : (선분 CB)$=2 : 5$이므로

(선분 FB)=(선분 DI)$\times \dfrac{5}{2}$이다.

따라서 (선분 AF) : (선분 FB)$=4 : \dfrac{5}{2}=8 : 5$이다.

(4) 점 F를 지나며 선분 BC에 평행인 선을 그어 선분
AD와 만나는 점을 J라 하자.

(선분 CD) : (선분 DB)$=2 : 3$이므로

(선분 CD)=(선분 DB)$\times \dfrac{2}{3}$이고,

(선분 AF) : (선분 AB)$=8 : 13$이므로

(선분 FJ)=(선분 DB)$\times \dfrac{8}{13}$이 되어

(선분 CD) : (선분 FJ)$=\dfrac{2}{3} : \dfrac{8}{13}=13 : 12$

따라서 (선분 CO) : (선분 OF)$=13 : 12$이다.

그래프를 이용한 부피 문제

36

1 66분 30초 **2** 1cm **3** 2.5t **4** $15\frac{5}{13}$

─────── 특강탐구문제 ───────

1 18분 **2** 10:5:6 **3** 20cm, 34cm **4** $3\frac{1}{2}$배,

$27\frac{1}{2}$분 **5** 52분 30초 **6** 600cm³ **7** 6cm

8 16L, 12.8L **9** $2\frac{1}{2}$분, $37\frac{1}{2}$분 **10** 42cm, 77cm

유제풀이

1 그래프를 보면 ㉮ 수도꼭지만 사용하면 25분 동안 40cm만큼 물이 차는 것을 알 수 있으므로 ㉮ 수도꼭지는 1분 동안 $40÷25=1.6$(cm)씩 물을 채운다.

한편 ㉮, ㉯ 두 수도꼭지를 모두 사용하면 20분 동안 60cm만큼 물이 차는 것을 알 수 있으므로 두 수도꼭지를 모두 사용하면 1분 동안 $60÷20=3$(cm)만큼 물이 차므로 ㉯ 수도꼭지로는 1분 동안 $3-1.6=1.4$(cm)씩 물을 채운다.

㉯ 수도꼭지를 32분 동안 사용하면
$1.4×32=44.8$(cm)만큼 물이 차므로
$100-44.8=55.2$(cm)가 남아 있고, 이것을 ㉮ 수도꼭지로 채우려면 $55.2÷1.6=34.5$(분), 즉 34분 30초 걸린다.

따라서 물통을 가득 채우는 것은 처음부터
32분＋34분 30초＝66분 30초 후이다.

2

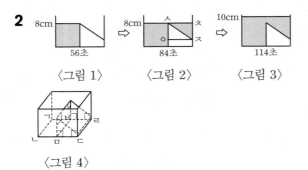

〈그림 1〉   〈그림 2〉   〈그림 3〉

〈그림 4〉

그래프를 관찰하면 위 그림과 같이 됨을 알 수 있다.
〈그림 2〉와 〈그림 3〉을 비교하면 $114-84=30$(초) 동안 $30×32=960$(cm³)만큼 물이 들어오고, 물 높이는 2cm 높아졌으므로 〈그림 4〉의 사각형 ㄱㄴㄷㄹ의 넓이는 $960÷2=480$(cm²)이다.

또 〈그림 1〉에서 56초 동안 $56×32=1792$(cm³)만큼 물이 들어오고, 물 높이는 8cm만큼 높아졌으므로 사각형 ㄱㄴㅁㅂ의 넓이는 $1792÷8=224$(cm²)이다.

따라서 사각형 ㅂㅁㄷㄹ의 넓이는 $480-224=256$(cm²)이다.

한편 〈그림 1〉과 〈그림 2〉에서 삼각형 ㅅㅈㅊ에 해당하는 부분에 $84-56=28$(초) 동안 $28×32=896$(cm³)만큼 물이 들어왔으므로 사각형 ㅅㅇㅈㅊ에는 $896×2=1792$(cm³)만큼 물이 들어올 수 있고, 그 밑면은 사각형 ㅂㅁㄷㄹ로 넓이가 256cm²이므로 선분 ㅈㅊ의 길이는 $1792÷256=7$(cm)이다.

따라서 길이 x는 $8-7=1$(cm)이다.

3 물탱크 A의 배수관은 6분부터 24분까지
$24-6=18$(분)동안 18t의 물을 모두 내보냈으므로 1분 동안 $18÷18=1$(t)씩 물을 배수한다.

6분이 되었을 때 물탱크 A에는 18t의 물이 있었으므로 5분 후인 11분에는 물탱크 A에는 $18-5=13$(t)의 물이 들어 있게 되고, 그 때 물탱크 B의 그래프와 만나므로 물탱크 B 역시 13t이 들어 있다.

한편, 물탱크 B는 11분부터 24분까지 $24-11=13$(분) 동안 $32.5-13=19.5$(t)의 물이 늘어났는데 이 중 13t은 A에서 들어온 양이므로 $19.5-13=6.5$(t)의 물이 늘어났다.

그러므로 물탱크 A에서 들어오는 양을 제외하고 물탱크 B에 들어오는 물의 양은 1분 동안 $6.5÷13=0.5$(t)이다.

6분부터 11분까지 물탱크 B에는 1분에 $1t+0.5t=1.5t$씩 물이 들어오고, 11분에 물탱크 B에는 13t의 물이 있었으므로 6분에는 $13-1.5×5=5.5$(t)의 물이 있었다.

따라서 처음부터 6분까지 물탱크 B에는 1분 동안 0.5t의 물이 들어오므로 처음 물탱크 B에 들어 있었던 물의 양은 $5.5-0.5×6=2.5$(t)이다.

4

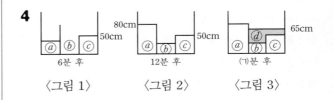

6분 후   12분 후   ㈎분 후
〈그림 1〉   〈그림 2〉   〈그림 3〉

28분 동안 $140 \times 120 \times 130 = 2184000(\text{cm}^3) = 2184(\text{L})$의 물이 찼으므로 1분 동안 $2184 \div 28 = 78(\text{L})$의 물이 (개), (내) 두 수도꼭지에서 나온다. (개) 수도꼭지에서 매분 48L의 물이 나오므로 (내) 수도꼭지에서는 매분 $78\text{L} - 48\text{L} = 30(\text{L})$의 물이 나온다.

12분 동안 (개) 수도꼭지에서 나온 물은 $48 \times 12 = 576(\text{L}) = 576000(\text{cm}^3)$이고, 물의 높이가 80cm이므로 ⓐ 부분의 밑면의 가로 길이는 $576000 \div (80 \times 120) = 60(\text{cm})$이다.

6분 동안 (내) 수도꼭지에서 나온 물은 $30 \times 6 = 180(\text{L}) = 180000(\text{cm}^3)$이고, 물의 높이가 50cm이므로 ⓐ 부분의 밑면의 가로 길이는 $180000 \div (50 \times 120) = 30(\text{cm})$이다.

ⓑ 부분의 밑면의 가로 길이는 $140 - (60 + 30) = 50(\text{cm})$이다.

ⓑ 부분에는 6분 후부터 12분까지 ⓐ 부분에서 넘친 물이 찼으므로 ⓐ 부분에서 들어온 물은 $6 \times 30 = 180(\text{L}) = 180000(\text{cm}^3)$가 되어 12분 후 ⓑ 부분의 물의 높이는 $180000 \div (50 \times 120) = 30(\text{cm})$이다.

〈그림 3〉에서 ⓐ 부분의 부피는 $(50 \times 20 + 80 \times 15) \times 120 = 264000(\text{cm}^3) = 264(\text{L})$이고, 매분 78L씩 찼으므로 ⓐ 부분에 물이 차는 데 걸린 시간은 $264 \div 78 = 3\frac{5}{13}(\text{분})$이다.

따라서 (ㄱ)에 알맞은 시간은 $12 + 3\frac{5}{13} = 15\frac{5}{13}(\text{분})$이다.

특강탐구문제풀이

1 6분부터 10분까지 4분 동안 A 수도관의 물만 틀어 놓고, 수조의 물의 양이 48L에서 60L로 12L가 늘어났으므로 A 수도관은 1분에 $12 \div 4 = 3(\text{L})$씩 물을 넣는다. 한편, 10분부터 14분까지 4분 동안 A 수도관만 물을 넣고 C 배수관이 물을 빼는데 60L에서 36L로 24L가 줄었으므로 1분에 $24 \div 4 = 6(\text{L})$씩 줄어들고 있다. 그러므로 C 배수관으로 빠지는 물의 양은 1분에 $6 + 3 = 9(\text{L})$이다.

따라서 36L에서 더 들어오는 양이 없으면 물이 모두 빠지는 것은 $36 \div 9 = 4(\text{분})$ 후이므로 물이 하나도 남지 않

게 되는 때는 처음부터 $14 + 4 = 18(\text{분})$ 후이다.

2 그래프에서 처음부터 16초까지 8cm가 높아졌으므로 1초에 $8 \div 16 = \frac{1}{2}(\text{cm})$씩 높아졌다.

또, 16초부터 22초까지 6초 동안 8cm에서 14cm까지 6cm 높아졌으므로 1초에 $6 \div 6 = 1(\text{cm})$씩 높아졌다.

또, 22초부터 28초까지 6초 동안 14cm에서 19cm까지 5cm 높아졌으므로 1초에 $5 \div 6 = \frac{5}{6}(\text{cm})$씩 높아졌다.

1초 동안 들어가는 물의 양은 모두 같으므로 제일 밑부터 밑면의 넓이를 a, b, c라 하면 $\frac{1}{2} \times a = 1 \times b$, $a : b = 1 : \frac{1}{2} = 2 : 1$이고, $1 \times b = \frac{5}{6} \times c$, $b : c = \frac{5}{6} : 1 = 5 : 6$이다.

따라서 $a : b : c = 10 : 5 : 6$이다.

3

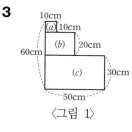
〈그림 1〉

처음부터 15분까지 30cm가 찼으므로 (c) 부분을 가득 채운 것이다. (c) 부분의 부피는 $50 \times 80 \times 30 = 120000(\text{cm}^3)$이므로 1분 동안 차는 물의 양은 $120000 \div 15 = 8000(\text{cm}^3)$

이다. 또, 15분부터 20분까지 5분 동안 50cm까지 높이가 올라갔으므로 5분 동안 (b) 부분을 가득 채운 것이다. 1분에 8000cm³씩 물이 차므로 (b) 부분 옆면의 가로는 $8000 \times 5 \div (20 \times 80) = 25(\text{cm})$이다.

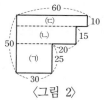
〈그림 2〉

색칠한 부분을 아래로 하여 같은 비율로 물을 넣을 때 6분 동안 $6 \times 8000 = 48000(\text{cm}^3)$의 물이 차므로 6분일 때의 물의 높이는 $48000 \div (30 \times 80) = 20(\text{cm})$이다.

또, (ㄱ) 부분이 가득 차려면 $30 \times 80 \times 25 \div 8000 = 7.5(\text{분})$이 걸리므로 $12 - 7.5 = 4.5(\text{분})$ 동안은 (ㄴ) 부분에 물이 들어간다. $8000 \times 4.5 \div \{(30 + 20) \times 80\} = 9(\text{cm})$이므로 물의 높이는 $25 + 9 = 34(\text{cm})$가 된다.

4 ㉮ 물통은 10분부터 20분까지 10분 동안 30cm에서 35cm로 5cm 높아졌으므로 1분 동안 $5 \div 10 = \frac{1}{2}$(cm)씩 높아졌다. 또, ㉯ 물통은 처음부터 20분까지 35cm 높아졌으므로 1분 동안 $35 \div 20 = \frac{7}{4}$(cm)씩 높아졌다.

㉮ 물통의 밑넓이를 ㉠이라 하고, ㉯ 물통의 밑넓이를 ㉡이라 하자.

1분 동안 양쪽 물통에 들어가는 물의 양은 같으므로 $㉠ \times \frac{1}{2} = ㉡ \times \frac{7}{4}$, $㉠ : ㉡ = \frac{7}{4} : \frac{1}{2} = 7 : 2$이다.

따라서 ㉮ 물통의 밑넓이는 ㉯ 물통의 밑넓이의 $\frac{7}{2}$배$=3\frac{1}{2}$배이다. 또, 20분이 지난 x분 후에

㉮ 물통의 물의 높이는 $\left(35 + \frac{1}{2}\right) \times x$cm이고

㉯ 물통의 높이는 $\left(35 + \frac{7}{4}\right) \times x$(cm)

인데, ㉯ 물통의 물의 높이가 ㉮ 물통의 물의 높이의 1.5배가 될 때를 구해야 하므로

$$\left(35 + \frac{1}{2} \times x\right) : \left(35 + \frac{7}{4} \times x\right) = 1 : 1.5 = 2 : 3$$
$$\left(35 + \frac{7}{4} \times x\right) \times 2 = \left(35 + \frac{1}{2} \times x\right) \times 3,$$
$$70 + \frac{7}{2} \times x = 105 + \frac{3}{2} \times x,$$
$$\frac{7}{2} \times x = 35 + \frac{3}{2} \times x,$$
$$\frac{4}{2} \times x = 35, \quad x = \frac{35}{2} = 17\frac{1}{2} \text{(분)}$$

따라서 $10 + 17\frac{1}{2} = 27\frac{1}{2}$(분) 후이다.

5 그래프를 관찰하면 두 물통 모두의 높이가 8cm가 될 때까지 14분이 걸리는 것을 알 수 있다. 그러므로 두 물통은 1분 동안 $8 \div 14 = \frac{4}{7}$(cm)씩 높아진다.

따라서 두 물통의 높이는 모두 30cm이므로 두 물통에 물이 가득 차는데 걸리는 시간은

$30 \div \frac{4}{7} = 30 \times \frac{7}{4} = 52\frac{1}{2}$(분), 즉 52분 30초이다.

6 그래프를 관찰하면 칸막이의 높이가 10cm임을 알 수 있다. 또, 30초부터 54초까지 24초 동안 들어온 물의 양은 $60 \times 24 = 1440$(cm³)이고, 10cm에서 16cm까지 6cm만큼 높아졌으므로 그릇의 밑넓이는

$1440 \div 6 = 240$(cm²)이다. 돌이 없을 때 칸막이 높이까지 물을 채우려면 $240 \times 10 = 2400$(cm³)만큼 물을 넣을 수 있지만, 실제로는 돌의 부피 때문에 30초 동안 $60 \times 30 = 1800$(cm³)만큼 물이 찼다.

따라서 돌의 부피는 $2400 - 1800 = 600$(cm³)임을 알 수 있다.

7 그래프를 관찰하면 칸막이의 높이가 30cm임을 알 수 있다. 또, 25분부터 45분까지 20분 동안 칸막이의 윗부분에 $50 - 30 = 20$(cm)만큼 물이 찼으므로 윗부분의 물의 양은 $36 \times 25 \times 20 = 18000$(cm³)이 되고, 1분 동안 들어온 물의 양은 $18000 \div 20 = 900$(cm³)이다.

한편, 칸막이가 없다면 칸막이의 높이까지 찰 수 있는 물의 양은 $36 \times 25 \times 30 = 27000$(cm³)인데, 25분간 물이 $900 \times 25 = 22500$(cm³)만큼 찼으므로 칸막이의 부피는 $27000 - 22500 = 4500$(cm³)이다.

따라서 칸막이의 두께는 $4500 \div (25 \times 30) = 6$(cm)이다.

8 그래프를 관찰하면, b부분에 들어오는 물은 처음부터 $13\frac{1}{2}$분까지는 B 수도관에서 나온 물만 공급되지만, $13\frac{1}{2}$분부터 20분까지 $6\frac{1}{2}$분 동안은 A, B 두 수도관의 물이 공급된다.

b 부분의 물의 높이는 $13\frac{1}{2}$분 동안 $28\frac{4}{5}$cm가 높아졌으므로 1분에 $28\frac{4}{5} \div 13\frac{1}{2} = \frac{32}{15}$(cm)씩 높아졌다.

또 $13\frac{1}{2}$분부터 20분까지 $6\frac{1}{2}$분 동안 $28\frac{4}{5}$cm에서 60cm까지 $31\frac{1}{5}$cm 높아졌으므로 1분 동안 $31\frac{1}{5} \div 6\frac{1}{2} = \frac{24}{5}$(cm)씩 높아졌다.

그런데 이 중 $\frac{32}{15}$cm는 B 수도관 때문이므로 A 수도관은 1분 동안 $\frac{24}{5} - \frac{32}{15} = \frac{40}{15}$(cm)씩 b 부분에 물을 공급한다.

A, B 두 수도관은 각각 1분에 $\frac{40}{15}$cm, $\frac{32}{15}$cm씩 같은 부분의 물의 높이를 높일 수 있으므로 나오는 물의 양은 $\frac{40}{15} : \frac{32}{15} = 5 : 4$이다. 처음부터 30분까지 전체 높이가 90cm 높아졌으므로 나온 물의 양은 $120 \times 80 \times 90 = 864000$(cm³)$=864$(L)이고, 1분 동안

나온 물의 양은 $864 \div 30 = 28.8$(L)이다.

따라서 A 수도관은 1분에 $28.8 \times \dfrac{5}{9} = 16$(L), B 수도관은 1분에 $28.8 - 16 = 12.8$(L)의 물이 나온다.

9 큰 수조에는 처음부터 30L의 물이 들어 있었으므로 20분부터 57분까지 37분 동안 $474 - 30 = 444$(L) 늘어난 것이 되어 수조에는 1분에 $444 \div 37 = 12$(L)의 물이 들어오는 것이다.

작은 수조의 물이 30L가 되는 때가 처음으로 두 수조에 들어 있는 물의 양이 같아지는 때이므로 $30 \div 12 = 2\dfrac{1}{2}$(분) 후이다.

따라서 처음부터 $2\dfrac{1}{2}$분 후에 첫째 번으로 두 수조의 물의 양이 같아진다. 또, 그래프에서 작은 수조의 물은 20분 이후에 변화가 없으므로 20분까지 들어온 물의 양은 $12 \times 20 = 240$(L)이다.

큰 수조의 물도 240L가 되는 때가 둘째 번으로 두 수조에 들어 있는 물의 양이 같아지는 때이다. 큰 수조의 물은 처음부터 30L가 있었으므로 $240 - 30 = 210$(L)가 늘어나는 데 걸리는 시간을 구하면 된다. 20분 이후부터 210L가 늘어나는 데 걸리는 시간은 1분에 12L의 물이 들어오므로 $210 \div 12 = 17\dfrac{1}{2}$(분)이다.

따라서 처음부터 $20 + 17\dfrac{1}{2} = 37\dfrac{1}{2}$(분) 후에 둘째 번으로 두 수조의 물의 양이 같아진다.

10 그래프를 관찰하면, 14분이 됐을 때는 ㈏, ㈐ 사이의 칸막이의 높이까지 물이 가득 찼음을 알 수 있다.

$(31.5 + 56) \times 14 + 7 = 1232$(L) $= 1232000$(cm³)의 물이 들어왔으므로 ㈏와 ㈐ 사이의 칸막이의 높이는 $1232000 \div (160 \times 100) = 77$(cm)이다.

한편 ㈐에는 $8\dfrac{1}{4}$분이 됐을 때 물이 가득 찼고, 그 때 ㈐에 들어 있는 물의 양은

$56 \times 8\dfrac{1}{4} = 462$(L) $= 462000$(cm³)

이므로, ㈐의 가로의 길이는

$462000 \div (77 \times 100) = 60$(cm)이다.

또, 4분부터 $8\dfrac{1}{4}$분까지 $4\dfrac{1}{4}$분 동안 ㈏에 들어간 물의 양

은 $31.5 \times 4\dfrac{1}{4} = \dfrac{1071}{8}$(L)이고, 7L의 물이 들어 있었으므로 $\dfrac{1071}{8} + 7 = \dfrac{1127}{8}$(L) $= 140875$(cm³)의 물이 ㈏에 들어 있다. 이 때의 높이가 $20\dfrac{1}{8}$cm이므로 ㈏의 가로의 길이는 $140875 \div (20\dfrac{1}{8} \times 100) = 70$(cm)이고, ㈎의 가로의 길이는 $160 - (60 + 70) = 30$(cm)이다.

㈎에는 4분까지 $31.5 \times 4 = 126$(L) $= 126000$(cm³)의 물이 칸막이 높이까지 찼으므로 ㈎와 ㈏ 사이의 칸막이의 높이는 $126000 \div (30 \times 100) = 42$(cm)이다.

따라서 두 칸막이의 높이는 42cm, 77cm이다.

4과정 정답과 풀이

최상위를 위한
심화 학습 서비스 제공!

문제풀이 동영상 ➕ 상위권 학습 자료
(QR 코드 스캔 혹은 디딤돌 홈페이지 참고)

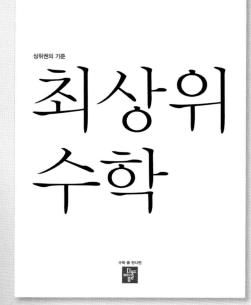

중학국어 독해를 제대로 시작하려면

생각 읽기가 독해다!

생각 읽기가 독해다!

생각독해 I

디딤돌 국어독해

디딤돌

| 중학 국어 | 시작편 (I) | 기본편 (II , III) | 심화편 (IV , V) |